中国近现代中医药期刊续编

第三辑

卫生杂志（二）

王咪咪　侯酉娟◎主编

2022年度北京市优秀古籍整理出版扶持项目

北京科学技术出版社

图书在版编目（CIP）数据

卫生杂志：全二册 / 王咪咪，侯酉娟主编. — 北京：北京科学技术出版社，2023.11
（中国近现代中医药期刊续编. 第三辑）
ISBN 978-7-5714-3356-7

Ⅰ. ①卫… Ⅱ. ①王… ②侯… Ⅲ. ①中国医药学—医学期刊—汇编—中国—民国 Ⅳ. ①R2-55

中国国家版本馆CIP数据核字(2023)第206565号

策划编辑：侍　伟　吴　丹
责任编辑：吴　丹　杨朝晖　刘　雪
文字编辑：王明超　刘雪怡　李小丽　毕经正
责任校对：贾　荣
图文制作：北京艺海正印广告有限公司
责任印制：李　茗
出 版 人：曾庆宇
出版发行：北京科学技术出版社
社　　址：北京西直门南大街16号
邮政编码：100035
电　　话：0086-10-66135495（总编室）　0086-10-66113227（发行部）
网　　址：www.bkydw.cn
印　　刷：北京捷迅佳彩印刷有限公司
开　　本：787 mm × 1092 mm　1/16
字　　数：1 220千字
印　　张：66.5
版　　次：2023年11月第1版
印　　次：2023年11月第1次印刷
ISBN 978 - 7 - 5714 - 3356 - 7

定　　价：**1780.00元（全二册）**

HEALTH MAGAZINE

衛生雜誌

第十八期

中華郵政特准掛號認爲新聞紙類
內政部登記證警字第二八二九號
社址上海愷自邇路嵩山路口瑞康里

「梅濁剋星」獨佔優勢

因德國「梅濁剋星」確有勝過種種治療方法之特效

梅濁剋星的殺菌力；勝過透熱電療，
梅濁剋星的消炎力；勝過注入色素，
梅濁剋星的清濁力；勝過注射針藥，
梅濁剋星的淨毒力；勝過局部洗滌，
梅濁剋星的鎮痛力；勝過插入油錠。
梅濁剋星的利尿力，勝過內服各藥，

其能勝過種種治療方法之理由何在？

淋濁不能斷根，是因淋菌深伏尿道，爲黏膜所保護，藥力不能滲透黏膜，故終難斷根，表面雖愈，不時復發，德國「梅濁剋星」，具有滲透黏膜之特性，故能徹底撲滅潛伏之淋菌，而達完全根治之目的也！

(一)藥性純正和平絕無障害胃腸，臟腎礙及生育等副作用！

(二)殺菌力特大！爲任何藥物所難及

(三)成分高貴！善治醫藥罔效之老白濁！

(四)無手術注射之麻煩與痛苦！而功效之靈速過之！

君於購買眞正德國出品白濁對症專藥梅濁剋星時務希堅決指定及認明盒樣(參見以前所登廣告)及猩猩商標以免劣藥混目欺人

滲透性特強……
治療力特速……

▲百尺竿頭更進一步！
▲研究成功最新出品！

特種梅濁剋星

過去成績已足驚人

德國愛迪那博士發明，戚爾鄧大藥廠監製之白濁專藥『梅濁剋星』，具有透膜殺菌徹底根治之效力，對於男女急慢新老五淋白濁有獨到之效驗，凡外治，內服等一切療法不克奏效者，服之無不立見靈效，聲譽卓著久爲全球醫藥界及病家所稱道。

不敢自滿精益求精

『梅濁剋星』之『功效』『成分』『製法』等，均已登峯造極，超越羣倫，已有確切事實之證明，但本劑發明者與廠中同人，仍本學術無止境之原理，昕夕研究不遺餘力，以冀獲得更偉大之貢獻，爲醫界爭光榮，替病家謀幸福。

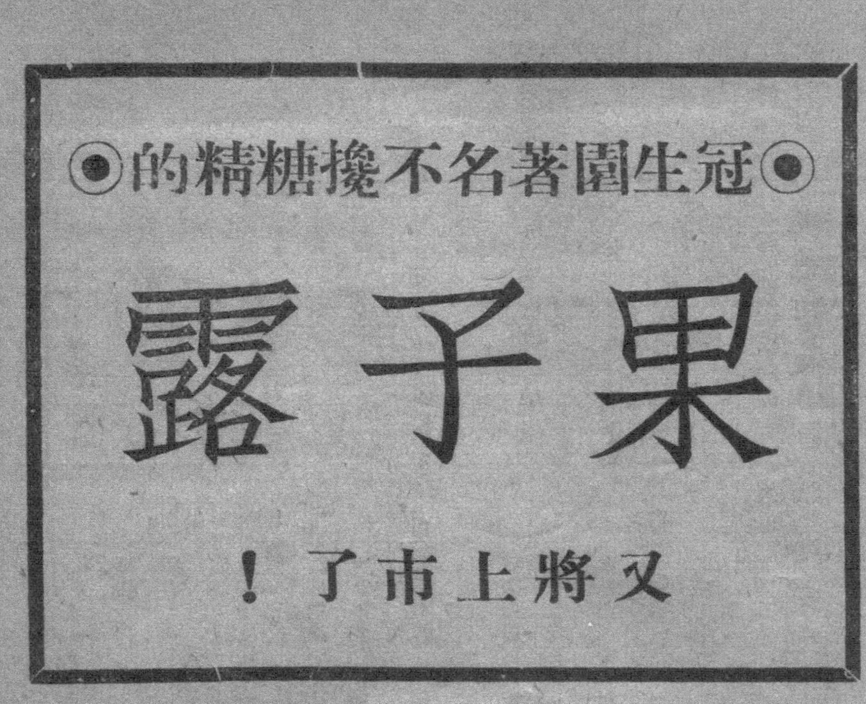

冠生園著名不攙糖精的
果子露
又將上市了！

每飯不忘
有味哉！
味精
不論葷與素
無有不相宜
若加少許量
立刻就有味
蔬菜成美肴
全賴此些微
不特性滋補
用之尤經濟
加餐之妙品
人人無不喜
上海天廚味精廠出品

衛生雜誌第十八期目錄

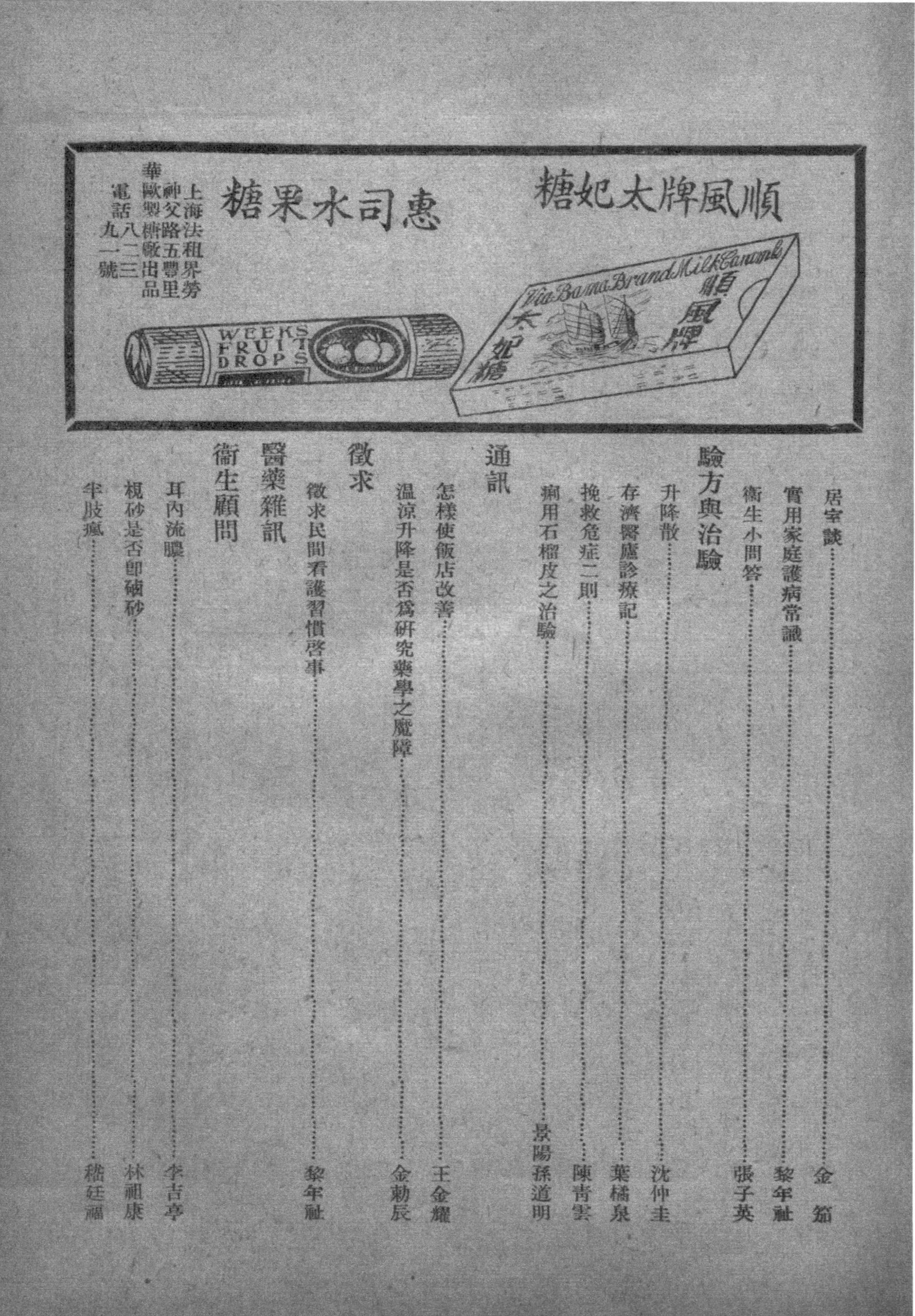
順風牌太妃糖
惠司水果糖
上海法租界勞神父路五豐里
華歐製糖廠出品
電話八二三九一號
WEEKS FRUIT DROPS
Via Bama Brand Milk Caramel
順風牌
太妃糖

醫報第二卷第十二期

醫報國藥專號 預告

焦易堂題

國產藥物之研究 強壯劑 山藥 葉橘泉 國產藥物之研究 強壯劑 鹿角 葉橘泉 沈仲圭合作 桂枝脞談 李克蕙 常山草果於瘧疾 許持平 談藥 徐瀛芳 國藥拉雜談 葉勁秋 杏仁對於陰虛咳嗽 張忍庵 中藥之臨床研究 阮其煜 金耳與銀耳之探討 董志仁 改進國藥之我見 廉文熹 國藥與科學 鄧源和 國醫之強心藥 章次公 國藥雜記 何公度 國藥雜記 陸淵雷 發明國藥之是與非 章巨膺 藥的價值問題 李棻 深合科學的古方劑 文熹 提倡國產物必要的幾個條件 胡定安 關於國藥幾個主張 壽守型 藥物片談 謝祝懷萱 水與火 吳克潛 藥物本草作者之軼事 謝誦穆 合理的民間單方 葉橘泉 國藥今釋 楊則民 自療民間藥 章次公譯

尚有未竣事之名家佳作未及排入預告當發表於專號矣

本報第一卷第二期至十二期每冊實售壹角合購十一冊減售壹元第二卷擴充篇幅每冊實售壹角六分預定全年壹元六角半年八角香港台灣全年壹元八角國外二元每卷出專號二次每冊另售四角常年定戶不另遞加以示優等匯票須註明上海愷自邇路郵局郵匯不通之處郵花代費九五折計算(限壹分半分五分三種)索樣本限第一卷第二期來函附郵五分即行寄閱

醫報發行人廉文熹編輯主任陸淵雷編輯沈本琰 章次公 謝誦穆 敬啓

函授

清宮避孕寶

體弱多病的救星 經濟困苦的生路

生產過多的保障 打胎危險的福音

現在可解決了

前清西宮供養李太醫遺傳避孕祕方經海上科學巨子胡博士驗用廿年効力百發百中超過外來之「她的油」功用百倍手續簡便藥價只費五分其料可用一月有能避毒不碍生育隨用隨靈不用仍可得孕如要詢問函寄漢口泰康里九十一號萬壽堂可也當班函覆

方法

甲種拾元 乙種五元 丙種壹元

空函不覆 郵票九折

貧苦免費壹角郵資 孀婦處女切勿

來信兩家證明蓋章 來函以重道德

編輯者言

編者

本刊爲適應現代潮流而產生。尤其厲行新生活運動的當兒。本刊需要很急切。所以本刊到處受社會民衆熱烈歡迎。踴躍訂閱。最近如福建湖北湖南等省。雖窮鄉僻壤的區鎮。訂閱者也非常踴躍。這是本刊多麼榮幸呀。現在本市將舉行第十三屆衞生運動大會。由本市衞生局等機關發起籌備。擬實施公共衞生。作擴大運動。本刊職責所在。豈敢落後。所以下期（第十九期）擬刊行公共衞生專號。關於公共衞生事項。務希諸同志多多發表意見。撰稿惠寄。那末非但本刊的榮幸。也就是整個社會的榮幸。

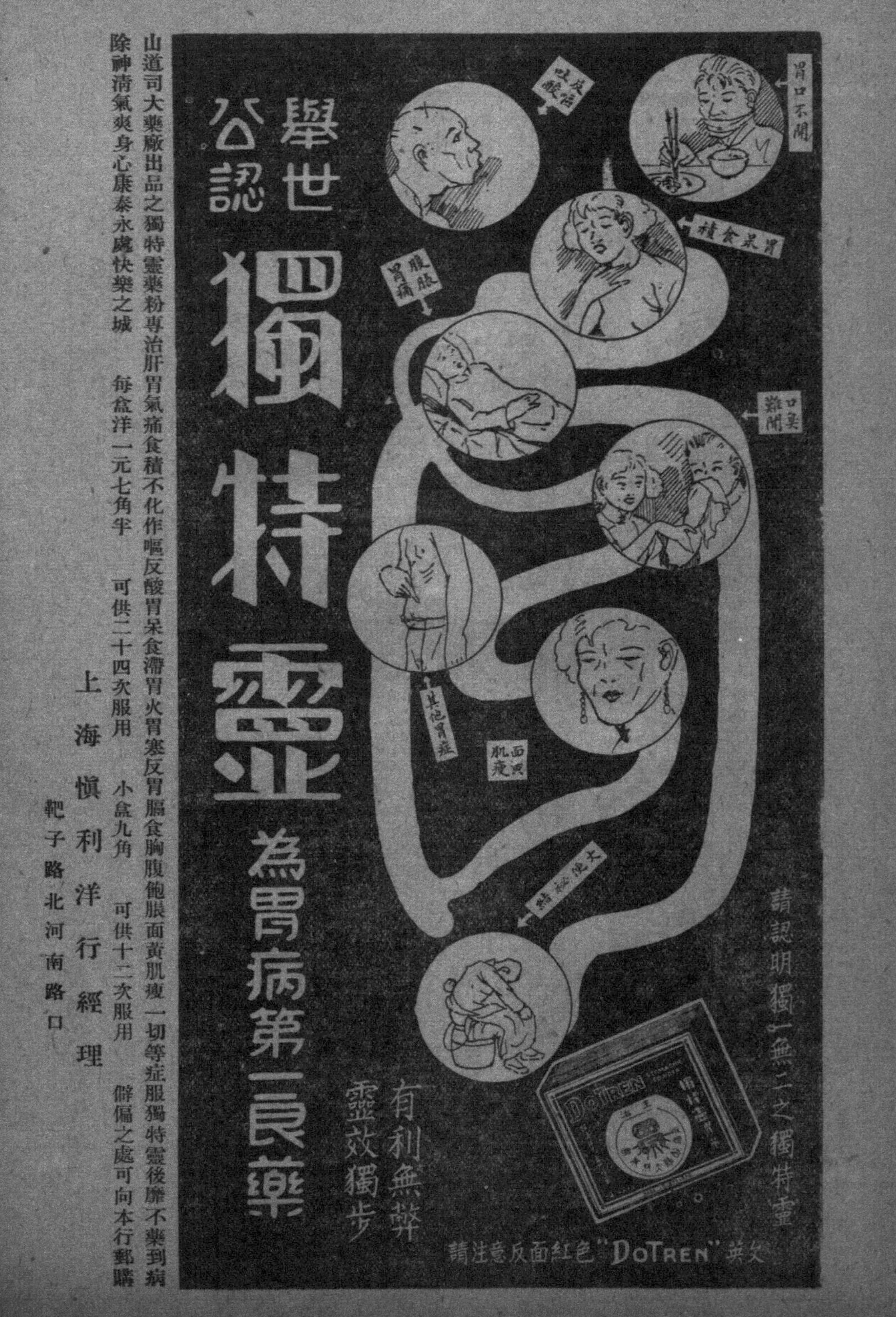
舉世公認
獨特靈
為胃病第一良藥
有利無弊
靈效獨步
請認明獨一無二之獨特靈
胃口不開
反胃吐酸
胃呆食積
腹脹胃痛
口臭難聞
其他胃症
面黃肌瘦
大便秘結
DoTREN
請注意反面紅色"DoTREN"英文
山道司大藥廠出品之獨特靈藥粉專治肝胃氣痛食積不化作嘔反酸胃呆食滯胃火胃寒反胃膈食胸腹飽脹面黃肌瘦一切等症服獨特靈後靡不藥到病除神清氣爽身心康泰永處快樂之城
每盒洋一元七角半　可供二十四次服用　小盒九角　可供十二次服用　僻偏之處可向本行郵購
上海愼利洋行經理
靶子路北河南路口

醫藥言論

讀嚴獨鶴哭三弟畹滋感言

金勍辰

醫無論中西。科無論內外。必先定名。始有治法。據嚴君所述。不但中醫和西醫見解不同。就是中醫與中醫之間。西醫與西醫之間。也各有不同。在中醫方面。有的說是疔瘡。有的說是丹毒。有的說是濕熱蘊結。有的說是流火結毒。依然莫衷一是。在西醫方面。雖然共認爲血中毒。比較一致。但治療和挽救的方法。又往往互異。此則不能不使病家留有遺憾也。再據述病狀是左腿部(小腿前近骨處)偶然發現了一點破皮的創傷。這個創傷。也不知是擦破的。或是抓破的。總之創處很小。既不紅腫。也絕無痛苦。若干時日以後。創口始有些微紅作痛。又兩日後。加發寒熱。决非疔瘡丹毒及濕熱蘊結流火結毒等症可比。蓋名之曰疔瘡。初起必有五色(或紅或黃或黑或紫或白)小疱。名之曰丹毒。初起患處必廣赤如霞。至於所謂濕熱蘊結流火結毒。又是外科指受病原因之籠統名詞。非據經絡認症之專名。尤其是西醫血中毒三字。意義更爲廣泛。可以籠罩中醫外科一切名稱。譬如中醫說腫毒二字。可爲外科之總代名詞。人身血循環不息則無病。一遇外感浸淫。七情鬱結。則血凝滯而生毒生菌。無毒則不腫。此必然之理也。故西醫認爲血中毒。當然一致。再進一步辨別。有經驗淺深不同。手眼高下不同。故治療和挽救的方法。及對於輸血的效能如何。開割的利弊如何。血清的注射和藥物治療的步驟又如何。各本經驗手眼。當然各說各的話。細考外科腿部諸證。皆由沉寒痼冷中來。如大腿外側名爲附骨疽。裏側名爲咬骨疽者。初起外敷內服。誤用苦寒損脾泄氣等藥。必致氣血冰凝。內肉瘀腐。乃成不治之症。緣此症起病之因。由體虛之人。浴後寒濕侵入。或房慾之後。蓋覆單薄。寒邪乘虛入裏。初覺寒熱往來。如同感冒風邪。隨後筋骨疼痛。不熱不紅。及至陰極生陽。寒鬱爲熱。熱甚腐肉爲膿。外形腫胖。漸透紅亮。嚴君乃弟之恙雖在小腿。部位不同。而經絡則一。外側爲三陽經。內側爲三陰經。凡體虛之人。未有創傷。尚能受寒結毒。既有創傷。更易因寒凝毒。稍一不愼。誤作熱毒施治。必成死症。中醫外科。根據部位經絡形色定名爲癰爲疽。出腑出臟。屬陰屬陽。是寒是熱。界限嚴明。最要辨別。一如內科分定寒熱虛實。方無錯誤。無醫學知識之人。每謂內科中醫好。外科西醫好。抑知憑解剖僅能檢查其實質。考化立(氣化氣立)可以測驗其動機。中醫無論內外科。都有天時氣化之分。地利寒暖燥濕之殊。人事賦稟強弱之別。分析入微。同病不同方。斯爲上工以上海中西醫人才會萃之區。猶使嚴君哭弟。無怪喻嘉言慨嘆中上之醫。千里百年。目未易覩矣。 附記治驗本年一月十九。潘二房東娘姨之女。年十七。求診於余。右腿外側腫痛已一星期。堅硬微紅。無頭。惛寒壯熱。脉象緊滑。苔灰黃厚濁。余用酒調冲和膏爲外敷。以五積散加減爲內服。壹劑腫消。全愈。製蒼朮二錢。製川朴八分。淨麻黃五分。老干姜五分。正川芎一錢。全當歸一錢。仙半夏一錢。廣陳皮一錢。甘桔梗一錢。生甘草五分。白雲苓一錢五分。芳白芷四分。炒只壳八分。蒸牛膝一錢五分。淨紅花五分。

編者按：關于畹滋君的病名問題，中醫紛無定論，西醫雖衆口一辭，而治法亦有陷于莫衷一是之苦。對于這件事凡國醫界中人，應當亟起謀病名的統一，彌補這缺憾。假使不從正本清源着手，你一句我一句，公有公的理，婆有婆的理，一輩子也弄不清楚。便成爲無期的憾事了。原著論外科亦不可妄用涼藥，逼毒內陷，這確是事實，不過毒既內陷（恐卽西醫所謂血中毒素已侵及神經系統或心臟）只有開閉一法，効果當然不能決定必佳。又原著『氣立』何義未詳。血凝是否卽能生毒生菌，和腿部外科，是否皆由沉寒痼冱，亦不敢斷。

飲牛乳之商榷

自 新

牛乳滋養力之充足。爲古今中外所公認。我國北部。牧畜業較爲發達。故採此爲日常飲料者甚衆。大江南北。因牲畜較少。牛乳比較難得。故僅中上之家。得以此爲補品。且僅限冬令。一到桃柳爭春。綠草如綑之際。卽相戒不飲。向之認爲於人滋補甚偉者。一變而爲鴆毒砒醴。不亦大可異哉。進而求其所以致此之由。則不外冬令嚴寒。萬物枯零。牛類之食料。庶爲預先儲藏之稻草豆漿。不含毒汁。故其乳亦無毒。一入春深。百草滋長。牛以此爲食料。難免誤食有毒草本。則乳中必混有毒素。故不可飲。初聆此言。殊爲有理。實則我國北部之畜牧同胞。終年以此爲飲料。固未常爲害也。食物入胃。首先消化而入血。乳中有毒。則血中亦當有毒。今食其血肉而不疑。而獨疑其乳之有毒。可乎。但一般通俗所謂入春之牛乳有毒。蓋指其發瘡瘍。使皮膚病增劇。此則亦爲事實。然能使皮膚病增劇者。非牛乳一物。亦且與各個之體質及習慣有關。如牛肉。公雞。羊肉。韭之類。皆能使皮膚病轉惡者也。但有食之無恙者。有食之卽轉變甚劇者。有久戒不食。一旦食之而轉變甚劇者。有一向不忌。而安然無事者。可以證也。第爲防患未然計。對於乳牛之食料。亦當加以注意。故吾人採用牛乳。固不僅注意其料理之清潔與否而已。蓋牛乳之所以含有毒素。不外乳汁之本然。與料理不潔。乳汁內之有毒與否。旣如前述。通常因料理不潔混入之不潔物。以非病原菌爲最多。故不致爲害。當夏季天氣炎熱。人體消化力薄弱。而細菌繁殖甚烈。故飲用不潔之牛乳，每易發生胃腸疾病。或嘔吐不止。或腹痛泄瀉。其原因皆由乳汁料理不潔。致細菌混入所致。故吾人採飲牛乳之際。自當注意其料理之清潔與否。消毒之完備與否。以爲採飲之標準。通常最適當之消毒方法。爲煮沸消毒法。以牛乳裝入清潔之瓶內。蓋以密縫之橡塞。入沸水中煮沸五分鐘。或十分鐘。立卽移置於冰箱中。夏季飲此。涼爽滋補而無弊。若有不潔嫌疑。非經煮沸。以勿飲爲佳。幸注意之。

編者按。牛乳非僅歐美人士用爲四季常飲之營養品。卽吾國北方畜牧同胞。亦以此爲日常之滋養料。純粹之牛乳。含蛋白質（〇。〇一二）脂肪質（〇。〇三五）乳糖（〇。〇七）均豐富。且消化機能之吸收比率。亦較普通食料爲高。（百分之九十五以上）貧血及病後體力陷於虧耗時。尤爲適宜。據調查所得。上海畜植公司之牛奶較爲清潔可靠云。

文化與教育旬刊

第十六期出版

二十三年四月廿日要目

學術研究

抽血過氣注射法研究（續）

吳縣姚心源

發明後繼述

我認定人的疾病。無論內症外瘍。皆爲細胞新陳代謝病。吾們可以看見人身的新陳代謝。就是皮膚上的常有屑落。如蛇之退皮然。

因爲老弱的細胞。當然要排洩。這就是優勝劣敗天演公理。要是此項老弱的細胞。不能脫退。居留在人身的當中。就是阻礙。

在阻礙時：當然就是生病。內外一例論也。人智可以想得到。人目可以看得到。舉一例。可以概其他。所以說風之中人。血毒之傷人。大別有二。

風邪之中人。就是外面的微菌。

血毒之傷人。就是象象體內的梅毒性，所謂梅毒性。因爲受着微菌的變酵。所以微菌不一定是害人。微菌的害人。必定因爲人身的血族自己不能抵抗。

風邪與血毒因爲新陳代謝的妨礙而成病。

此是一定的病理。不容例外。

人體的各項物件。因着外力而轉位者。這一定是風邪血毒因爲新陳代謝的妨礙而發生。所以本項療法。對於轉位病療治。當然亦屬可能。不必求之手術。

血是人身內的氣性造成。由於血細胞的繁殖。風亦是自然界氣性造成。由於大氣空氣的擊蕩。我將此項風來代氣。此項血來代性。

邪氣性風血的當然與自然界的算數適成一正比例。前古的中國療法。動曰氣血的爲病。吾就於此氣血上著想。牽引出不少的陳舊方法來改良。適合於當代就是刮痧法推拿法看三關法察痧眼法。（亦作痧痕）轉位病得到血細胞的自強的糾正。就是利用他血族的波隴來達到他的目的。

所以轉位病。如欠伸。如不噎。如不大便。如脫腸。（俗稱疝氣）均可用此法療治。

本方法不僅可以治病。抑且在相當研究中。當注意全世界優生辦法。改除癆病。花柳病。以及保持童年。助長發育。變易性情。預料均是可能之事。

如施療於犯人之身。或者可以撲滅其劣根性。感化及於自新之路。

鄙人繼續的研究。

除將鍼式另訂外。因爲原定之式。頗屬不良。特改良新式如下。

此項鍼筒形式另詳

將內中像皮套廢去。得到氣性同時變化。所以使施療時間節省。

藏氣內筒。可以隨時消毒及置氣。免得手續麻煩。

該項原理及圖樣。公式另訂之。

茲經規定需要的工作。

本項治療器施療注意。

應該在針頭的二旁邊。添一活塞。

應該爲本項針器在過氣和血之時。惟恐倘有餘留之氣。未能與血性相和。以致氣性拴塞在人的皮膚內。以致有。

心藏休克　肺藏休克　腦藏休克　三項危險

所以用該項治療者。其靜而留久。使血氣中和。切忌暴躁施術。

假使其間的氣性未能與血性相中和。就足以使波隴減除而得到氣泡的不良效果。

凡施療術後。應當於數分鐘後或三數日。用聽診器聽其心房。在肺在腦其間有無沙音或雜聲。倘有沙音或雜聲。就是氣泡的阻礙。可以致成休克的。當然非常危險。

現下就加一個活塞。得到靜而留久氣血中性的效果。當然可以免避以上問題。

好得此項療法。僅屬皮下注射。其間皮質非常疏鬆。容易受大量注射物。且富有微血管及淋巴間隙易於吸收。而得迅速達到病體。

故該項靜久。就是得到氣血的中和性。

所謂穴俞注射者。仍是皮下注射是也。

並不是皮肉注射。亦不是靜脈注射。

僅皮下注射可以橫刺。本法應當直刺。

所以不必防其皮肌彈動而用鬱血帶。

注射者應當審查。

針腔間通否。

氣性中和否。

針管破裂否。

針基接連牢固否。

針與菌密接否。

筒與吸子活靈否。

先於未抽血時。應當將第一筒用吸子驅除其空氣。務使得到眞空而留血。

針腔最易閉塞。故每次診療後應當消毒。並視其針腔是否生鏽。

再針尖若鈍。尤能使患者加痛苦。務當注意。

所以注射者應當選擇。

是否病域所在之穴俞。

其間皮下結締較多否。

血管神經較少否。

注射便利否。

痛覺較鈍否。

想宜於此。乃能設療。

預先當於就療者之無論何處取出一點血來。加入鹽水少許。略置火焰一二回向明亮處看視。

爲透視否。知是貧血症。

爲全不透視否。爲血毒症。

爲半透視半不透視否。知爲結核性。

透視者。知必有沈澱者在內。

全不透視。知其間血性被毒性所中和。

半透視者。知其血性間的昇華沈澱同時相並。爲煩而不當。

注射之偶發症。

（一）膿瘍。 因針孔發炎內髓膿血發生潰瘍。

（一）注射器不清潔。

（二）注射物有害於皮下組織細胞。本條本器免除。

（三）注射劑雖可融於水而不易吸收。本條本器免除。

（四）注射物中混合多數細菌。或有強度感染。免除。

（五）注射時不合法度。

（六）患者己陷於疲憊衰弱狀態抵抗爲薄弱。免除。

（七）注射後刺孔接觸不潔淨物。以致病菌侵入。

(二)創傷注射時。若不守防腐法。則由手指注射的媒介而致重篤創傷傳染。

(三)結痂。注射不在兪穴。而在其他部分。致呈血性壞疽狀而結痂。有汙黑色結爲痂皮防其續炎。(反疱)

(四)疼痛。如注射在關要處。致疼痛不仁。實由手術不精。

(五)硬結。留於皮下組織。因失去波臓效果。致生硬結。甚爲壞疽。

(六)拴塞。注射物誤入皮下靜脈而成毛細管拴塞發生重篤的肺病或心腦病。

(七)中毒。配置不良而非當病的氣化。皆成中毒。原因不外用量過多。注射差誤。有生命之危。

(八)針斷。是施術者不慎所致。

大概該項注射不如靜脈注射多生膿瘍。或先搔痒寒熱等情事。但不幸情事。亦不可不預爲之防。

(一)皮下溢血。　注射後第二日或數日穿刺部皮下周圍發生青斑。約一二日後則漸次退盡。此種皮下溢血。每因注射時偶觸靜脈壁腔而發生。

(二)靜脈變硬。　本療器決無此項發生。因爲不在靜脈注射。又無有劇性物容留其間。不致引起靜脈炎而致成其變硬性。

所以本術免避橡皮套者。因橡皮中有毒質。致發生全身症狀。在注射後三十分鐘。惡寒發熱嘔吐下利頭痛汗出遍身痙痹等反應。此是發明人愼之又愼之事。

但是中毒性與氣拴性。是應當再加特別注意。

原中毒者因爲調度不良血氣發生反應所致或因酸性反應之太過。或因強鹼性反應之故。此外則爲過敏性之一種。皆足發生危險。

原氣拴是不能得到靜久的調度。所及加一活塞。便無妨礙事。

附載來夾買油劑靜脈注射法。

來夾買之油劑注射。乃舍肌肉注射。進爲靜脈注射。如用的列並油阿列夫油或肝油等。來氏曾於一九二二年十一月發表論文及講演其手術。

嗣後並報告其研究過程。並先後改善其多數試驗之經過。其言曰。

從來油劑之靜脈內注射。一般術家以其易起脂肪拴塞。均視爲十分危險。但考據多數醫家實驗。將加工製成之油劑。行靜脈內注射。非但不認何等障礙。且以拴塞之形成而與病灶予好影響者不少云。

蓋以藥物注射肌肉內。其作用發揮不充分。尤對於生體個體起特殊反應現狀。如嘔吐發熱頻作爲慮。

是因肌肉注射後。藥物的周圍。形成細胞壁。而油劑被包於內。由是藥物之吸收遂受障礙。而奏效亦不確實矣。

油脂專從事于肌肉內注射。實際上效力減弱。努格林爾米來耳氏用的列並油注入腸骨膜上。察知吸收不確云。

來氏數年來試用油類送入血行中。而考察其現況。結果考悉油劑儘可應用。彼曾以乳劑狀態的油劑。極微細之粒子投與。避去毛細管之發生。此際之油類用滅菌牛乳混合研磨。作成乳劑。然由此所得之油滴。由顯微鏡的。尚嫌過大。猶恐不適於用。因此更思他法。作種種試驗。經數回注射後。不惹起過敏性。並無何等危險。末次的試驗。卽用的列並油。

此時尿中無蛋白證明。卽消失尿中無何等有形成分發見。亦不認何等之持續的障礙。來氏卽應用樟腦油之注射。最後並用烏衣加立坡斯油等。結果均不失敗。油類之入靜脈內也。如漏於靜脈外。或血管周圍組織時。易於發生膿瘍。油類不得振盪而使其中和。極易吸入空氣。但油類注射須入靜脈。極易招致溢血。尤易留其油類之質於組織中。

油類進行於血流之中。究入何處爲終點。是亦應研究之一大問題。據實驗結果。知其全注射量。均止于肺動脈之細管。

喜攀耳氏就此試驗於氣管枝肺炎結核及健康體。于死前數日及數時間行油脂注射。則認肺藏部平等拴塞度態。爲肺葉呼吸作用衰弱之說。並非反應。故毫無根據云。于氣管枝肺炎病灶吸收不全。或由滲出液血管受壓迫所致。又於結核有發見血栓及血管破壞部有栓子浸入之時。此種現象。爲抗病原性作用。

是知油脂注射之影響於肺藏。證明其大部份直接通過肺毛細管達於所期部位。自用油乳劑注射時。不感有油味刺激粘膜。發生欬嗽。此由於油中具有發揮性。及味覺器官受油類刺戟所致。當由注射後。可以於其尿中證明有脂肪塵脂肪滴。是乃注射之油劑。已通過血球。證明此種部份排洩。或經細尿管而達細小毛細管以侵入尿路所致。

苟欲圖避注射危險。非得油乳稀薄不可。反是常慮發生右心室過重。

於注射持續的行尿檢查。有極少例可以證明蛋白之痕跡。且於一二時間卽消失云。

油脂的療法。對於濕潤性濕疹癬瘡腋窩膿瘍足潰瘍治愈極速。對於淋病腎盂炎子宮瘍滲出性疾患。亦有充分切確之効。至分泌過多之慢性氣管枝炎。得坡斯油亦效。油類的功用。是由原形質賦活作用之學說。

對於油類注射的感想。　油類注射。尙未通行於世界。但確有一部分理由的存在。

不如含油類而用血。血既是水。尤是油。以自己的油水補其身。當然可以免避其他各項的反應。而得油水兩項的效果。並加相當的氣性在血內化合物便可以有毒爲無毒。

一既得化合性消毒功效。

二又收原體質賦活作用。

當然是一種醫療的進化。玆當列述本發明實驗與影響。

附引穴

從手大指引而上。無論何地。

治咳嗽聲瘂發喑。

從手食指引而上。無論何地。

治半身脹痛。俯仰俱難。右足不能屈伸。

從足大指引而上。

治腹脹扳痛。四肢無力。泄瀉不止。

從足大指次指中指外間引而上。

治目睛赤突。脣乾鼻燥。腹中絞痛。

從手中指小指引而上。

治或哮。或寐。譫語。

從無名指引而上。

治胸腹熱脹。揭衣去被。口乾且渴。

從手小指引而上。

治昏迷厥逆。不省人事。如瘧表發。

從足小指引而上。

（未完）

肺癆初則可補重則宜攻瘀說

王槪

肺癆之害於人羣久矣。其傳染最劇。古之傳屍勞。蟲蛀。癆瘵。骨蒸勞熱等名。皆卽近世之所謂肺癆也。蓋以血族相染。更有以症狀而立此種種名稱。名稱雖多。從未述及其正原因者。獨西方醫學對斯病之原因及病理。研究極爲詳盡。而治療至今尙無特效療法。雖經醫學家苦心探究。終未能臻美滿之望。但國醫學數千年前。已有良好之療法。及一定規律矣。考金匱要略云：『五勞七傷虛極。羸瘦腹滿不能食。食傷。憂傷。飲傷。肌傷。房室傷。經絡榮衛氣傷。內有乾血。肌膚甲錯。兩目黯黑。緩中補虛。大黃䗪蟲丸主之』。觀此條首數語。實已明示吾人肺癆可以攻瘀。使瘀去新生。日人湯本氏亦稱肺癆可以應用大黃䗪蟲丸。奈吾國後世醫學衰頹。業醫者。多不能苦心探究。故步自封。不能闡明仲聖之旨。每遇肺勞輒以淸肺滋陰不效。則投以補陽。繼則補陰。愈補愈虛。至死不悟。良可浩嘆。然欲述肺癆何以初則可補。重則須攻瘀之理由。必先知肺癆感染之原因及病灶之進行情形。始可明瞭。玆依序分列述之。

原因　肺癆之原因。爲一八八二年 Rodest Koch 氏所發見之結核桿菌。其形細桿狀。其身長徑約當赤血球三分之一。該菌混合患者之痰中。吐出則爲日光蒸乾。與塵埃飛揚瀰漫于空氣中。幾隨處被人吸收入肺中。遂繁殖侵襲人體。於是肺癆成矣。

病灶之進行情形　結核菌既已竄入肺組織細胞中。若在康健者。白血球與抗毒素遂起而殺滅之。結核菌卽不得侵襲。虛弱貧血者。或有合併症爲之障礙。不能殺滅。結核菌卽力施攻擊。肺組織細胞乃起炎症。上皮細胞增殖堆積生成硬固結核。繼則漸漸增大。結核盤踞之所。血循環不能通過。患處鬱血。失其營養。是以該處遂陷於壞死。而成空洞。生命卽趨危險矣。

結論　總上所述。結核菌初侵入肺部時若非患者體質虛弱或有合併症爲其誘因。結核菌斷不能繁殖。故初感染時。當補血淸肺掃除障礙。以增加殺菌抗毒力。若患部病灶已擴大。血液循環已起障礙而鬱血。斯時徒補則無功。非攻瘀之劑。速使病灶之瘀血排除。則結核菌無由殺滅也。日本湯本求眞氏謂肺癆之感染。必先有瘀血爲之誘因。結核菌藉此寄生繁殖。又謂木蠹而後蛀生。非蛀生而後木蠹。彼雖倒果爲因。而其主張肺癆應當攻瘀則一也。攻瘀對於侵襲人體之結核菌雖無直接撲殺之能。然可將結核菌賴以資生之培養基。掃除盡淨。使其失卻憑藉。不難一掃淨盡。余根據仲聖與湯本氏之說。可證此理之不謬。國醫治肺癆至今無人敢用攻瘀之法。仲聖之明訓晦滅不彰。可知國醫無革命性。無實驗性。實不如日人遠矣。可恥孰甚。

常山與瘧

若愚

常山一名恆山。屬芸香科。根曰常山而葉名蜀漆。臭氣甚烈。故日華又名鷄屎草。鴨屎草。蓋有由矣。其品類有三。曰

鷄骨常山　海州常山　土常山

鷄骨常山。宏景指爲本藥上品。其言曰。細實黃者呼爲鷄骨常山。用之最勝。卽今所應用者也。

海州常山與土常山。俱不入藥。其理由爲常山本味苦。而此則味甘。第中東學說。不無少異。蘇頌曰：「天台山出一種草。名土常山。苗葉極甘。人以爲飲。其味如蜜。……」而古方藥品考則曰：「海州常山味甘。不能治瘧。土常山亦不可入藥。」

一云土常山味甘。而未及海州常山之性味。一云海州常山味甘。雖並及土常山之不可入藥。而仍未明其所以。合二說觀之。其言雖殊。其理則一。至常山之施用于瘧。在本草首見于本經。曰：

「……寒熱……發溫瘧……」——常山

「……瘧及……寒熱……」——蜀漆

在方書則首見于金匱要略。曰：

「瘧多寒者。名曰牡瘧蜀漆散主之。」

然以本品爲治瘧之藥固矣。以本品爲治瘧之要藥則未也。有之。當自千金方始。千金方集瘵瘧方三十一首。內用蜀漆者二首。用恆山者十一首。蜀漆恆山俱用者四首。合計得十七首。約佔全數五分之三。其重要可知。

蜀漆散。牡蠣湯。

以上二方。用蜀漆。

治瘧或向日發者或夜發者方。恆山丸。又方。梔子湯。又方治瘧方。鯪鯉湯。恆山丸。恆山湯。又方。藜蘆丸。

以上十一方。用常山。

蜀漆丸。烏梅丸。又烏梅丸。治心熱爲瘧方。

以上四方。蜀漆常山並用

自茲以降。本品之功效乃著。以本品治瘧者亦益衆。其較有聲聞者如

唐

延年知母鱉甲湯。又瘵瘧丸(外臺)醇醨湯(宋俠經心錄)——

宋

萬安散(濟生)常山飲(局方)七寶飲(易簡)——

常山散(子和)——金元

驅瘧湯(養生主論)黃丹丸(活幼新書)——元

截瘧如神散(濟世全書)達原飲(又可)——明

四神酒(陳復正)二十四味斷瘧飲(法律)

常山散鱉甲丸(尤怡手集)——清

觀上所列。是常山之于瘧疾疾。雖名之爲次特效藥。亦可當之無愧。然以衆多之經驗的成功與失敗或理想的推測對于本品。乃有種種議論。有以本品只應施于實症。而不宜于虛弱患者。特此說者。如：

雷斆曰：「老人久病。切忌服之。」

震亨曰：「常山性暴悍。善驅逐。能傷眞氣病人稍近虛怯者不可用也。」

吳儀洛曰：「性猛烈。施之藿食者多效。若肉食之人。稍稍挾虛者。不可輕入。」

亦有反對此說者：

李士材曰：「…若酒浸炒透。但用錢許。每見其效。…世人疑于雷斆老人久病忌服之說。使良藥見疑。沉痾難起。抑何愚耶？」

士材之書。偏于培補。而其言若此。可見本品少用。原屬無妨。雷斆所忌。猶云老人久病。知其虛弱已甚。乃震亨儀洛。變本加厲。竟謂稍涉虛象卽不可用。是殆毋言過其實歟？基于此點。故後人治虛瘧之方。竟無一方採用本品者。如：

四獸散(易簡)芎歸鱉甲飲(直指)——宋

何人飲。休瘧飲(景岳)截瘧飲(必讀)——明

參姜湯(內科摘要)——清

……——

其二。以本品須[illegible]于既散表之後。不可用于未散表之前。時珍曰：「常山蜀漆…須在發散表邪及提出陽分之後用之。……」

所望提出陽分者石頑釋之曰：

「凡瘧發于午前。是陽分受病。易愈。發于午後。是陰分受病難愈。瘧發日晏。爲邪氣下陷於陰分。必用升柴升發其邪。仍從陽分而發。補中益氣加桂枝。」

然于事實上論。瘧發于下午者儘多。未必盡是陰分受病。更不必以升柴提至陽分——上午——今人輒于二三發後以此截之。未見其病。蓋前說不足信也甚明。然不截之于始發。而截之于二三發後者。亦有其說：

醫票全鑑曰：「凡瘧按法治之。發過三五次。表裏無證。當以截瘧藥（指本品等）。若表裏未淸截早。則瘧疾必復發不已。」

于此。更添上一表裏已淸未淸之問題。而其所持爲不可早用截藥之故。則爲恐其屢發不止。而無法制之。然于事實上卻又不然。用本品而瘧不止。亦間有之。但早用本品。則瘧發常遺留他症。而尤以胸部悶感爲最多。其三以本品爲祛痰藥。而適宜于痰瘧。此說神農本經已載之。

曰：「…胸中痰結」——常山

別錄甄權但言及此。

別錄曰：「療胸中邪結氣吐去之。」——蜀漆。

甄權曰：「…吐痰涎」——常山

時珍亦曰：「常山蜀漆。刼痰截瘧。」

儀洛曰：「…祛老痰積飲。截諸瘧。」

倪朱謨曰：「常山逐痰飲…」

張石頑曰：「…常山治瘧。有刦痰截病之功。」

千篇一律。可謂鉄案如山矣。故有無痰不成瘧之語。

其四以本品爲吐藥。徵之方書。子和有常山散。用常山甘草二味。而列入吐劑。其說蓋本于「吐痰延」之語

于是時珍本之曰：「…得甘草則吐」

李士材亦曰：「與甘草同用…必吐」

而宋蘇頌則以爲與多少有關…其言曰：

「…不可多進。令人吐逆。」

時珍又以爲製法合宜則不吐故曰：

「生用則上行必吐。酒蒸熱炒用。則氣稍緩。少用亦不致吐也……」

李士材又從而和之。

「常山發吐。惟生用多用爲然。…若酒浸炒透。但用錢許。每見其[illegible]未見其或吐也。」

王肯堂亦曰：「雖然吐人。亦有蒸製得法而不吐者。」

可見吐與不吐。與製法大有關係。以意推之。本品氣味臭惡。易引起胃之反感。必有引吐作用。况子和爲吐法中第一人。其吐方又僅有九。必驗無疑也。一經酒浸。更助以炒。豈眞有盡西江之水而不能浣其垢者。氣味變。則自不致作吐矣。此甚易明也。而著書成帙胡竟無一人道其所以然者。

藥物之氣味與效能之關係

魏平孫

夫麻桂之發汗。參耆之補益。硝黃之洩下。此藥之效能最彰著者也。然效能之發生。果何在乎。蓋亦不外乎氣味而已。氣者温涼寒熱平。味者酸苦甘辛鹹淡是也。原麻桂之所以發汗。以其氣味之辛温。參耆之補益。以其氣味之甘温。硝黃之洩下。以其氣味之苦寒。故辛甘發散。酸苦涌泄。鹹味降泄。淡味滲泄。輕虛者浮而升。重實者沉而降。氣薄則發泄。厚則發熱。味厚則泄。薄則通。用氣者取其動而能行。用味者取其靜而能守。此吾國數千年用藥之法。重在氣味。不重在效能也。惟西醫則不然。用藥祇注重其功效。以定治療之目標。而不知效能與氣味有密切之關係。以爲藥入于胃。由胃酸之和化。血液之吸收。經若干之時間費幾許之周折。有味化爲無味。有氣化爲無氣。其以剩餘氣味。尙能有幾。奚以治疾。焉能取效。夫藥物入胃。雖經消化器官。而氣味所具之特性。固未因以蕩然無存也。若果如其言。則是參耆不能補。麻桂不能汗。而硝黃不能洩下也。將吾國數千年之醫學。絕無保存之必要。而數千味之藥物。亦絕無治病之價值矣。有是理哉。由知氣味之與效能。固有密切之關係。彼陋者用藥祇知注重其效能。而不詳其氣味。殊不知氣味者。乃功效所由生。功效者。乃氣味所由出。舍本求末。無逾乎此。故吾中醫之研究藥物學也。但嘗其氣味。而卽知其效能。推其效能。而卽知其氣味。蓋深得乎其中妙旨者也。

編者按：國醫研究藥物之性味。因而推知其效能。未始非一種簡捷之途徑。然性味不外十數。而藥物効用萬殊。故僅能粗枝大幹的分藥物效能爲若干類。仍不能有縝密詳盡之解決。吾人對於性味爲研究藥物之方法。在今日當不能令人滿意。必須更謀一較爲完滿之解決也。

衞生常識

花柳病中之淋濁

魯六華女士

我們翻開報紙來一看，差不多沒有一張報沒有淋濁藥的廣告，丸呀，草呀，精呀……五花八門，引人入勝。爲什麽淋濁藥有這樣層出不窮的多呢？自然，這因爲患花柳病的人委實多了的緣故囉！梅毒，固然是可怕；而淋濁的時間性往往較梅毒緩慢，尤覺討厭，且梅毒已有特效藥，醫治較易，淋濁蔓延，到如今尚無確具把握的特效藥。

淋濁的原因。最普通的就是尋花問柳，與娼妓作不潔的交媾而來！娼妓的是那裏的呢？她們連續的接客。所謂是「朝秦暮楚。」陰道裏常積汚穢。留生細菌，於是再聯續的傳染開去；所以越是都市裏的人。患淋濁的越多。尤其是都市裏的下等妓女！男子患淋濁的。其病菌潛伏在尿道兩傍淋巴腺內爲一般藥力所未及。一個未嘗患及的婦女一經與此種男子交合每易傳染，很活動的。不過尿道間的刺痛，不及男人家的厲害罷了。

男人家初患此疾，往往在早上起身小便時覺得，或尿道口有膿封閉了，小解脹痛，或流黃白色的穢濁，放尿時尿水似開花的四面八方的濆射出來。婦女呢，因生殖器喇叭管較大，故痛苦較少；但尿道口有黃白膿濁，尿水很熱，這已夠診斷的了。要是在可疑的時候，那就最好把這種黃白色的膿，拿到顯微鏡裏去檢驗，凡是「雙球菌」的，那便是了。

但是，也有非直接傳染來的，譬如思想無窮，房事太過的，也會患濁。交媾受驚，敗精不泄的，也會生淋。身體衰弱，虛勞過分的，有時也有。這好像婦女之患無淋濁性的白帶一樣。此外，像公共場所裏的手巾，旅館浴室裏的用物，也都有傳染淋濁的可能。[illegible]以有些並未嫖妓的男子，或婦女其丈夫並無此疾者，也會得因間接傳染而患毒性的淋濁。我們對于公共衞生，應該隨時隨地的注意。

當淋濁厲害的時候，尿道口常有白膩之物流出來，且尿意很短，而又作痛，甚至于尿前或尿後有血，令人恐怖！夜間則容易性慾衝動。一般沒有醫學知識者，以爲此時不妨使交合出精可把淋濁趕出，殊屬荒謬之極！假使患者交合，不但致對方染疾，且本身此病，反變爲慢性更不易治療了。

患此病者，第一須擇正式醫家診治，切不可東翻西閱的看廣告而買藥，那些丸呀，草呀，精呀……廣告裏說得天花亂墜，但都不是根本治療的善藥！萬一病家一定想嘗試一下，那亦宜請教於正式醫家，不能隨隨便便的亂服，把淋濁倒沒有弄好，身體倒虧伐不堪了。第二，須注意清潔，減輕勞動，能常作靜臥者尤對！第三，須戒除性交，并不閱性慾文字。以免衝動或遺精。第四，須禁忌酒類及鹹酸辛辣富有刺激性之食物，煎炒的，脂肪的，亦不宜多食。第五，不要性急求一時的苟安，必需要按步就班的醫治，毋留後患，設不幸遺傳於子孫，那就不堪設想了。

二十三年初春、作於紹興。

編者按：市上出售之「梅濁剋星」。一爲淋濁病家已經試驗。認爲有確效。不論新舊。服後必靈。

哺乳

李其光

女子一入青春期內，子宮漸已長成，而乳房亦逐漸發育，至嫁後受孕時，又更覺脹發，以爲釀乳哺育的預備，迨產後一二日，則已能分泌乳汁，供給嬰兒哺食之需；蓋乳房實爲分娩後長育小孩的緊要器官。

女子對於哺乳，既是應盡的義務，那末，女子便不可不哺乳了；但假若一旦沒有乳汁分泌的時，或患結核及他種疾病，有危險的時候，這哺乳便可以停止，而以他物來替代（例如牛奶羊奶等均可）；不過，這類的東西，總是不及人乳的那樣相適，最好去選擇一位乳汁相髣的乳母；不過，選擇的時候，須要觀察乳母是否健康，有否黴毒等的惡疾，都不可不加以詳細的調查，並且非經二三次的瓦塞爾曼氏血液檢驗不可，一切都證明了，那才可用。

哺乳的分量和時間，那也是很重要的：如小兒生後一個月以內，每晝夜約可哺六次，每次約一百立糎。當小兒患泄瀉時。夜間最好停止哺乳，恐增劇其疾，三個月時，每晝夜約五次，每次的分量約一百三十立糎，至七個月的時候，每晝夜四次已足，每次約二百立糎，哺乳的時間和分量，既如上述；但是，哺乳之前，須要用五十倍的硼酸水洗滌清潔，同着擠去少許的乳汁，然後可令嬰孩食之。

至于乳頭也不可不加以完全的處置，譬如：乳頭過于向下凹進，小孩難以吸乳；又如乳頭過於柔軟，或生了龜裂等，母親便要受痛苦，所以須要有過當的方法來解除牠。

乳頭凹進則可用吸乳器常常來吸吮，或用手指把乳頭引出，一日數次行之不斷，則向來低凹的乳頭，必漸次突出，而適於哺乳。乳頭過於柔軟的時候，可用酒精和水的混合液洗之，一日數次；水與酒的配合，大約水三分加酒精一分。洗後揩乾，用凡士林塗之，每日依法塗洗，不久卽可成爲健全的乳頭。龜裂的乳頭，可用碘化大摩爾 (Tymol Lodide) 半打蘭，橄欖油半盎斯的調合藥，搽抹乳頭，行此方法後，須暫用脫脂棉把乳頭包裹，哺乳之前必用溫湯或溫硼酸水洗滌，方可哺乳。

凡哺乳中的女子，再有了姙娠便該停止哺乳，因爲有了姙娠，乳汁便不良；卽使不然，一方面在胎內，一方在乳房要育兩人，在毋親也未必太累了。

(未完)

肺癆病攝生法

劉行方

肺臟是呼吸的總機關，它的職司，在於澄淸血液。人們在連續呼吸的時候，空氣中的養氣，就會逐漸的減少，同時那炭酸氣也逐漸的增加；炭酸氣濃厚的結果，造成了惡空氣，混進血液，呼吸便覺困難了。一般肺臟柔弱的人們，因爲氣候的劇變，體溫不能調節，遭寒氣的侵襲，卽刻就感覺到頭痛發熱咳嗽鼻塞，這是普通所稱的感冒症，也是肺癆病的導火線。若是再感受着肺結核菌的話，就成肺癆病了。據近代縝密的統計，全世界各民族中，因肺結核而死的，居死亡率的七分之一。又據人體解剖的統計，大人於每百人中，約有八十人，呈結核性的變化。由此，我們可以推想它的分佈和蔓延的程度了。現在把它的攝生法寫在下面：

康强之道　錢今陽題

(一)深呼吸　這是德國的克諾布博士所創的，是強健肺臟的運動方法，使肺癆的結核菌沒有機會可以侵入。其法：把兩手下垂腿旁，在深吸氣的時候，力吸空氣達到肺臟的尖端。肩部上聳，同時再力轉上體向後；深呼氣的時候照舊。一呼一吸，需二十秒鐘。每日早晚各行一次。每次規定十分鐘，那麽就可以行深呼吸三十次。行深呼吸的處所，須陽光充足，樹木叢生，空氣合於流動的，涼爽的，滋潤的，新鮮的，四項條件纔好。

(二)日光浴　行日浴，就是要使病人多接觸日光。日光中含有極强的紫外光線。它的功用，能夠使肺結核菌無從繁殖。乾燥消毒，生長肌肉。行日光浴的處所，須擇地面空曠，地勢較高的最宜。免得紫外光線因經過空氣中的塵埃而減却它的能力。行的方法有二種：一是全身浴，病人衣服，完全脫去，於早晨七時八時左右，站於日光中。時間以十分爲度，以後可以逐漸延長。一是局部浴，把身體的一部分，受日光照射。但在夏天火傘高張，赤日炎炎的時候的日光，和容易腦充血的人，不宜施行。

(三)飲食品　一般治肺癆的藥物，多半是殺菌的製劑。但殺菌的藥物，很容易損傷腸胃，反不如多進滋養的飲料和食品。動物的食品：如牛肉，雞汁，蝦之類；植物性的食品：如新鮮的蔬菜，豆腐，百合，及新鮮的水果之類；飲料以半生的雞蛋，和牛乳等流質，既富滋養，又易消化。腸胃的消化力增加，抗毒素亢進，身體強健，那麽不用怕什麽肺結核菌了。

(四)改變病人的心理　一般患肺癆的人，必須耐性靜養。切不可急於求效。有的患了肺癆以後，自己以爲不起，於是終日愁思，鬱鬱寡歡，這是極妨害治療的進行的。所以要極力的向他們勸解，講求怡情悅性的方法。

腦力的衛生法

薛定華

腦這個東西是萬能的，人類的一切文明，都由他創造出來，牠沒有一刻不在工作，牠工作的時候，便發生一種能力，這種力量就叫做腦力。

腦力的強弱，小者影響於身體，事業；大者影響於國家世界，所以牠的衛生法，不可不注意的。如我們伏案讀書，或精深研究，思想太久，腦力消耗過度，往往精神就覺得疲倦；記憶力就覺得減弱，甚至於兩顴發紅，四肢厥冷，夜裏還要失眠，盜汗，這種現象，雖說目前沒有關係，不過最近的將來，就不免於病態！所以用腦力過度的人，每每頭痛脫髮，面黃目眩，精神憔悴，進至神經衰弱，當這兒，若腦力繼續不斷地消耗着，非但不能得到研究上的進步，而且身體起異常變化而生病了！所以節制腦力的消耗，是衛生上的一個良好的方法，今分述腦力衛生法則於下：

1工作有定時　這個問題，是現在的人所不能實行的，尤其是絕對用腦力的人，他因爲種種的關係，一天到晚，吃飯也思想，睡眠也思想，甚至於大小便的時候也用思想，弄得沒有一時不消耗腦力，所以往往造成極度的，腦力衰弱譬如我們學校裏每天僅六小時上課，自修三小時，共九點鐘工作，可以說對於腦力沒有多大的影響，這九點鐘的支配尤宜適當平均，以我說起來：早晨六至七一點鐘，上午八至十一三點鐘，下午一至四三點鐘，晚上七至九二點鐘，因早晨這點鐘，無論做什麼事比任何時間來得清明，讀起書來，也有『事半功倍』之効力！上午十一時終止作工，因爲十一點至十二點，這個鐘頭，經許多人證明確實是比前幾點鐘費力，而且到了傍午的時候，肚皮也餓了，精神也覺得疲乏了，那裏還有充足的腦力來工作呢！下午三點鐘，因有吃飯時間的休息，精神可以復原，尚不覺十分疲倦，晚間僅二點鐘工作，就是提倡早起早睡的意思，古人說「日出而作，日入而息」，若依這話恆心實行，可以永遠不起腦力的障礙，但是雖云每天共九點鐘的工作，在九點鐘以內，亦須要休息的，不能連續用着腦力，這是注意的一點。

2學科要變換　現在學校的課程，有主要的，有副要的，功課表裏，早巳支配好了，如國英算理化等科，多在上午或下午第二時，因於那時正是腦力最充足的時候，正可以聚精會神，來解决疑難問題，又如試驗化學，雖繼續研究二三時而不厭倦，愈研究愈得到趣味，這是因爲它能引起我們的興趣，所以每易忘卻腦力的疲憊：若對於不生興趣的學科，卽研究一二時，心裏就覺得厭惡，腦力就覺得疲倦，所以這種功課，應當相間排次，來調劑腦力。如久習算術後，可閱讀國文披閱圖書，不但可以消除神經的疲乏，並且可以增加思想的効力。

3行緩和運動與深呼吸　我們研究時，俯腰曲背着，肺臟受壓不能充分擴張，心臟受迫，則血流不得舒暢，故肢體往往有麻木的現象，頭腦因充血的緣故，也往往有頭暈的現象，當這兒，卽可直立緩行，使溷濁之血下降，或伸手蹈足，使四肢活潑，或在空氣清潔之地，兩手叉腰，閉目挺胸，行深呼吸十數次，於是肺臟得到多量的養氣，由心臟而輸送全身，精神頓覺復原，腦力也不覺疲乏了！

4 遙望或靜坐　我們當腦力疲乏的時候，即起立遙望青山綠水，碧艸叢林，頓覺心曠神怡，非但可以恢復腦力，且可調和目力，若環境所不允許的，便可實行靜坐法，道家的守竅鍊丹佛家所說的「目空一切」無非是令人減少思想，節制腦力的意思，所以靜坐是休養腦力極好的一個法則，也是腦力的衛生法裏最重要的一點！

5 戒絕烟酒賭色　這四大害處，人人都知道的，故恣情縱慾，起居失常把腦力消耗在不正當的地方，是最不值得的。賭博損其神，房室竭其精，更容易走入死的境界，烟酒雖微且能痲醉神經，腦力日耗，人生希望就葬送了！所以一切不良好的嗜慾，都是腦力的對敵，有了嗜慾的人快起來戒絕罷！

6 注意飲食　飲食是人生最大的問題，食料的質和量，必須適合身體的需要，假使人身活動的消耗比所供給的榮養料來得大，那就發生疾病了，如勞動家的食量比平人來得好，就是這個緣故，用腦經的人也是一樣的，他一天耗了多少腦力，也是需要多少榮養料來補充牠的消耗磷質鐵素，都是適合需求的榮養品，因爲這種物品直接是健強腦髓，間接就是補足的物質，植物性的如蘋菓菠菜等，動物性如猪血等，都含有這種物質可常常多吃。

7 暢通大便　人身血液溷濁，往往使腦力受到礙妨，若使血液清潔，暢通大便，當然是一很好的法子。但是這個通大便方法，並不是用藥物來通便應當順其自然，每天定了一個適當的時間更衣，於是大便有定時，使牠養成習慣，每天到了所定的大便時間時，腹部以及肛門等，牠們自有感覺起來要大便，大便暢通，則一切毒物可排泄體外，就是血液也清潔，間接對於腦有很好的影響！

上面七個方法，確實對於腦力的消耗很有益處的。一個人的腦力強健，對於他的事業上，必有很大的幫助，世界上多少發明家，用他的腦力，來發明東西，利益人羣，若他不講究衛生，一時妄竭他的腦力，則其志未成而腦力已壞，也何補於事呢，安迪生有說『用腦力的人，要時常節制腦力』這就是他成了發明家的最大原因罷；所以亂耗腦力，不啻自己摧壞自已的事業，我們應當覺悟啊！

二三，四，十五，寫於上海中國醫學院。

覺悟吧

其珊

煙酒誰都曉得牠是毒物。叵耐煙仍是要吸。酒依然要飲。眞使我有些不解了！也許是尙未透解牠的害處的緣故。所以才有這種現象。吾現在再來不憚煩地把牠的害處。痛述一番。或者終有幾個人會覺悟回頭吧？

現在先把煙來講。煙的確是一種殺人不見血的毒物。含有毒質叫尼哥丁。據說：『百兩乾煙葉裏含有三兩尼哥丁若是把一斤煙葉裏面的尼哥丁取出來。已足夠毒斃三百人。』可見其毒無比。雖說吸煙不是敎你吃到腹中去然而煙霧之毒。已是累人不淺了。至於吸煙的害處如何？再把牠寫在下面：

一　是傷害人的咽喉並氣管和肺的紅膜子。故凡吸煙的人。莫不喉嚨乾燥。時常咳嗽。易於傷風的。

二　麻木司心跳動的腦線。以致心跳不勻。時而快。時而慢。由是血也就不被提淨。身體遂不能得到充分的滋養。所以吸煙人的精神。每多衰敗的。

三　使人的頭腦與神經(腦線)麻痺例如當人疲倦的時候。吸了煙就會不疲倦。人憂愁煩惱的時光。吸了煙心中就能釋然無慮。但這並不是吸煙能增長人的精神。能消解人的憂愁煩惱不過是腦神經受了煙性的麻痺腦神經失了大部的感覺能了。

以上的話是僅指香煙而言。雅片的毒害。更要勝上一等。牠非但要使人意志銷沉。並且有鎭靜腸蠕動機能的作用。所以犯阿芙蓉癖的人。莫不有大便燥結的苦楚。據箇中人說：『大便一次。不啻受了一場刑罰』吾人揆其弦外之音。就可曉得痛苦是很深的。烟類害人。眞不淺哪！

酒却比較烟好些。因爲除了害處外。益處倒也還有。不過終究是弊多益少。

究牠的成分是酒醇與水。酒的猛烈與否是視酒醇的多寡爲斷。聞最猛烈的酒的成分。爲酒醇與水成九對一之比。

酒的益處。有是有的。不過是像晨星般的少。不外乎增加體溫。幫助消化。振作精神。幾種罷了——此指飲少量的稀薄液而說。——

害處却多啦牠能使人罹慢性的胃炎。肝腸變硬。(這話有事實可證明是不錯的。例如你把酒澆在蛋白質上的時光。蛋白質馬上會凝結起來而變脆變硬。至於肝腸。是與蛋白質同樣的材料所製成的。那末變硬自是意中事。)鼻頭作紅——酒齄鼻——神經病等。且酒是還要遺累後嗣。故酒客的兒子往往要患元氣虧弱。智慧不足，癲狂，驚風，白癡等病證。可見飲酒是得不償失的。

居室談

金篇

人生對於衣食住的問題。當然是同樣重要的。尤其是住的問題。格外要注意。能使人們的身子健康。生命安全。居住的地方。不一定要高廳大廈。畫棟雕樑。只要居住的位置。方向。空氣。光線……等。都應該要有相當的注意。使我們居住在其中。不礙健康。適合衛生。是為最要緊的一件事。現在我先把居室衛生的幾個要點。略述如後：

(一)位置　居室的位置。假如低窪潮濕。是容易生長細菌。空氣濁溷。居住其中。多很不宜。所以建造居室的時候。應當選擇高爽的土地。空氣流通。飲水清潔的地方。

(二)方向　居室的方向。和衛生很有密切的關係。假如居室是東西向的。那末光線是直接射入室內。到了夏季必炎熱不堪。假如北向的。寒風吹入。到了冬季必異常奇冷。所以居室的方向。應該向南。不獨冬暖夏涼。而且通氣採光。都極便利。

(三)空氣　居室的空氣。也是很重要的。尋常室內的空氣流動循環法。冷熱空氣交換之充足與否。要看室內有無出入氣孔及其裝置地位適宜與否而定。假如室內祇門窗戶一個。空氣的流動。必不良好。因室內的熱氣。不易排出外去。最好的方法。將室內的空氣完全換新鮮的。那末居室應多開窗戶。就在居室的低處開進氣孔(窗戶)。在高處開出氣孔(窗戶)。不過兩孔要相對的。距離的遠近倒沒有關係的。像這樣室外的冷氣從進氣孔鑽入。室內的熱氣由高處上昇從出氣孔排出。室內的空氣就能完全遷換了。

(四)光線　光與健康有明顯的關係因為光有殺菌的本能。尤其是紫外光為最。紫外光在太陽光中有的。光線能醫治或預防疾病。以陽光治療結核病等。效力是很大的。假如光線不良。能傷害視官。且易滋生病菌。所以居室的採光。應照下列的標準：

A窗戶的地位應寬廣。使每日有充足彌漫的日光射入。

B假如陽光直照。光度過強。應有遮簾之設備。以免目力受害。

C居室內的天花板及四壁高處。宜帶淺淡顏色。以調勻及充足光線的瀰散。

D若室外高樓高聳。阻隔日光入室。可利用三稜玻璃間接將日光轉入室內。

總之。要使日光充足。並不傷害目力爲要點。

其他像居室所要的用具等物。如磁器。木器。金屬器。裝飾器……。都應該理整清潔。以免直接或間接的傳染病症。垃圾。廁所。蚊蠅。蚤虱……等。都是疾病的媒介物。我們對於這種種。應嚴密的預防。勤於消毒撲滅。

實用家庭護病常識

黎年融

引子

通常所謂看護學或護病學者。大抵爲造就看護專門人材而作。故習其學者。於醫學根基學識。如物理，化學，生理，藥理，病理，細菌，衞生……等。須有相當之研究。再經過一二年之講授訓練。然後始克完成一看護人材。此種人材之造就。既如是其周折。故決非一般人所能盡爲。然人不能絕對避免疾病。已成不可諱言之事實。而人生之環境各殊。經濟之裕濇不一。一旦罹病。勢不能盡人入院治療。更不能盡人延接看護。故看護常識。誠人人所應詳加研究者。近人雖有家庭看護學之編輯。惜其說專採西法。多有不合我國民間習慣。或則陳說過高。不合民間經濟力量。故未能認爲滿意。本作即欲糾正上述之弊。除採用適合民間習慣之西法外。再參以我國原有看護方法。辨其不合衞生原則者。取其不背衞生原則者。以與治療打成一片。庶幾任家庭看護之責者。得此能切於實用。不致駭爲紙上空談。一面採用經濟原則。凡不必需之設備。俱摒棄不談。以求普通應用。切實可施。維作者足跡不廣。各地看護方法。未能盡曉。度其中亦必有良好習慣與不良惡習。混雜不分。因此另案廣徵。一俟聚有可觀。再行分類歸納。聘請衞生醫事專家。本醫學衞生原理與經驗。暢加說明。藉以鼓勵糾正。亦未始非衞生之一道。幸讀者諸君。隨時留意。不吝賜教。俾得早日完成此志。何幸如之。

第一　一般症候之認識與報告

輕症病人。大抵能自訴其痛苦於醫士。醫士得據其告訴。爲診斷治療之幫助。但病情特重。或其病涉及神經系統。或患者爲小兒時。則或不能自訴其病狀。即能自訴其病狀。亦大抵不可靠。如顛狂之患者。往往言語妄誕。歇斯的里患者。往往作誇大之形容。又或患者爲羞澀之婦女。即有病亦不肯啓齒。或其病爲隱疾。或患者別有苦衷。即欲告而無從。且病有他覺自覺。自覺症狀。患者能自言之。他覺症候。則患者不知也。故不得不有看護。代報告病狀之責。復次。値此世風激變。稱詐者有之。圖死者有之。苟無不離左右之人。作體切深刻之注意。惡能憑一面之詞。遂據以爲實哉。況任家庭看護之責者。不外爲患者最親切之人。是對於患者過去之種種。必有澈底之認識。豈如醫者偶一謀面。僅憑望聞問切器械之巧者可比。第病家缺乏醫學常識。則雖終日與患者相對。亦不過盲聾之於聲色。欲其有得。不亦難乎。爰先摘述此篇。爲看護者首須認之對象。此認識確實。則其報告始爲可靠。而醫者根據此報告以施之治療。始可無誤。

一　體溫

疾病大都伴有體溫之變動，故體溫之變動，在診斷治療上，頗佔重要位置，且有若干種病，僅根據其體溫之變動狀態，即可斷定，其最顯明者，莫如瘧疾，若寒熱有一定之時間，且寒熱退後，一如平人，即此而斷其爲瘧疾，十九可無誤也。國醫於體溫之高低，無確切診斷之法，其治療但憑證候之總合的考量，而不在體溫一端之升降且惡寒時之體溫，不必低於發熱時之體溫，故用體溫計計算病人溫度，於國醫治療上，間有無所神其用時，然國醫之治療，自有其根據，而實亦彼此互通，惟此處未便詳加討論，故用體溫計之方法另列一章，藉免多歧之惑。

A延請國醫時對於體溫之認識

1平溫

病人之體溫，不起變化，以吾人之手，撫病人之額與他部，不覺其熱之刺手，亦不覺有冷之異覺，在平常環境之下。（譬如平人需夾衣時，病人亦衣夾衣）病人亦無惡寒發熱之感覺是也。然頭者三陽之首，恆較四末爲溫。亦有病人素有四支溫度不足者，不能認爲厥冷或支清也。

2全身體溫變化

惡寒—全係自覺症狀，在平常環境之下或比平常更較溫暖之環境中，病人感覺其身體之寒冷，而欲引衣自暖，即已引衣尙有不能滿足者，亦有稍能滿足或即可除去惡寒寒之感覺者，此間輕重，當加以注意。此時就環境情形觀察，他覺的亦可知其大概。

惡風—亦係自覺證狀，在平常環境之下，若無空氣之流動，經過病人之身體時，患者不覺有寒冷之感。一有風拂其身，則覺嗇嗇然畏之。此每易與前者相混宜加鑑別。

戰慄—如前惡寒之狀，而病人冷不自禁，齒嘎身戰，甚致床第震動，此一見即知，不難識別，瘧疾之始作，恆有此現象。

發熱—病人無惡寒之感，而肌身發熱。以吾人之手按之，則覺其溫度高于吾手之溫度。

惡寒發熱—如前惡寒之狀，而吾人以手按之，則其身之溫度，反較吾人爲高，而有灼熱之感。但病人此時並不覺其身之發熱，而惟知惡寒，引衣被以自暖，此爲惡寒與發熱同時而作，一爲自覺症，一爲他覺症，故病人訴惡寒時，不能即認爲其體溫之低落也。

惡風發熱—如前條之狀，不惡寒而惡風者是也。

惡熱發熱—以手撫之，則其熱灼手。而病人亦覺其身自之發熱，甚則撤去衣被，畏見熱物，而欲就冷，或則引冷不已。席地而臥，亦當別其輕重。

寒熱往來—惡寒之後，繼以發熱，發熱之後，又復惡寒，寒熱相替而作，無有止時，惡寒時身不發熱，發熱時身不惡寒，故於病人體溫有變化時，每日夜當時加注意，否則難得眞確之報告。

寒熱如瘧—惡寒發熱，作有定時，除發作之外，體溫一如常人，按之不覺灼手，病人亦不惡寒。其作也先惡寒而後發熱，實則惡寒時身已發熱，但此時病人不自覺也。

日晡潮熱—病人無惡寒感覺，體溫每日上午較低，下午較高，至日將晡時，達最高度，日日如此，如潮之有信故謂之潮熱。

晝熱夜安—白晝發熱，而夜間一如平溫。

晝安夜熱—適與前條相反。

晝夜俱熱—發熱不論晝夜，毫無休止之時。

骨蒸勞熱—與前日晡潮熱相似，但前者屬急性病，此屬慢性病爲異，恆作於夜間，其熱烙骨，且有自汗盜汗，大抵肺勞必見此現象。

3局部體溫變化

肢清—病人無寒熱之感，其手亦溫，惟指尖微冷。

肢厥—較上證爲重，輕者全手足俱冷，重者往往冷及肘膝，撫之如冰。全身體溫，頗不一定，故有寒厥熱厥之異，不能混爲一談。

背惡寒—體溫如常，或體溫甚高，而獨背部對前心處惡寒，如有冰在其中，恆爲自覺症。

肢熱—全身體溫無變化，惟按其四肢覺熱。

五心煩熱—五心者，兩手心兩脚心與額心也，他處不覺發熱，而獨此五處灼熱，此症病者每能自訴。

上熱下寒—病人頭面發熱，甚則兩頰如硃，倍增鮮麗，而兩足厥冷，此爲虛陽上越之症，故察病人體溫之時，不能僅據其上而遺其下。

上寒下熱—此症不經見，或獨下熱有之，但不可不知爾。

4與體溫變化有重要關係之其他證候

（詳細另叅）

汗—無汗—皮膚枯乾，撫之礙手，此係放溫之不足。

自汗—汗自出，皮膚潤濕，爲放溫亢進。

盜汗—睡中汗出醒則汗漸收，大抵屬於久病。

脫汗—汗出如珠，淫淫不止，同時脈細短氣，爲將脫之兆。

注意—發汗往往隨寒熱而作止，故須時加意，量之多寡，質之黏薄，均須加以考別，由此可知其放溫之亢進與減退。

渴—不渴—毫無乾燥之感覺。

渴不欲飲—口中食覺乾燥與之飲則又不欲。

渴喜熱飲—雖渴，不能飲冷，而欲熱飲。

大渴引冷—渴甚，非冷飲不可，與之稍緩，有迫不及待之勢。

注意—須察其頭熱頭冷與能飲多與不能飲，此可知其全身水分之充足與缺乏。

大便—祕塞—祕結不行，當記其不行之時日。

泄瀉—與上相反，當記其每日之度數。

泄而不爽—瀉不爽爲有滯，亦須記其度數。

注意—大便之實質，臭氣顏色，及有無混雜物質等。

衛生小問答

張子英

（問）天花的病狀怎樣。

（答）大概先有二三天的寒熱。同時。還有劇烈的頭痛。腰痛。和嘔吐等症狀到第四天。寒熱逐漸減輕。皮膚上發出許多小紅疹。由蕾疹變成水疱。再由水疱變成膿疱。膿疱乾後。結成痂子。痂子脫落。須在三四星期之後。結痂的皮膚。避留着瘢痕。

（問）天花有沒有預防的法子。

（答）種痘就是預防天花的惟一的好法子。所以不論何人。都應當種痘。

（問）種一次痘。就可以永遠不害天花嗎。

（答）不能。大概種一次牛痘。可保五年至七年不害天花。所以過了五年或七年。必須再種一次。

（問）小兒種痘。以幾歲爲最適宜。

（答）小兒生後四至六個月以內。就可種痘。不必等到一歲以上。

（問）以什麽時候最爲相宜。

（答）春秋兩季。最爲適宜。但在天花流行的時候。就是冬夏兩季。也可種的。

（問）種痘後的症象怎樣。

（答）初次種痘的人。種後創痕即日平復。過三四日。種痘處發現紅粒。稍覺癢痛。隨後紅粒漸大。變成紅疱。周圍皮膚發赤。七八日後。水疱中凹。變成臍眼一樣。疱中的水。也由清而濁。全身發熱。二三日後。乾涸結痂。十幾天後。痂皮自然脫落。但在已經種過痘的人。所顯的症象。就沒有上述的完全。一切都是很輕微的。

（問）患天花之後。爲什麽都成麻面。

（答）這是因爲脫痂遺留瘢痕所致。要免除麻面。可用白色手套。套住兩手。縛住手腕。使不能抓爬面部。再用凡士林潤漬痂子。減少癢感。或用絨布面具。遮沒頭面。就可不害麻面。

（問）痘中要吃些什麽。使毒素透發盡淨。

（答）可用筍尖。香蕈等做小菜。在起水疱的時候。可用鯽魚配飯。

（問）有什麽禁忌。

（答）第一要避風寒。因爲受了風寒。往往要使痘瘡內陷。

或者變成疭嗽。飲食方面。要忌酸鹹寒冷的東西。醬油會使瘢痕遺留色素。也要謹忌。

（問）水痘和天花有什麼分別。

（答）水痘和天花。確很相似。但水痘的證狀。比較輕些。並且發熱一天卽發疹膿疱中沒有臍窩。四周也沒有紅暈。

（問）水痘有沒有預防的法子。

（答）現在沒有。所以有許多種了牛痘以後。仍要害天花。反怪牛痘不靈。那知道其實是水痘呢。

驗方與治驗

升降散

沈仲圭

（主治）流行性腦脊髓膜炎

（藥品）殭蠶二錢　蟬衣一錢　顆子姜黃二錢　生錦文二錢　陳酒一盃　白蜜一匙

（服法）煎服

（附記）民二十春。吾杭腦膜炎盛行。有三三醫院院長裘吉生氏採用寒溫條辨升降散方。增損施治。全活頗衆。是年夏。余因暑假返里。承裘氏將救治腦炎經過情形見告。當將本方錄入簡册。迄今蓋已三易寒暑矣。茲爲公佈於此。俾治斯症者。多一療法云。

存濟醫廬診療記

葉橘泉

三月廿一日。因甯紹同鄉會杜國平君介紹。至塘橋弄診黃姓（公安局巡長）病。喘咳年餘。發則不能臥。咳嗽聲沙而欠亮。痰沫稀白。痞[illegible]甚。不欲食。醫皆以爲肺癆。余診得胸脇妨悶。氣上衝。投苓桂朮甘合姜辛夏味。煎冲控涎丹七分。廿二晨。杜君來。謂昨藥恐太熱。服後煩渴發熱。今日病更重。請更方。蓋杜君治藥業。熟知世俗所謂寒熱升降等藥性。與余係深交而素信任。彼與黃係同鄉。因受重托。深恐余胆大誤事。臨行再三叮囑勿用熱藥。蓋彼以王氏曾咯血。身體又衰弱。疑是肺癆故也。余乃往復診。聞病人初以戰慄振寒。纔卽發熱。見是時喘息已無。偃臥於重褥厚被中。目赤面紅。顏面汗流。檢視則遍身淋漓。嗣狂嗽吐痰如膠如飴者碗許。余知爲藥後瞑眩。乃詳告所以。謂服藥不瞑眩。厥疾勿瘳。此項瞑眩作用。乃佳象也。請毋恐。嗣以麻杏石甘合苓桂朮姜等。出入數劑而瘉。

四月二日。以教育委員莫良夫夫人金懷珍女士之介紹。爲民教館館長鄭農友夫人之姊（適盧氏。住雙林陸府前十一號）延診。余至則有一西醫在灌腸。病者呼腹痛。脹悶欲絕。檢視則腹大如匏瓜。膨脹堅滿。左腰膀觸痛。結實有形。大小便不行已數日。口渴舌黃厚。嘔吐不能飲噏。藥物經口即吐。據述懷孕已六月。十日前突起腹痛。旋即脹滿便祕。經中西醫人多診治。或謂盲腸炎。或謂胎孕病。據西醫言。祇有剖割之一法。勸令速入吳華大醫院施手術。病家疑慮不能決。余診之。脉搏沉實。快速無倫。嘔逆時呼氣作糞臭。澄之左腰膀之硬結。斷爲嵌頓性腸梗阻。擬仲景厚朴七物湯合進

吳興名醫葉橘泉先生近影

退黃連湯。囑徐徐服之。數小時分二十餘次。涓滴頻進。居然得任受。後忽大吐。糞穢並出。而腹中雷鳴。漸卽自下利四次。痛脹乃減。復診。左腰膀之硬結已杳然。而腹脹較下移。小腹痠痛。小便不利。余斷爲梗阻已通。胎氣下墜。有流產之慮。乃注重安胎益氣利氣和營。時與沈君愚如會診。沈君主分利小便以米仁澤瀉等。余堅主側重固胎。胎安而氣舉。膀胱不受壓迫而小便自利。於是二人作學理上之爭辨。逾時始決。余則以歸芎爲主。苓朮爲輔。沈君亦虛心認可。乃相偕而返。

翌日復診。小腹痠痛小便不利等悉去。而腹痛又作呼號難忍。後重而頻頻下利粘液膿狀物。病家驚疑甚。又延西醫。謂盲腸炎已穿孔。余診爲續發病慢性痢疾。蓋病者向有此患。舊患乘機竊發也。投白頭翁湯加歸芎等。因其痛甚。略進雅片丁幾。暫取鎮靜是晚得安寐。翌日自然流產。經過平安。惟餘留腹痛下利。繼用歸芎甘草芩連等調治十餘日而痊。

挽救危症二則

陳青雲

狄思威路麥加里吳增芳君之女公子。年十九歲。忽患肝厥。目瞪口呆。不省人事。兩手振掉。床鋪爲之搖動。予以通關

散吹鼻中。便開口作聲。叫胸口疼痛。藥方以介類潛陽。柔潤息風。利竅安神爲主。一劑全愈。方列於後。

煅石決明八錢　煅牡蠣六錢　元武版六錢　北沙參三錢　杭麥冬三錢　杭白芍三錢　炙甘草一錢　廣鬱金二錢　抱茯神五錢　石菖蒲二錢　廣木香一錢五分　白檀片一錢五分　元胡索二錢

又吳增芳君之姪女。年及笄。住提籃橋。患白喉。潰爛蔓延。疼痛異常。痰涎甚多。喉科愈治愈劇。予治以清達敗毒法。四劑後。喉中腐去新生。其病若失。方列於後。

炒大力子三錢　連翹三錢　生甘草三錢　生梔子三錢　粉丹皮三錢　薄荷一錢五分後下　天花粉五錢　元參五錢　海浮石五錢　射干三錢　土牛膝根三錢　鮮蘆根五錢去節

予臨症四十餘年。醫治喉症。從未動用刀鍼。純以湯劑。及自製喉症藥調治。奏效神速。出乎衆人意料之外。竟有非常險惡喉症。爲他醫刀割後。滿口潰爛。飲食不下。危在旦夕者。經予治療。無不藥到病除。

上列喉症方。醫治爛喉及爛喉痧。如病勢沉重。照方分兩。每日可服兩劑。功效之速。應若桴鼓。如風火喉症。發熱癱痛。並不潰爛。可除去土牛膝根。其餘照方煎服。亦無不應手奏效。十歲以內小兒。分兩減半。

痢用石榴皮治驗

景陽孫道明

石榴皮氣味酸濇而溫。煆末服能濇腸而止泄痢及下血脫肛。予於去冬一陽月上旬。治一李姓四歲小童。患身熱下痢。用醒脾調血利水導氣之劑。二服。病略減納亦稍進。改方增入導氣藥一二味。而痢復不止。病家祗得任其自愈。予聞而憫之。再四研求。卽取前數日啖食後所藏之石榴皮一方。置爐中煆髮。存性。研細末。包以藥紙。託便友帶致病家。囑用開水少加白糖冲服病家按法行之。痢果全愈。足徵石榴皮有能治久痢之功。積未盡者。不可遽服。

通訊

怎樣使飯店改善

（原函）編輯先生：我是一個中等階級的平民。我所過的，也是中等階級的生活，我不敢嘗試高等階級的生活。也沒有嘗試過經濟能比我更不如的階級生活。所以，除中等階級生活以外，是沒有什麼認識和體察的。這裏我就要求你解決這中等階級生活中的一個問題。由A城到B埠，沒有一切的交通利器，可以代步，况且我的經濟能力，也負不起過分的負担。所以一年四五十次的往返，大都靠步行的多，以每小時十里計。A城與B埠中間的C鎮，便是惟一的午餐適當地點。C鎮雖然不大，因爲他處於交通要道，飯店和宿店的營業，尚稱不惡。但是經過一次的嘗試以後，我决不敢再上他們的大門了。當旅途僕僕的我。受着飢腸的驅使，而去尋求解决這飢餓問題的時候，一連找了幾家，看看那長方形的木板上都放着一盤盤的小菜，嗡嗡的蒼蠅，正在上下飛鳴着，同時，發出一種異常的臭味。攢入我的鼻管，幾乎要令人作嘔。肥得像猪一般的菜司務，大聲向我招待，口中的唾沫，也就像噴水筒一般，分布在熱騰騰的菜盤裏，啊！這眞夠使我害怕了。我忍了餓，拔了腿。跑過了十幾家店面，想找一個比較乾淨一點的膳店。終於給我找到了。那裏有綠色的蠅罩，紅色的檯桌，所以我滿意了我自動的走進店門，檢了一個座位。但是，事實不是這樣簡單，我握着筷子的時候覺得筷子怪膩的順便用手巾一揩，啊，即刻就有絲縷黝黑的痕跡，留個永久紀念，仔細看看，那桌子上，似乎發出一種呆滯的光彩。我用筷子的上端，畫了幾下，馬上劃了深深的痕跡，並浮起了許多的污垢。先生，這是夠清潔了嗎？這不應當改善嗎？這地方可以久留嗎？先生，你是努力於衛生事業的，請你把這個問題。毫不客氣的提出討論。保全大衆的安全。促進他們的覺悟。祝你

康健！

王金耀鞠躬　（四月九廿）

金鏞先生：你提出的問題，在大衆衛生上，確是非常的嚴重性，編者也曾身歷其境，飽受過個中風味，雖有改善之志，奈力不從心，只有眼巴巴盼望有力者之敦促，和飯店同業們的覺悟罷了。現在你旣而要提出討論，不妨爽性根據學理和事實，仔仔細細的討論個澈底。不潔食物的入口，很容易造成疾病，而且傳染病流行的時候，更是推銷唯一途徑，古人說：「禍從口出。病從口入」確是處世的金鍼玉律啊！不過要怎樣方算淸潔，也不能過分的苛求。因爲有許多設備，也許因經濟力的關係，而不能置辦的，這一點，我們要隨處體貼的。至於改善的地方，務要大小一齊着手，不能因爲事小，就可隨便的。凡事都從小處壞起，不可不注意。就如前面提出的幾點，雖然像是小節，其實也並不輕於其他的問題。現在再補充幾點：

一　可怕的抹布—也許是大家看慣了吧！那灰褐色的抹布，漬透了油膩水汗，充滿了酣酸鹹辣和臭味。一會抹了抹手。一會兒又抹了抹鍋子。再抹過灶頭，又在滿盛菜蔬的碗碟四周，兜了兩個圈子，這是多麽危險啊！在這裏要改善的就是無論如何，抹布必須要備兩條，抹手和灶頭的，絕對不能再抹鍋子或碗碟。總之，萬不能合用一條。

二　修長的指甲—在平常人留長指甲，已經是不合衛生，廚司務留長指甲，那更是一樁不該的事，不消說，廚司的手指，免不了直接和食物接觸。所以，有了這藏油污的指甲，是非常危險的一會事。這一點非常容易改革，只要常常修甲便了。

三　蓬鬆的長髮—頭髮經久不加梳理，不但雜亂如麻，並且因爲灰塵的堆積與皮屑的浮蜕。稍有拂動，就飛散得可怕，廚司有這種習慣，就很容易使菜蔬受累。所以我是最贊廚司要以白布裹頭的，並且這也不是難辦的事情。

四　光澤的圍裙—無疑的，只要看他光澤的程度，就可徵他的歷史之長短了。我希望廚司們，要化幾個錢，多洗再次，免得令人生厭。

五　四濺的唾沫—不但有礙衛生，也是人人所討厭的(接吻當然例外)只要聲浪放得低些。就無餘事了。

六　嗡嗡的蒼蠅—用蒼蠅罩避免他們的侵襲，是消極的法子，但這東西確也不易剿滅淨盡，所以這也是不可少的設備。

七　着色的碗碟—純素的碗碟，最易看出污穢的所在。所以碗碟最忌着色因爲着色以後，最容易遮掩污穢，使人不知不覺的受害。我國人選擇衣料，往往要擇不易齷齪的。那知他所謂的不易齷齪，是不易看出齷齪的錯誤。這種見解，最要革除。

八　如油的髒水—那經過許多碗碟滌洛以後的水，差不多已變了顏色，同時，內部的固體成分。也增高了百分比。黃沉沉的，濃厚厚的簡直和油一樣。可是他們還不肯把他換過，以污潔污，怎麽會有乾淨的結果呢？

我想，做店東的惟一希望，無非是要營業的發達。要達到這希望。當然要適合顧客的要求，上面幾點，都顯而易見簡切可行的事。希望各位店東，爲營業計，爲公共衛生計，一致起來改善！

編者夏五。五。

溫涼升降是否爲研究藥學之魔障

子英先生閣下。閱十七期衛生雜誌。有中醫學理是否合乎科學平議一則。將科學二字意義。先行解釋。先得我心。如骨梗在喉。代爲呵之。非常快慰。痛恨時輩瞎鬧科學二字。一若中國國粹。無一合乎科學。不知德行，言語，政事，文學。孔門早名四科。亦屬科學之一。尤其是陰陽二氣。吸引及五行生剋制化理論。更爲各種科學之母。試問泰西所發明各種新式製造。孰能離五行而成功。況中醫之立場。全憑辨別寒，熱，虛，實。運用藥物溫，涼，補，瀉。如辨別無誤。則運用百發百中。有桴鼓之響應。蓋在天爲六氣。在地爲五行。萬物生於天地之中。安能逃於五行之外。人之疾病。皆五行之偏勝也。藥物之有五氣，五味，五色。各得春，夏，秋，冬，四時，五行之氣化而成溫，涼，補，瀉之質。以救人身五行偏勝之弊。本屬神州一貫系統。醫藥之眞傳。數千年事實最雄辨。毋庸鄙人喋喋。但如貴刊醫林叢談一則。謂溫涼升降之藥性。實爲藥學之魔障。未免偏激過甚。抑知西藥由化驗而提出成分。定名爲某某質。療某某病。仍不外五行之制化也。偏要指斥中藥之辨別五氣，五味，升降，浮沉，寒熱，溫涼者爲玄說。爲高深神奇。鄙人百思不得其解者也。此等叢談。登入貴刊中。醫藥學識已了解者。將鄙視貴刊之價值。中醫學識未了解者。則引後學誤入歧途。爲害匪淺。如他所言藕富含單甯酸。而有止血之效。中醫遂妄言性涼而下降。果如他所言。設遇陽虛陰走之吐血。使食鮮藕。則是草菅人命矣。金鷄納霜之治瘧。只有風滯瘧相宜。其餘諸瘧。均不能根治。吾徽人每每視爲霸藥。一服止後。復來必重。決明子治肝虛熱之目疾則可。白芨未治肺癰瘀清後之補正則合。蓋藥物無論中西。未有一味而能統治一病名者。實因無論什麼病名。均有寒，熱，虛，實之分。治寒之特效藥。萬不能治熱。治虛之特效藥。萬不能治實。故吳鞠通云。只有五穀作餅。可以統治四時之餓病。吾敢曰。中醫之分寒，熱，虛，實。中藥之分溫，涼，補，瀉。實爲科學之祖。可參天地之化育。亘萬古而不磨。鄙見如斯。還質高明以爲然否。順頌

道祺。

弟金勳辰頓首（四月廿三日）

編者按。葉君認爲研究中國藥物惟一的魔障。就是溫涼升降等舊藥理。關於這點。我的意見。也有些不同。我認爲研究中國藥物的人。假使他對於新藥學。果有深切的了解。和精深的工夫。那末。這溫涼升降的舊藥理。不但不會把他魔住。並且對於研究的成功上。還有不少的幫助。何以呢。溫涼升降等舊藥理。確有許多事實的根據。科學不能離開事實。所以溫涼升降等舊藥理。在新藥學上。雖沒有地位。但也是一個不可缺少的引港人。假使對於新藥學沒有下工夫研究的人。或者只是筆紙上的研究工夫。那末。要研究中國藥。決不能把溫涼升降等兜開。的確。如金君所說的。陰陽五行。是中國科學的根基。離了這個根基。研究起來。就毫無系統。如理亂絲了。大家都是過來人。想也都感到過這層痛苦的。不過話又要說回來。抱殘守缺。不圖改進。這是不長進的大病。我們決不可犯這個毛病。這是不拔的深淵。這是墮落的陷阱。我們決不可滿意於過去的。也不能就滿意於現在的。我們要盡我們的力量。使現實不斷的推進我贊成金君對於時輩青年。未下眞切工夫。而妄多指斥的抨擊與警示。我也不能同意於金君守舊的思想。同

時。對於葉君。我欽佩他革新的勇敢。更希望他能進一步作試驗的工夫。來光華中國的藥物。不要受紙上空談的譏笑。

張子英

徵　求

徵求民間看護習慣啟事

黎年祉

凡教育未能普及之國家。其民間風俗習慣。往往不入正常軌道。而步於迷妄怪誕之途。我國事事落後。教育更爲尠然。故民間風俗習慣之迷妄怪誕。更爲不可掩瞞之事實。看護習慣。當亦不能例外。據余耳聞目擊。除少數頗切事理外。往往有令人駭異不止者。然父老相傳。積習難返。苟不加以深切之說明。曉以利害。證以事實。何以改風易俗。俾民間看護習慣。趨於正軌。惟余足跡所至。耳目所經。殊爲有限。攻其一而遺其九。則徒勞而無益。爰此廣事徵求。願國內有志衞生之士。苟有所見。祈不吝詳細示教。謹訂辦法如左。

一　材料—A某地通行之病人住處。飲食。禁忌。民間療法。迷信。排洩物之處置等。

B某病或某類疾病之特殊飲食。禁忌。民間療法，迷信等。

C前項病名或病類。暫定如左。但應徵者於左列外。有特殊材料者。亦得應徵。

1 痲痘　2 姙娠
3 臨產產後　4 小兒
5 泄痢　6 瘧
7 創傷　8 感冒
9 湯火凍瘡　10 中毒
11 外科　12 欬嗽
13 其他

D得參以個人之批評。

二　文字—不論文言白話。以明白通暢。敍述詳細爲合格。字數不限。

三　期限—六月底截止。

四　酬勞—A一經披載。贈閱本報半年。

B一經披載。贈閱本報三期。

C其未經披載者。俱贈本報一期。藉答雅意。

五 稿末務將通訊處詳細寫明。來件請函寄本社徵求部。

黎年社謹啓

醫藥雜訊

俄科學家巴夫倫科研究鹿茸之效用

含有多量之雄性內分泌質 能增强機體及心臟活動力

各醫院將廣汎應用 養鹿場卽擴大規模

▲塔斯社三月十三日莫斯科通訊 數千年來中國醫生恆以鹿茸(斑鹿之充血幼角)爲名藥。蘇聯醫學界最近對此頗有興趣。蘇聯皮毛狩獵學會乃接受著名科學家巴夫倫科之建議。對此物藥力作科學上之試驗。此項工作。由巴氏指導進行。巴氏業已自鹿角中取出一種最有藥力之質素。名曰鹿角素。若干著名科學界與莫斯科醫院醫生正在證明此新質素之藥力。經過分析後。知鹿角素中含有多量之雄性內分泌質。此事對醫界理論與實際引起濃厚興趣。經醫院實驗。此物有高度之藥力。卽能增强機體之活力。心臟之活動。並消滅心臟肌肉之疲弱等。彼復能加速磨擦受傷處之痊愈。而對於傷處已經傳染或已發膿者最爲有效。許多病人服鹿角素後。工作量及食量卽行增加。殘廢者服之則失其冷淡及神經緊張性。該物對某種胃腸病及硬化症均極有效本年。下半年蘇聯各醫院將廣汎應用鹿角素。現沿海者遠東畜類混合畜牧場之養鹿場內有斑鹿一萬頭。本年將於該地添設養鹿場兩所。以畜養斑鹿云。

醫學界新發見

乘飛機可療奇疾

少婦因蹎仆聾啞瞎同時發生 乘飛機就醫下降時忽復常態

國民聖路易十四日電 此間有一少婦。突患急症。機能幾至全失。聾啞瞎眼同時發生。已歷六日。親友乃舁之入飛機中。載之前往藍伯披羅之醫院中少婦昏迷中。恍惚間似該飛機從二千尺之高空中下墜。不意該飛機甫抵陸地。五分鐘後。

少婦知覺卽全部恢復。談笑一如常人。衆皆異之。少婦年念八歲。爲福謹夫人。當夫人病時。其夫歷聘神經病專科醫生多人診治。一無效果。其後曾聞人言。謂乘飛機下傾飛行。可治此症。於是姑一試之。竟獲奇效。福謹夫人生平未乘飛機。而飛機公司當初亦不允收容病人乘坐。其後乃由該公司經理羅白孫氏同乘。據羅氏稱。謂當飛機起飛時。該病婦卽入昏迷狀態。事後福謹夫人告人。謂此後對乘坐飛機。決不遲疑。且將先試乘電梯云。按福謹夫人得病之由。係因數年前曾躓倒一次所致云云。

人死而復生

蘇俄醫家研究結果

▲塔斯社三月十五日莫斯科通訊　蘇俄衛生委員會附設疾病診斷院正研究胸甲炎患者之致死原因。而由斯米爾諾夫指導其進行。斯氏證明心臟跳動及血液流動三十分鐘後。心臟之經常工作尙能令其復原。科家學將犬試驗。先令其觸電致死。三十秒鐘內。心臟跳動及呼吸全停。反射作用亦告消失。此種情形適與患胸甲炎而死者相同。半小時後。乃將胸甲割開。用鉀與鈣之溶解物注射心臟。於是心臟活動。呼吸及反射作用等全部恢復。該院於數週前試驗之小犬兩頭。現時異常健康。由此證明胸甲炎之致人於死命。並非眞死。且得用上述方法復活之。至因觸電而死者亦然。斯米爾諾夫謂。以高壓電力而致死者。乃一種假態之死亡。其眞死須在三十分鐘以後云。

兩個特殊的生理

一個身長八尺三寸　一個下部半陰半陽

一個是魁梧奇偉奇男子　一個是花枝招展弱女郎

▲十九日新義州訊　今日本市發現一特別高長的奇男子。身長八尺三寸。與前在上海聞名之長人常樹德。有過之無不及。長人姓金。名富貴。年二十九歲。生於朝鮮金羅南道。聞現已首途赴長春云。

▲九日廣東訊　廣東惠陽大東門外上米街。金玉堂妓館鴇母黃氏。月前以百金買得一女。年纔十四。花枝招展。姿態頗佳。詎與妓館姊妹數夕。忽被發覺此女下部有異。乃報告鴇母。於五日夜深。潛入女房。輕解其褲。果然該女下部。與

男子無異。旋將其推醒盤問。該女含羞告稱。每晚上半夜猶是女身。至下半夜則變男性云。

衛生顧問

耳內流膿

男孩年八歲　右耳流膿　迄今已五載　近耳面部時有小瘡發出　膿水搭着卽成小瘡　用藥膏搽之而愈　現膿由左耳流出口鼻中自覺膿臭　耳內並不痛癢　面部發出之瘡　隨愈隨發　曾用各藥無効　並未吃過湯藥務懇賜一良方爲荷

李吉亭謹啓

(復)耳內流膿。係慢性中耳炎及外聽道炎。亦名聤耳。口鼻中中覺膿臭。因中耳有歐氏管相通故也。近耳部之小瘡。由膿汁浸潤所致。故膿水搭着。卽成小瘡。宜用棉花。浸硼酸水將患處洗淨。吹硼酸粉。使常保乾燥。或用黃柏青黛煅石膏細末亦可。此復

吉亭先生　　編者

硯砂是否卽硇砂

原函(上略)

瘰科全書之點瘰法標明用新出窰石灰八錢又乾餅藥四錢（又名硯砂潔白如雪者佳）硃砂五厘乃乾餅藥一味考之本草從新及向藥店購買均無是藥而其原註硯砂是否轉輾傳寫之誤請卽示教又考之本草從新之硼砂效用善去風痰及鼠瘻又硇砂善去肉積祇此二種砂類名稱相近深恐排字者之誤故附言之以備參考

林祖康頓首

(復)來書讀悉硯砂方書無載以藥効及其色味言之確係硇砂時珍綱目謂硇砂狀如鹽塊以白淨者爲良大明本草謂可治惡瘡瘜肉時珍謂可除痣黶疣贅似於治瘰亦相近也足下何不按方試之此復

祖康先生　　編者

半肢瘋

敝人家父。現年六十七歲。於新正廿四日。在家裏散步。不覺頓時暈倒。遂成半肢瘋症。成瘋半邊。完全失覺。雖遇火亦不知痛。如死肉一般。但家計困難。無能醫治。故特具函詢問。伏求　大醫師指示南針。並賜藥方。俾早離苦海。

則戴德無涯矣。

嵇廷福謹啓（三月初七日）

令尊之恙。係腦出血之貽後症。亦名半身不隨。治療頗不易見功。可試服大活絡丹。由半顆增至一顆。睡時須墊高頭部。戒辛熱烟酒。大便艱難時。可服麻仁丸四錢。

編者

渼191

本刊衛生顧問章程

(一)本刊經大衆訂閱者之要求。闢設衛生顧問欄。以便醫藥上疑難問題。及病因症治藥性等。作公開之討論與研究。若依本章程投函詢問。當即照來函解答。

(二)重要問題。除依來信直接通函答覆外。本刊得隨時將答案披露。以便同志之研究。

(三)疑難之答案。須檢查醫籍。詳細考慮者。至遲一星期可以答覆。

(四)不答覆之問題如下。(一)來信記述不詳者。(二)詞義不明者。(三)要求立得藥方者。(四)無關醫藥者。(五)委託評論藥方之是非者。(六)本社同志學識所不及者。(七)無覆信郵費者。(八)無衛生顧問券者。但不答覆者。不答之理由。覆信聲明。

(五)來函概用中式紙張。繕寫清楚。附覆信郵費一角三分。並附寄下列衛生顧問券一個。

(六)來函寄愷自爾路嵩山路口瑞康里二六二號

衛生顧問券

上海新閘路醫園弄內普達製藥廠出品
海關化驗註册各處可由郵寄
起死回生(老眞牌)
神功十滴水
二十週紀念大廉價贈品
贈送航空奬券
有五十萬元之大希望
由國歷六月一日起 七月卅日止 外埠函購 寬放一月
神功十滴水即承曾氏治疫藥水於民國四年滬上鼠疫盛行時倡製歷年以來活人無算無論四時瘟疫霍亂吐瀉冷痲急痧及七十二種痧症服之均起死回生立刻轉危爲安非市上僞藥可比也 中瓶每百瓶原價六元減售四元 小瓶每百三元減售二元 外埠郵費加二 郵票通用 贈品 凡購中瓶百瓶贈醒獅牌晨丹廿包小瓶百瓶贈晨丹十包並加贈五彩美女畫片一張購滿五元以上者再另贈鼎鼎大名吳昌碩 王一亭 朱古微 伊立勳四大家合作無量壽佛並加題長跋之精印立軸一幀購滿十元以上者奉贈航空公路奬券一條多購多贈機會難得人人能得奬金五萬元大希望也
牢獄
鴉片上了癮 比入牢獄更苦 永無出頭之日
趕快戒煙 走入光明大道
百補矮瓜精

敬告黑藉諸君前車可鑒！因吸食鴉片等麻醉品

斯時不戒更待何時 脫離苦海重見光明

中毒而死亡者每年已達數萬人

影響人體生理上局部者分述如后

▲影響於神經系者—鴉片能麻醉腦部，刺激脊髓，因此腦與脊髓，均受其壓制，遂呈麻木不仁萎靡不振之現象，

▲影響於呼吸系者—肺部屢受刺激，呼吸機能漸成麻痺，肺萎肺癆之症，因之而生。

▲影響於循環系者—初覺加血壓，脈血弛緩，繼則血管縮小脈細而速，若吸大量之鴉片者，必致脉管無力收縮而死。

▲影響於生殖部者—男有陽萎之症，婦有不妊之虞，宗嗣絕望，百病叢生世人猶樂此不悟，誠可畏哉。

▲鴉片害毒大致已如上述，奈國人不悟，仍多終日吞雲吐霧，沉醉其中，我願世之嗜好此物者，及早回頭，决心戒除矣。

希望黑藉同志速服馮氏救苦金丹

▲馮氏斷癮 ▲救苦金丹

國難臨頭共謀禦侮。肅清烟毒根本救國。救苦金丹戒烟神效無匹。戒時照常吸烟見烟自厭。輕癮一二料重則四五料。絕無絲毫痛苦安全斷癮。歷任大總統黎徐曹嘉獎。已風行六十十六年斷癮無數。爲十全十美之戒烟藥王。並世無雙之黑藉救星。

（藥房均售）

▲戒烟捷徑

函索請向上海白克路大通路口峻芝堂立即奉寄，每料一元五角函購起碼兩料寄費加一

衛生雜誌廣告例

地位	面積	價目
封面	大半頁	大洋四十元
底面	全面	大洋四十元
封面裏	全面	大洋廿八元
底面裏	全面	大洋廿八元
封面第二頁	全面、半面、四分之一面	大洋廿四元、十二元、八元
底面第二頁	全面、半面、四分之一面	大洋廿四元、十二元、八元
普通	全面、半面、四分之一面	廿元、十二元、八元

一封面底面裏外均用二色套版印不另取資

一代製銅版鋅版費另加

一代繪圖樣費另加

一惠登廣告者贈本刊一册

衛生雜誌第十八期

中華民國二十三年五月六日出版

主編者 國醫張子英

校正者 國醫胡佛

發行者 衛生雜誌社

印刷者 衛生雜誌社

分發行所 中醫書局 現代書局

分售處 各省書局

衛生雜誌定價表 （費須先惠）

出版	月出一册	全年十二册
價目	大洋一角	大洋一元
附註	郵費在內	國外加倍
	郵票代洋以一分五分爲限	

○社址○ 上海愷自爾路嵩山路口瑞康里二六二號

A字消毒牛奶▲

▼是日常標準營養品

吾人身體。每日必需之滋養料。爲脂肪蛋白質糖類。及不可缺少之活力素。（又名維他命）等。而牛奶之成份。牛酪中富含脂肪。乳糖中富含糖類。酪素中富含蛋白質。又含有AD兩種活力素。及助長骨骼之燐酸鈣等。且牛奶在人體腸胃。能完全消化。毫無虛耗。所以歐美各國。無論成人與兒童。均以牛奶爲日常標準營養品。

總場江灣翔殷路　電話江灣九號

上海畜植牛奶公司

分場吳淞寶山南門外

分公司北四川路底　電話四六八八八八

注意

普通訂戶
優待九折
如交押櫃
七五付賬

章程函索卽寄

德國安特諾博士心血發明的世界唯一防老補丸
壽爾康
錫爾壽！俾爾康！
德國戚彌鄧大藥廠鄭重監製的內分泌結晶製劑

增進體內各細胞機能之生活力！

保護細胞以免各種疾病之襲擊！

延老各細胞之無限制的新生力！

亢進各細胞的代謝產物之排洩！

品質高尚
功效偉大
出類拔萃
人人宜服
俾爾壽康

藥房均售

壽爾康之成分

市上號稱返老還童之一切內分泌物製劑，其功效較著而名貴較佳者，所含內分泌物至多百分之三十三而壽爾康中乃含有「盼好而蒙」百分之六十六，「盼好而蒙」「PAN HORMON」即安特諾醫聖所發明，亦即安氏數十年來苦心研究之收穫，本劑以「盼好而蒙」爲[illegible]，以各種名貴滋補藥物爲輔，融多數名藥爲一爐，已老者服之可以回少，未老者服之可以防老，誠開藥物史上未有之紀錄。

壽爾康之製法

本劑係德國最著名之戚彌鄧大藥廠監製，廠方自置廣大牧場，畜以牛，羊，猿猴之屬，由獸醫考察，遴選強壯之獸，取普通獸體內之分泌物及各種滋補食品，日日餵之，俟其日益壯健，至相當時間後，乃由有經驗之獸醫，使用靈敏手術，採取其新鮮之內分泌物，再經紫光電提煉消毒，淘汰不良雜質，製成結晶體，名曰「盼好而蒙」，手續繁重，採選艱難，功效確宏：

▲壽爾康功能

本劑功能補充體內活力之缺乏，滋養內分泌腺之健全，促進新陳代謝之機能增加抵抗病菌之力量，乃亢進全身各機能之完美滋補品，與一般含有毒性之壯陽藥物惹起假性興奮精取一時徵效之催春劑藥物絕不相同！

主治

補腦補血：滋陰益髓
調經種子：保腎固精
防止衰老：抵抗疾病
轉弱爲強：廣嗣延齡

功效

神經衰弱：腎虧遺精
未老早衰：腰酸背痛
種子維艱：病後產後
月經不調：赤白帶下

壽爾康說明書
函速即寄外埠
函購寄費免加

分男用女用兩種每盒五元每料三十元男女同價：
中央衛生試驗所化驗：

上海 南京路五四至五十六號

柯爾登洋行

HEALTH MAGAZINE

衛生雜誌

中華郵政特准掛號認爲新聞紙類
內政部登記證警字第二八二九號
社址上海愷自邇路嵩山路口福康里

第十九期公共衛生專號

「梅濁尅星」獨佔優勢

因德國「梅濁尅星」確有勝過種種治療方法之特效

梅濁尅星的殺菌力；勝過透熱電療，
梅濁尅星的消炎力；勝過注入色素，
梅濁尅星的清濁力；勝過注射針藥，
梅濁尅星的淨毒力；勝過局部洗滌，
梅濁尅星的鎮痛力；勝過插入油錠。
梅濁尅星的利尿力，勝過內服各藥，

其能勝過種種治療方法之理由何在？

淋濁不能斷根，是因淋菌深伏尿道，爲黏膜所保護，藥力不能滲透黏膜，故終難斷根，表面雖愈，不時復發，德國「梅濁尅星」，具有滲透黏膜之特性，故能澈底撲滅潛伏之淋菌，而達完全根治之目的也！

（一）藥性純正和平絕無障害胃腸，臟腎礙及生育等副作用！

（二）殺菌力特大！爲任何藥物所難及

（三）成分高貴！善治醫藥罔效之老白濁！

（四）無手術注射之麻煩與痛苦！而功效之靈速過之！

君於購買眞正德國出品白濁對症專藥梅濁尅星時務希堅決指定及認明盒樣（參見以前所登廣告）及猩猩商標以免劣藥泯目欺人

▲百尺竿頭更進一步！

▲研究成功最新出品！

特種梅濁尅星

滲透性特強……

治療力特速……

過去成績已足驚人

德國愛迪那博士發明，戚彌鄧大藥廠監製之白濁專藥『梅濁尅星』，具有透膜殺菌澈底根治之效力，對於男女急慢新老五淋白濁有獨到之效驗，凡外治，內服等一切療法不克奏效者，服之無不立見靈效，馨譽卓著久爲全球醫藥界及病家所稱道。

不敢自滿精益求精

『梅濁尅星』之『功效』『成分』『製法』等，均已登峯造極，超越羣倫，已有確切事實之證明，但本劑發明者與廠中同人，仍本學術無止境之原理，昕夕研究不遺餘力，以冀獲得更偉大之貢獻，爲醫界爭光榮，替病家謀幸福。

救急扶危
起死回生
二天油
爲驅除一切病痛之
機關鎗
大瓶價銀三角
小瓶價銀一角
各大公司百貨商店中西藥號
各烟紙店酒樓旅館均有出售
安南二天堂上海支藥行
北四川路老靶子路口
電話第四二八七二號

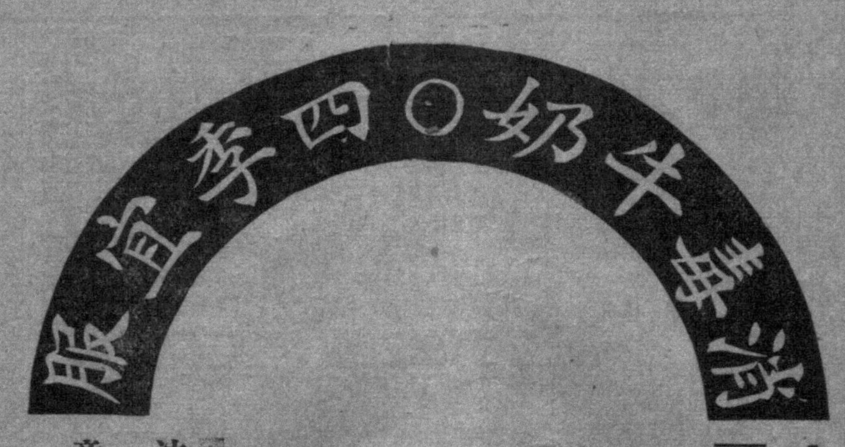

▲A字消毒牛奶▲

是日常標準營養品

吾人身體。每日必需之滋養料。爲脂肪蛋白質糖類。及不可缺少之活力素。（又名維他命）等。而牛奶之成份。牛酪中富含脂肪。乳糖中富含糖類。酪素中富含蛋白質。又含有AD兩種活力素。及助長骨骼之燐酸鈣等。且牛奶在人體腸胃。能完全消化。毫無虛耗。所以歐美各國。無論成人與兒童。均以牛奶爲日常標準營養品。

總場江灣翔殷路 電話江灣九號

上海畜植牛奶公司

分場吳淞寶山南門外

分公司北四川路底 電話四六八八八八

注意

普通訂戶
優待九折
如交押櫃
七五付賬
章程函索卽寄

衛生雜誌第十九期目錄

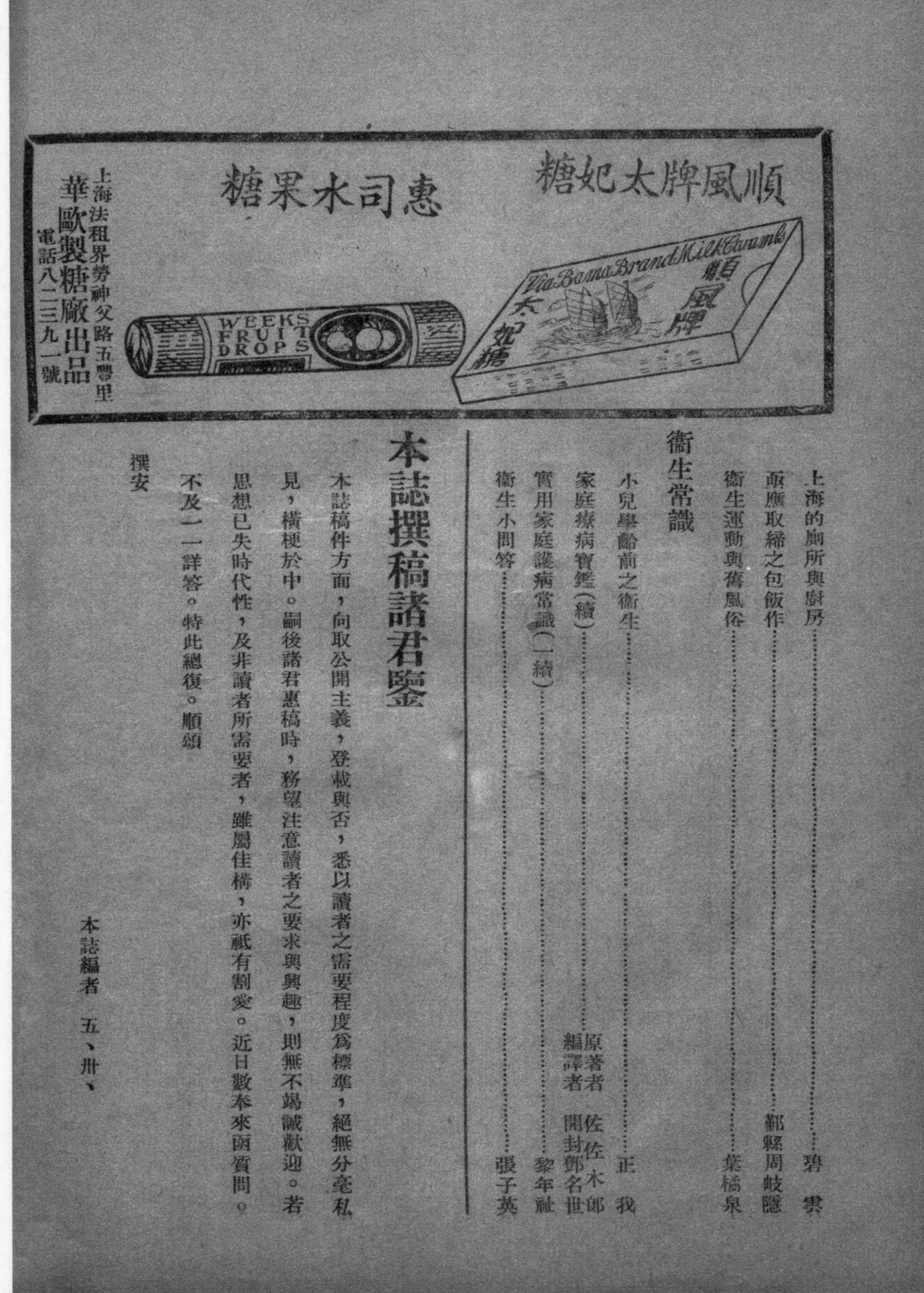

衛生常識

本誌撰稿諸君鑒

本誌稿件方面，向取公開主義，登載與否，悉以讀者之需要程度爲標準，絕無分毫私見，橫梗於中。嗣後諸君惠稿時，務望注意讀者之要求與興趣，則無不竭誠歡迎。若思想已失時代性，及非讀者所需要者，雖屬佳構，亦祇有割愛。近日數奉來函質問。不及一一詳答。特此總復。順頌

撰安

本誌編者 五、卅、

編輯者言

編者

在滬市衛生運動擴大聲中，本刊又和讀者諸君相見了。編者素以一貫的主旨，和萬分的熱忱，爲社會服務，所以本刊的質量方面，無時不在力求改進中。

公共衛生擴大號的籌備，雖然時間非常的匆促，幸承投稿諸君，努力撰述，因此，質量方面，總算是滿意而且充實。

編者竭誠歡迎讀者提出實際問題的討論，尤歡迎對于本刊作品痛提出學理上的辨難。來追求顛撲不破的最後真理。假使你有感觸，懷疑，不滿意或其他一切的時候。

天然水菓鹽

贈送玻璃量水杯

購大號一瓶 或小號二瓶 即送玻璃量水杯一只

天然水菓鹽……完全以新鮮菓汁製成，冲飲一杯，即覺口齒芬芳，週身舒暢。

天然水菓鹽……可代替汽水，以冷開水一杯，和入天然水菓鹽二茶匙，立即汽泡奔騰，成一清涼衛生飲料。

天然水菓鹽……可用作輕瀉劑，凡大便閉結者，每晨起身後冲飲二三茶匙，保使大便通暢

天然水菓鹽……能清暑解悶，公餘之暇，冲飲天然水菓鹽二茶匙，立將體內暑氣驅逐殆盡，神清氣爽，愁悶全解。

天然水菓鹽……美味適口，不含糖質，功能開胃健脾，清淨血液，並治肝胃氣痛，頭痛，頭暈，黃疸病等症，常飲之能使顏面清潔紅潤，辦事不倦，高尚仕女，人購一瓶，勝食水果數倍。

大瓶一元 小瓶六角

製造者 英國倫敦 別孝勃天然水菓鹽廠

總經理 上海五洲大藥房

本外埠各大藥房均有經售

公共衛生

新生活運動下的衛生和健康問題

就此我可以毫無疑義的說。要復興民族。非從衣食住行做去不可。非力求整齊、清潔、簡單、樸素、做去不可。非改革過去一切不適於現代生存的生活。而力趨於新時代的衛生生活不可。

試一讀下面二條新聞。我們更覺得要談民族復興。要使國家轉危爲安。更非從實行新生活運動。努力於衛生事業做去。便沒有旁的辦法了。

「教育部調查全國專科以上學校學生之體格。全國受檢查人總人數。爲二〇九七七人。其中無病況者爲一三四二四人。其平均體格如下(一)——」(晨報)

「平市統計花柳病患者逾萬——女佔十之四——北平訊。北平全市流行之病症。花柳病爲最旺盛。上年統計平患梅毒者。約二千人。患下疳者達一千五百人。患淋症者約七千九百八十餘人。總計全市人口。患花柳病者。不下一萬二三千人。中女性佔十分之四。男性佔十分之六。其中多屬青年。此係醫界之大略統計。其私治及因害羞而不願求治者。尚不在此數」(時報)

再照各臨床醫家的報告。青年患病的。以花柳肺癆神經衰弱和慢性嗎啡(雅片)中毒最多。這種疾患的造成都半從浪漫的生活和不衞生的娛樂而來。嫖妓賭博吸雅片看淫書……不良的習慣都是這些疾患的主因。要消除這浪漫的風氣。要糾正這頹廢的生活。那祇有積極的提倡新生活運動。並且還要各一個人拿硬幹實幹快幹的精神。從本身做去。

現在且把衣食住行來講吧：原來衣服用來蔽體。用來保溫。祇要適合衛生的條件。——清潔、舒適。——便算了。一定要摩登。一定要歐化。不顧他感冒的侵襲。生理上的障礙。從人格上說起來。容易養成一種奢侈之惡習。而趨於墮落。從衛生說起來。便減弱自然抵抗。招致疾患的襲來。食目的是充肌。山珍海味。大菜西餐未必比蔬菜豆腐含的營養份多。我們知道新鮮的菓實和蔬菜。含有大量的維他命。吃過精的白米。並且還要罹脚氣。反不若半搗的糙米。適合營養條件。所以我們祇求各營養成份配合的得宜。調製的清潔。並不必過於精細。十分高貴。住所以避風雨。洋房大廈。水汀電扇。生活上果然舒適了。可是「飽暖思淫慾」這種過奢的生活。便是頹喪意志。引入墮落的導綫。在青年的人們正宜「食毋求飽居毋求安」拿臥薪嘗膽的精神。來鍛鍊體格。養成堅決的意志。在現在誨淫誨盜的社會裏。意志不堅的青年。很容易誤入歧路。學生時代的手淫和同性愛。為性神經衰的原因。肺結核誘發的引線。冶遊宿娼。使花柳病魔擴大勢力。政局不定。煙禁迭更。實際上慢性嗎啡中毒的患者。竟愈禁愈多。這樣實事求是的去造就一班道地的東亞病夫。亡國慘禍。恐怕快在目前了。神聖的青年們。且莫以標語式口號式去做新生活運動。我們一定要脚踏實地的從根本上做去。便是各個人都要——整齊。清潔、簡單、樸素——

我所望於『衛生運動』之領導者與實行者

慕楠

領導者要：

以身作則先從自己做起

着重實踐避免無謂宣傳

實行辦法必須簡易可行

先易後難繼續努力不倦

實行者要：

隨時留心切實改良習慣

量力所能助成公衛事業

繼續努力最忌一暴十寒

遇有機會隨處義務宣傳

『××運動』『××運動』在這幾年來，花樣越翻越多了。但有時仍免不了『舊賬重翻，』『豆腐乾回湯，』不過不管是『新劇』還是『舊戲，』每一幕戲劇上臺，總有一番相當的熱鬧，可是不久以後，就漸漸冷淡起來，並且終于把他遺忘了。這差不多是過去的一切運動底公例。我想對于過去的運動，稍微加以注意的人，不會否認這話吧！

最使人懷疑的，一種運動的領導者，往往不是這種運動的實行者，他們把領導者和被領導者分為兩個不同的階級，所以『國貨運動』中的領導者，常常是消費外貨最多的個人或團體，『節儉運動』的領導者，常常是消費最大的個人或團體，而被領導的實行者當中，大部分自己沒有主意，祇是一味盲從，等到一時的興奮性過了以後，就慢慢的把他置諸腦後了。一部分頭腦較清的實行者，看看領導者先就這般胡鬧，怎不使他心冷呢？你想，這種運動的結果，還有好的嗎？

演講，提燈，演劇，開會，貼標語，差不多是每次運動構成的要素，甚至有些運動，除開演講，提燈，演劇，開會，貼標語之外，竟找不到其他的成分，領導的人，也無非是敝精竭神的努力在這些上面，被領導的人，當然也跟着瞎做，覺把運動的本意，統都忘懷了，也有只曉得趕熱鬧，你假使問他為什麼要這樣幹，他卻一些也不知道，這不是怪事嗎？不過也有幾個有心的領導者，翻盡他的腦筋，造成許多洋洋大觀的辦法，可是他從沒顧慮到四週的環境，實行的障礙，所以這種辦法，往往祇成了一種不兌現的支票，終于無補于事。

「前車之覆，後車之鑑，」以上說起已經許多運動失敗的原因，這並不是我故意拆穿西洋鏡，宣揚許多人的臭史，來換個人的快意。其實這是盡人都知的事實，重提一次，借以警醒一般衛生運動的參與者，勿蹈以前的覆轍，促進衛生運動的成功罷了。

我們要勸人怎樣，必須先從自己實行起來，那才能引起人們的信任。所以領導衛生運動的同志，必須以身作則，實踐衛生的信條，不可專心于無謂的宣傳，弄得有名無實，運動的結果，一無所有。實行的辦法，也要酌量一般社會的能力，簡易可行，才能推行順利。等到已見成効，再謀漸次改進，由易而難。假使目光僅及于一部的社會，訂定實行的辦法，推行起來，一定發生障礙了。

衞生運動的本意，無非爲大衆謀健康，所以無論是誰，都應當切實努力，先從容易的地方着手，革除不良的習慣，譬如吐痰放尿，要在適當的地方，這本是不廢分文的事體，不過習慣不良，隨處吐痰放尿就有害衞生了。這種習慣的改革，須要下個决心，不能有一次的放鬆。否則，一次兩次以後，老習慣很容易慢慢的復原了。還有，你自己已經把惡習改革了，假使你的朋友或親戚之中，有的還有這種習慣，你也不妨婉言勸他，替大家盡一分義務，雖不見得那人一定會遵從你，假使你是一個有力者的話，不管你有的是經濟力，或體力，文字力，在你有餘力的時候，用些在衞生事業上，也是你所該做的。

我日夜的祈望着。

公共衞生分類摘要

醫師宋忠鈺

吾人現處之時代。乃生存競爭之時代。亦卽弱肉強食之時代也。外慮列強之蹂躪。內懼癘疫之侵襲。苟欲消除內憂外患。勢非有健康之體質。實難言抵禦也。國民欲得健康之體質。舍衞生外。實無他策。蓋衞生分個人及公共二種。個人衞生。經而易舉。不過個人在衣食住上。多加注意而已。而公共衞生。乃我國行政上。所最重要者。大則關乎國家之盛衰。小則關乎人民之強弱。軍人有健康之體質。則爲強兵。兵強則可以禦外侮。農工商有健康之體質。則勤於工作。工作勤則出產豐。出產豐。卽可以富國。國富兵強。非均由衞生得來乎。雖然公共衞生之實施。尙有困難在焉。其設備非有巨款。不易舉辦。以現代我國而論。農村破產。商業蕭條之際。行政當局。雖巧婦亦難爲無米之炊。近數年來。我衞生當局。對於衞生設施上。雖次第進行。終以財政困難故。究難於最短期間。一一實現。余所希望者。必須我國富有資財者。羣策羣力。輔助我行政當局。從速進行。能於最短期內實現。吾人應知有國方能有家。國之不存。家於何有。是以公共衞生。乃當今之要務也。今余於衞生雜誌上。將公共衞生最要者。分述於下。俾我國民。知我行政當局舉辦之不易也。尤望我行政當局。不畏難而苟安。則幸甚矣。

一　飲水之衞生

吾人生在世間。除空氣外。水爲有機體之生存上。不可或缺之要素也。在衞生上最關重要。食物中水分最多者。野菜百分中含有水分九十分。肉含有七十分。麥飯含有七十五分。米飯含有六十五分。粟飯含有五十八分。鷄卵含有五十二分麵包含有四十分。除食攝取水分外。不足者則以飲料補之苟水分之攝取不足時。於生存上。亦發生不良之影響。

水爲水素與酸素之化合體。即二容之水素與一容之酸素構成其化學式爲 H_2O 今將各水之性狀。分論於下。因有雨水。泉水。井水。河水海水之別。故其成分亦不同。

(1)雨水　近似蒸餾水。其中證明含有者。俺謨尼亞（一律中大約三至六密瓦）硝酸（暴風雨後）亞硝酸（正規存在）鹽酸（於海邊多）硫酸（由有機物之分解及燃燒而生一律中約二至五十密瓦）格魯爾那篤僧謨（食鹽）（海面上於百尺之處一律中約二百十八密瓦）又少含有格魯爾加爾曼謨及硫酸石灰之痕跡。並塵埃等。雨水中因含有百分中一、三容量之窒素○、六之酸素○、一之炭酸如欲供爲飲料可用十分厚層之砂石濾過。苟池沼豬積之雨水。甚不清潔且多發惡臭。不可飲用。

(2)泉水　含有多量之炭酸。少量之酸素及窒素。其他俺謨尼亞及格魯爾不過有痕跡而已。其中之硝酸。乃由有機的窒素含有物分解而生者。又含有加爾曼謨及那篤僧謨抱合物。加里鹽類。鐵。塵埃等。如經煮沸。可供飲料

(3)井水　井水之善惡與井之深淺。大有關係。三十米以上之井坑。坑壁異常堅固。且無貫透性者。乃純良水也。反之淺井。只有四至十五米之深。難免不受市街之不潔物浸淫。此際俺謨尼亞及有機物之量。著明增加。此水即起非常的變化。故不可供飲料。

(4)河水　乃雨水及泉水之混成物。此中每含有瓦斯類及鹽類等質。若由沿岸之市街。排泄物等流入河內。每將河水汚染。河流愈小。市街愈大。且居民愈多之處。其河水愈不潔也。此水不可飲用。若從上流灌入多量之水。由河水中含有酸化作用。將有機的物質破壞。此際炭酸。炭酸俺謨尼亞。硫化水素等之有害瓦斯。飛散於空氣中。暗綠之硫化鐵及石灰沈澱而成泥。此水自然清潔。爲河川之自淨法是也。

如以此水爲飲料。應於流入處之上下流。施行化學的及顯微鏡的檢查。以觀自淨法之實績如何。此類檢查。當然注意於病原細菌類（炭疽熱。窒扶斯。虎列剌桿菌等）有無蔓延之狀

態。以便施行預防

水之善惡。分為三級如左。

(一)可供飲料之純良水。此類水貯藏三至五日。不發生生活有機體。只生少許之沉澱物。及少數海藻者。

(二)疑惑水。於水中發見滴蟲類及含有合物者。

(三)不可供飲料之腐敗水。充滿細菌或腐敗菌及腐敗滴虫類。此水甚渾濁。

清潔法

人工濾過法。自來水卽人工濾過者。在無自來水之處。製造濾過池。法於距地三四尺高。用磚築成(水門汀尤佳)大小由人口多寡而定。內分四層最下第一層鋪碎石。第二層粗砂。第三層細粗砂。最上層細砂。如此處置。水中之不潔物及有害物。可以排除。否則由水媒介之傳染病。如虎列刺。窒扶斯。赤痢等症。在流行時。最為危險。其他半熟水及生水。切不可飲。須經煮沸後。病菌方可殺滅也。

二　飲食物之衛生(飲食店附)

吾人於空氣中。維持生活外。尚要食取營養物。以補贖其損失。卽取新鮮物質。由營養法輸入。而將廢用物排出。所謂新陳代謝是也。故飲食物。實為人生最重要者。宜如何講求。以期無害於吾人之健康。此問題亦關重要。食物之各成分。因限於篇幅不及備載。謹將關於公共衛生範圍內者論述之。今將由食物發生之疾病列下。

醃肉　久時食用。多來壞血病。英國航海條例。在船上者。凡十日間。食醃肉者。每人給食半磅拘櫞汁。壞血病自然減少。

腐敗食物　食用者。每發生重症之消化器病。

河豚魚　其毒多量存在於卵巢中。河豚之毒。有結晶物與樹脂樣物二種。甲種中性。乙種酸性。其中毒作用乙比甲較劇。由兩種毒含量之不同。故河豚之種類。而有差異。河豚酸。在赤目河豚。含量最多。虎河豚及眞河豚較少。故赤目河豚為最毒者。

貝類　食之亦有中毒者。殊於夏季為然。

病獸之肉及乳　已詳於屠宰衛生條。玆不贅。

植物性食物　亦有中毒者。然比動物性者較少。

蕈類　往往食含毒蕈類。有中毒者。如不十分明瞭之蕈。可不必食。

諸類　發生一種類鹽基物質。亦有食之中毒者。

又植物性食物　有由調理關係而中毒者。(一)如某植物。不宜用銅鉛器具。而誤用之者。(二)以有害之色素着色者。(亞尼林。綠繡)

麥酒　葡萄酒。若飲腐敗者。多發生胃腸病。

麥粉　若含有麥奴者。其量達百分中一分至二分。久用之發生麥奴中毒症。以上吾人均應特別注意者。今再將飲食店應改良者。論之於下。

吾全國之飲食店　向來不知講求衛生。通都大邑。倘有一二可觀者。外縣及小鎮。更不知衛生爲何物矣。夏天菜蔬。一任蒼蠅紛集。並且灰塵飛揚。污穢異常。肉類有隔二三日。色已變者。倘供人食。又如各種冷飲物。大半非熟水製成者。各種菓品。亦不問其成熟與否。卽腐爛者。依然出售。人民貪圖價值低廉。爭相購食。此類飲食物。欲其不受疾病也。豈可得乎。我行政當局。宜如何加以嚴厲的取締。況飲食物。對於吾人健康上。有密切之關係乎。偶一不愼。疾病卽因之而叢生。我衛生當局。宜明訂衛生條例。發貼通衢及各飲食店。每日應由衛生人員。分赴各店檢查。如有不合衛生者。最初宜詳細加以指導。令其改良。夏天宜備紗罩及冰箱。冬天宜備玻璃罩。每日所用之各器具。至夜間收市後。均宜用開水煮沸消毒。苟屢次抗不遵行者。宜從嚴處罰。舉凡腐敗肉類。腐爛菓品。以及非開水製成之飲料。一概不准出售。

食物貯藏法

新鮮食物。乃吾人每日所攝取者。反之如欲久時貯藏。非有良好之貯藏法。決不能防其腐敗。其防腐之法。不外高熱。低溫及水分之除却。高壓之應用。防腐藥等。肉類貯藏法。(一)水分之除却。卽令肉類乾燥。以防腐敗者。(二)防腐藥。卽用硫酸木醋等。且不失天然之味。(三)醃肉。用石鹽或硝石。雖不失却水分。而營養上稍受損失。(四)滅菌的物質。卽醃漬於酒精或醋酸中。凝結其溶解性蛋白質。或用鞣酸及撒里矢爾酸。以生不可溶性飽合物。(五)高熱滅菌。將空氣於高熱中脫却後密封。(六)塗布脂肪或膠質。以避空氣之接觸。(七)寒冷作用。冰箱及井坑等。(八)高壓。防止細菌發生。

鷄卵貯藏法　(一)貯藏於石灰及石灰水中。苟浸純良水中。乃一時的貯藏法(二)卵殼外。塗以膠質或粘液。以防空氣竄入。

牛乳貯藏法　最良之法。加糖與亞爾加里。用低溫度於眞空中蒸發。成濃厚者。卽煉乳是也。

牛酪貯藏法　先脫却水分。再加食鹽。

植物性食物貯藏法　乾燥。鹽醃。罐裝等。

三　衣服之衛生

凡吾人所着之衣服。非專爲美觀。實爲調節溫度之變遷。並以抵抗外界寒熱之侵襲。保護吾人之健康。免發生感冒等之疾患。

第一其溫傳導力　衣料之優劣。以引濕力之大小及含水量之多少而定衣料之優等者。引濕力大。吸收水分亦多。羊毛製物是也。衣料之下等者引濕力小。吸收水分亦少。且蒸發亦速。麻布製物是也。其衣料之顏色。對於日光。亦有關係。光輝性溫線之吸收力。各有差異。白色者吸收力最弱。其率白色者百。淡黃色者百〇二。濃黃色者百四十。紫色者百六十五。淡青色者百九十八。黑色者二百〇八。故衣黑色衣服最溫暖。

第二空氣之竄透　此與抵抗力之強弱。最有關係。以不防害瓦斯交換。且須有一定之竄透力。以便由皮膚放散炭氣。吸收養氣。

衣料之選擇　亦關重要。如不注意。亦可爲疾病之原因。又年齡。男女職業。衣料之選擇上。亦大有變更。近觀現代摩登男女。完全歐美化男子西裝。尙無大害處。不過尤一名洋貨推銷員而已。婦女現代之服裝。每多因之發生隱疾。束胸於血行及呼吸均有防礙。冬天着單薄之短褲。且無紮腿帶者。易擢子宮病。不穿棉鞋絨襪。易生凍瘡。故肺病凍瘡。婦女患者最多。我國婦女界。患腹部疼痛。月經不調。白帶等疾者。百分總佔八十分。爲美觀起見。受此痛苦。眞不値得。直接有害己身之健康。間接於胎兒。亦有大關係。何不速起改良乎。況今年婦女國貨年。應盡力提倡國貨。服西裝者。改用中國綢緞或中國呢絨製造。婦女亦改用中國綢緞布疋。節儉愛國。何樂而不爲乎。　（未完）

參觀杭市衛生展覽會之感想　董志仁

杭州市政府，定於本月十五日至二十一日止，在青年會舉行衛生展覽會；並映放衛生電影，以喚起民衆對於衛生之注意，記者因蝟務繁雜，不克先往，始於日昨抽暇參觀焉！

會場佈置，設於靑年會之四樓，記者循次觀覽：第一部爲生理上之各種胎兒，皆用酒精浸列於玻瓶內：如葡萄狀之鬼胎，輕骨胎兒，腹水胎等；第二部爲肺癆模型；第三部爲頭部活動模型；第四部爲小兒天花，水痘，及性病疾患等模型；第五部爲腸模型，表示傷寒赤痢霍亂等病菌所在，及其狀況；第六部爲紅白血球，及天足纏足之模型；第七部爲木製之廁所及小便之模型；第八部爲白臘製之蚊蠅模型；第九部爲鼠疫之菌狀形態；第十部爲五洲藥房及民生製造廠自製之醫療用具藥品等，四壁懸掛疫癘圖說，佈置陳列極簡單，而一般人視之，以爲重要衛生事項，足資吾人警惕矣！然記者對此，則竊有疑焉？

素問四氣調神大論曰：「春三月此謂發陳，天地俱生，萬物以榮，夜臥蚤起，廣步於庭，被髮緩形，以使志生，生而勿殺，予而勿奪，賞而勿罰，此春氣之應養生之道也；逆之則傷肝！夏爲寒變，奉長者少。夏三月，此謂蕃秀，天地氣交，萬物華實，夜臥蚤起，毋厭於日，使志無怒，使華英成秀，使氣得泄，若所愛在外，此夏氣之應，養長之道也；逆之則傷心！秋爲痎瘧，奉收者少，冬至重病。秋三月，此謂容平，天氣以急，地氣以明，蚤臥蚤起，與鷄俱興，使志安寧，以緩秋刑，收斂神氣，使秋氣平，無外其志，使肺氣淸，此秋氣之應養收之道也；逆之則傷肺，冬爲飧泄，奉藏者少。冬三月此謂閉藏，水冰地圻，無擾乎陽，蚤臥晚起，必待日光，使志若伏若匿，若有私意，若已有得，去寒就溫，無泄皮膚，使氣亟奪，此冬氣之應養生之道也；逆之則傷腎，春爲痿厥，奉生者少。」孔子曰：「君子食無求飽；食不厭精，膾不厭細，食饐而餲魚餒而肉敗不食色惡不食，不時不食，割不正不食，不得其醬不食，食肉雖多不使勝食氣；惟酒無量不及亂，沽酒市脯不食，不撤姜食，不多食，祭肉不出三日，食不語。」其他一切對於衛生之道，均極簡要，奈何今人之喜新厭故，舍本求末哉！

夫細菌固屬有形可證，而其滋生則在於無形；吾人苟能講求古時之衛生學，使軀體康強，年登上壽，亦至易易！卽在繁雜市廛，難免細菌侵襲，而有吾人固有之抵抗力以撲殺之，又何患疫癘之流行？今之人在形式上似多衛生之宣傳，而實際酒肉色慾，恣意自貪，及至病從口入，又於事先感印病魔菌之恐怖，精神上先形衰弱，於是病症更易猛進！夫如是，則衛生展覽會又何貴哉？所望衛生行政當軸，隨時採及中國固有之衛生學，及民間衛生簡法散播一般民衆，俾時時注意，恐較時間性之展覽會，其效將更進十百倍也。

編者按：形而上之衛生，非一般人所能做到，故公共衛生之偏重于物質，實勢所難免。且人類生活之進化，原屬由簡而繁。由粗而精，固不能以古人之簡陋，反病今人的繁冗也。作者以爲何如？惟精神上之修養。編者亦認爲最高點之衛生，深表同情于原作也。

在沒有自來水設置的城市底飲水問題

歐克仁

在咱們中國，除了上海、南京、天津、漢口……這幾個大都市算有自來水的設置以外，說起來眞是天可憐，就是走遍全國，也再不要想能夠找出一處有自來水設置的地方來。在這種沒有自來水設置的城市裏居民一切的用水，自然都只是仰給于河水的了。（也有少數是仰給于井水的）但假使這種河水是清潔的，那倒也罷了，吃了也沒有害處的；只怕就是不清潔，因爲不清潔的水吃了是有害的；（它雖然經過高熱的煮沸，仍舊有臭味）而不知道在這種沒有自來水設置的城市裏的河水，却剛巧犯了這個在咱們中國是十分平凡而極普遍的大衆化的毛病——不清潔。（就是在有自來水設置的地方，也何嘗不是如此的呢？但到底因爲它們有自來水設置的關係，所以它的害處還小；假使在沒有自來水設置的地方，那它的害處就變得大了）

你們想：咱們中國人的腦袋中所藏着的衛生知識，本來是極微極微的，有的簡直連一點兒都沒有，（比起他國人來，眞是有霄壤之別了）無論什麽都不講衛生，都不講清潔當然，在咱們中國的河水，豈能逃過這個難關！（不清潔）所以便桶的糞屎，[illegible]的垃圾，廚房的骨頭菜皮，輪船的煤渣染坊的染料，以及死貓死狗、死猪、死鼠、紙頭、木屑、竹片等一切零零碎碎五花八門雜俚古董的齷齪東西，都把來裝入這個他們以爲是大自然所賦與的垃圾筒裏，這樣日積月累，醞酵，腐敗，水的成分就可想而知了，它的齷齪也可想而知了，它對于人體的損害程度也可想而知了。以這樣齷齪的水，不，說錯了，以這樣齷齪的泥漿，來作爲飲料，來吃到肚裏去，簡直是使我想到了，全身的神經就會立刻全部麻痺起來。而咱們中國內地的人，也顯見得太可恨可嘆可憐的了；但也怪不得他們，因爲他們腦袋裏根本沒有一點兒衞生知識呀！而且，何況，又被不道德的觀念在驅使着，叫他們如何能夠不做出這種違反衞生常規的行爲來呢？

我們既然知道用這種像泥漿般的水來作飲料，是極不衞生，對于人體極有害的，那我們就得想出補救的辦法來才對，說起這補救的辦法，最好的當然就在創辦自來水，使人民都可飲用清潔衞生的水，不致損害身體；但咱們中國在這種不景氣的情形之下，要每個城市裏都設置自來水，未免有些不可能，（或者將來總有實現之一日）所以我以爲還是在清潔河水這一方面着想來得好。清潔河水，最要緊的，第一：就是嚴禁人民任意拋擲有形的物質到河裏去，尤其是糞便，更其要嚴禁，因爲糞便是十分齷齪的，所以不可以倒在河裏，何況自有「倒老爺」會來倒取的呢？又如垃圾，也很齷齪的，我們儘可多走幾步路，把它倒在垃圾筒裏，（凡是倒垃圾在河裏的，總都是靠河住的人家，他們爲了懶惰走幾步路起見，就此手一伸，望河裏一倒，多少便當；但要曉得，便當固然是便當了，其奈不衞生何？）決不可把它倒在河裏，汚濁的水，我們也儘可多走幾步路，把它倒在陰溝洞裏，也決不可把它倒在河裏。至於舟人的糞便問題，那是更爲要緊了，因爲他們的糞便，可以說是沒有一個不是撒在河裏的，雖然少數是有馬桶的，但換湯不換藥，仍舊是倒在河裏，所以更其要嚴禁，必定要叫他們大家預備馬桶，每早也可照岸上人家的辦法，凡是靠岸停泊的船隻，都派倒老爺去倒取糞便。（這是衞生當局的職責）第二：飲用的水，必定要用沙濾器來濾過，或用明礬來澄清，（這差不多大家都已經實行）飲料非滾不喝，以免誤吞病菌。第三：在可能範圍之內，要儘量的用挖泥機來挖取堆積在河底的齷齪沉澱物，使河道濬深，汚物減少。這樣三方面推行起來，才能使河水清潔，雖然沒有自來水設置的城市，也不要緊。

不過，要使人民衞生的最大原動力，還在竭力的灌輸人民以衞生知識，要使他們曉得爲什麼要講究衞生，講究了衞生便怎樣不講究衞生便怎樣，這樣才能使他們自動的講究衞生，才能收事半功倍的良好收穫；否則，衞生當局雖然天天三令五申的叫人民講究衞生，嚴禁違反衞生常規的行爲；但衞生當局又沒有千里眼順風耳的本領，他們避了衞生當局的耳目，少不得仍舊要我行我素的；所以假使要人民講究衞生，那末平日宣傳衛生知識，是一個十二萬分緊要的根本辦法！

什麼叫做衛生運動

李其光作

「衛生運動」四個字，近幾年來已鬧得滿城風雨，無處不曉得了。它的目的，是要減少疾病，增加壽命，使人民個個有健全的身體，健全的精神，去做那救國強種的事業，造成極樂的世界。

國府的命令規定每年五月十二月舉行衛生運動二次，爲什麼規定在這兩個節季呢？當然，是有相當的理由！因爲我們中國人的習慣，在五月五日（端午節）一天，家家舉行一次抗毒運動；在十二月裏的十七十八二天，也是打掃得非常清潔，俗語說：「十七十八，越掃越發，」像這些話，表面上雖似覺有幾分財迷；但是實際還說得過去。

衛生運動的意義，卽是提倡公共衛生，他的目的旣如上述，它的實行，决不是政府單獨能夠做到，因爲實行者仍是我們人民所以要實行它還是要我們人民來主動的，政府不過負責指導罷了！我們要達到這個目的，人人須負起相當的責任，一齊起來努力衛生工作，好像掃除街道的垃圾，出淸庭院的汚物，淸潔厠所廚房，撲滅蚊虫蒼蠅，選擇飲食物品等；不過這些工作須要每天去做它，並不是等到在舉行衛生運動的兩天裏來演習，政府不過借着兩天來喚起人民對于「衛生」兩個字加以深切的注意，並且促進每個人養成衛生習慣，衛生行爲，來保障大家生命的安全，同時還可以減少因疾病而死亡的一筆大損失罷了！

歐美等國因注重施行公共衛生，所以一切的損失，較之我國來得少，最顯著的，卽是死亡率和經濟！參閱我國的人民死亡率表，每年至少在千分之三十左右，歐美等國，其死亡率均不及千分之十三，兩者相較，則我國倍於歐美又過之，卽每年每千人[illegible]冤死者十七人，以全國四萬萬人口計算，則我國每年冤死者有六百八十萬人，經濟方面，爲數尤巨，假使每死一人，其損失爲五百元，則每年由此六百八十萬冤死者之直接損失，共爲三十四萬萬元，又假使每一病者因醫藥而化費二元，則每年由二萬萬七千二百萬冤枉生病者之直接損失，共爲五萬萬四千四百萬元致；若因死亡或疾病時的不能工作，而生利之間接損失，更不可以數計了，所以要保持人口的興旺，經濟的充足，那非舉行衛生運動不可。

衛生運動人民要和政府合作的地方很多，現在把最緊要的來說出來：(一)改良公廁，取締私廁。(二)禁止隨地便溺和吐痰。(三)禁止隨地傾倒垃圾。(四)改良水質及禁止在河塘井傍傾洗便桶和汚穢物。(五)提倡健康教育。(六)籌設醫院診所。這些事業，政府當負責設施指導，人民應協助遵守，那末一切疾病，可以減少發生了！人民的健康，可以有保障了，事業的效率，可以增高了！經濟亦可以發展了！極樂世界，就在我們的努力啊！

公共衛生淺說

開封鄧名世

公共衛生者，乃用種種方法以保全社會公衆全體健康之謂也。吾人積多年之經驗：深知欲達到此目的，必須先驅除健康之障礙，而健康之最大障礙，厥爲疾病。故預防疾病之發生，實爲公共衛生上最切要之事。歐美各國，公共之衛生施設完備，人民之衛生知識發達。疾病之發生較少，人民之死亡率亦較低。回顧我國，則有天壤之別：國家既少衛生設施，人民又無衛生常識，每年疫癘流行，死亡枕藉，慘不忍聞！邇來時屆夏季，百病叢生，而兇猛可怕之傳染病，尤易流行，茲就公共衛生上應注意之緊要事項及數種重要傳染病之預防法，約略述之，以饗讀者，此頗重要，幸留意焉！

第一 公共衛生上應注意之緊要事項

(一)飲食 飲食店及小商人所販賣之飲食物，其新鮮清潔合乎衛生者，固屬有之；然消毒不完全而含有病菌者實居多數！吾人除不得已之特別事故外，似以不入飲食店爲佳。若有宴會等應酬時，則宜自宅調製或託衛生設備完全之飲食店代製之亦可。

地方衛生行政機關，對於飲食物之取締，須嚴厲執行：凡於飲食中混入他物貪圖不正之利者，或販賣未熟之果物及腐敗之肉類等有害健康之食物以貪圖小利者，皆當嚴厲取締。

關於清涼性飲料之製造，亦宜十分注意，衛生行政機關須派衛生人員時時檢查其工場之設施是否十分安全？其職工是否健康？其原料是否合乎衛生？如認爲不合，得勒令停業。

一切獸肉宜於一定之屠場屠殺之，屠殺之前後均應施行嚴密之檢查，以防病毒之傳播。

飲食物宜十分煑熟而後食之，瓜果類宜擇其新鮮者去皮而後食之，質而言之：即擇用不含病菌十分安全之食物是也。

(二)飲用水　水之衛生之要旨：在豫防傳染病毒之傳播。其最緊要者，即在如何飲用安全之水及如何處置廢水兩點。是故水之衛生，一方面爲井戶及水道問題，一面爲排水及污水處置問題。易而言之：即上水與下水問題是也。上水須不生病菌，不含虫卵，不含化學的異常成分，無色無味無臭，有適當之溫度，呈中性反應者，方爲合用。若有異常，則以不用爲佳。

改良飲用水最確實之方法，厥難建築上水道，若大都市固無論矣，即小村落亦宜建設簡易之水道，以供居之民用。

水之來源須十分清潔，必要時可用濾過及氯化石灰消毒等裝置。井戶宜建築於地面清潔水質純良之處，其構造尤須注意，以防周圍污水污物混入。就中以附有吸水機之閉鎖式井戶爲最佳良。

地面之水，大抵不潔。其不潔之故：或由於雨水及下水之混入，或由於種種穢物之投棄。故河水湖水不適於飲用。

家庭使用之廢水相集而成下水，故下水雖污，別無危險也。若下水中混入糞屎時，則下水即成爲消化器傳染病之媒介物，於是不潔危險兩者遂兼而有之矣。

下水已混入糞屎者，須注意勿使流入河川。大都市上水道之水源，尤不可有下水混入，以防傳染。

(三)住宅　須具有下列條件方爲合格：即(A)乾燥，(B)室內溫度調節適宜(C)空氣流動(D)光線充足是也。住宅若不合上列條件之一者，即不宜居住。

(四)公共場所　人煙稠密之地，劇場集會之間，宜取締容易傳播病毒之事項，並令其管理人爲傳染病預防上必要之施設，在特別情形之下，得停止集會。

第二　數種重要傳染病之預防法

(一)霍亂　病人之吐瀉物中含霍亂菌甚多，若將此等排泄物濫投水中或洗濯病者衣類，則其水中常混有霍亂菌，一旦汲飲，即隨飲食物入口而達於腸，遂大肆其毒力，故本病爲水系傳染病中之最主要者，流行時若能特別注意飲料水之衛生，往往可以避免傳染。醋及醬等亦有殺菌作用，大約需一二小時可以死滅。當霍亂流行時，以醋醬調製食物，亦可預防傳染。以上所述，爲各個人易於實行者，其關於社會公衆全體者，則以預防接種及海港檢疫爲最重要，前者乃以霍亂菌液注射於健康人體內，使之發生特異的免疫質，以預防傳染之方法也。此法在歐美頗爲盛行，亦頗有效。後者乃海港特設檢疫處，勵行旅客檢查：凡自霍亂區域內所來之旅客船員，皆施以嚴重之監視，必要時則舉行全體旅客船員之糞便檢查，若一旦發見患者或攜帶病菌者，則宜立使停船，施以隔離及嚴重之消毒。此外驅除蠅類，勵行糞便消毒，亦屬必要之事。

(二)赤痢　發見赤痢病人時，宜立使隔離，注意排物之處置，勿使散佈各處，一切被汚染之物質以及病人排泄之物質，皆當嚴密消毒。調理食物者之手指是否清潔無菌，尤須特別注意！他若驅除蠅類，更不可忽。徵之外國實例：凡下水道完成，糞尿處置適當之區域內，本病竟至絕跡！故建設下水道，普設安全之便所，實爲本病預防上最切要之事。赤痢之預防注射，固有相當之効果。惟赤痢菌種甚多，

若同時將各種菌液混合注射，則有種種不便。且赤痢菌之預防液反應甚強，勢不得不與血清混合注射，此又一不便也。以其有種種不便故不通用。

(三)瘧疾　瘧疾病菌之唯一傳播者，厥爲阿諾飛利斯蚊，故預防之第一策，即在阻止此蚊之發生，其法有種種：或整理水道，或用煤油灌溉積水之處，以撲滅孑孓，而防遏蚊類之發生。不得已而瘧疾已流行者，則宜用蚊帳。房屋之門窗等處宜覆加紗羅，以防蚊虫飛入。此外於瘧疾流行時，常服少量規甯，亦可避免此病之傳染。

(四)猩紅熱　施行隔離消毒法，注射猩紅熱血清，可以預防傳染。其他戴用面罩亦有相當効力。

(五)白喉　預防法之最緊要者，爲隔離病人，如家中有一兒患本病，則全家皆有傳染之虞。故病人務須及早送入醫院，病室之一切衣服器具等，皆宜嚴重消毒。在白喉流行時，注射白喉抗毒素，可以避免傳染。

(六)傷寒預防法之最主要者，有下列四種：第一須注意糞尿之消毒，改良廁所，驅滅蠅類。第二建設市上水道，正理下水道，塡除汚池。第三注意飲食衞生，不飲生水，

不食生物，第四施行預防注射。

——完——

談談夏令的飲食

士瞿

引言 四季不住的代謝。氣候也隨着寒暖不定。在夏天有暴日的薰蒸。使你的身體感到異常的酷熱。在冬天有風雪的侵襲。使你的身體感到異常的嚴寒。你須格外注意你的攝生。病魔才不致降臨到你的身體。那纔是你的終身幸福呢！光陰眞是使人不可猜疑的過得這樣快。暖和而可愛的春天。不知不覺的消逝。那可怕的夏令。又降到人間來了。在這炎夏。你更須時時刻刻的注意着你的攝生。因爲在你的身體四圍。差不多在在都佈滿着陷阱。當你一不小心的時候。你就會滑到陷阱裏去。尤其在一飲一食的時候。更會發生極大的危險。現在我就將日常的飲料和食物兩點上來談談。

一飲料 飲料人人都曉得牠是人生一天也不可缺少的東西。尤其是在炎熱的暑天。上海。有經過消毒的自來水。比較清潔得多。但是在沒有自來水的地方。那就危險得多了。病原菌混入水中的機會。差不多隨時隨地都屬可能。假使某處的湖水或河水。一旦爲某種病原菌所侵入。那沒喝了這被病原菌所侵入的生水。當然會直接傳染到臟腑裏去而發生某種疾病。因爲混入水裏的病原菌。多數爲霍亂菌。赤白痢菌。傷寒菌等。所以在夏天所發生的疾病。也大都是這類的病。

二食物 食物有動植二類之分。動物的：如魚、肉、等。植物的：如五穀蔬菜等。微生物。常常有由食物間接侵入我們的臟腑內。以致發生各種的疾病。在夏天的飲食物。人們都以爲生的。冷的。來得可口。舒適。但是。我們要知道。生的冷的。固然是來得可口。來得舒適。可是對于衞生上。却有很大的危險。因爲生的。冷的食物上。不免有微生物的繁殖。這不是我們的肉眼所能窺見。而在顯微鏡下。是可以證實的。

結論 綜上面兩點看起來。在夏天的飲食物內。幾乎完全含有毒性似的。的確。就是在平時。也不免含有毒性的。不過比較夏天的毒性。來得薄弱些罷了。飲食是我們每天的必需品。那沒我們不得不設法來消滅微生物。而消滅的唯一方法。就是消毒。講到消毒。我們用不着什麼手續。只須煮沸便可說完備了。所以煮沸。是夏令飲食的唯一要件。其次我們更當注意所應用的器具。因爲飲食物雖然已經煮沸的手續。假使應用的器具。沒有經過消毒。器具上的微生物。仍舊會混入飲食物上。而運到我們的臟腑裏去。例如洗過(飯碗)之後。本已清爽了。卻不管三七廿一的拿了抹布。向碗裏一抹。仍舊將抹布上的微生物。不知不覺的又光顧到碗裏去這不是白費一番洗滌的工夫嗎！

此外在夏天。紗罩是應該多多的購備。以防蚊蠅的媒介。總之。任何物事在應用的時候。必需經過沸水泡一下。使微生物消滅盡淨。那才可以減少傳染的機會。這不過是在夏令尤須特別注意的事。

我之衛生信條

鶱雲

我國自海禁大開。歐風東漸以來。衛生之道尚矣。政府有衛生部之設置。以專其責。回顧民國肇興後。及至今日。都市中之衛生。不能謂毫無成績。轉觀內地。鄉村市鎮中。關於衛生之成績若何。誠與都市有天淵之別。而令人感慨繫之也。爰不揣鄙陋。草擬衛生信條數則於后。俾與讀者商榷以資普及。實亦新生活運動中之重要問題也。

甲　清潔

1衣服應時時洗濯。襯衣尤須勤滌。室內如桌椅書案窗檻。每日亦應拂拭清潔。塵埃飛揚時。門窗應障以簾幕。

2身體須時常洗滌。水勿過冷與太熱。宜用與體溫相等之水摩擦之。並先用「康廣沙而」一量杯。攙入浴水中滌浴。

3空腹及食飽時不浴。

4如行冷浴。祇宜於夏季。

5溝渠之疏通。庭園之洒掃。須不時注意。

乙　飲食

1食物時。細細咀嚼。然後嚥下。

2所食之物。必須富於滋養料者。菜肴須動植物適度之配合。

3食有定時。每日除三餐外。不用零食。

4食後勿卽就寢。

5注意飲料之清潔。

9不時不食。飲食物當應季節而變更之。

丙　運動

1每日於空氣新鮮之處。行適度之運動。

2食後緩行數百步。以助消化。

3每日清晨。行深呼吸數十次。

4運動後。須入浴。或以布漬溫水拂拭身體。去其汗液。

丁　睡眠

1起臥須有定時。睡眠務使充足。平均八小時。至少不得過六小時。

2就寢後。不作邪念妄想。務宜速眠。使成習慣。

3早眠早起。

4臥室須使空氣流通。寒暖燥濕須調和適當。

5臥室內不容納貓狗及其他鳥獸。以防傳染。

6臥具不時置日光下曝晒。

戊　身體精神

1每日或隔一日沐浴一次。使皮膚不留穢濁。

2鍛鍊身體。爲強健不二法門。國術及柔軟體操爲最適宜。

3胃腑疏通。消化機能自然暢旺。每晨須如廁一次。使成習慣。

4不着狹隘之衣服。女子不束胸及穿高跟鞋。使身體有充分之發育。

5夏夜不裸臥於外。

6性慾須有節制。

7心中常存知足之念。不作過分之求。

8用腦勿太過。食後勿即用腦。

9工作勞動後須尋適當之娛樂以調劑精神。

10不作煩悶。悲哀。憂愁。喜怒激烈之感動。

11不厭勤[illegible]惰。

12不作無[illegible]之遊戲。如叉麻雀等。

右草信條。僅就管見所及。遺漏實多。希海內外讀者加以商酌。俾臻完善。以養成我國國民強健之體格。而一洗東亞病夫之謬論。據今日新聞報新園林載「……據某西報近載。近來美國共有一五〇、〇〇〇餘之正式醫生。每百萬人中平均有一、二八〇個。這種充滿醫生的現象。在大都市裏尤爲顯著。譬如在芝加哥醫生占百分之一、九三八。在波士頓竟達百萬分之三、二六八、至於獲得治愈的人數。在一千九百三十三年一年之內。共有五百萬。平均每四秒鐘一人。至於美國醫學之日益猛進。有二件事足以證明之。第一是美國人壽命之延長。十七世紀當美利堅殖民地方才成立時。美人的平均年齡是三十四歲。到了十八世紀合衆國產生時。增至三十九歲。一八八〇年。在紐約區內的居民。平均爲四十二歲。直至一九三二年激增至五十八歲。第二是美國男女體高和體重。的增加。去年全美國的女子專門學校身體檢查的統計。發表女生平均高度增加三、三吋。體重平均增加二十六磅。一方面當然是美國人士對于衛生事業之注意。一方面不得不歸功于一般醫生的服務。」

執此以論。一國之強弱。以國民之體格強弱與否爲原則。國民體格之強弱。實操諸醫生之手。試觀我國歷史上周漢之鼎盛。威震四夷。則彼等醫生對于國家之成績。與今日一較。不禁生今昔之感。方茲中西醫澎湃之秋。我國中醫之責任。其將視爲若何耶。

霍亂『虎烈拉』淺說

邱傳芳

每屆夏令。傳染最速。死亡最多者。莫如霍亂。西名「虎烈拉」其來勢卒暴。如迅雷烈風。大有談虎變色之概。誠爲社會之大害。國人之勁敵也。今夏令已屆。虎疫傳染。在所不免。苟不積極預防于前。迨臨渴掘井。則燃眉莫及矣。爰不揣庸陋。聊述霍亂之(原因)(病證)(預防)(治療)如次。以供夏令中衛生之一助。

(原因)霍亂之發作。由霍亂細菌侵入腸胃。經過潛伏期。二十四小時。甚至卅八小時。勝過體內抗力。且氣候適于病菌之發育時。遽現吐瀉交作。腹疼甚劇。是謂霍亂。(作揮霍撩亂解)此近世醫界所公認矣。然霍亂原因。侵襲于腸胃。勢必從口而入。其由飲食不潔可知。但霍亂何不見于他時。而必發生于夏令。何以同食不潔之物。有病有不病。殊可深討研究耳。余引疇昔歐洲醫生沛登考否氏。倡三因鼎立說。說明人身釀成霍亂之原因。必須有三種特殊狀況。同時存在。而後可以發生本病。

1霍亂原菌。潛入胃腸。

2氣候不適於人。而適於病菌之發育。

3人體自身之抵抗力薄弱。不能抗禦疾病。

此說之精義。在于三種狀況。如缺其一。即不能成病。例如霍亂菌不入胃腸。決不能成霍亂症。氣候適時。霍亂發育不易。雖入人體。亦難成疾。或其人得充分之休息。適宜之飲食。勞動不過度。不進多量之冷物。保存其胃中液原有之殺菌力。則雖霍亂菌潛入人體。亦不能發生霍亂。可知夏令胃酸薄弱。爲發生霍亂之要原。其同食一物。有病有不病者。以心臟有強弱之別也。安知吾人胃腸內。未嘗不具霍亂菌。其所未能發育成病者。尙依抵抗力之存在也。若天氣不調。恣啖生冷。飲食不潔。起居失常。使人身抵抗力減少。其能避免本病者難矣。

（病證）霍亂之傳染。多由體內抗菌力薄弱。腸內感染霍亂菌。擾亂腸壁。腸內發炎。於是遍身水液不從腎臟下泄。而直趨腸內。遂令發代償性。「吐瀉」故吐瀉爲本病必具之症狀。其餘胸悶。腹痛。爲重要副症。瀉泄之物。始爲胆汁色素。後轉爲米泔汁樣。蓋因細菌體及剝脫腸黏膜上皮。攪和其中之故。經幾次吐瀉之後。乃見脈伏聲嘶呼吸困難。面色灰白。體溫下降。心音衰弱。皮膚皺縮。面削鼻聳。腓筋攣痙。指螺下癟。眼球魚際深陷。尿量減少。即俗謂「癟螺痧」是也。神經因感受水分缺乏之刺激。而引起一種筋肉收縮之痛苦。而尤以腓腸筋爲甚。俗稱「吊脚痧」是也。腹痛劇烈。上不得吐。下不得瀉。知覺失效。手足厥冷。俗卽名「絞腸痧」是也。此種患者。往往危在頃刻。急宜速治耳。

（預防）霍亂之原因。上已略述。預防一道。不外飲食起居二者之注意。

A飲食之衛生。1實行茹素。可免一切媒介物。

2凡物熟而後食。沸而後飲。雖有黴菌附着。不能生存。

3魚肉厚味。暨冰淇淋荷蘭水……等冷物。與及隔宿肴饌……等不潔之物。均宜屏絕忌食。

5每日可飲少量白蘭地。或國產麥燒高粱。（興奮神經）又可食稀鹽酸少許。以健胃腸。助抗力。實爲預防本病第一要素。

B起居之衛生。1勿露宿貪涼。汗泄當風。俺受電扇。使受寒障礙皮膚調節機能。致病菌得易施其毒。

2宜戒房事。精液爲人體各種細胞之生活原素。當此酷暑之際。正需強大之抗力。以應付此環境若不自愼。恣竟詩春。戕其根本。則細胞生活原素衰少。抗菌力缺乏。毒菌自易侵擾。（所謂內濡百骸外抗菌毒）故善衛生者。

尤愼于夏令也。

3毋勞動過度。百憂勞心。萬事勞形。爲吾人生活所不免。然當此炎暑之際。宜于清晨而行。亦宜從力節省。以免形神困疲。則病毒無可乘隙也。

(治療)霍亂治療。多不勝舉。然病之性質不同。治亦輕重溫涼各異。如痧疫屬于寒性者。以寒性藥施治。勢如雪上加霜。若痧疫屬于熱性者。以熱性藥施治。猶如火上添油。霍亂始起治療。每致措手莫及。茲略舉治法分爲四種。分列于後。以便閱者之選擇也。

(甲)通治法凡患頭暈。胸悶泛嘔。或吐或瀉。先服「十滴水」「混元一還丹」或進「辟瘟丹」等。可以應手而愈。 (附霍亂通治方)

鮮藿香 扁豆衣 白茯苓 鮮佛手 製川朴 新會皮
塊滑石 荷葉梗 仙半夏 白寇仁 鮮佩蘭 粉桔梗

此方宜于霍亂初起。吐瀉胸悶。發熱不渴。皆主之。倘有汗肢冷。或渴甚。吐利清穀。煩躁筋抽。均非所宜。

(乙)寒性陰霍亂。初起上吐下瀉。腹痛。四肢厥冷。脈微或伏。用姜汁服「純陽正氣丸」「十滴水」「呼囉顛」(每一次。五滴。至十滴。爲度。。)開水沖涼服。或服「四逆湯」「冷香飲子」「附子理中湯」等。溫中法。

(丙)熱性陽霍亂。初起吐下臭穢。發熱煩渴。氣粗喘悶。小便短赤。脈沉數。舌紅絳。

法用「紅靈丹」「行軍散」「紫雪丹」或用「白虎湯」「黄連解毒湯」「五苓散」等。消泄法。

(丁)乾霍亂。始則脘腹悶痛。欲吐不吐。欲瀉不瀉。爪甲青紫。脈伏。先以「臥龍丹」吹鼻。取嚏。再服「飛龍奪命丹」或「蘇合香丸」或進「燒鹽方」外用丁香內挂吳萸各五分爲末。納臍孔中。上蓋生姜一大片。以艾絨炙之。至熱透痛止爲度。或以熱手巾覆于腹部痛處。上滴「雅片精」少許。頻換之。又有吐瀉一時間內。竟有數十次。水分泄盡。急以西法。用〇、7%食鹽水。行靜脈內注射法。或皮下注射法以增水養脈。樟腦針以維心力。爲惟一之救急法。或多進十滴水。以治其標。切不可妄用針挑。徒增痛苦。如嘔吐不止。藥難進口。先用冰片一瓦。放含舌上。少頃吐止。再投藥餌。吾見以西法救急。中法善後。融會貫通。合而爲一。則功効迅速。而可靠。非偏執者所能知也。

一九三四、五、九

談談衛生筷的利弊

魯六華女士

我國家族制度發達。五代同堂。七世同宗的大家族風氣非常盛行。所以。在大家庭中。每到吃飯的時候。往往人口非常之多。親屬團聚在一起。相親相愛。共同飲食。非常熱鬧。至于小家庭中呢？父母子女也都同桌吃飯的。骨肉歡聚。美味共嘗。這種樂趣。是天性使然。所以。我國這種共食的制度確有深長的意義。不過。社會進步。人事日繁。機關學校團體。日漸增加。過團體生活的人。很是擁擠。在一個團體之中。南方人。北方人。老年人。少年人。不管張三李四。大家既然聚在一處。都須同桌吃飯。所謂同事同志同學等。雖也可藉此聯絡感情。交換思想。不過。如遇一桌之中。有一人患肺病或患梅毒的。那筷匙是傳染。爲害非淺。如有講究衛生的人。在同桌吃飯。無不怕如狼虎。搖頭厭惡的。但是。有時因苦于紀律關係。或職務關係。不得不和病人同桌吃飯。這種苦衷。在一個多數人的團體中。是不能避免的。因此有先知先覺者。發明一種補救的辦法。叫做衛生筷！

什麼叫做衛生筷？是怎樣吃法的呢？這個方法。倒很簡便。

就是每餐開飯的時候。當一桌小菜擺在桌上時。在坐的各人。另外再預備一隻盤子。那末。就未吃飯之前。各人將桌上的小菜。先都箝一部份在自己的盤中。譬如桌上有一碗魚。在座八個人。那末我就將魚的八分之一。箝在自己的盤上。以此類推。每碗都是照樣分配。到每碗都依次分完之後。各人才開始吃飯。這樣的辦法。雖然在食前費些分菜的時光。然到吃時。各人都箝自己盤中的菜吃。既可仍獲共食制的樂趣。又能避免病菌的傳染。在不得已中。也未常不是一個很好的辦法。所以近幾年來。各地團體中。風行吃衛生筷的。也著實不少。在浙江一帶。尤其是格外盛行。

但是。吃衛生筷。也有吃衛生筷的不便之處。因爲一桌的人。也許有早到遲到的時候。又同桌吃飯的人。也有箝菜客氣不客氣。所以在無形之中。也許難免要養成一種箝菜搶奪的流弊。間有因這流弊而釀成惡感的。反爲不美！還有一層。我國文化先進。飲食素來講究。調味的鮮美。尤爲世界之冠。但是因爲吃了衛生筷。把各式的小菜混合在一盤中。乾的是還可以過去。若遇需要湯水調味的。那就眞要不盡酸甜鹹辣在心頭了。未免有損佳肴吧！

總之。我國的烹飪法。講究鮮美。素爲世界所公認。共食制的樂趣。也有存在的價値。不過。在人事日繁的現代。在公共團體生活中。共食制難免有妨礙公共衞生之處。因流弊所及。不得不設法補救。然吃衞生筷。究竟也不是澈底的辦法。這個問題。有關于公共衞生。望熱心于社會事業的人。注意研究之。因爲吃飯問題。是人生最重大的問題呵！

社會麻醉劑——紙烟

楊浩觀

煙艸，是含有毒質的植物，製成紙煙以爲吸料；嗜牠的人，取其氣味芬芳，以爲可避污穢，振作精神，不知牠有傷腦害肺的破壞力，潛伏在裏面，近年來外人及各煙艸公司大施他種種新奇廣告的手段，無論鄉村市鎮，莫不有紙煙的招貼，其餘像報紙的宣傳，樣包的送吸，眞是花樣翻新無微不至，風尙所趨，上至官紳，下至勞工，幾乎無有不拿牠當作消遣品的，甚至名媛淑女幼年兒童也拿一枝，吞雲吐霧的，表示他一種風騷蕭洒，習俗易人，養成習慣，煙毒入體，初不自覺，日久天長嘴唇受牠的薰灼而失去了胭脂般的紅潤，腸胃感牠的餘威，消化機能爲之遲鈍，肺臟遇到牠的刺激，發生咳嗽，腦受牠的麻醉，喪失了他的記憶力和創造力的敏銳性，他還能使目眩耳鳴，血質變稀，心臟衰弱，總計算起來，紙煙的毒實亦不亞於雅片，不過雅片的害到現在似覺人人都知，比較嗜牠的總是少數，紙煙是被一般人所忽視，尤其是牠的害處並不像雅片那樣顯著，更惹不起人們的注意，唉！我國雅片的毒害還沒有除淨，而紙煙的害更加普遍起來了，眞是禍災相繼，摧殘民族國本，實在也可說是一批生力軍，究其所以乃是我們一般同胞，沒有澈底的明瞭苟用顯明的學說證明之，使人人知道牠，究竟含有多少毒素，對於人體生理上發生什麼影響，我相信人沒不自愛其身，又誰肯去作這種飲酖自娛的事呢，現在要用很顯明的方法和事實，把牠的毒素及和人體的關係來說明之：

(一)紙煙的普通成分。爲炭質、輕氣、養氣、淡氣、油質、膠質、纖維質等。牠燃餘的灰中，含有鉀、硫、鈣、鎂、等各質。

(二)紙煙的有毒成分，煙葉中含有炭、輕、淡、各原質組成多種有機物質，存於紙煙中，性劇毒，幸所含不多，故吸者不覺牠有毒，惟久吸多吸，慢性的毒害終難逃脫，茲將紙煙中各毒質，分舉于於次：

甲「尼古丁」爲無色油性物質，惟易揮發，與空氣接觸，則呈黃褐色，味頗辛辣，有大毒，用一二滴給狗吃，不久就死，每煙百分，約含此質一分。

乙「尼只低尼」味芬芳，而形與油類相似，易揮發成氣，若與鼻接觸，則發生噴嚏，性頗劇吸一二厘，立時發生眩暈嘔吐。

丙「匹立丁」和「匹克林」此二質之性亦極猛烈，吸煙者的腦受損傷，大半是因爲這兩種毒質的緣故，味甚苦，均爲揮發性，無色液體，煙燃燒的時候，始起化學作用，發生此毒。

(三)吸煙之害。

A吸紙煙時吸入各種毒質之害，紙煙一經燃燒，即發生炭酸氣，阿摩尼亞氣，及尼古丁等毒質揮發之氣，這等氣質均係有害之物，吸入炭酸氣則致頭昏，頭痛，脈搏不勻，吸入阿摩尼亞氣則激動腦筋，驟覺興奮，吸入尼古丁等揮發之氣，則內部受害更大，特於下節詳之。

B毒質吸入體內之害，尼古丁等毒質，一經吸入肺中，肺管及粘膜具受刺激，痰液因之加多，痰液愈多，肺之容量因之減少，不能多吸新鮮空氣，所以肺內之空氣，越積越污濁呼吸因之急促，遂爲致諸病之源，及毒素徐由肺部散於血液，再分佈於胃，心，腦各器管，因間接受慢性中毒(常期的痲醉)

幼童吸煙之害，未成丁的幼童，吸食紙煙，其害較成人尤烈，蓋幼童身體尚未十足發達，中了慢性紙烟毒，身體難望完全發育，故德國定有律例，凡男子未滿廿歲的不准吸食紙烟。

D婦女吸食紙烟之害，西俗下等女子或有吸的，但上等婦女多講求衞生，從沒有看見她們吸過紙烟，就是來賓客想在屋裏吸烟的，也必須請求主婦的許可，即上所述，可見西士女子的自重了，至我國婦女，近年吸烟的日多一日，什麼皇后，交際花明星，等等，在交際場中無不是拿着紙烟成爲應酬上，莫上的敬禮，然在西人眼中，幾疑爲非上等婦女行爲了，所以女子吸烟，無異是自貶品格，雖然我國的社會風尚，不能屈就西俗，但是於自己的身體上或哺乳期中，有莫大的影響，且女子的神經較敏，對於心，腦，二症尤易引發，若在哺乳期中，多吸紙烟，毒由乳腺吸收分泌，害及乳兒，你想多樣危險呀。

(四)紙烟中毒實例。

1英國某化學家，屢謀自殺，最後從紙烟中分析得「尼古丁」若干服之，沒到十分鐘，便死了。

2德化學家赫司德說常人吸食紙烟，每天自十枝至十五枝，還沒有什麼妨礙，再多就容易中毒了，大約服「尼古丁」至六厘以上，即呈危險之徵。

(五)吸紙烟與消耗金錢的影響，吸食紙烟費錢事小傷身事大，但把那瑣碎的消耗，作一個總算也能得到得驚人數目，前幾天有人曾在新聞報上發表一計算總數，玆錄於下，以饗讀者，「……假是你在廿歲吸上紙烟癮，每月至少要大洋一元，要是把這一元大洋，每月儲蓄在銀行裏，開個廿年長期的零存整付，那麼到四十歲時，就可得銀七百四十三元一角，在四十歲時，再把這筆錢開一個二十年長期存款，年息一分，按月取息六元一角九分，再加上每月一元的紙烟費合共每月七元一角九除—

角九分不計外，把七元再按月儲蓄在銀行裏，作爲第二次的廿年的零存整付，到六十歲時，可得銀五千二百零一元六角九分這時那筆廿年的長期存款的本也到期了，合計銀五千九百四十四元七角九分，四十年的紙烟費，竟有這樣驚人數目，且實際上每月不止一元的烟費呢」，我們看了上面的一段話，我們吸烟的同胞能不有動於中嗎？甯以牠是少數的消耗竟漠然看待他嗎？我勸吸紙烟的兄弟姊妹們，快把這個無意義的消耗省下來，也用不着買什麼航空獎券，到四十年後居然很有把握的得中頭獎了。

(六)紙烟對於疾病的禁忌

紙烟俱有一種刺激性，和酒的性質有點相同，所以對於一切皮膚炎性病(瘡癤癰腫)衰腦神經衰弱等症，均須忌吸，尤其是腸出血和痔瘡，更有密切關係，絕對不可吸食。

(七)戒吸紙烟法

1吸食紙烟，不過是一種習慣，他並不能像雅片嗎啡那樣致人成癮，所以嗜者不能戒除的緣故，就是一種心理病，是以嗜者在工作暇時茍缺乏了紙烟，會感覺到種種痛苦，一時萬與皆消，戒時並非紙烟難除，的却是心理病難以打消，若初戒時，想起殺人不見血的紙烟來，可以吃點果餅之類代替牠。

2日人製有一種薄荷烟，形似香烟，中置薄荷腦，氣味芬芳，口啣以代紙烟，可以斷絕那種心理的思想，不久即可完全絕除。這個辦法，確切有效，希望我國各大藥廠，急起仿造趕製，直接可以不用仇貨，還可以解除了許多嗜紙烟的同胞的痛苦，間接的可以杜塞八十萬鉅大的漏巵，（洋烟輸入額據去年海關入超報告爲八、一〇四、九二、六、元）

編者按：者作之驚心觸目，苦口婆心，至矣盡矣。讀者幸毋忽視！篇末統計，恐單位有誤。不僅此箋箋之數也。

上海的厠所與廚房

碧雲

你把眼皮提起點，去觀察上海人們的居處，眞可謂經濟極了，不見麽？普通的不用說，即使那高樓大廈，甚至於學校，或機關，恐怕也不能例外：

我總是這樣的想：上海人們的脾氣，爲甚老是這樣古怪！任何一家居民，或機關，甚至於學校的廚房中，多少總會使你在菜飯香味中嗅到些特異的氣味，這或許是住在上海人們的嗜好，不然爲什麽到處這樣呢！

旅館，酒樓，的餐室隔壁，就是小便處，這很平常的，因爲他要討好顧客們的方便，即使廚房和厠所，做了隣居也沒有什麽希奇。

我記得我初次到上海的時候，寓居在我的友人C君處他是在某大學文學院研究文學的，因爲他要自由些，所以便不住校裏，獨自的在校外賃了一間亭子間住着，爲了口味的不合，他更兼了廚司的大任。

當我居在他這兒的時候，總是覺得跼促不安，尤其是看見他的燒飯傢具放在馬桶左邊的時光。並且除了桌床書籍之外，充滿室內的，便是這類東西，後來我考取了××醫學院，當校裏通知單傳到我眼裏的時候，即刻便辭了這亭子間的主人和飯鍋，馬桶，等，而過着我貴醫學院的生活了。

眞奇怪，出人意外的！當我入該院第一次大便的時候，便發見了厠所和廚房隣居的奇景，我想：一個醫學校普通衛生知識，當然比較其他各校豐富得多，我眞不解，爲什麼連廚房與廁所的隔離，還不知道，但是，這樣更使我聯想到那友人的亭子間，恰是與該院廚房廁所的位置設備，一個模樣兒，禁不住好笑起來，而且莫明其妙，終於使我疑乎是上海習俗的關係吧！

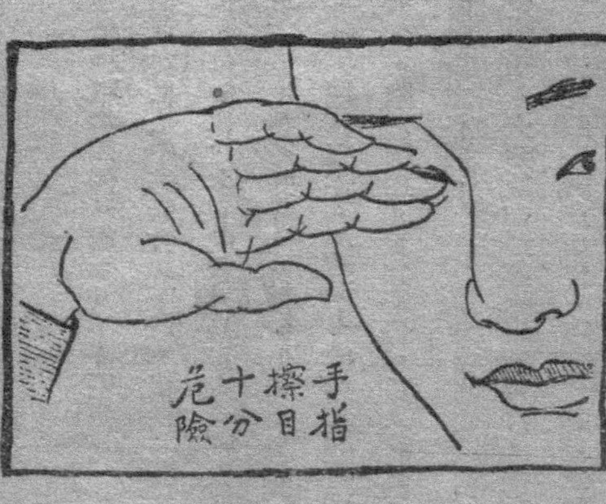

我是個好奇的人，爲了一件小事，我便去問同學，結果才知道因爲物質昂貴的關係，不得不如此經濟，而且全上海，恐怕祇有十分之二，是例外的。

拿上面我過去做阿木林的事來回想一下，眞使我害怕，你想炎夏轉瞬光臨一切的微生物，正在那兒練兵造彈，準備着向人們進攻了，這時不趕快的設法預防，到了楚歌四面的當兒，恐怕是不可收拾呢！何況廚房與廁所相連的居處，更是多麼危險啊！

我們知道夏天最流行的傳染病，便是可怕的霍亂，和痢疾，這病的病原微生物，他不能直接侵襲到人體內部，他是藉着蒼蠅的謀介傳而播到人們的飲食物中，結果，他便能向人們攻擊。

因此假若要建設人類康健的保障，非首先撲滅蒼蠅不可，要撲滅蒼蠅，便非從蒼蠅的發原地，——廁所——着手清除不可。

談到清理廁所廚房的問題，那是極便當的了。祇要設法將廚房與廁所隔離，爲第一要着，廁所中每天必須用酸化鈣，（煅製石灰），撒佈地面，然後灑噴臭水，因爲他們能夠把一切的微生物及蒼蠅的幼虫殺死，廚房中除洒掃清潔外，每日亦須洒漬臭水，並且所有的飲食物，必須籠蓋紗罩，以免蒼蠅的吮食。

如今我不多說了，希望全市的人，趕快團結起來，撲滅那殺人如麻的蒼蠅，尤其是要請學校公務機關及一切公共集會之所，特別的注意這點。

亟應取締之包飯作

周岐隱

吾人試閉目一想。吃包飯作的飯。有多少危險。包飯的飯菜。多是不合衞生的。吃包飯的人。差不多沒有一個不是這樣說。

但是爲了種種環境關係。明知其不合衞生。始終不怕你不吃包飯。這實在也是中等社會以下說不出的一種痛苦。

上海一埠。包飯作之多。其數可以驚人。那末。吃包飯的人數。就也不難推想而知了。試問包飯作是否有取締之必要。我並不是說一切包飯作。都是不合衞生。都是應該取締。不過飲食方面。關係衞生。至爲密切。吾人欲爲民衆謀利益。實有提出討論之必要。

包飯作之飯菜。大多數總是不能鮮潔可口。這其中有兩種簡單原因。一因於配買時貪便宜。不肯買新鮮之物。二因於烹調不能着味。我每聽到吃包飯的人。談起飯菜的滋味。最簡單的一句。便是魚和肉分不出味來。即此便可以概其餘了。其實包飯作之不合衞生。豈僅如此簡單而止。購到菜蔬。匆匆一洗。即便上竈。此中風味。可想而知。又有收回來的碗筷飯桶。交與下手。一刮一揩。即便了事。此種碗筷飯桶。到處可爲病菌傳染之媒介。此亦可猜想而得。至於馬路上流氓癟三。以及梅毒爛瘡滿身惡臭之乞丐。每每伺候包飯作夥計飯擔挑回之時。一把拉住擔子。將冷飯殘羹。手撈舌舐。吃得精光。方始罷手。若就衞生的嚴格說起來。此種食器。最低限度。非消毒不可。但在事實上。恐怕連清水洗淨。倘有點靠不住呢。至此夏天裏的蒼蠅。成羣結隊。飛翔於飯菜之上。更是免不過的事。一般吃包飯的人雖然心裏明白。也只好眼勿見爲淨了。包飯作之亟應取締。實在有討論之必要。但茲事體大。必如何進行。方得澈底。還須經過一番精密之考慮。惟包飯作須繕詳細報告書向衞生當局註冊。衞生當局。須每日派幹警作實地之調查。若有不清潔之飯器。不鮮潔之小菜。得時時加以警戒。雖不能說是根本辦法。然於民衆之衞生。亦不無小補也。

衞生運動與舊風俗

葉橘泉

衞生運動的目的。在使民衆養成衞生的習慣。如果民衆不知衞生的眞義。只當做一年一度的點綴。虛應故事。那又何必要從事運動呢。講到衞生運動。自古有之。並非今日所新創。

五月端午焚燒蒼朮白芷。辟除潮濕。是一種熏烟消毒法。吃雄黃酒。雄黃有殺菌作用。乃絕好的防疫方法。

立夏節的稱人。卽是權衡體重。査體格。各人才曉得自己的體重：及身格是否比從前強壯。

十二月廿四的掃除灰塵。是家庭的清潔運動。

夏季的雷齋素食。因爲夏季氣候很熱。魚肉最易腐敗。素食是最有益的飲食衛生。

病人死後之燒屍薦。亦係殺滅病菌。預防傳染他人的方法。

家中飲料。用明礬打水等。均屬善良風俗。想創始之初。也是一種衛生運動。可惜一般民衆。不懂得牠含有衛生的原意。只當做一年一度的點綴。及傳統的習慣。虛應故事。竟把那極有效的衛生風俗。雖已成了習慣。仍不能推廣和利用。作者深望民衆們。不要認這幾項舊風俗。爲無關緊要的應時點綴。更須加以擴充隨時注意自己的體重。以驗是不是健康。掃除清潔。不要限定時期。潮溼穢惡的地方。用藥物來熏烟消毒。飲料水須注意清潔。炎夏的時候。宜少吃葷腥肥甘。傳染病人。無論死亡或全癒後。均須消毒滅菌。（可洗滌者以消毒藥水洗滌。不能洗者燒毀之。房室以硫黃等熏烟消毒。）以杜其傳染。又有進者。傳染病人的排洩物。切勿隨意傾棄。應放入石灰。或臭藥水。然後埋入土中。但須與河井相距較遠的地方。免得流入水中。赤痢。阿迷巴。霍亂。腸熱病等。多因蒼蠅及飲水爲媒介。不煮沸的飲料。及清涼劑如汽水冰琪琳等。以及剖售的瓜果。終以不食爲妙。蒼蠅尤須隨時撲殺。瘧疾是從蚊蚋傳染。欲撲滅蚊蚋。當留意不使污水積存。如街槽簷溜卽有涓滴之污水就會生孑孓。化蚊虫。最好注煤油於污水之處。則蚊子不生。更望衛生當局。隨時注意檢查冷食水果。取締不潔的食物出售。以及疏除河道的障礙物。以求水源的清潔。督令清道夫。清除街道。嚴厲取締污物之拋棄。勿專騖虛名。作一時的宣傳。致流爲一年一度的應時點綴爲幸。

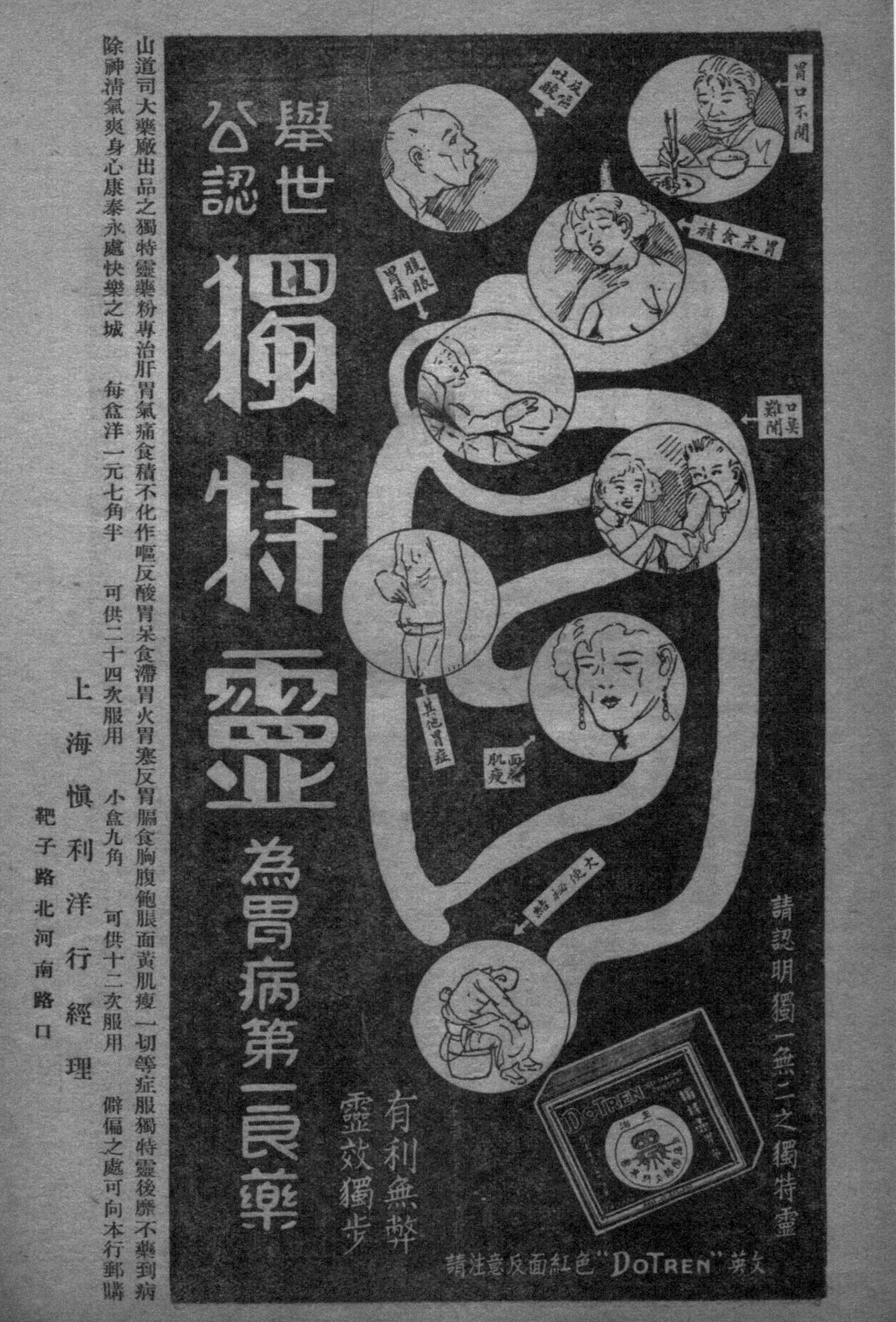

請認明獨一無二之獨特靈
胃口不開
反胃吐酸
胃呆食積
脘脹胃痛
口臭難聞
其他胃症
面黃肌瘦
大便秘結
舉世公認
獨特靈
為胃病第一良藥
有利無弊
靈效獨步
DoTREN
請注意反面紅色"DoTREN"英文
山道司大藥廠出品之獨特靈藥粉專治肝胃氣痛食積不化作嘔反酸胃呆食滯胃火胃寒反胃膈食胸腹飽脹面黃肌瘦一切等症服獨特靈後靡不藥到病
除神清氣爽身心康泰永處快樂之城
每盒洋一元七角半　可供二十四次服用　小盒九角　可供十二次服用　僻偏之處可向本行郵購
上海慎利洋行經理
靶子路北河南路口

敬告黑籍諸君前車可鑒！

因吸食鴉片等麻醉品

中毒而死亡者每年已達數萬人

脫離苦海重見光明
斯時不戒更待何時

影響人體生理上局部者分述如后

▲影響於神經系者—鴉片能麻醉腦部，刺激脊髓，因此腦與脊髓，均受其壓制，遂呈麻木不仁萎靡不振之現象，

▲影響於呼吸系者—肺部屢受刺激，呼吸機能漸成麻痺，肺萎肺癆之症，因之而生。

▲影響於循環系者—初覺加血壓，脈血弛緩，繼則血管縮小脈細而遲，若吸大量之鴉片者，必致脈管無力收縮而死。

▲影響於生殖部者—男有陽萎之症，婦有不妊之虞，宗嗣絕望，百病叢生世人猶樂此不悟，誠可畏哉。

▲鴉片害諸大致已如上述，奈國人不悟，仍多終日吞雲吐霧，沉醉其中，我願世之嗜好此物者，及早回頭，決心戒除矣。

（藥房均售）

希望黑籍同志速服馮氏救苦金丹

▲馮氏斷癮 ▲救苦金丹

國難臨頭共謀禦侮肅清烟毒根本救國。救苦金丹戒烟神效無匹。戒時照常吸烟見烟自厭。輕癮一二料重則四五料。絕無絲毫痛苦安全斷癮。服任大總統黎徐曹嘉獎。已風行六十六年斷癮無數。爲十全十美之戒烟藥王。並世無雙之黑籍救星

▲戒烟捷徑

函索請向上海白克路大通路口峻芝堂立即奉寄，每料一元五角函購起碼兩料寄費加一

衛生常識

小兒學齡前之衛生

正我

小兒於學齡以前其一舉一動。全賴父母爲之隨時留意。蓋小兒秉賦之如何。體質強弱。在三歲至五六歲時。已能顯露。欲防患其將來種下病根。先於此時注意其各種衛生。隨時隨地。徐徐誘導實行。玆將管見所及。略述數點於下。

小兒往往貪饞。父母則偏於溺愛。致罹消化器病極多。故對於食物。但求營養。宜有節制。更預禁食雜食。告以利害。俾使理解。養成習慣。

小兒骨骼柔弱在初學步時。不可強爲曳行。已能步行時。當留心傾跌。以免傷害其肢骨。頭顱不可受打擊。且須蓄髮。外出必戴帽。以資保護。衣服須選質料柔軟。顏色依時令而定深淺。不宜過重或過緊。切弗格外多穿。反使不耐寒冷。內衫褲須白色。以便污穢明顯。又宜時時更換洗濯。

小兒天眞活潑。喜動不喜靜。每日宜呼吸清鮮空氣。散步曠地之上。玩具爲供小兒娛樂之一。對於小兒之思想與行爲。大有關係。然於衛生亦有直接之影響。故爲父母者。應注意下例各點。

不可買過小之玩具。恐防嚥下。

不可買脫色之玩具。因顏色有毒性。小兒喜把玩具送入口中。

不可買玻璃及磁製之玩具。因容易破碎。有割傷皮膚之患。

小兒四歲以後。應感化其不願接觸污物之習慣。令其自己洗手洗面梳頭髮等。養成其清潔愛美觀念。父母應時爲代修指甲。及洗澡。浴水溫度宜適可。浴畢須遍身拭乾。在腋下等處敷以撲粉。並須察其皮膚有無疾病。小兒睡眠時間。宜較大人爲多。在三歲至五六歲時。平均每天睡足十一小時半。六歲小孩。即應養成其早眠早起之習慣。大便應有一日一次或二次黃色軟便。倘大便閉結。或泄瀉不止。即有病象。小便每天約六七次。過多過少。或色有變化。均屬病徵。爲父母者不可忽略。

在傳染病流行時。急須先爲預防。如白喉霍亂痢疾傷寒等盛行時。皆須特別注意。牛痘三年種一次。以防感染天花。小兒如患感冒吸呼器病時。應急速就醫。因往往誘起傳染性重篤肺炎。

以上所述。雖屬小道。然苟能切實行之。對於衞生。或亦不無小補。

家庭療病寶鑑

原著者：佐佐木稔
編譯者：開封鄧名世

第二章　新陳代謝病

(一)糖尿病(俗消渴尿多，又名消渴病。)

(1)連錢草之葉莖(陰乾)四錢，水四合，置火上煎成三合，一日三回分服。

(2)榿木根皮煎。

(3)取括樓根。人參。茯苓。知母。甘草各四錢。石膏八錢。大豆十粒。和水煎而服之。頗有大效。

(4)常食落花生及胡桃亦有効。

(二)肥胖病

肥胖病人，常因腦出血或心肌衰弱而致死。例如胖人易起卒中者卽其證也。其主要療法：爲節制飲食。行適度之運動，詳言之：卽多食野菜、蘿蔔、魚類等食物，而禁用牛乳，雞卵、甘藷，肉類等食物是也。

第三章　呼吸器病

(一)鼻炎(俗名鼻感冒)

(1)多飲熱水，覆蓋棉被，使之出汗，不出數日，卽能治癒。

(2)一日數次，用微溫湯由鼻孔吸入，由口中吐出，此法亦頗有效。

(二)氣管支炎(俗名風寒咳嗽)

本病發生之時，於胸部用溫濕布纏覆之，每日三回，每回二小時，頗有良效。病勢較重者，宜延醫診治。若遷延日久，則有轉成肺炎之虞，此不可不注意也。

(三)肺炎

肺炎有二種：卽格魯布性肺炎(急性眞性肺炎)及加答兒性肺炎(氣管支肺炎)是也。格魯布性肺炎，爲單獨發生之疾病，其主要症狀：爲突然惡寒戰慄，體溫昇騰達四十度，胸側刺痛，咯鏽色痰。加答兒性肺炎，常繼感冒或氣管支炎而發，其症狀較格魯布性肺炎稍輕；痰中雖間有血絲，然非鏽色粘稠也。普通氣管支炎，殆不發熱；其發熱者，必轉成加答兒性肺炎矣。凡老人小兒之患氣管支炎者，尤易引起此病，此不可不注意也！

本病據多數人士之實驗報告：咸謂黑鯉魚之生血，非常有效云。其法：切除鯉魚之頭，而取其生血二三滴飲之。

（四）肺癆（俗名癆瘵，虛癆。）

肺癆之初期，其症狀大抵不甚顯著，往往爲頑固之氣管支炎所隱蔽，而多數病人，常信爲感冒而不介意。迨至貧血。羸瘦、發熱、盜汗，痰中混有血絲時，始震駭求醫，然已晚矣本病若早期治療，大抵可以治癒。除藥物療法外，尤須注意日常生活，詳言之：即多進滋養食物，常在新鮮空氣中生活，每日朝夕行深呼吸，行冷水摩擦此皆強壯身體抵抗肺癆之最良方法也。

療法如左：

（1）取稍陰乾之桔梗，煎水服之，有良效。

（2）枸杞根皮煎服。

（3）薏苡炮茶內服。

（4）每日取天門冬之根三錢，煎水服之。

（5）取茱萸之葉，陰乾後煎服。

（6）取一葉草之莖及葉三枚或五枚，投入二合之水，煎成一合五勺，食後煎服五勺。

（五）喘息

所謂氣管支喘息，乃一種異性喘息，其原因尚屬不明，老年人患本病者，大抵由於慢性氣管支炎及肺氣腫遷延不治而成。其療法如左：——

（1）每日取大蒜根一片，蒸而食之。

（2）每日食炒杏仁三粒。

（3）以曼陀羅草作爲煙草而吸之。

（4）遠志根一兩，杏仁五錢，甘草三錢，以上分爲五包，每日取其一包，投入一合五勺之水中，煎成一合而後服之。

（5）取防己或白茅煎水服之。

（6）取莎草（香附子之葉莖）煎服。

（7）麻黃二錢，杏仁甘草各一錢，石膏四錢，水三合，置火上煎三十八分鐘，次用布濾過除去藥渣，一日三回分服，此名麻黃甘石湯。

（注意）忌食肉類，魚類，菓實，砂糖，酒等。

——未完——

實用家庭護病常識（二續）

黎年祉

B延請西醫時對於體溫應有的認識

何謂體溫　體溫者。動物體內之酸化作用。及血液淋巴肌肉之循環運動而發生之熱度也。每一種動物。都有其一定需要之體溫。能保持此適度之體溫。謂之生理的體溫。若不能保持平衡。有過高或過低時。謂之病理的體溫。此種生理病理的鑑別。俱可以體溫計測知之。故認識體溫又以認識體溫計爲先決條件。

何謂體溫計　體溫計者。計算體溫之度量器也。與寒暑表相同。形狀則稍異。爲便於應用也。分列氏攝氏華氏三種。列氏體溫計。一般已不採用。最適用者。爲攝氏華氏對照之體溫計。玆將攝華二氏溫度對照如次。

攝氏	華氏
三五、〇	九五、〇
三六、二五	九七、二五
三七、五	九九、五
三八、七五	一〇一、七五
四〇、〇	一〇四、〇
四一、二五	一〇六、二五
四二、五	一〇八、五

假使用算術方法計算。可照左列兩公式計之。C字卽攝氏之縮寫F字卽華氏之縮寫。

$$F=C\times\frac{9}{5}+32$$

$$C=F-32\times\frac{5}{9}$$

譬如攝氏三六、五卽華氏九七、七也

$$F=36.5^{\circ}C\times\frac{9}{5}+32=65.7^{\circ}+32^{\circ}C=97.7^{\circ}C$$

體溫計有一分時卽得正確之溫度者。亦有非需五分時十分時不可者。故購買時。須向藥房問明。否則。祇須一分時而延至數分時。則所示往往太高。必須數分時而經一分時卽取視。所示往往過低。皆有不正確之弊。又經用多次以後。常有變爲不正確者。故最好須備二支對照之。

何謂生理的體溫　生理的體溫。亦非毫不變動者。惟平均不出攝氏三七、〇左右。早晨二時至六時爲最低。下午六時至八時爲最高。

早晨—三六、五

下午　三七、五

又小兒及老人。因年齡關係。每較壯年爲高。或因運動。飲食。熱水浴。精神興奮等。體溫往往較高於常度。但不久原因稍失。即復常溫。並非病理的現象。

公共衛生專號

自強救國　端在衛生

吳興葉橘泉題

且人體溫度。分布不能十分平勻。故各部之溫度。往往少有差異。

直腸　三六、五—三七、五

口腔　三六、三—三七、三

腋下　三六、〇—三七、〇

如何檢溫　檢溫者。即從上列各處。以求得病者之體溫是否起變化。及其變化之程度究爲若干也。有須注意者數事。

1方法　無論爲口腔檢溫或腋下及直腸檢溫。均須以殺菌藥水。嚴密消毒。特用於口腔時。尤須嚴重注意耳。所不可忘者。必須先將體溫計中之水銀。搖至攝氏三五、〇以下。否則。所得之溫度。必高於正確之度數。

吾人在病者口腔檢溫時。須注意其近頃有無冷熱食物入口。因食物之冷熱。亦能影響於檢溫之正確性也。

體溫計須放於舌下。令病者上下唇緊閉。以防體溫之散失。若在幼兒及神志昏迷或咳嗽氣喘之病者。萬不可在口腔中檢溫。蓋在咳嗽氣喘之病者。往往不能將口唇緊閉。而幼兒有神志昏迷之病者。往往有嚙破體溫計。吞下碎玻璃片之危險。

直腸檢溫須以油質潤澤體溫計。則易於插入。肛門有病時。(如痔瘡。痔瘻)不可在直腸檢溫。

腋下檢溫。爲各種檢溫方法之最便捷者。宜令病人將臂夾緊。不可時時放鬆。

2次數　熱病之溫度。亦猶平人之體溫。並非一無變化。且熱愈甚者。變化亦愈劇。故普通之患者。至少每日須檢溫二次。(上午八時，下午五時。各檢一次)若熱度頗高之患者。最好每兩小時檢溫一次。

3紀錄　藥房有熱度表出售。紀明檢驗之時間及溫度。劃成弧線。則其變化。可一目了然。若無此種設備時。卽用尋常紙張紀錄之亦可。

一般熱之經過　大約可分三期。第一期為病侵入期。體溫或驟然上昇。或緩緩上昇。因病而不一致。第二期為病極期。體溫上昇至最高度後。雖時有變動。但大致相同。第三期為病退期。體溫因發汗等而下降。有驟然降落者。有緩緩下降者。正如病侵入期之上昇也。故在熱病經過中。若檢得體溫始終不見下降。可知其病在極期。若溫度下降。可知其病欲退散矣。但此係一般的豫測。有時殊不準確也。

衛生小問答

張子英

(問)為什麼成年的人。很少患痲疹的。

(答)大多數因為在小兒時期。已出過痲疹。得有免疫性的緣故。所以在小兒沒有出過痲疹的。成年以後。也會受到傳染。

(問)為什麼小孩最容易患痲疹。

(答)這大概因為感受過敏的緣故。尤以二歲至五歲。被感染的最多。一歲以內。十五以外。却特別減少。

(問)怎樣可以預先曉得要出痲疹。

(答)咳嗽噴嚏。鼻流清涕。眼淚汪汪。兩胞浮腫。身熱時時上落。數日不退。這就有出痲的嫌疑。但不能靠此：下確切的斷語。若在口頰黏膜上面。發現白色斑點。斑的四旁略有紅暈時。就可斷定一二日內。要出痲疹了。這白斑的數目。有六個至十二個。但也有和痲疹同時並發的。

(問)痲和痘怎樣分別。

(答)這是一樁極容易的事情。痘是要灌漿的。所以長得如珠一般。痲雖也成顆粒。但沒有根脚。並且也不灌漿。古人說。痘者如豆。痲者如麻。這在造字上。也很有意義的啊。

(問)發疹的順序怎樣。

(答)最先發部位。為顏面和耳朵前後。再蔓延於頭頸身軀四肢。鼻脣頤等處。尤爲密集。

(問)痲疹經過中有什麼危險的症狀。

(答)第一。就是敗血性痲疹。疹色發紫。或藍黑色。同時神志昏迷。陷於沉睡。這就不易挽回了。第二。就是肺炎。小兒呼吸急促。甚至不能平寐。從前叫做痲疹內攻。這也是一個很險惡的症候。

(問)看護上要怎樣注意。

(答)在脫皮未盡之前。要和健康兒童隔離。否則。很容傳染起來。受到傳染以後。房中的光線。最忌強烈。夜間要點紅燈。白天窗上罩以紅布或紅紙。因爲眼中發炎。往往羞明。若受強光的刺激。症象就要轉劇。卽病人漸次向愈。也不得閱讀書報。所以學齡兒童。不可就令其入學。又受寒以後。極易誘發肺炎。所以房中的溫度和室外散步時都要注意這一點。

本刊衛生顧問章程

(一)本刊經大衆訂閱者之要求。闢設衛生顧問欄。以便醫藥上疑難問題。及病因症治藥性等。作公開之討論與研究。若依本章程投函詢問。當即照來函解答。

(二)重要問題。除依來信直接通函答覆外。本刊得隨時將答案披露。以便同志之研究。

(三)疑難之答案。須檢查醫籍。詳細考慮者。至遲須一星期可以答覆。

(四)不答覆之問題如下。(一)來信記述不詳者。(二)詞義不明者。(三)要求立得藥方者。(四)無關醫藥者。(五)委託評論藥方之是非者。(六)本社同志學識所不及者。(七)無覆信郵費者。(八)無衛生顧問券者。但不答覆者。不答之理由。覆信聲明。

(五)來函概用中式紙張。繕寫清楚。附覆信郵費一角三分。並附寄下列衛生顧問券一個。

(六)來函寄愷自爾路嵩山路口瑞康里二六二號

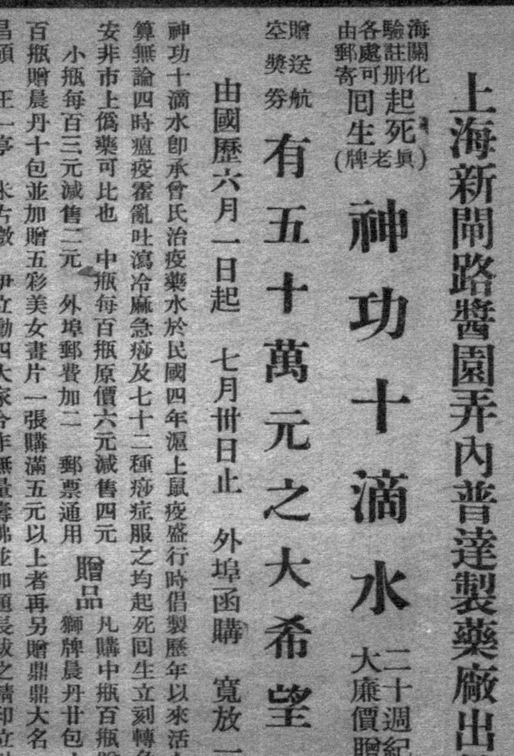

牢獄

鴉片上了癮　比入牢獄更苦　永無出頭之日　趕快戒煙　走入光明大道

函授

清宮避孕寶

體弱多病的救星　經濟困苦的生路

生產過多的保障　打胎危險的福音

現在可解決了

前清西宮供養李太醫遺傳避孕祕方經海上科學巨子胡博士驗用廿年効力百發百中超過外來之「她的油」功用百倍手續簡便藥價只費五分其料可用一月有能避毒不碍生育隨用隨靈不用仍可得孕如要詢問函寄漢口秦康里九十一號萬壽堂可也當班函覆

方法　甲種拾元　乙種五元　丙種壹元　空函不覆　郵票九折

貧苦取費　四角郵資

孀婦處女切勿　來函以重道德

「經」「靈」

女子調經聖藥

女子患經病時。必神思恍惚。面色黃瘦。如經久不治。精神萎頓。氣血衰弱。甚至變爲乾血癆等絕症，危險堪虞。稍有知識之女子。遇有經水失調。經病踵至時。必能思及善治一切經病之「經靈」藥水。購而服之。病必消失。

靶子路北河南路口
中國總經理 愼利洋行

屈臣氏

檸檬水
沙示水
橘子水
朱古力水
可口可樂

滋潤解渴

屈臣氏汽水公司出品
發行所 上海江西路二三七號
電話 一二七二六號

衛生雜誌廣告例

地位	面積	價目
封面	大半頁	大洋四十元
底面	全面	大洋四十元
封面裏	全面	大洋廿八元
底面裏	全面	大洋廿八元
封面第二頁	全面 半面 四分之一	大洋廿四元 十二元 八元
底面第二頁	全面 半面 四分之一	大洋廿四元 十二元 八元
普通	全面 半面 四分之一	廿元 十二元 八元

一封面底面裏外均用二色套版印不另取資

一代製銅版鋅版費另加

一代繪圖樣費另加

一惠登廣告者贈本刊一冊

衛生雜誌第十九期

中華民國二十三年六月六日出版

主編者　國醫張子英

校正者　國醫胡佛

發行者　衛生雜誌社　法租界普恩濟世路七十六號

印刷者　三星印刷所

分發行所　中醫書局　現代書局　上海雜誌公司

分售處　各省書局

衛生雜誌定價表（費須先惠）

出版	月出一冊	全年十二冊
價目	大洋一角	大洋一元
附註	郵費在內	國外加倍
	郵票代洋以一分五分為限	

○社址○　上海愷自爾路嵩山路口瑞康里二六二號

真正價廉物美大補品

"ODE" CODLIVEROILWITH YOLK OF EGGS

維他命類滋補聖劑

「凹凸」鷄蛋魚肝油

最合兒童婦女服食

KONDUK S COD LIVER OIL WITH MAIT EXTRACT

「科達」麥精魚肝油

全球醫藥界所公認之無上大補品

WALES FRUIT SALINE

威爾斯菓子鹽

潤腸，清血，化食，清飲補品，

歡迎醫師家庭採用

荷蒙惠顧格外從廉

「科達」麥精魚肝油，行銷東亞半球，已有二十餘載之光榮成績，凡服食者，有口皆碑，證書謝函，叠積盈箱，銅版印成若干，歡迎索閱，其他實驗藥品，亦均貨眞價實，人人樂服。

各處藥房公司醫院均售

科達西藥廠無限公司總經理

上海北四川路

KONDUK WALD DRUG CO., UNLTD.
N. SZECHUEN RD., SHANGHAI.

贈品

請贈貴廠各種說明證書價目單以及美術信箋至姓名地址

（康）

德國安特諾博士心血發明的世界唯一防老補丸
壽爾康
錫爾壽！俾爾康！
德國戚彌鄧大藥廠鄭重監製的內分泌結晶製劑

品質高尚
功效偉大
出類拔萃
人人宜服
俾爾壽康
藥房均售
H2

增進體內各細胞機能之生活力！
保護細胞以免各種疾病之襲擊！
延老各細胞之無限制的新生力！
亢進各細胞的代謝產物之排洩！

● 壽爾康之成分

市上號稱返老還童之一切內分泌物製劑，其功效較著而名譽較佳者，所含內分泌物至多百分之三十三，而壽爾康中乃含有「盼好而蒙」百分之六十六，「盼好而蒙」PAN HORMON即安特諾醫聖所發明，亦即安氏數十年來苦心研究之收獲，本劑以「盼好而蒙」爲主，以各種名貴滋補藥物爲輔，融多數名藥爲一爐，已老者服之可以回少，未老者服之可以防老，誠開藥物史上未有之紀錄

● 壽爾康之製法

本劑係德國最著名之戚彌鄧大藥廠監製，廠方自置廣大牧場，畜以牛羊猿猴之屬，由獸醫考察，遴選強壯之獸，取普通獸體內之分泌物及各種滋補食品，日日餧之，俟其日益壯健，至相當時間後，乃由有經驗之獸醫，使用靈敏手術，採取其新鮮之內分泌物，再經紫光電提煉消毒，淘汰不良雜質，製成結晶體，名曰「盼好而蒙」，手續繁重，採選艱難，功效極宏：

▲ 壽爾康功能

本劑功能補充體內活力之缺乏，滋養內分泌腺之健全，促進新陳代謝之機能，增加抵抗病菌之力量，乃亢進全身各機能之完美滋補品，與一般含有毒性之壯陽藥物，惹起假性興奮精取一時微效之催春劑藥物，絕不相同！

主治

補腦補血：滋陰益髓
調經種子：保腎固精
防止衰老：抵抗疾病
轉弱爲強：廣嗣延齡

功效

神經衰弱：腎虧遺精
未老早衰：腰酸背痛
種子維艱：病後產後
月經不調：赤白帶下

壽爾康說明書
函速即寄外埠
函購寄費免加

分男用女用兩種每盒五元每料三十元男女同價：
中央衛生試驗所化驗：

上海 南京路五四至五十六號

柯爾登洋行

HEALTH MAGAZINE

衛生雜誌

第二十期

中華郵政特准掛號認爲新聞紙類
內政部登記證警字第二八二九號
社址上海愷自邇路嵩山路口瑞康里

人人可得五萬元

國術統一月刊出版預告

直接訂閱全年十期。連郵二元。贈送第七期航空奬券一條。有得五萬元之希望。外埠附掛號郵資一角三分。自即日起八月卅日截止。

國術爲吾族立國禦侮強種健身之固有武技。現爲提倡計。特聘專家撰稿。十六開本精印一厚册。再加銅版插圖四百、及黨國要人題詞等。創刊號定於七月二十號出版。既救國禦侮。又得意外財運。盍興乎來。

訂閱處　上海愷自爾路瑞康里衛生雜誌社

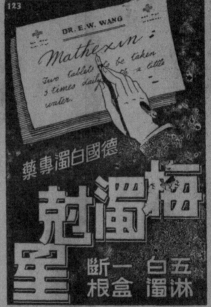

救急扶危
起死回生
機關槍
二天油
爲驅除一切病魔之
分鐘立見功效
大瓶價銀三角
小瓶價銀一角
各大公司百貨商店中西藥號
各烟紙店酒樓旅館均有出售
安南二天堂上海支藥行
北四川路老靶子路口
電話第四二八七二號

消毒牛奶〇四季宜服
A字消毒牛奶
是日常標準營養品
注意
普通訂戶
優待九折
如交押櫃
七五付賬
章程函索卽寄
吾人身體。每日必需之滋養料。爲脂肪蛋白質糖類。及不可缺少之活力素。（又名維他命）等。而牛奶之成份。牛酪中富含脂肪。乳糖中富含糖類。酪素中富含蛋白質。又含有AD兩種活力素。及助長骨骼之燐酸鈣等。且牛奶在人體腸胃。能完全消化。毫無虛耗。所以歐美各國。無論成人與兒童。均以牛奶爲日常標準營養品。
上海畜植牛奶公司
總場江灣翔殷路　電話江灣九號
上海畜植牛奶公司
分場吳淞寶山南門外
分公司北四川路底　電話四六八八八

衛生雜誌第二十期目錄

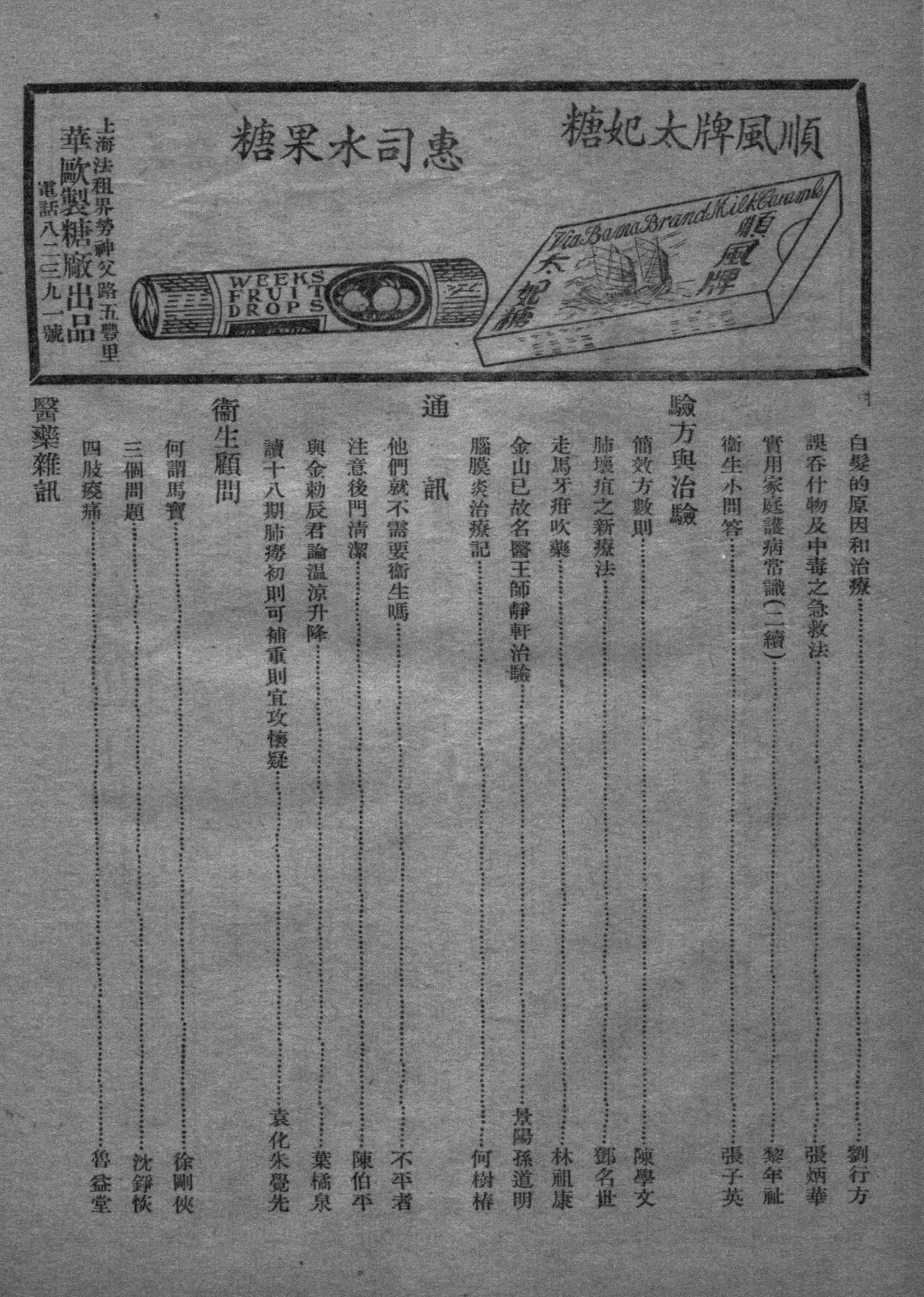

編輯者言

編者

編輯者言，到現在已有二十次了。這二十次談話，除少數特別事故外，差不多是近于雷同的，因爲被這『編輯者言』四個字的限制，不但編者難于着筆，就是讀者也免不了枯燥乏味，引不起閱讀的興趣，根據這一點，決定從下期起，把這欄取消改爲『小論壇』，論壇雖小，所論的對象不必也小，縱筆暢談，我想要比狹隘的『編輯者言』，有意思些。同時假使編者有什麽談話發表，就登個啓事，這樣，比那無事也要硬作有事的『編…者言』，也活動得多了，

還有，在醫藥雜訊之後，打算再加『衛生調查』一欄，裏面分兩大部分；第一，關于衛生事業的調查，是屬于公共衛生方面的，第二，關于衛生風俗的調查，是屬于個人衛生方面的，內容須符合事實，記述詳盡。能附有照片的，更所歡迎，攝影費本社可以酌量償還，希望各地讀者，踴躍調查，努力撰述，或者竟可以集腋成裘，來創造一個『調查專號』。

天然水菓鹽

贈送玻璃量水杯

購大號一瓶 或小號三瓶 即送玻璃量水杯一只

天然水菓鹽……完全以新鮮菓汁製成，冲飲一杯，即覺口齒芬芳，週身舒暢。

天然水菓鹽……可代替汽水，以冷開水一杯，和入天然水菓鹽二茶匙，立即汽泡奔騰，成一清涼衛生飲料。

天然水菓鹽……可用作輕瀉劑，凡大便閉結者，每晨起身後冲飲二三茶匙，保使大便通暢

天然水菓鹽……能清暑解悶，公餘之暇，冲飲天然水菓鹽二茶匙，立將體內暑氣驅逐殆盡，神清氣爽，愁悶全解。

天然水菓鹽……美味適口，不含糖質，功能開胃健脾，清淨血液，並治肝胃氣痛，頭痛，頭暈，黃疸病等症，常飲之能使顏面清潔紅潤，辦事不倦，高尚仕女，人購一瓶，勝食水果數倍。

大瓶二元 小瓶六角

製造者 英國倫敦 別孝勃天然水菓鹽廠

總經理 上海五洲大藥房

本外埠各大藥房均有經售

醫藥言論

毒論

鳳溪朱雲鶴

人之常情。每愼於其所顯。而忽於其所隱。火性暴戾。知所愼。故死於火者不必多。水性柔順。人多忽。故死於水者。不加少。夫人不死於鴆酒砒毒。而死於尋常之飲食起居者。何邪。蓋心目中存有毒與不毒之分野。不澈底之觀念所造成也。孰知毒之爲義。隨地而異。乃相對而非絕對之辭乎。

慈母之愛子也。至矣盡矣。天未寒而衣以裘。腹未飢而餌以餅。風吹日曬。諱避不懈。問之則曰。殆感冒也。望其長大也。恐傷肌膚也。總其所言。非無理由。苦患不能得進一步之推敲耳。人旣不能處於眞空管中。不得不與惡濁之環境相接觸。則無往而無病毒之侵襲。所以不皆病者。賴有抵抗力耳。人之抵抗力。往往由某種環境而產生。亦往往由某種環境而消失。南人不勝北地之寒冷則病。北人不勝南方之暑熱則病。非抵抗寒冷之力有遜于抵抗暑熱也。非抵抗暑熱之力有遜于抵抗寒冷也。其爲用之有所不適當耳。西醫注射伐克辛於健體。使之產生抗素。賴以免疫。則有毒之物。一躍而爲無毒。害人之物。一躍而爲益人之物。毒字之於此。尙有絕對的定義乎。呂氏春秋曰。「入則車。出則輦。名之曰招蹶之機」蓋人當有一定之勞動。衣到手。食到口。坐以待成者。其力常不及以血汗謀生之徒。此衞生家之所以注重體育。良有以也。然則毒字之於此。尙有絕對之定義乎。人體營養料之需要。本有一定。乃世人不之是察。魚肉糖果。恣意饗之。不知五味皆偏。醫籍炯戒昭昭。且胃納旣有限度。於是對於養生至要之穀食。反感不足。意欲肥之。適以瘦之。此亦不解毒之眞義者也。晚近歐人盛倡太陽浴之有益人體。以爲能強健肌膚。產生抗力。於是裸體公園。裸體運動。如雨後春筍。風起雲湧。潔白之肌膚。薰炙於暴日淫威之下。俾爲銅皮鐵骨猶詡詡以爲得意。非成印度黑炭之「尊範」不休。而對于飲食起居。猶曰「此有微生虫此有微生虫」幾若每物消毒而後可以食用者。此亦不解毒之眞義者也。內經曰「邪之所湊。其氣必虛。」不知病毒之致傷人。有一定程度。觀該人之抵抗力如何而定。故盛毒固定以害人微毒反足以益人。何哉。微毒不致病人。反足增人之抵抗力也。以上海一隅而論。中西人士對於注意衛生之程度。相差懸殊。而檢考每年死亡之比率如何。此無他。寸有所長。尺有所短。未達一間。不澈底明瞭毒之眞義。而虎畏於微生物之作祟。消極之衛生。以沮喪其抵抗力有以致之。孟子所謂「無敵國外患者。則國恆亡」之謂也。然則畏風怕雨。避日光。處靜室。手懶動足怠步。以「荳豆芽」自待其身者。亦知所警惕歟。

國醫界經方派與時方派之爭。相崎不衰。時方家以輕靈相標榜。故三分荊芥。五分橘紅猶恐恐然慮其太過。經方家則五錢麻黃。一兩附子猶恐恐然慮其不及。夫輕者豈眞靈邪。蓋病有不藥而愈者。有藥而愈者。成則居功。敗則卸責。適逢其會。掩飾於輕靈之幟。而盲目之病家。遂以爲經方眞不可服。故前者門首。車水馬龍。後者簷前。苔痕上階。坐使千古良方。永沉海底。此亦不知毒之眞正意義者也。夫經歷之事旣多。趨避之道漸熟。一猶老馬之識途。間或有之。若以經方毒而眞不可服。則非吾所信也。淮南主術訓曰。「天下之物。莫凶於奚毒。(高注烏頭也許注附子也)然而良醫橐而藏之有所用也」況乎毒藥治病。乃古聖賢所創法。物性皆偏。太過皆足害人。則何物無毒。吾人讀此。亦當知所取舍矣。呂氏曰「民寒則欲火。暑則欲冰。燥則欲濕。濕則欲燥。寒暑燥濕相攻。其於利民一也。」夫其於利民一也。則其於毒民亦一也。然則執皮毛之觀念。以定毒之意義者。無以名之。名之曰「婦人之仁。」爲益不足。爲害有餘。

學術研究

關于『醫藥之空間性』的討論

馬雲祥

（一）引言

人事界物象的推進和應用，無論從過去事實的跡象來歸納，或是憑個人思想的推敲來論斷，終有時間Time和空間Space左右一切的共同認識。所謂「此一時也，彼一時也；」「因地制宜」，……等等，也無非表明了社會形態的時異地異。關于「時間」與事物所發生的種種影響和轉移，現在姑置不論；單就空間性一部份來講，實在有他支配事物實施的權威：同樣有他平治發強之妙；但假使把牠運用到其他社會形態不同的國家，非但阻力百出，難以實現，恐怕還要演出許多流血漂櫓，骨暴砂礫，而以「所以養民者害民」底慘劇呢！所以然者，就因爲各國的地理不同，民生風俗習慣不同，而所造成的社會也就因而不同的緣故；假使置空間的牽制和支配於不顧，一定要「削趾適屨」底強幹的話，恐怕就難免要發生出「欲益反損」的結果罷！醫藥既是因環境要求而產生的科學，他的恩惠，當然不是其他地理不同，風俗習慣各異的國家，用套寫的方式，所能企望享受沾染的。但我國自從歐化東漸以後，最初像孫中山黃興宋教仁等的政治革命，陳獨秀胡適蔡元培等的白話運動，以及其他許多科學上的採取的模仿，——如教育，電機，數理，交通，……等等，事實上的確受到不少歐西之賜，同時這種舉動，的確育孕了許多救國救民的成分；我今朝偏要大談而特談其「醫藥之空間性」，豈非迂腐煞人?!其實，上面所說用西法改革國故，實際上的確蒙其利，而並不因爲空間的差異，就發生出像心理學Psychology上所說倒攝Retroaction底結果的，另有他的關鍵在——所謂「襲其法不泥其事」而已。因爲各國的環境雖然不同，但她進化的階段和原則，在學理上終有一般的通性；上述的種種提倡和模仿，所以並不因空間的差異而稍損其成效，就因爲他們採用的時候，隱合了這一箇條件的緣故。譬如孫中山先生的政治主張，既採用了世界主義，無政府主義，和馬克思主義的最終原則，同時復遺棄了牠們所以達到世界大同，無政府和共產目的的進取方法，另創適用於我國社會的三民主義 The Three Principles ，便是一箇明證。所以一箇國家，等到要用模仿或抄襲他人的方法底時候，無論如何不能應用兒童在模仿期中漫無選擇而是嘗試式的模仿或抄襲，終得把他的國性來前後配和一下，合的當然留，不合的又不妨去，這樣，才可以得到模仿和抄襲的眞實效用；否則就容易鬧出「行與願違」的結果了。我國在最近幾個年頭，可說是甚囂塵上，國中上下，竟忘乎其所以然，似乎幾千年來牢不變易的國故，已經倒了胃口，假使不再用些新羹異菜來調和口味，卽刻就有「嗚呼哀哉」的危險了；所以不要說舊有的東西，再也不能哽着下咽，就是偶一薰染到牠那種氣味，或是聽人談論到着這種名詞的時候，也要吞酸噯腐了，那裏還肯虛心推究牠在新羹異菜未來以前，所以同樣有牠本生滋益，適口充腸的功用呢?!因此，上行下效，風起水湧，一煞時，把箇五千餘年的古國，着底翻了轉來，彷彿覺得中國固有的一切，都是不合理，而西洋現有的種種，卽使一髮之微，一動之輕，都是藝術化而合理的了。——譬如見西洋人髮捲，便設法以火燙而捲之；中國人招呼相認人由他方同行的時候，本來把手心向地，而五指向下屈伸示意的，但因爲西洋人的習慣，是把手心向上，而五指向上頓屈示意的，所以幾箇摩登的人物，在需要這種招呼記號的時候，便也把手腕一翻，向上屈伸了；並且看見旁人用向下招呼記號的時候，還要生出幾分鄙視的心理。吃大菜，住洋房，穿西裝，一切的一切，有一步學不到西洋人的，便是上海人所謂「屈死」，同時就有享受「時代落伍者」頭銜的資格；頓時把箇地大物博的中國，裝束在舶來品的花團錦簇之中，要是有人問及「空間性」的三個字，就是教世界最有名的化學家 Chemist ，像拉母則 Sir William Ramsay 德婁 Humphry Davy 給呂薩克 Jooeph Louis Gay Lussac 其人，用最精密的化學方法，去化驗分析他們的頭腦，恐怕也始終得不到一些類似物質罷！歧黃

告全球醫藥界人有四種藥分四屬

韓鎮教

凡每一學說問世之初，其是或非雖屬論者之隨意，但究其論題之本身，若係確屬眞理者，則乃人所必須服從之不變動的眞理也。

人有四種，藥分四屬，各人分別專治得獲奇效之原理。乃係距今六十年前吾師李濟馬先生靈眼所活捉發現者。其手抄原本傳入敝家，已經四十載，父子相傳，實驗之結果，信仰確固也。此乃攸關全人類生命之原理，祕藏獨福，於良心殊覺不安，乃決定公開於世，而貢獻與醫藥界爲研究之資料。特先假貴刊之篇幅，發表其概略於左：

本學說之內容，分類介紹古今中西醫藥界所未曾創明之特點凡五：

(一)確分人性爲四種，曰冷性人，曰熱性人，曰平性人，曰陽性人，各人各病，各用各藥，而取得奇效，反之則遭其害。

(二)發明現代生理學，心理學神學上尚未纂明之臟腑分職論。

(三)自神農帝以來，世間流傳由經驗所得之諸種本草中，尚未分別何性人專用何藥；今由實驗而分析得專門藥一百八十五種。

冷性人專效藥：　六十九種；

熱性人專效藥：　五十種；

平性人專效藥：　五十二種；

陽性人專效藥：　十四種。

陽性人萬人中僅有數人至十數人。故病亦罕有，藥亦稀少也。

（四）五六千載傳來之醫藥著作：如岐伯，張仲景，成無己，許叔微，朱肱，杜壬，李子建，朱震亨，王好古，危亦林，李杲，龔信，孫思邈，李挺，王叔和，扁鵲，靈樞，張鷄峯，許淡，諸先生由實驗所得而發之，病論與藥論，有實效而難證明其隱面伏在之究竟，（致被西醫譏爲混沌無系統之說）。今整理而詳闡其究竟矣。

（五）古人相傳以陰陽六經分症，定病名爲六，但認病症而不識有四性之原理，故誤信傳經之說。今據四性病理，則三陰病乃專屬冷性人之症；少陽病乃專屬熱性人之症；太陽陽明病乃冷性人熱性人平性人所均有之症；今特詳考而更正之。又廢除五行相生相尅之無對證之玄論，但方其脈之浮沉遲數，並參酌病勢而診治否認探索病因之術。

上述五點中，一至三點爲中西千古所尚未創明者，四五兩點，在中醫上雖已略具端倪，但今捲去疑雲，大放光明矣。

一　學理上四性存在之證實

一　血清學上有四種不同之血型，（A·B·A·B·O·）此學說於一九一四年歐戰後通行世界，在西醫輸血上確占地位，已不能否定。（最近上海東南醫院亦所實驗者）此四種血型之不同，內容未發現時，輸血極感困難，因各人之血液互不相容也。其故何在？昔不識四性之存在，查化學成分，此血液與彼血液並無異點。事實上此乃化學力所不能分析者，在血清學上因相異性而發現反應，由此推理，四性存在之理，不難窺見矣。

二　生理解剖上，身體構造中，雖尚未明別四性，但已有不少可證明之處。一般研究解剖者，着眼於腑臟中肺脾肝腎四部之比例將其全部之大小攝影縮算正確則右四部大小不同之實質，應有發現矣。

三　在心理學上，昔泰西有醫士司撲克辣特司者，倡言人體中有血液，黏液，膽汁，黑膽汁等四種液體。由此四種液體之多少而生多血質，黏液質，膽汁質，神經質等四種氣質（歇撲氏四液病理論與本學說無涉）

二世紀時，羅馬人略靈氏，更發明氣質之研究，根據多血與黏液各氣質之特長，而獲得此結果。

德儒康德氏，亦從事於氣質之研究。其所發明者，較前者爲精切，卽分感性之氣質與活動之氣質。

感性的氣質：║多血質，——憂鬱質，
活動的氣質：║膽汁質，——黏液質。

心理學家所發表氣質之名詞略有出入；但確有四種之分，則已不成問題，蓋正與本學說性品論遙遙相對，因科學上確有此四種不同之根據也。

二　病理上四性存在之證明

兄弟二人，同居一家同時因傳染病菌而病，例如傷寒濕瘟（腸窒扶斯）諸西醫診治，地理同，土壤同，時令同，年齡只差一歲性別同，環境同，食物同，病菌同，給以同一處方治療，一愈一危，探索其源，終未見其不同點。請中醫治療，時期在春者，按據三陰三陽傳經說定爲熱症，給以春瘟處方，結果一愈一危。何故？同病給同藥，一愈一無效之難境，乃一般中西醫士所常逢之事。實則因病同而人不同，同藥不能治二種病人之鐵證也。例如西醫傷寒分類中，頓挫性傷寒是冷性人之症隱匿性傷寒是平性人之症；無熱性傷寒是陽性人之症暴性傷寒乃熱性人之症也。

又西醫之熱度計算，與中醫實熱症虛熱症之論均各有根據，然而不可全靠也。中醫所云虛熱者，卽冷性人之表熱也實熱者熱性人之裏熱也故冷性人之熱雖高至攝氏表四十度，實則內冰外炭，故醫者爲欲退熱而投冷藥，則不免誤殺人矣。　（未完）

畹滋腿毒我見

陳青雲

嚴獨鶴君之胞弟畹滋君。腿部患毒去世。據言。初起僅小腿前近骨處。發現些微破皮的創傷。數日後。乃紅腫寒熱俱作。未幾逝世。當時中醫診斷。有的說是疔瘡。有的說是丹毒。有的說是溼熱蘊結。有的說是血火結毒。更有說是寒症者。議論紛紜。莫衷一是。以愚見推測。諸說俱未能準確。按瘍科癰疽之連呼並稱猶夫妻二字之連呼並稱。實則夫是男而妻是女。癰爲陽而疽爲陰。二者截然不同。何得含混施治。外科全生集中。癰疽二字。王洪緒先生辨之最詳。畹滋君之腿毒。旣係紅腫。決爲陽癰而非陰疽。癰色赤。疽色白。熱性速。寒性遲。是一定不易之理。畹滋君之瘡紅毒重。死亡迅速。若係陰疽。決無其事。以部位形色時日論之。卽內經所謂兎齧瘡。毫無疑義。予與劉左同君。皆有辨症藥方。登載於五月十六日新聞報中。今再錄登於此。或亦閱報諸君所欲先覩爲快與

附兔囓瘡之原因及治法

凡人小腿前骨。起一粒如菉豆大。色紅發癢。未幾。即大腫大痛爛穿骨髓而死。初起時。病家醫家。往往以溼毒臁瘡視之（溼毒臁瘡是頑症。何至送命如是之速）迨躭延數日。毒勢已成。病入膏肓。服藥罔效 。甚至將足截去亦無效。卒至死亡。查內經癰疽篇云。發於脛。名曰兎囓。不色赤。至骨。速治之。不治。害人也。經語既謂色赤至骨。遲則害人性命。其毒勢險惡。可想而知。倘躭延日久，或病重藥輕。治不得法。皆有性命之憂須知腎主骨。骨生髓。腦爲髓海。足之脈絡。從足走胸。人身通體。脈絡貫通。毒發腎經。上至頭頂。下至足底，毒氣皆可到達。西醫見毒在手則斬手。毒在足則斬足。而無敗毒妙藥。使病人服之。乃揚湯止沸。非釜底抽薪治法。吾嘗見數人患疔瘡。西醫割去其肉。以爲可以斬草除根。不知疔瘡由藏府發生。蔕固根深。肉割去而毒根仍在。其人依然死亡。非疔瘡之不能治乃治疔之不得其法也。瘡毒莫危險於疔。予經驗良方中有疔瘡方。已救治數人。患兎囓症者。若能初起早服。亦可起死回生。方列於後。

金銀花八錢　甘菊花八錢　紫花地丁八錢　生甘草五錢　明礬一錢　穿山甲一片　清水煎。飯前服下。再加九龍丹兩粒。開水吞下。

此方以金銀花甘菊花達毒於外。連同紫花地丁甘草明礬清毒於內。穿山甲到達毒所。九龍丹降毒於下。一切初起紅腫癰毒。無論如何險惡。服數劑後。無不藥到病除。九龍丹服兩粒後。大便如仍不暢快。可再服兩粒。外以紫金錠清水磨搽瘡上。忌食一切葷腥發物。

劉左同按。兎囓瘡。危症也。世人每多忽之。病狀原因。陳君論之甚詳。茲不多贅。關於治法一層。僕於經驗所得。稍有貢獻。以資參考。亦讀者所樂聞歟。

兎囓瘡初起時。前方服之頗佳。然至毒勢散漫。已經入腹。有攻心之險。九龍丹雖能瀉毒。體實者固佳體弱者所忌。可急服鮮馬齒莧汁。或芭蕉根汁。至萬分危急時。速服眞陳金汁（即久年糞清汁）。市上藥鋪。多係僞品。無效也。花園中偶或有之。外塗內服。均有奇效。終日飲菉豆湯以代粥飯。解毒之功。無有妙於此者。該瘡於初起一粒時。外治法。急用核桃一個。劈開去肉用殼。將殼頂鑿一洞。殼內滿置糞。放於瘡頂上。用艾團一個。置殼頂洞口。點火灸之。約灸三枚。覺痛即止。糞汁流入瘡口即能消散。或用坎宮錠清水磨塗患處。輕者即消。較諸紫金錠功勝一籌。力強多多重者非用桃殼灸法不可。以其效力大而取效速也。倘毒已散漫。紅腫潰爛。紅腫處。用橄欖核煆存性。麻油調敷。潰爛處。用製爐甘石。清桐油調敷瘡口。次日用桐油洗去不可近水。按法施治。頗能獲效。管見如斯。靑雲君以爲然否。

敬告黑藉諸君前車可鑒！因吸食鴉片等麻醉品

斯時不戒更待何時
脫離苦海重見光明

中毒而死亡者每年已達數萬人

影響人體生理上局部者分述如后

▲影響於神經系者—鴉片能麻醉腦部，刺激脊髓，因此腦與脊髓，均受其壓制，遂呈麻木不仁萎靡不振之現象，

▲影響於呼吸系者—肺部壓受刺激，呼吸機能漸成麻痺，肺萎肺痨之症，因之而生。

▲影響於循環系者—初疊加血壓，脈血弛緩，纖則血管縮小脈細而速，若吸大量之鴉片者，必致脉管無力收縮而死。

▲影響於生殖部者—男有陽萎之患，婦有不妊之虞，宗嗣絕望，百病叢生世人猶樂此不悟，誠可提哉。

▲鴉片害毒大致已如上述，奈國人不悟，仍多終日吞雲吐霧，沉醉其中，我願世之嗜好此物者，及早回頭，決心戒除矣。（藥房均售）

希望黑藉同志速服馮氏救苦金丹

▲馮氏斷癮 ▲救苦金丹

國難臨頭共謀禦侮肅清烟毒根本救國。救苦金丹戒烟神效無四。戒時照常吸烟見烟自厭。輕癮一二料重則四五料。絕無絲毫痛苦安全斷癮。歷任大總統黎徐曹嘉獎。已風行六十六年斷癮無數。為十全十美之戒烟藥王。並世無雙之黑藉救星

▲戒烟捷徑 函索請向上海白克路大通路口峻芝堂立即奉寄，每料一元五角函購起碼兩料寄費加一

衛生常識

公共衛生分類摘要（續）

醫師宋忠鈺

四　建築之衛生

社會乃由人民集合而成市街。一方謀社會之利益。一方求公共之安甯。所以市街及住屋。最應注意者。爲光線之充足。與空氣之流通。否則不潔物充滿市屋。殊與人民健康上。發生許多不良之影響。查日光可以殺滅細菌。空氣可以交換瓦斯。此二者乃吾人生活上。最需要者也。其次即爲街道之方向。廣狹。疎水等。住屋之外。樹木愈多。則空氣愈良。市街最優良者。爲放線式。或三角式。惜在我國不甚相宜。最好者我國市街成一直線。一律南向。不但日光可以直射入屋內。屋內可常時乾燥。決無潮濕之弊。冬天溫度。可以增加。夏天南風多。屋內比較涼爽。街道愈廣闊。空氣亦愈佳良。於衛生及交通上。兩有益處。即火災亦可以減少。汚水溝宜不時疏通。不可任其閉塞。以免日久發生惡臭。樓房建造。不宜過高。造至三層爲止。否則不但死亡率增加。且居四五樓上者。流產病亦多。死亡率列下。千人死亡數。居五樓者二八、二。居四樓者。二二、六。居三樓者。二一、八。居二樓者二一、六。居平房者。二〇、〇。其他流產早產等。亦居四五樓者多。糞池放置之地位。糞尿之臭氣。亦有汚穢空氣之可能。因大量之酸素。被其侵奪。且混合多量之有害瓦斯。其檢查如下。十八立方米之糞便。每日可消費一三、八五基羅之酸素。產生十一基瓦之炭酸及二基瓦之俺謨尼亞。並發生一立方米五十分之硫化水素。故糞池宜放置於距離住屋較遠處。於市街上。切不可任意便溺。所造之屋。不可不講求換氣法。換氣裝置愈多。空氣之竄入。亦愈完全。吾人所住之屋。應需要之氣量。每人每時。約六十立方米。吾人呼吸。每一小時吸入空氣中之酸素量。約三十六瓦。呼出肺中之炭酸量。約百分中四分。故換氣法最爲緊要者。住屋若完全改良。恐不易舉辦。宜用人工換氣法。於住屋四角。多開小洞。以便放出炭氣。竄進養氣也。以我國現狀而論。應急於添築者。驗尸所。屠宰所。公共浴所。公共廁所。隔離所。檢疫所。傳染病院等。

五　學校之衛生

學校乃吾人一時之棲息地。兒童發育機能。尚未十分完成。且抵抗力亦甚薄弱。是易受外來之侵襲。故衛生上尤宜注意。教室之構造如不適宜。學童極易發生一種病。謂之鬱病。卽肺癆是也。

鬱氣(富炭酸及塵埃)乃由溫度變換及姿勢不良起因。並有發生消化器。生殖器。(女生)腦充血(頭疼衄血)等病。由座位不良。易生外科的疾患。女生多發生脊柱變形。及側屈症。又多有發生眼病者。(如近視眼沙眼)。

學校之建築

建築學校。宜擇於清淨地。距離鬧市較遠處。周圍要清潔。四周多栽花草。教室要明亮。且須換氣。樓梯不宜太直花兩邊宜裝設欄杆。廁所每二十人或二十五人一所。抽水馬桶最佳。遊戲場。每人最少要有三平方米之地。

教室

教室之面積。各生座位之距離。最小限度。一、七五至二尺。就學生五十計算其總面積。要六百七十至七百平方尺。

教室之空氣要良善。室內不可含有千分中之一分炭酸。故五十名學生之教室要五十尺高。九十一尺長。九十一尺寬。內容三千八百四十立方米。若教室小者。人工換氣法。最爲緊要。每人每日要得到十二至十五立方米之新鮮空氣。方無礙於衛生。教室之光線。若不充足。每多發生眼病。教室每平方之面積。要有三十平方之窗。若避日光之照射。可用紗布窗簾。夜間最好用瓦斯燈。每十人用一架。

教室內每因各人之外套太多。致飛塵飄揚。應將各人外套。放置別室。學生之脊柱彎屈症。例如學生百名中。發生此症者。約三十餘名。此症乃由寫字或看書之際。姿勢不良所致。女生比男生約多四倍。其主要原因。亦桌椅之不良也。學生寫字看書之際。要坐正。不可傾斜。以免此病。又學校中最要注意者。爲小兒傳染病。如痲疹、猩紅熱等。若傳染有波及全校之勢時。可於一定之期間停課。此由校醫之提議。由學董等議決施行。若學校內有癘疫流行。如痙咳、痘瘡、猩紅熱、實布的里發生時。可全校停課。又窒扶斯、虎列剌、赤痢等流行時。患者及患家與學校。應斷絕交通。一概不准入校。

近觀我國學校。建築既不合法。設備又不完善。對於衛生上。又是盲人騎瞎馬。以全國中校以上者而論。有校醫者。大約在百分之幾而已。余今將應行注意者。提要述之於下。我學校當局。從速改良。學生幸甚。學生監宜用年高有德者。因現代青年。每有越軌行爲。年高有德者。可以服衆。中校以上之學校。均應添聘校醫。除診斷外。兼充衛生教員。且每星期要檢查宿舍二三次。第一注意宿舍之清潔。第二注意學生之性病。因學生年歲稍長者。每多行手淫之惡習。故發生不眠症。遺精症等皆由性神經衰弱而來。學生宿舍中。檢查有性史者。予以焚燒。並要與之詳細講解手淫之種種害處。不然將來健康之體質。日見減少矣。直接雖造福於青年。間接卽造福於社會及國家矣

(未完)

個人衛生（上）

其珊

人體生理，順之則康，逆之則病；趨其所由康，避其所由病，則衛生尙焉。

銅筋鐵骨之身，人固皆欲得而有之者。然不究衛生，不能得也。故衛生者，人咸宜有以研之矣，

A　骨骼系之衛生

1. 兩足膺全身之重寄，爲運動中最要器官，應使之發達而不遑，奈何世有纏足之俗，竟束縛之，禁錮之，致步履艱難，而搖搖欲倒，蓋亦背生理之甚矣！
2. 兒童之骨，動物質多于石灰質，爲形柔弱，故不宜肩荷重物。若未能行立，而強之使走，其下肢骨易致彎曲。
3. 老年之骨，石灰質多于動物質，脆而易折，故不宜過于運動，以免遭跌撲折傷之患。
4. 幼年宜食含鈣質多之食品以堅骨，老年宜食含鈣少之食物以柔骨。
5. 軟骨雖富彈性，唯屈伸過度，則彈性全失而成傴僂不治之症矣，此弊幼年多有之。
6. 坐立行止之時，務宜正其姿勢，使骨無彎曲之患。
7. 運動適度微特能發育骨質，且影響于筋肉消化兩系統，以加強同化鈣質之機能。

B　筋肉系之衛生

1. 筋肉愈使用，則愈堅實而細密，其色帶赤，不使用者反是，其色蒼白，因運動則筋肉頻頻收縮血管爲之增大，血液必加速流通，筋肉以是發達
2. 運動過久則廢物堆積容易疲勞故宜繼之以休息所以予血液得洗滌廢物之時間也，

3. 運動時間，不可在思考之前，既食之後，因血液不足以供分配也。又朝時亦不宜運動，運動則不僅加體質之消耗，且朝時脈搏微弱，皮膚弛緩，易罹感冒。

C 皮膚系之衛生

1. 皮膚與肺腎二臟分任排泄之責故汗孔之中苟爲表面剝落之死細胞，與塵埃閉塞時，則廢物排出被阻矣，故宜勤沐浴以保清潔，亦所以防感冒也

2. 人于早起，宜以冷水擦身，以皮膚晨起爲稍弛，驟以冷激之，則皮膚緊張，神經靈敏，此時血液羣歸心臟，心臟因多數血液之來歸遂加緊運動，復歸之皮膚，非特暢血液之循環，且增強皮膚之抵抗；雖遇冷風亦不收縮，然不宜于老人小兒也！

D 消化系之衛生

1. 食品之具有五種食素者，乳汁外無聞焉。然乳汁不可常食，故宜選食多含食素之營養品，而不宜就食絕少食素之嗜好品，特食物中之食素豐于此，必歉乎彼。若夫肉之脂肪蛋白有餘而澱粉不足，穀類則澱粉有餘而脂肪蛋白不足是也，然則食品固宜相參以食矣！

2. 食物宜細嚼之而下嚥，俾易于消化也。且咀嚼持久，則唾液多有湧出糖化澱粉亦必週遍靡遺也。

3. 咀嚼作用，全賴乎齒故齒以清潔爲貴，苟任食物嵌入齒之夾縫間而不去，則漸漸腐敗，發生一種酸素，與齒質起化合作用，始而劇痛，繼而腐蝕，終且動搖脫落，影響腸胃之消化力甚鉅故食後宜刷牙以去此弊。

4. 過食則胃之粘膜受刺激間食則胃蠕動起變化，故一日三膳，不可無定時定量也。蓋胃歷二小時至四小時之消化必繼以一小時之休息，若遇食而間食，則胃成爲始終消化，而無休息之時矣，

5. 食過冷物，或過熱物，咸足動以弱胃動。照冷物每有蛔蟲條蟲旋毛蟲等卵寄生其中，故物必煮沸成熟而後可食，並務以鮮者爲佳。

6. 食具以陶器玻璃器爲宜，銀器鐵器次之，若銅若鉛則有害，不可用也。

7. 消化系疾病之最著者有三：一、嘔吐 由胃壁起收縮，食物乃逆行。治可用姜半夏、姜竹茹、姜川連、代赭石之屬。二、泄瀉 由腸之吸收機能衰弱可致，治用車前

子白木之類，三、赤痢　食不潔物所致，治用芎藥湯加減。

隨地吐痰底補救辦法

克仁

這次蔣軍事委員長所提倡的新生活運動，實在是包羅萬象，無所不涉。衛生問題，不用說得，自然也在它的範圍之內。講到衛生這兩個字，敝國人是素來不講究，不看重它的；而尤其是關於吐痰這一回事除了極少數的人以外，恐怕沒有一個不是很隨便的。譬如：想到要唾痰了，便毫不負責任底呸的一聲，一口濃痰就會從它的嘴裏直掉下來；不管這是什麼地方，無論馬路上也好，屋子裏也好，公共處所也好。總之要唾便唾，用不到顧慮這是什麼地方的。

它的壞處：第一就在傳佈病菌：比方一個患肺癆病的人，他的痰涎中，當然也夾有肺結核菌，假使隨地唾痰，那末，他痰涎中的肺結核菌，也就跟着掉在地上，等到乾了之後，被風一吹，便會隨之飛舞，人們如果不幸的吸了進去，無疑的是要大受其累了。第二就是不清潔：好好的地方，給你們隨便的唾了痰涎，豈不是很齷齪了嗎？所以照這樣仔看起來，隨地唾痰委實是一件極不衛生極不清潔極不道德的事情，我們應該立刻起來剷除這個惡習慣方好。

不過，誠然，隨地唾痰是不應該的；但可不能只說了一聲不要唾，就算完事，至少也得替他們想出一個良好的適宜的辦法來才興。要曉得東方人是生來就多痰的，怎能叫他們不唾痰呢？（但若要叫他們不要隨地唾痰，那倒或則可以做得到）。所以唯一的補救辦法，端的還是在於多設唾痰的處所——同時也要他們明瞭隨地唾痰的壞處，方能使所設的唾痰處所，不至于虛設；否則也仍舊是徒然的。

我們瞧：日本人是東方人的一種，所以他們也是多痰，但他們決不是像敝國人這樣隨地亂唾的，他們是每個人隨身帶着唾痰的紙包的，逢到外出而要唾痰的時候，就把痰唾在紙包裏面，再帶回家中滅去毀掉。這我們倒很可以效法他們；不過素來寫意慣的敝國人，初初行起來，必定要感到不少的麻煩和討厭的。——假使有人嫌這個辦法不興，以為太討厭，太麻煩，那就祇有用忍耐功夫的一個辦法了，就是在路上（總之在沒有痰盂的地方）逢着要唾痰的時候，竭力的把它忍住，不使它出來，等到到了有痰盂的地方，方才唾出來。但這是何等難做的呀！（或則以我看來，在大城市裏，可以唾在馬路旁邊的陰溝洞裏。）頂好的辦法，還是希望衛生當局在路旁多設唾痰的特別設備來得好些。——和設立公共廁所一樣，但比較的需要普遍一點。

上面所講的，是指屋外的隨地唾痰的補救辦法而言，至于講到屋內的隨地唾痰的補救辦法，也就在多設幾個痰盂，橫豎它們的價值是很便宜的，要不了多少錢的，而從它們所得到的代價，何况又是很大呢？（衛生而清潔）

以上是把隨地唾痰的壞處和它的補救辦法約略講了講，希望看的人都能夠遵守，才能夠算是實行了新生活運動的公共衛生的一部分。

怎樣保護味蕾

劉國輔

味蕾也叫做味芽，是生在舌粘膜上，乳頭的中間，這味蕾裏面，包含着味細胞，並且味神經的末稍，也分布在這些味蕾內；所以我們的舌，能夠辨出味是酸的甜的，苦的辣的。

引起味覺的物質，要呈液體的狀態，所以不外水溶液，或是溶解唾液中的物質；這是因為須化成溶液，或溶解唾液中，方能和味細胞中的味神經末稍，相密切接觸，於是味的音信，得以由味覺神經，傳至腦中，而起知覺作用了。

極冷極熱的食物，和烟酒，都能使味覺遲鈍，因而消化液的分泌，也要減少；所以我們要留心些，舌的清潔，也須注意，例如舌苔生了出來，把味蕾蒙住，味覺就要受影響了。

「刮舌苔的習慣。」西人認為不合衛生，其實不然，苔厚則味覺須受影響，所以須在食物以前刮去，才能多分泌消化液，幫助消化，不過不可刮得太利害，免傷味蕾咧。

月經期內

連廣

凡婦女經水來時。最重要之衛生。為身體、精神、飲食、起居。故欲求健康。必須注意於此。不佞在臨床上。感有一半病家。缺乏此種衛生常識。以致病症叠呈。茲特就此數點。列舉如此。

（一）「身體」沭浴納涼。皆在禁例。倘逢夏季。但可擦身而已。下陰部宜乎潔清。西洋月經帶。消毒棉花。均可採用。較諸吾國綳布草紙有上下床之別也。

（二）「精神」勿勞動傷氣。勿思慮傷神。勿閱愛情文字與淫慾圖書。以免刺激。蓋因經來時。性機能易熾之故。

(三)「飲食」辛酸之食物。生冷之瓜果。及一切冰淇淋冷茶等。務須禁忌爲要。不爾恐成痛經停經諸疾。

(四)「起居」室內空氣理宜充足。睡眠尤須十分適度。此兩事雖屬平常。然於月經大局。頗有俾益。

花柳病預防法

鄭慕楠

涉足花柳的朋友們。因爲性慾的煩悶。不得不設法去謀解決。這時。他們對於花柳病的痛苦。並不是茫無所知。也許是很明白了解的。但未來的痛苦。終難抑制住性慾的高潮。因此，就不免去作一次冒險的僥倖。孟子說。食色性也。又說。稍長。則慕少艾。男女性器官發育完全以後。性的需要底迫切。是一種不可掩瞞的事實。有人說。假使娼妓禁絕之後。强姦的案子。一定要激增數倍。的確。在目下的情形。到處充滿着曠夫。(雖也有曠女，但究竟是少數)他們有的因爲遠客異鄉。有的因爲無力結婚。得不到異性的安慰。不得不到花街柳巷。解决性的飢渴。所以廢除娼妓制度。使一般曠夫。無處解決性的煩悶。而造成比娼妓制度更紛亂的事實。决不是一種妥善的辦法。最妥善的辦法。只有使每個人都能夠得到性的滿足。但是。這種理想。始終沒有一國能夠做成。同時。娼妓制度。也終於沒有廢除。 在娼妓制度無法廢除的今日。花柳病的治療。固然非常需要。而預防的法子。尤爲來得迫切。常常有人這樣的問我。你是個醫生。你一定有很好的預防花柳病的法子。請你告訴我吧。可見事實的需求了。不過做花柳醫生的。因爲營業關係。往往守口如瓶。不肯明白指示，這是一件極不應該的事情。現在我把牠爽爽快的寫在後面。花柳醫生見了以後。請勿怪我多嘴。一方面已有正常性生活的人。萬不可以爲有恃無恐。而去自尋煩惱。因爲後面所說的方法。只能十全七八。不是萬試萬驗的啊。

用一種韌橡皮的薄囊。套在男性的陰莖上。實行性交。預防很是確實。但橡皮韌力減退。易致破裂。所以必須採用新鮮而韌力强度者。且使用一次之後。卽須棄去。以免傳染。不過使用此囊。在性交的快感上。不無缺憾。但和花柳病的痛苦比較。又何啻天壤呢。

或用凡士林。在性交之前。塗抹兩性的生殖器上。以避免因磨擦而起創口傳染。尤其因爲妓女的陰道。交接過度。比較性硬。容易受創。但這只能預防梅毒。不能預防淋病。淋病的傳染。不必從創傷而入。只要侵入尿道。附着網壁。就會繁殖起來。所以性交以後十分鐘以內。放尿一次。冲刷淋菌。效果甚著。

以一種消毒藥。如甘汞、康廣沙爾、硝酸銀等。配以適當之凡士林。事先塗布於局部。不但可因此避免擦傷。並且可以直接殺滅黴菌。

或用上述消毒藥。以適量之水稀釋之。但事後覺着下部。或小便時稍有刺痛。即服梅毒剋星可愈。

百日咳

薛定華

百日欬，又名疫咳，痙咳，嗁咳，頓咳，鷀鷥瘟，其名雖多，而症狀仍一。考其原因：西國醫學謂為百日咳桿菌傳染所致。專發於小兒生後六月以至七歲之間，患之者男孩輕於女孩，強壯者重於虛弱，冬春寒冷之時，頗易見之，其特狀為呼吸道之卡他及陣發性咳，咳終時長吸而帶嗁聲，其潛伏期自七日以致於十日不定，當初起之時，名之曰卡他期。（發炎期）在此期內，病兒呈單純支氣管黏膜炎症狀，身體略有微熱，鼻流清涕，頭疼眼紅等症象，在年齡較大之小兒，其發此較遲緩，幼稚者病勢增進頗速，漸至喉頭作痒，聲音嘶嗄發乾咳或略帶痙攣性症之徵兆，如此症狀約一二週後，則咳嗽加劇而起痙攣症狀，名之曰痙攣期，或曰陣發性咳期，喉頭癢痒不堪，胸脇疼痛，每一陣咳嗽，有十一聲至二十聲之多，每一晝夜內，輕者發作五六次，較重者十五次至三十次，甚重者自六十次以至百次。當將發陣咳嗽之時，必以嘔吐而始，病兒每能自覺，竭力自止而不得，短氣而作哭，於是咳嗽頻頻，其咳嗽之終，輒嘗一深長之吸息，並發一種特異之聲音，如吹笛之音，或如雞嗁之聲，面部浮腫，色呈蒼白，或青紫，甚者並見鼻血齒衄，及終乃咯出粘痰，於是始嗽然一聲深吸，則面色等各狀呈復原之態，如此種症狀，繼續經四五星期之久，方漸漸減退，而名之曰減退期，當此期中，病兒所發之症，每夜輕於日，其咯出之痰，亦稀稠而帶黃色，再經二三星期，則病即可痊癒矣。總計本病之始末，每須二三月，甚者遷移至六七月之久，此即百日咳命名之所由也。此病之豫後，大都視其是否有併發危症，如百日咳併發肺炎，或結核性胸膜炎，或貧血症，以及心瓣病等，皆頗危險。故百日咳之死者，非因本病而死，實死於併發病也。

蓋本病之治法，在初起之時，西國醫生往往以鎮咳之劑，然後再與以臭剝或嗎啡，以盡能事；考吾國國醫之治該病，每以鸕鷀涎丸加減，（杏仁、梔子、石膏、蛤粉、天花粉、牛蒡子、生甘草、麻黃、青黛、射干、細辛、鸕鷀涎、蜜丸）頗有效驗，中國醫學大辭典云：「鸕鷀瘟小兒多患之，此證咳嗽不已，連作數十聲，類哮非哮，似喘非喘，如物哽咽，欲吐難出，久之出痰少許，甚者嗆血音啞，面目浮腫，多由感冒風寒或冷熱時氣所致。若不急治，日久必死，宜鸕鷀涎丸，或以乾蚱蜢，（即蝗蟲，化生蟲類，生於初夏，繁於秋初。蝗屬，體長寸許，頭爲三角形，後脚腿節壯大，善跳能飛，其色有深灰色，黃綠色，青黑色，斑色等數種，生於穀田中最良，或生者，煎湯服之自愈）。去歲年假返里，治一百日咳病，惡寒無汗，咳嗽痰稀，少便清長，而口不渴，以小青龍湯加減，其效果頗良。同時又治一孩，其症兼見汗出口渴唇燥舌絳，乃以石解沙參花粉蘆莖之類，結果亦覺良善，近讀時賢惲鐵樵先生病理各論一書，其中亦論及百日咳，謂該病之病理，亦是風寒束肺，其所以數十連咳者，因其病實兼有神經性，其治法分有汗與無汗二種，有汗而寒化者，宜溫肺，輕者以杏蘇散，重者以乾薑五味細辛之類，有汗而熱化者，宜北沙參之類。其無汗者，鸕鷀㳄丸爲主，無汗而寒化者，小青龍湯，無汗而熱化者，亦以鸕鷀㳄丸，因其中有石膏也。此種治法，乃惲氏近來悉心體會，經驗所得之良法，與余所治二孩之法，不約而同。惲氏實先得我心也，本病於藥物治療之外，尤須注重衛生，況該病而對於空氣頗有密切之關係，若氣中炭酸增加，則本病咳嗽之次數亦增加，炭酸減少，則咳嗽之次數亦減少，故病房之空氣，必須流通。溫度亦須注意，不宜冷暖過度，小兒病房最適當之溫度，須 C 20°—22° 此外病兒須安靜，不能與有刺激性之物接近，因其能引起咳嗽也。若咳嗽發作劇烈者，則溫浴半小時，浴後宜即就寢，亦可頓挫其病勢。又如飲食物方面，亦當注意，如冷暖之物，鹹酸之品，皆本病所禁食，否則徒增病兒之痛苦，爲醫者不可不詳告其病家也。

一九三四，五，四寫於上海寄舍

白髮的原因和治療

劉行方

在沒有談原因之前，先把它的解剖生理來引述一下。

原來它的全體，可以分作三部分：就是毛幹，毛根，和毛囊。毛幹顯露在表皮的上層，中有髓腔，毛根在表皮的內部，從毛囊的底部，生長出來的。毛囊包圍着毛根，在眞皮的深層，囊的底部，有乳頭狀的突起物，這叫做毛乳頭，裏面含着許多的血管和神經，是毛髮的生長點。毛髮的根部，又有一種叫做豎毛肌的，它的效用，在於管轄毛髮的運動。當氣候極冷，或是受着恐怖的時候，它能夠把毛髮直豎起來。還有一種腺體，叫做皮脂腺，呈囊狀和葡萄狀。開口於毛囊的內部，它的效用，就是分泌皮脂，潤澤皮膚，尤其是毛髮，當我們遇着恐怖的時候，腦神經起極度的變化，這時候，髮部的抵抗力，減退，豎毛肌收縮，留着細微的空隙，於是空氣乘機混入毛乳頭的上層，阻礙血液的榮養，變成銀絲般的白髮。但此項病症，屬假性的居多。所以在毛髮生長幾次之後，祇須改善環境，慢慢地會消滅的，這並不是血液的不足，是受障礙的結果。至於老年的白髮，確是屬眞性的，爲什麽？呢因爲血液中間——血漿的蛋白質所產生的色素細胞不能分泌多量的黑色素 Melanin 的緣故；唯一的治療方法，應多服鐵劑，增加血液生產量，歸納以上各說，可得二項結論：

(一)少年白髮，除遺傳(先天性)之外，假性的居多，並不缺之黑色素，絕對的可以治療痊癒。

(二)老年白髮，可以肯定的說，是由於血液的不足，不能產生黑色素，是眞性的。除內服補血藥——鐵劑，及媒染烏藥水之外，尙無其他成績優良的療法。

治療的方法：

(一)補血藥（中藥）(1)草靈丹。(2)七寶美髯丹。(3)乾柿餅，用茅香煮熟。枸杞酒泡，焙乾。各三兩。研末爲丸，如梧桐子大。每服五十丸，茅香煎湯送下。

(西藥)(1)麥精魚肝油。(2)純淨康福多。(3)鐵酒：枸櫞酸鐵錏二分，白葡萄酒九十八分。混和。是一種澄明黃褐色的液體。

(二)媒染劑（中藥）黑桑椹一斤，蝌蚪一斤，瓶盛封閉，懸屋樑上。百日，盡化爲水，染白髮甚效。

（西藥）分AB二種。先用毛筆蘸A水敷之，待乾。再敷B水，即可反黑。

A水 硫化亞 Ammonium sulphide 一兩。

炭酸鉀溶液 Solution of potassium carbonate 三錢。（英量）蒸餾水 Aq. dest. 一兩。

右三種，同盛於玻璃瓶內，用玻璃桿攪勻。

B水 硝酸銀 Silver nitrate 一錢。（英量）

蒸餾水 Aq. dest.等分，和勻即成。

▲注意：使用右項藥物，須極謹慎，勿使沾入耳，目，及鼻腔口腔，以及手指爲要。

誤吞什物及中毒之急救法

張炳華

一 吞銅錢

多食荸薺。可以消之，或多食熟番芋。（即山芋）不用瀉藥。任其隨大便而出。如無効須延醫用愛克司光照明取出。

二 吞針

蠶豆與韭菜同食。即裹針從大便而出。

三 吞玻璃

可用赤豆湯煮熟。盡量飲之。服後再用瀉藥。不逾時。赤豆裹玻璃從大便而出。

四 吞金箔

取羊血頻灌。可以消之。

五 吞火柴

用鷄毛搔喉使吐。吐淨用生鷄蛋白傾入其口。凡牛乳酒類及含有油質之物。切勿便食。

六 吞鴉片

用銅綠明[illegible]五錢。黃連四分。研極細末。每用一分許。吹入鼻中。使嘔。嘔後用生甘草五錢。食鹽五分。明白礬五分。金銀花五錢。土茯苓五錢。煎湯服之。以追餘毒。又方用硼砂一錢半。涼水調下。一吐而愈。再用甘草四兩煎湯服之。

七 吞砒霜

先用食鹽兩調羹。冲水一大碗服下。使其嘔吐。及毒物大半吐出。乃用生鷄子清四五枚吞下。則與腹中餘毒化合。成爲腸胃所不能消化之質。徐由大便而出。於是不致傷生。否則。砒霜入胃後。被胃中酸質溶化。其毒入血。則不治矣。

八　吞水銀

速服生鷄蛋清數枚。再以鷄毛搔喉使吐。吐後再服生鷄蛋清數枚。

九　食河豚

急用清水煎鮮蘆根服之。愈濃愈妙。或用麻油頻灌。使其作吐。再用橄欖煎濃汁灌之。自能漸漸甦醒矣。

十　吞鉛粉

以麻油調蜂蜜加飴糖服之。

十一　吞金屬物

吞金銀用不切斷之生韭菜。入鍋使軟。令吞者囫圇食之。惟須靜臥。則不出一日。韭菜裹金由大便而出。但金器已剪碎極細者。恐無効驗。

吞銅者多食荸薺茨菰即化。

吞鐵器可用炭研細末。調粥二三碗食之。炭末即裹鐵器由大便而出。

又法治吞一切金屬物均効。只須多食肥肉。自隨大便而出。

十二　中鏹水毒

速服肥皂水或蘇打水。可以解之。

十三　中煤氣毒

火爐中投棗數枚。可解煤毒。若已中毒者。急移室外。令仰臥地上。用涼水洗頭部。以毛巾擦之。並灌以冷開水。或蘿蔔汁。

十四　中煤油毒（即洋油毒）

速用菉豆煎湯服之。

十五　中悶藥

灌以煮沸已冷之水。可解之。

十六　中飲食毒

可用指頭或鷄毛搔喉使吐。飲以多量之微温茶。內加芥末或食鹽少許。可催吐出稀毒質即愈。

十七　中酒精毒

先灌以温水。次以鷄毛搔喉使吐。如昏迷不醒。可另用冷水澆其頭面或全體。更以甘草煎湯灌之。即能清醒。

十八　中肉類毒

先以羽毛探吐。再飲以多量的砂糖水。若吐逆過甚。可灌以冰水或冷水。

十九　中毒蕈毒

如已經多時。可用羽毛探喉使吐。因爲菌類不易消化。雖經久尚能在胃。吐出之後。可飲以單甯酸水或醋。

二十　中鹽滷毒

先灌以生豆腐漿。再以羽毛搔喉使吐。用白糖四兩調水飲之。或用熟脂油服之立愈。

二十一　中鼠毒

可用菉豆或甘草煎湯服之。能解。

二十二　中蠱毒

令嘗白礬不澀。食黑豆不腥。即中蠱毒。可濃煎石榴皮汁飲之。或熱茶化胆礬半錢探吐。出惡毒卽愈。

二十三　解毒方

菉豆湯和甘草湯。能解百毒。

實用家庭護病常識（二續）

黎年祉

一　一般症狀

A局部症狀

1頭項症狀

頭痛—有輕重之異，前額，兩太陽，巔頂，後腦之不同，輕者痛尚可耐，重者痛如刀劈。令人反覆不安。

頭昏—昏者，神志雖無糢糊之象，而思考，分析等工作，確已有深度之障礙，似脹非脹，似暈非暈，似重非重，患者恆不能如常使用腦力。

頭暈—較昏尤甚，患者恆因卒立或開步，忽覺頭旋地轉，目見黑花，眩暈不克自支，必憑物閉目，靜養片刻，始能自制，但證象亦有輕重。

頭脹—有緊張充滿之感，而尤以兩太陽爲甚。

頭重—如載數十斤物於頭，重不自勝，幾不能舉。

頭風—頭痛之時時舉發者。

頭汗—頭部汗出也。

頭皮痒—髮中爲多，常爲癬癩之類。

頭響—一名天白蟻，頭中如蟲之行走作響。

雷頭風—頭面起痞塊而痛，且頭中作響也。

大頭瘟—頭面紅腫，甚者大於常態數倍。

解顱—顖門骨縫不合，頭顱前後徑特大。

顖陷—顖門低落如坑。多見於久瀉之後。

顖填—與上證相反。顖門高腫，突出如饅頭，以上三證。爲小兒特有之證狀。

項強—頸項強直，不能左右俯仰，故外貌甚笨拙。

頸項強痛—卽上證與頸痛並作也。

天柱骨倒—與項強相反，此則頸項無力，一任體位變動而頭部卽俯仰隨之，一如無骨骼爲之支持者。

頭搖—頭顱搖動不能自制或不知自制，不能自制，而常有發作者，見於慢性神經疾患；不知自制者，則多見於急性熱病，尤以小兒爲易見此。

頭傾—較天柱骨倒略輕，維見於坐立時。

彎頸—此係先天性畸形，或後天天傷瘢痕收縮所致。

頸腫—頸項紅腫，妨礙食息，砒中毒時有此現象。

氣頸—頸項粗大，皮色不紅，時或消長，與前形同而實異。

2胸脇症狀

胸悶—亦曰胸痞，胸中窒塞之感覺也，患者語聲低微，若斷若續，不能作深呼吸。

小結胸—如前症，胸前有痞塊可見，按之則痛者是也，實乃胃病。

龜胸—此係先天性畸形，患兒胸骨高突，異於常兒，亦有因急性肺及肋膜之病，而卒起龜胸者，當注意。

胸痛—胸部痛覺，每因咳嗽而轉劇，當注意其連帶之關係。

胸痺—胸部悶塞，痛引於背也，與胃脘痛有疑亂之處。

脇脹—亦曰脅滿，脅部充滿緊張之感覺也。

脅痛—多爲肋骨痛，亦有係肺病，故與咳嗽極有關係。

瘧母—左脅下癥塊，卽今脾臟腫大，患者多貧血，因其見於瘧後，故曰瘧母。

3脘腹症狀

脘痛—俗稱肝胃氣痛，其痛正在心下，發作時每有嘔吐便閉噯氣消化不良等併發。

脘脹—多與上症同發，與噯氣轉矢氣有重要關係，脹劇時噯氣轉矢氣多停止，噯氣轉矢氣暢利時，脹感卽覺漸舒。

嘈雜—患者易有飢感，但又不能如中消症之多食，故患者恆現無可奈何，不能名狀之痛苦。

醋心—此心乃指脘部，患者不時忽覺有醋沃脘中之感，其狀似辣非辣，似痛非痛，有如火灼，有如針刺，每與吞酸吐酸併發。

心下悸—此心下亦指脘部，悸者跳動不安也，由痰飲聚於胃中所致，與左乳下之眞心悸不同。

腹痛—指臍以上脘以下而言，卽大腹也，其痛有悠悠而痛，劇烈絞痛，痛無休時，時痛時止，得按稍安，得按益甚之別，須加鑑別。

小腹痛—指臍下而言，在女子多爲子宮病。

少腹痛—指腹之左右兩邊也，其痛每有牽引緊張之感。

腹脹—充滿緊張之感也，實則其外觀上，並無重大變化，小腹少腹俱同。

腹鳴—腹中水氣激盪作聲也，常與下利並發。

臍下悸—臍下跳動不安者，亦由腸中積水所致。

單腹脹—上至膈，下至陰，以漸脹大，而四肢頭面不脹者是也，此與腹脹異者，彼爲自覺症狀，此爲兩覺症狀也。

癥—腹中之腫物，固定不移者。

瘕—腹中之痞塊，忽聚忽散，無一定形狀與位置者，蛔蟲亦每有此象。

疳—腹部膨大，小兒之營養障礙症也，患兒每有異嗜，大便不調，精神抑鬱，發育不良等。

疝—亦腹痛之一種，但後人每指睾丸疾患而言，與古時之寒疝不同。

懸垂腹—一因子宮前屈，妊婦子宮過度下垂，宜相機使用腹帶。

腹壁鬆弛—經孕婦每多患之，腹壁無緊張之力，以致鬆弛擴大，亦當用腹帶促其復原。

4背腰症狀

背冷—背部冷感也，恆因寒飲停滯於背中所致，冷處雖盛暑無[illegible]。

背痛—獨發者甚少。

龜背—背部傴僂也，有係先天性者，有係兒時桌椅之高度不適，或荷重過早所致者，俗稱駝背，亦有因急性熱病，卒然背部高突者，非背癱卽肺之重症也。

背痕—老人恆有之，爲血脈不利之象，故必拳之乃適。

腰痛—多見好色之輩，老人及婦人月經期間亦輒見此。

腰痠—痠者，非痛非癢，直不可形容之痛苦也，婦女之白帶多者，恆兼此症。

腰軟—較前症爲甚，幾於不克自支其身。

腰重—腰上如有物覆載，若擔數千鏹者。

衛生小問答

張子英

(問)猩紅熱是一種什麼病。

(答)猩紅熱從前叫做丹痧。因為咽喉常要腐爛。所以也叫做爛喉丹痧。(發疹色紅如雲錦。所以又叫紅痧。又因有傳染性質。所以又稱疫痧。)其實名稱雖各不同。到底只是一種。以咽喉的腐爛和周身的發疹。為本病主徵。

(問)本病發疹。和痲疹有什麼分別。

(答)本病疹子。和痲疹沒有什麼大別。不過本病。頦部和唇部不發疹子。這是一個檢別的要點。

(問)本病的傳染力怎樣。如何預防。

(答)除接觸外。空氣也能傳染。鼻涕、眼淚、唾痰、上皮落屑中。俱含有病原體。不可接觸。所以要避免傳染。最好須嚴密隔離。

(問)本病有無危險。

(答)要看他的合併症而定。大抵有神昏譫語。或小便不通者。多半很重。

(問)看護上要注意什麼。

(答)口腔的清潔。最為要緊。尤其是咽喉發炎糜爛的時候。百分之二的硼酸水。可以常常漱口。或用藥水棉花。洗滌咽喉。

(問)患過本病之後。能否再受傳染。

(答)患過本病一次以後。就有免疫性。不再受染。

衛生雜誌社惠存

保健導師

張沛恩敬題

國醫張子英診所
法租界愷自爾路嵩山路口瑞康里二六二號

驗方與治驗

簡效方數則

陳學文

一　普通風熱喉痛。而無別症者。但用蘇薄荷一味。生鮮者尤佳。以百滾湯。泡於蓋杯內。約數分鐘後。取以飲咽漱喉。立愈。經鄙人歷驗而屢效也。

二　小兒常患流涎不止。用生鮮桑根。搗取自然汁塗之立效。

文按小兒之流涎之症。患者甚多。考其原因。多係肺失清肅之令所致。故桑根之取效。在於清熱肅肺之力也。用塗法。以兒小胃弱。不致寒涼戕中耳。

三　小兒遺尿。用金櫻子六七錢同公猪小腸。煮熟食之。甚效。

文按吾國以心補心。以肚補肚。從實驗所得。確有其效。蓋亦同氣相求之道耳。遺尿之症。屬於腎虧。以故關門失禁。用金櫻子。補腎固澀。藥病極爲恰合。更以血肉有情爲佐。大寓補劑用法之旨。

四　小兒初生。不大小便方。用葱白絞汁。人乳各半。調匀咽下。

文按小兒初生。體質柔弱。若竟同時。以通利大小便之劑投之。誠非其治。蓋胎兒在母體內。肺氣尚未作用。肺與大腸。相爲表裏。又爲通調水道之上源。初生小兒肺氣閉塞。腠理未通。故大小便俱無。所謂上竅不開下竅不泄者是也。此方用葱白。以通中發汗。使內外通。和肺氣得營其功用。則大小便自下。誠佳方也。

五　治眼[illegible]似痛非痛。素常但流目油不止者。用枸杞葉二兩。足清羊肝四兩。煮服二三次。奇效。

文按枸杞葉。中醫辭典載。性質苦甘涼無毒。功用除百病。清上焦客熱。治消渴。療火赫毒瘡。羊肝。性質苦寒無毒。(或作溫)。功用補肝。治肝風虛熱。肝虛目赤。熱痛。……又類證普濟本事方。羊肝丸。治青盲甚效。觀此則目痛目油。屬於肝虛客熱無疑。世之患此者。頗不乏人。每多百方罔效。閱者盍嘗試之。

肺壞疽之新療法

鄧名世

肺壞疽俗名肺癰，自古以來，即視爲不治之症；近年來西醫對於此病，多外用採外科手術以割除患病之肺，然結果仍不甚良好，且操作艱難，不易實行。最近日本名古屋醫科大學教授醫學博十岡田清三郎氏曾用新六零六治癰患者數人，經過頗爲良好，功效確實迅速，手術亦頗簡易。其法第一次以新六零六〇、一五，行靜脈注射，第二次注射〇、三，第三次注射〇、四五，第四次注射〇、七五，以上每隔五日至七日注射一次，通常於第二次注射之翌日，患者體溫下降，咯痰減少，經過四五次之注射後，痰已全無，患者已恢復健康矣。

——以上摘譯日本治癆學雜誌第四卷第一號。

編者按：原著謂肺癰自古即認爲不治，此語恐未必盡屬事實，以余所見，則不治者反甚少。

走馬牙疳吹藥

林祖康

走馬牙疳爲小兒類多患之之急性病。初則口流涎沫而腫。繼而牙磁黑燥而至脫落。因之延及牙床浮腫。甚至腥臭之涎。如油沫之膩。不絕於口。或唇口糜爛而延及牙腮。如是經三四年而不愈者有之。或失治。因之殞命。亦不乏人。狀頗堪憐。雖古有明方。或祕守而不宣。或煉製不得其法。總於罔效。鄙人素不諳醫。偶於古方書中。檢得一方。初不敢用。適有鄰近農民金某之子。（諸暨金村人）年五齡。患牙疳已年餘。已至初期變症。達到牙床浮腫而腥臭之途程。延中西醫各執一是。卒無效果。且赤貧之輩。無力再事醫藥鄙人因之好奇心起。爲其按法煉製。依法吹藥。不三日而爛者已斂。更數日而愈。誠効如桴鼓之靈丹也。後經歷治數人。無不藥到病除。鄙人不敢自私。得將該方藥品及製法。錄登貴雜誌。幸不吝洛陽價重。賜予一角之隙。藉供衆好。聊救赤子之患是疾者於萬一耳。

紅棗一枚去核。用紅砒一粒。如黄豆大。合入棗內。用線扎緊。在瓦上煆炭。俟冷。用時加梅花冰片少許。共研細末。以少許吹患處。（此方名赤霜散）經三五次後。可保痊癒。不論久爛穿腮均効。

倘有患是疾者。一時不及修合。或手續不諳。致砒毒未淨。反爲有害。鄙人乘公餘之暇。備製此藥。專供患者索取。如蒙見索。請附回件郵資兩角。寄諸暨諫裕當按址郵奉。

金山已故名醫王師靜軒治驗

景陽孫道明

（一）吾師治鄉間潘姓之婦。年逾不惑。因勞動過度。驟患血崩。血如湧泉。人亦暈厥。用震靈丹雞血藤菟絲餅牡蠣硃神各三錢。五味四分拌炒白芍錢半。台烏藥二錢。艾炭髮灰棕炭各錢半。吉林鬚五分。肉桂三分。琥珀四分。冲服。得慶囘生。此溫補攝納安神之効也。崩症新近頗多。吾願女界同胞。共注意之。

（二）又治鄉間陳左陰分素虧。肝陽暴動　。迫血妄行。忽然吐血不止。或從鼻出。有數升許。　時屆溼熱薰蒸。內火較盛。證頗可危。用羚羊尖磨冲二分。左金丸四分。甘中黃新絳各一錢。丹皮錢半。　淮膝川柏石斛各二錢。　茜根秋石玉金側柏葉炭各三錢　。鮮生地四錢。　茅根一兩。　藕節三枚爲引。令服。竟得血止而痊。此瀉火涼血淸熱止澀之功也。　誠恐良法失傳。　爰檢錄以登　貴刊。亦公開之義云耳。

腦膜炎治療記

何樹春

周姓婦。年三十三歲。住長興小東門。身體肥壯。素無疾病午膳後　。忽覺惡寒。繼則乳間紅腫　。頭痛如劈。至晚。胸中煩躁。揚手擲足。眼白色如礬紅。神思昏迷。舌淡紅。苔薄白。脈搏浮緩。急用玉樞丹二錢。研末。開水調下。繼以余師愚　清瘟敗毒飲一劑。（藥量約四兩二錢）服後，翌晨神思大定。惟體痠楚。身微熱。頭仍痛。眼白紅。乳間仍腫。用　解毒承氣湯一劑。利下三行。午後診察。惟乳間微腫。頭覺暈甚。用熄肝風以通乳絡法。三劑全愈。

不十日。長興皇家灣葉某妻。年三十五歲。晚膳後。惡寒、頭痛如劈。胸中煩躁。揚手擲足。睛紅。繼卽喉啞不能出聲。牙關緊[illegible]脈象沉伏。亦用玉樞丹二錢調下。清瘟敗毒飲一劑。（藥量約四兩另）服後。利下三行。翌日全愈。

本刊衛生顧問章程

（一）詳章見上期本刊

（二）來函概用中式紙張。繕寫清楚。附覆信郵費一角三分。並附寄下列衛生顧問券一個。

（三）來函寄愷自爾路嵩山路口瑞康里二六二號

通訊

他們就不需要衛生嗎

主筆先生。人類的慾望。大概是隨着環境進退的吧。除非是瘋癡和神經錯亂的人。誰願意住那齷齪卑溼的草棚。誰不願意住那潔淨高敞的洋房誰願意吃那街頭的殘羹冷飯。誰不願意吃那芳香適口的華餐。誰不愛體面。把衣衫弄得整潔與美觀。誰願意鶉衣百結。不蔽風日。手成皴。也不過 因其環境所逼。為要苟延殘喘。不得不這般忍受啊。先生。你不見那大上海四周的邊緣。都圍着那僅可容膝的草棚嗎。在草棚裏掙扎着的同胞們。不是都如上面所寫的嗎。可是誰又注意到他們的衛生呢。因為衛生這東西。原不是他們的需要的啊。不過。話要說回來。他們究竟是我們的同胞啊。我們要盡我們的力量，提高嗓的。喚醒衛生當局。喚醒一切的人們。打動他們的同情心。一致起來援助。先生。經濟落後的中國。我們不需要貴族式的衛生。我們只需要大衆的衛生。難道他們就不需要衛生嗎。祝你康健。

不平者

大函讀悉。承你指教一切。我心裏十分同情。不過。經濟制度的合理否。這是整個的社會問題。我不便發表什麼意見。至于提倡大衆的衛生。原是敝刊的宗旨。自來一貫不移的，以後還希望你多寫關于貧民窟的真際情形。敝刊當盡量表。以喚起當局的注意。

編者覆

注意後門清潔

頃閱十八期衛生雜誌，編者啓事，將乘本市舉行十三屆衛生運動大會之際刊行公共衛生專號，服務精神，殊堪欽佩，鄙人亦市民一份子，應就日常所目及者，獻諸貴刊，以喚起社會人士注意，而加以改善焉，上海為我國最繁盛之都市，人烟稠密，勢所必至，每一住宅，動輒至十餘家，而各家習氣，至難一致。愛清潔講衛生者，固不乏人，而隨意拋棄垃圾，傾潑污水者，亦復不少，每至一弄內，直弄尚屬清潔，而橫弄則大有分別，臨前門之地上。尚不污穢，而臨後門之地上，則垃圾污水，狼藉滿地，一若別有世界者，實堪驚歎！苟至夏時，炎日照臨，必至臭气四溢，細菌飛揚，其妨礙公共衛生為何如乎？揆諸不講衛生之心理，大都以為前門有礙觀瞻，不得不稍爲留意，而後門則無妨聽之。且旣棄諸門外，則與我無干矣！似此只顧表面，不求實際，只圖利己，不顧損人之劣根性，絕非高尙民族所應有；况已身乃公共之一份子，旣于公共衛生有礙，己身能無礙乎？恐一旦疫癘大作時，未必只染他人，不染拋棄汚物之主人翁也！何其愚之甚耶？凡我申地同胞，望于厲行新生活之際，本有則改之無則加勉之忱，極力注重後門淸潔，於人於己，均有裨益，衛生前途，實利賴焉！

英租界愛多亞路九二〇號　陳伯平

來函觀察深刻，語意懇摯，允爲一般市民之警鐘，讀此文尙不肯革此惡習者，吾恐已不堪救藥矣，祇求表面，不尙實際，蓋不僅此一端：如選購衣料，必擇其不易汚穢者，實則其易汚穢，初非有異於他項衣料，特以其染色過深，或染色本近於汚穢之狀，而不易察出其汚穢耳，又如小食商店，莫不美其名曰「衛生××」「衛生××」，一究其實，並無任何衛生設置，豈不怪哉！凡此，衛生當局固當有完密之抽查與獎罰，而一般民衆，亦當有相當之覺悟也。　編者

與金勅辰君論溫涼升降

葉橘泉

在下感覺得我們中國很有效於治療的醫藥，因學說不齊，（如同一地黃甲說甘溫，乙說甘涼，同一芍藥，甲說苦平，乙說酸斂，同一赤痢，甲說因溼，乙說因暑……等，舉不勝舉。）理論不合實際，而見棄於世界醫學之林，故追隨國內學者之後，研求其所以然之故，二十年來於讀書臨症之際，仔細推敲，深信醫藥學術，不能趨入近世科學軌道之絕大原因，在於後世醫者不明白古代醫學純由經驗而來，積了許許多多成效而知其當然，試看本艸經及名醫別錄，只說某藥治某症，[illegible]金匱，只說某症狀宜用某方等，是其鐵證，宋元以後醫家，原想說明其所以然之理，可惜當時科學未萌，而時適五行之說盛行，不得已借其說而爲說明病理藥理的工具，這是時代的知識所限，原難深咎，不過到得今日之下，世界科學大明，却不能抱殘守缺，像張子英先生所謂墮落深淵，不知自拔，是不長進的大病了，所以在下研究國藥，只相信古本艸的忠實記載，不死守溫涼升降的理論，我之所謂溫涼升降爲研究醫理學之魔障者，是對於研究經過有感而發，今不避辭廢，爲金君告，例如：

升麻柴胡，俗醫無不認爲升散藥，殊不知升麻是極有效的解

毒藥，治口瘡，喉痺，痘疹，在下曾屢試屢驗，即咽頭充血發炎生瘡，用之有消炎斂瘡作用，若據舊說，則升麻之升，豈不慮其喉頭腫塞嗎？柴胡不但不升散，且友有疎導下洩作用，據在下之經驗，用其大分劑能奏瀉下退熱之功。

又黃連黃芩，舊稱苦降藥，新藥理之作用，只知有健胃消炎而已，胃腸之急性充血性發炎而嘔吐下利並作，仲景之用葛根芩連，確是合理，赤痢之用黃芩湯，赤眼口瘡之用黃連等，無非消退其充血性炎證而已，至治嘔吐赤眼等，還可以苦寒降火等傅會之，其止痢作用，豈可以苦降二字圓其說乎，至於五味五色，某藥入某臟等，更無價值了。

因此，在下認爲死守溫涼升降等說，則藥理作用的眞面目終究不可得見，不過學說愈辨而眞理愈明，我很希望金君以學者的態度來辨論，就是金君所說的「五行生尅制化爲各種科學之母，泰西所發明各種新式製造，孰能離五行而成功」，究竟那裏幾種科學製造品，與五行生尅相關，在下也是從五行生尅等舊醫學裏過來的，且極喜研究科學新理的人，却從來不知五行生尅與近世科學有關，還請金君指出事實，須有眞憑實據，不要含糊其辭，又謂「西藥由化驗而提出成分，定名爲某質，療某病，仍不外五行之制化也」，究竟那裏幾種西藥的治病功効，仍是五行之制化，？至謂「金鷄納霜只能治風滯瘧，不能治其他諸瘧」，在下只知夏秋瘧，都是胞子蟲爲患，其他化膿病有惡寒發熱，少陽病有往來寒熱，爲寒熱之另一種，至於瘧疾之兼其他證狀者，中藥治法，應兼籌並顧外，至風滯爲瘧，倒要請教，風何以滯，滯在何處，何以能爲瘧，其狀爲何，有何證據，金鷄納霜的藥理究竟如何而能治風滯之瘧，均望一一詳細指明，決明子之明目原因，在下固詳細說明，治衰弱性（舊說肝虛）目疾，白芨治肺癰[illegible]論早晚，均可投與，此乃根據古說，「治癰腫惡瘡敗疽死肌」，明明載在本艸經，金君既自命爲保守派之古人的忠實信徒，何以竟連古人書亦瞠目不覩耶，至於陰陽虛實，在下非憖信任，且更有深一層之見解，蓋陰症虛症，即机能衰退現慢性之症狀，陽症實症，即進行且充實而急性之症狀也中藥治病之特長，原在此「據症投藥」，故著拙著合理的民間單方，首在敍明症狀和病理，次論藥理，以求藥理符合於病理，著爲單方，不若其他單方書籍，放開病理藥理不論，專載某藥治某病也，在下之研究藥學，最反對人云亦云，或以偶然之倖效而深信，故雖以古代記載爲根據，以近世的藥理爲考證，先求得其公例，再以自己之臨證實驗觀察其何種功用爲最顯著，然猶恐無統計的偶然試驗，仍不可恃、故又不惜犧牲金錢，購許多藥物，製成單方，（單物藥製成）徵求患者，廣事贈送，作有統計之實驗，已得到多例之準確成效，方敢著之稿紙，以貽中西醫藥出版物，徵求海內同仁之評定，歡迎學者根據學理的批判，若不明近世學理、一味迴獲五行生尅，死守空泛玄說，作不着邊際之論調，肆口雌黃，那是大失在下的所望，恕我不能鼓其興趣，再作無謂之討論也。

讀十八期肺癆初則可補重則宜攻懷疑

袁化朱疊先

肺臟爲病。一係外邪之襲擊。一係臟氣之內損。一係癆蟲之傳染。致病原因。不外三點。而其變化。或爲肺痿。或爲肺癰。或爲失血。或爲痰嗽。重則危害生命。輕則因循歲月。醫者見之。每慮爲癆瘵。病者患之。早心存怖惕。中醫固畏其慢性。西醫更怕傳染。莫衷孰是。尤憾既識其原。不明其治。一任其侵略無旣。戕蝕人羣。殊愧煞吾儕矣。然病癆起因。不僅一端。中途進退。亦多懸殊。仲聖訂立專方。却多兼病。抑且人體稟賦強弱。環環優劣。未必一致。甯能以成見成方。統治最複雜之癆症乎。此懷疑者一也。六淫襲人。由口鼻吸受。肺當其衝。首先受敵。而病咳。若形體素怯之人。得之經年累月不愈。從標涉本。流爲肺癆者。顯因外感而內傷。非藥血引誘毒菌蔓踞。應否大劑刧血破瘀。此懷疑者二也。經云。陰平陽祕。精神乃治。或咳血之後。陽盛乘陰。陰陽不能平祕。精神不治。虛極不復而成癆。究木蠹而後蛀生。[illegible]火亢金囚。肺氣焦萎。應否破血逐瘀。此懷疑者三也。管見肺癆一症。患處鬱血不滑。釀膿內潰。臟腐醱酵生菌。專方不愈。借以引用。比較稍可近理。然而亦須量其虛矣。仲聖治積聚。尚云大積大聚。衰其大半而止。以此推測。偶或佐以濕涼滋補。未爲後學悉晦明訓。甘蒙恥辱。（大黃䗪蟲丸主治癆瘵。金匱確有明條。惟限於婦女乾血童子疳癆。與傳屍癆之主傳屍將軍丸。不容水乳淆混。）反貽疑竇也。上列肺癆。緣體力消耗。主攻之說。似乎不確。例如乾血疳癆。血結爲病。有形物質障礙。所以新血不生。當從血治。故大黃䗪蟲主治。乃通渠引流。渠通而流自潔之意。

對於五勞七傷。咸宜引用此丸。後學識淺。不悉淵源。極盼原著者加以細釋剖解。庶後學治肺癆始有南針。

編者按：『大積大聚，衰其大半而止，』似見於內經，而非仲景之語。或係一時誤舉。又總括全文疑點不外二端：一、肺癆是否應當攻瘀？二、肺癆患者是否可勝任攻瘀之劑？吾願王君有以釋其疑也。

衛生顧問

何謂馬寶

(一)按國藥中有名馬寶者未悉此爲何物？主治何病？治神經病有功效否？如何鑑別此藥之眞僞？吃法如何？價格若何？并請介紹藥號，以便購備。

(二)脚氣病何藥治之？乞一併示知爲盼。

南市江西高級職業學校徐剛恢啓

復、(一)馬寶、牛黄、狗寶三物，俱係內臟結石，而尤以生於膽囊者爲多，本草綱目名鮓荅，未識其命名本意，主治驚癇痰疾，確有功効，但以牛黄爲通用，馬寶則用者極少，此物價格極高故僞品甚多，以能剝成細層，磨指甲黃色透甲者爲眞，藥號不便介紹，總以素有信用者爲妥，(二)脚氣因症候不一。故不能統治，惟常以生花生米，大紅棗煮熟淡食，一週後或能見效。

張子英

三個問題

一　面部近來生紅色硬粒甚多。內略有白膏汁。少愈又發。不知以何方治之乞示知。

二　又如多閱報章書籍等。則眼珠疼痛流淚。遠物亦不能清視。何法調治之。

三　左肩脊部時作疼痛。手臂隨之不能舞動。因此作事困難。如是已有半年餘。曾服馮了性藥酒及膏藥貼治。然無效。

沈錚俠謹上四·二二

錚俠先生。函悉。玆分答於次。

一　面部硬粒。由皮脂排出障礙或分泌過盛所致。好發於思春期不易治愈。殆年齡達二五——三〇。自然漸絕。平時宜整理便通。及以軟皂洗面。

二　可服杞菊六味丸。傍晚早晨各服三錢。一方須少使目力。閱讀宜擇光線適宜處。並當時作遠眺。或多往公園散步。

三　可試服史國公藥酒。但與目疾有關。俟目疾稍可再服。

張子英

四肢痠痛

魯益堂男性。現年四十二歲。因少年時誤涉足花叢。曾犯花柳梅毒。疥瘡。白濁等證。均不治而自愈。不料年至三十七歲的時候三月間。不知不覺的左手略略發抖。初起時。並無痛楚。不過稍有不自然而已。自此三四年中年加重至去年三四月間。忽然左邊手足發生酸痛。旣則右足亦然。現在四支拘緊酸痛。左手臂膀肩背更痛。右手略亦酸楚。而動作稍重時骨節格格作響。有時大腿中筋脈微微跳動。行走異常困難。左手不能擧起。兩足不能立穩。曾注射六〇六一針。賀爾賜保命十針。及徧服中西各藥均無効驗。不知究竟所患何症。究服何藥爲宜。

魯益堂上

◎ ◎ ◎ ◎ ◎ ◎ ◎ ◎

特復

據症症係淋濁性關節炎。可試用淋菌伐克辛。但須請醫師參酌行之。局部疼痛。可施熱罨法。按摩法。時時忍痛屈伸關節。若畏痛懶於行動。則有變爲纖直痿廢之虞。

張子英六・五。

醫藥雜訊

安徽衛生設施計劃

南陵劉顯鈞擬

安徽地控長江之咽喉人烟稠密，春秋時江北屬楚，江南屬吳，全省境內皆係漢族，自明朱洪武直向北方進攻，驅除蒙古朝廷，恢復中國民族之統治力，遜清以來，民多封建思想，淮北地瘠民貧，生活未能改善，更未知衛生爲何物，即以去秋全國運動會，安徽所參加之運動員試觀之，體格之優劣已昭然若揭矣，至其他事業之落伍雖原因頗多，但公共衛生之未見充分設施，當居首要也，近年來受東北之影響，農村經濟完全破產，整個安徽。已陷死氣沉沉無可挽回之餘地，當局者雖有崛起頹唐局勢之心願，而無相當法術以應付，一切大計劃無從實現，分配工作人才缺乏，貨物賤價，開財無源，文化退步，一落千丈，哀痛景象，觸目皆是，噫長此以往，何堪設想，然安徽者，安徽人之安徽也，吾人救國，須先救安徽，安徽有救，一旦對外發生戰事，咽喉方可扼守，救

病象，所謂貧病二者是也，爲政者，須貧與病同時進行改善蓋民貧必病，民病必貧，二者未能分離之連環性也。若能如此分工合作上下團結一致，十年後，定出皖人於水火而登衽席也，今就皖省現況，擇其重大者，謹先分別一陳之。

(一)登記醫藥衛生人員政府舉辦一事，必有推動該事之專才，醫藥衛生人員，亦屬專才之一，語云『爲政在人，其人存則其政舉，其人亡，則其政息』，際此努力衛生建設時期，則醫藥專門人才乃衛生行政所必不可少者，分析起來，有獸醫學，細菌學，昆蟲學，原蟲學，腸蟲學，防疫學，免疫學，鼠疫預防，瘧疾預防，各種專門家，不勝枚舉，即檢查員，亦有各種專門，總之行政愈發達，用人愈多，分工亦愈細，皖省衛生工作，已深感得人之難，實有杯水車薪之歎，補救之道，即行登記手續，不分省藉性別，凡資格，人格，體格，學識，思想，經驗，均有相當程度者，方可給予登記合格證書在此施行之初，尤其是人格高尚而無不良行爲者，爲登記之標準，因衛生人員每多行爲腐化，煙酒嫖賭，無惡不作如此擔任衛生行政工作，其亦可乎，所謂人才登記，須

人是健全之人，才是優良之才，然後衛生行政，乃益促進，誠一舉兩得之善政也。

(二)籌款建省立醫院　本省除外人創辦之安慶同仁蕪湖弋磯山，二醫院範圍較廣外，省立醫院尚付闕如，若因經費難籌，不妨先行組織一委員會，直屬於民政廳，負籌劃醫院地址，一切設計，預算需費若干，暨籌款辦法諸事宜，經費充足時，規模自應擴大，務達衛生醫藥之最美滿目的使全省民衆健康，得以保障，與外人醫院競雄矣。

(三)褒獎民衆健康長壽者　尊敬老者，古有明典，所謂六十杖於鄉，七十杖於國，八十杖於朝，即今日歐西各國亦有養老章則，然政府之所以如此者，無非欲人民日常注意衛生，藉此以示政府之美德，吾皖在發展衛生行政時期，政府特須褒獎章程，按上開年齡，呈中央備案，暫分甲乙丙三等，褒獎辦法，由縣政府呈報民政廳分別給予獎狀，所謂政府有鼓勵之德意，人民本有愛名之慾望，久而久之，民衆健康長壽者，由少而多矣。

(四)設置全省衛生指導專員　皖省交通，人口，地面，天候等，均甚優越，獨文化事業，較任何別省都覺要退多少

步，誠足令人可惜可嘆，蓋雖有佳良地勢，天然環境，而無人工發展充實徒思烏托邦極樂園，其能實現乎，所謂人工者，健壯人之工作也，健壯人乃衛生運動唯一之成績，今日皖省若欲收較優之成績，理應注意內地衛生建設，然因經費關係，實又不能如願進取故暫設全省衛生指導專員，五人至七人，按時派往各大縣指導一切宣傳視察，協助地方衛生事項，以謀衛生事業次第設施之方略，指導專員，屬於民政廳受廳長之指揮監督，由國內外醫學專門畢業曾任衛生工作，經驗豐富者充任之。

(五)勵行衛生重要法令　在此訓政時期，吾皖要舉辦之事業非常之多，尤其是衛生之設施，更刻不容緩，因爲衛生之完善，可以發達社會之經濟，如人民皆有強健之身體，自然不致成爲社會寄生份子，社會上寄生份子減少生產份子自必加多，社會經濟當可逐漸充實，所以目前經費雖極困難，而衛生事業反是經費拮据之地方，首要之大政，須知經費艱困，是社會之四肢外傷病，不良衛生是社會之心臟內生病，無論，內生病外傷病，恆持本身之抵抗能力，其可以久遠而不淪亡者，未見有也，故社會愈有病愈貧窮，愈貧窮愈有病，在貧苦而有重病之安徽，必須勵行衛生防禦工作。

衛生雜誌廣告例

地位	面積	價目
封面	大半頁	大洋四十元
底面	全面	大洋四十元
封面裏	全面	大洋廿八元
底面裏	全面	大洋廿八元
封面第二頁	全面 半面 四分之一面	大洋廿四元 十二元 八元
底面第二頁	全面 半面 四分之一面	大洋廿四元 十二元 八元
普通	全面 半面 四分之一面	廿元 十二元 八元

一封面底面裏外均用二色套版印不另取資
一代製銅版鋅版費另加
一代繪圖樣費另加
一惠登廣告者贈本刊一册

衛生雜誌第二十期
中華民國二十三年七月六日出版
主編者 國醫張子英
校正者 國醫胡佛
發行者 衛生雜誌社 法租界普恩濟世路七十六號
印刷者 三星印刷所
分發行所 中醫書局 現代書局 上海雜誌公司
分售處 各省書局

衛生雜誌定價表（費須先惠）

出版	月出一册	全年十二册
價目	大洋一角	大洋一元
附註	郵費在內	國外加倍
	郵票代洋以一分五分爲限	

○社址○ 上海愷自爾路嵩山路口瑞康里二六二號

真正價廉物美大補品

'ODE' CODLIVEROILWITH YOLK OF EGGS

維他命類滋補聖劑

「凹凸」鷄蛋魚肝油

最合兒童婦女服食

KONDUK S COD LIVER OIL WITH MAIT EXTRACT

全球醫藥界所公認之無上大補品

WALES FRUIT SALINE

威爾斯菓子鹽

潤腸，清血，化食，清補飲品，

歡迎醫師家庭採用
荷蒙惠顧格外從廉

「科達」麥精魚肝油，行銷東亞半球，已有二十餘載之光榮成績，凡服食者，有口皆碑，證書謝函，叠積盈箱，銅版印成若干，歡迎索閱，其他實驗藥品，亦均貨眞價實，人人樂服。

各處藥房公司醫院均售

科達西藥廠無限公司總經理

上海北四川路

KONDUK WALD DRUG CO., UNLTD.

N. SZECHUEN RD., SHANGHAI.

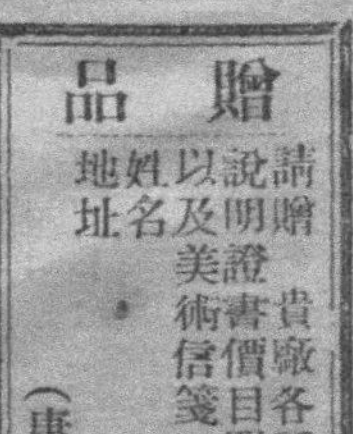

德國安特諾博士心血發明的世界唯一防老補丸
壽爾康
錫爾壽！偉爾康！
德國戚彌鄧大藥廠鄭重監製的內分泌結晶製劑

增進體內各細胞機能之生活力！
保護細胞以免各種疾病之襲擊！
延老各細胞之無限制的新生力！
亢進各細胞的代謝產物之排洩！

品質高尚
功效偉大
出類拔萃
人人宜服
偉爾壽康
藥房
均售

●壽爾康之成分

市上號稱返老還童之一切內分泌物製劑，其功效較著而名[illegible]較佳者，所含內分泌物至多百分之三十三而壽爾康中乃含有「盼好而蒙」百分之六十六，「盼好而蒙」PANHORMON即安特諾醫聖所發明，亦即安氏數十年來苦心硏究之收獲，本劑以一「盼好而蒙」爲主，以各種名貴滋補藥物爲輔，融多數名藥爲一爐，已老者服之可以回少，未老者服之可以防老，誠開藥物史上未有之紀錄

●壽爾康之製法

本劑係德國最著名之戚彌鄧大藥廠監製，廠方自置廣大牧場，畜以牛羊猿猴之屬，由獸醫考察，遴選強壯之獸，取普通獸體內之分泌物及各種滋補食品，日日服之，俟其日益壯健，至相[illegible]乃由有經驗之獸醫[illegible]敏手術，採取其新[illegible]泌物，再經紫光[illegible]，淘汰不良雜質[illegible]體，名曰「盼好而[illegible]採選艱難，功效[illegible]

▲壽爾康功能

本劑功能補充體內活力之缺乏，滋養內分泌腺之健全，促進新陳代謝之機能增加抵抗病菌之力量，乃亢進全身各機能之完美滋補品，與一般含有毒性之壯陽藥物惹起假性興奮精取一時徽效之催春劑藥物絕不相同！

主治

補腦補血：滋陰益髓
調經種子：保腎固精
防止衰老：抵抗疾病
轉弱爲強：廣嗣延齡

功效

神經衰弱：腎虧遺精
未老早衰：腰酸背痛
種子維艱：病後產後
月經不調：赤白帶下

壽爾康說明書
函速卽寄外埠
函購寄費免加

分男用女用兩種每盒五元每料三十元男女同價：

HEALTH MAGAZINE

衛生雜誌

第二十二期

中華郵政特准掛號認為新聞紙類
內政部登記證警字第二八二九號
社址上海愷自邇路嵩山路口瑞康里

德國梅濁尅星
自濁自療
對症專葯
那怕你疼痛難忍 服了梅濁尅星包你不疼！
那怕你腫得利害 服了梅濁尅星包你腫消！
那怕你濁流如注 服了梅濁尅星包你濁清！
那怕你便中流血 服了梅濁尅星包你血無！
▲白濁乃絕嗣之總因▼
淋菌侵入睪丸，則精虫不能生存，以致絕嗣，普通一般療法，絕無透入睪丸殺滅淋菌之效能，德國淋病自療專藥「梅濁尅星」其有滲透粘膜深部之絕大權威，無論淋菌侵入何處，均能追蹤而殺滅之，故能澈底斷根，永不復發：
▲梅濁尅星殺菌力：勝過透熱電療！
▲梅濁尅星清濁力：勝過注射針藥！
▲梅濁尅星鎮痛力：勝過插入油錠！
▲梅濁尅星消炎力：勝過注射色素！
▲梅濁尅星淨毒力：勝過局部洗滌！
▲梅濁尅星利尿力：勝過內服各藥！
▲德國愛迪那博士發明▼
▲德國駐滬總領事簽字證明▼
▲藥房均售▼
▲德國戚彌鄧藥廠監製
遠東總經理處
▲上海南京路五四號柯爾登洋行啓
贈券
憑贈券附郵票十分簽字蓋章寄上海郵政信箱第一四六五號柯爾登洋行樣品部即贈德國梅濁尅星樣品及詳細淋病療養說明書各一份

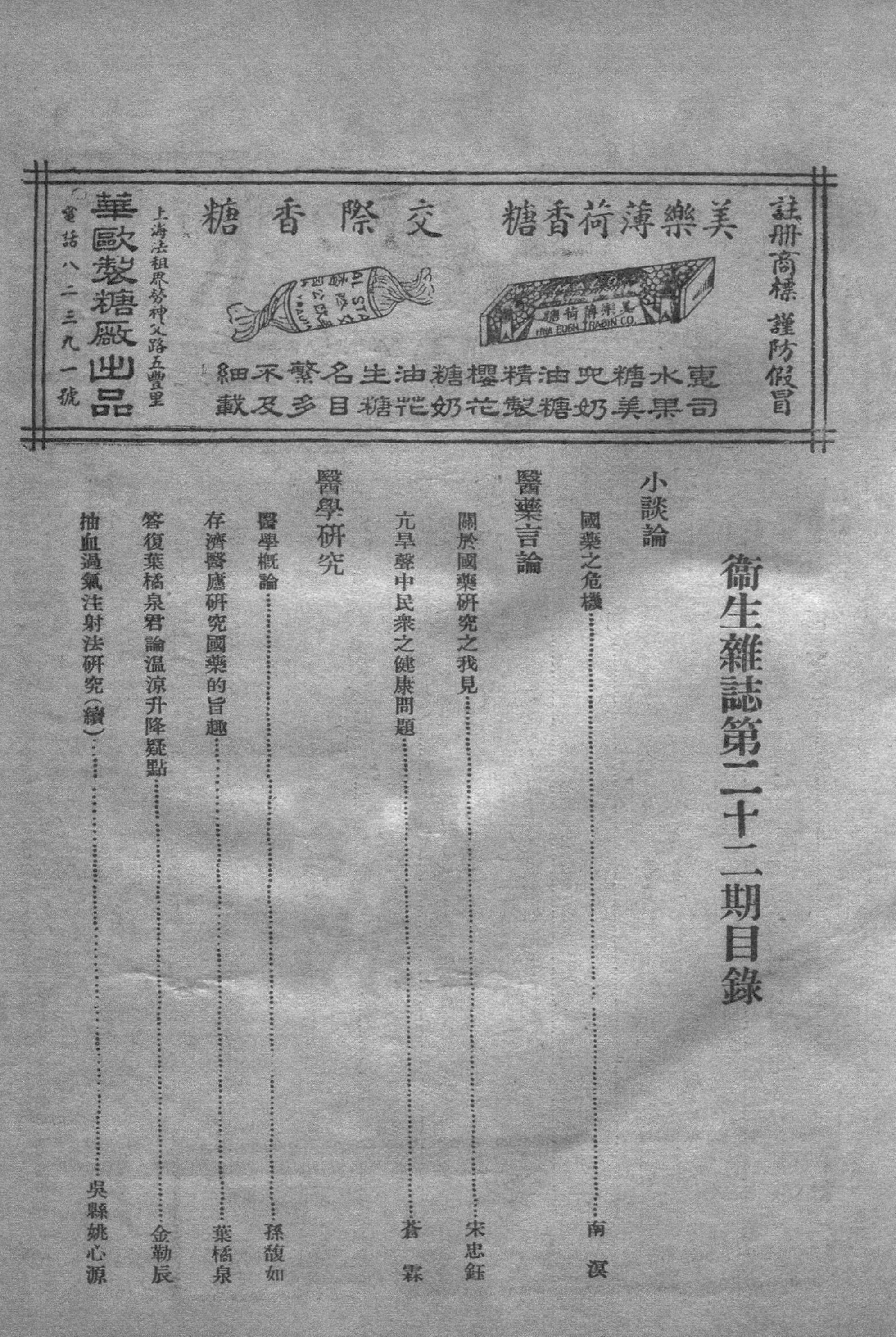

衛生雜誌第二十二期目錄

小談論

醫藥言論

醫學研究

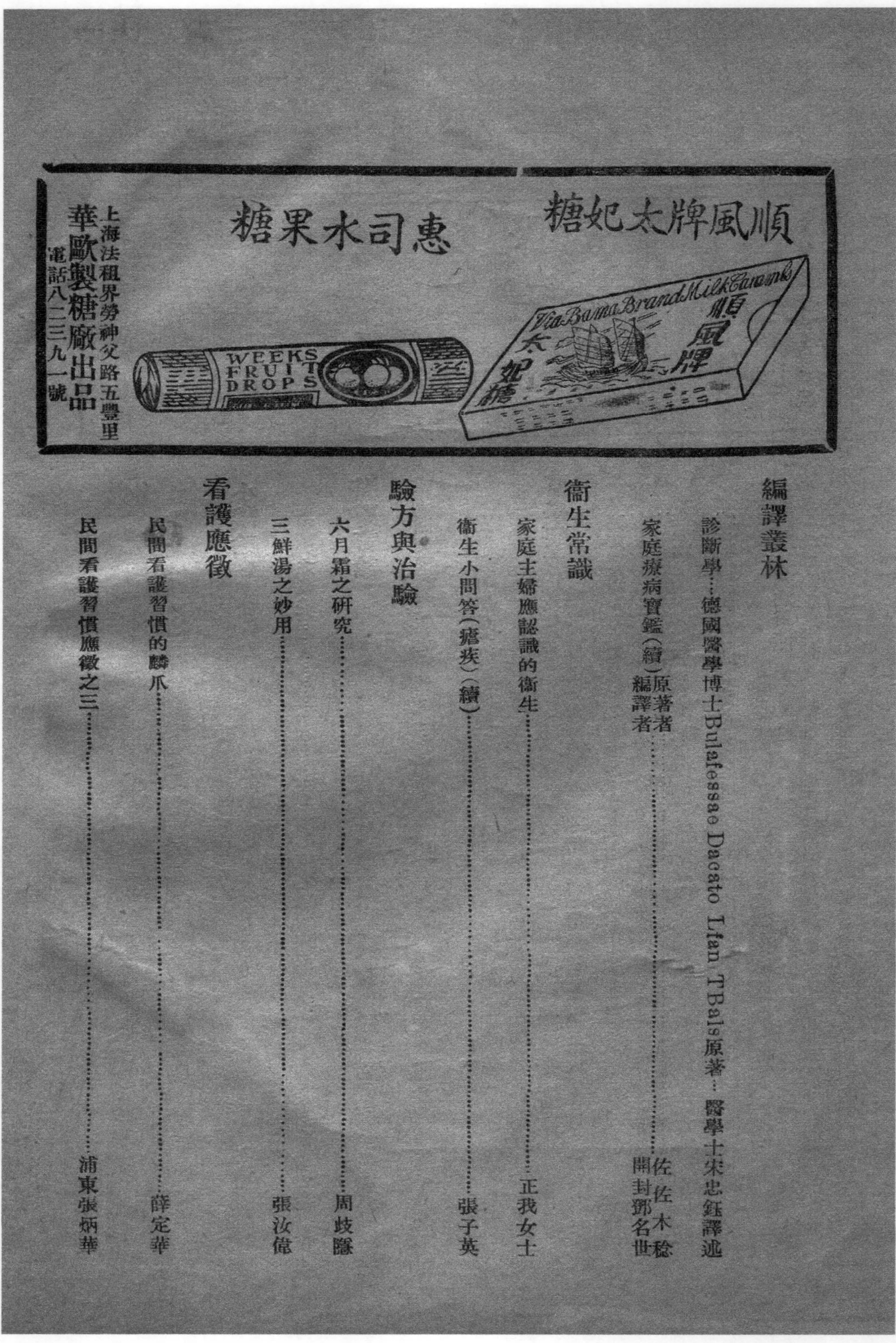

小談論

國藥之危機

南滇

國產藥物，已有悠久之歷史，乃不隨時代之轉變，而遭淘汰者，其必有價值存在也。

迨今一般人士，輒謂吾國藥物，類多草根樹皮，不能作用於生體之細胞，及化合破壞組織，是殆二十世紀文明進化之中國，人民心理，深破歐風之陶醉，宜將以陳舊不合時代潮流之國粹藥物，蔑視而不足取也。

然獨怪世界堪稱醫藥發達之日本，竟不惜鉅資收買我國古代秘本醫藥書籍。翻印我國本草網目，並獎勵韓民培植漢藥，而作農民之副業，又經東京帝國大學，醫學與藥孰博士杉原右戶谷勉氏等確認爲漢藥，乃有治療之効果有効之成積，裁培之必要；故前有設立藥草園之舉動，其進行積極，大有科學革新漢藥之精神，侵奪我國藥材市場之陰謀！

鳴呼！國產新醫，不知有互助之精神，努力提倡，加以科學整理，而謀競爭，而乃反爲破壞，甚欲至於取締，用心之險，於斯爲極，能不爲日人竊笑其後者乎！

蓋原國產藥物，每年輸售於日本，不下五六百萬餘元，甚數可謂至鉅，今日人憾此漏危之失，乃鼓勵韓民種植漢藥，欲以產出之品，而代漢藥之輸入，試問我國藥物，輸出之路，能不受此重大之應響，且因日人用心之陰險，獎勵韓民之努力，藥物產量，日所必增，於是知非僅可供日本所須，亦將竊輸於我國，則我國藥物市場，而不爲之刦奪者幾希；南滇不禁爲國藥前途憂慮頗深，業國藥愛護國藥者，將何以應此未來之危機者耶。

天然水菓鹽

贈送玻璃量水杯

購大號一瓶或小號二瓶即送玻璃量水杯一只

並奉送聯合贈品券 大瓶贈十五券 小瓶五券

天然水菓鹽……完全以新鮮菓汁製成，冲飲一杯，即覺口齒芬芳，週身舒暢。

天然水菓鹽……可代替汽水，以冷開水一杯，和入天然水菓鹽二茶匙，立卽汽泡奔騰，成一清涼衛生飲料。

天然水菓鹽……可用作輕瀉劑，凡大便閉結者，每晨起身後冲飲二三茶匙，保使大便通暢。

天然水菓鹽……能清暑解悶，公餘之暇，冲飲天然水菓鹽二茶匙，立將體內暑氣驅逐殆盡，神清氣爽，愁悶全解。

天然水菓鹽……美味適口，不含糖質，功能開胃健脾，清淨血液，並治肝胃氣痛，頭痛，頭暈，黄疸病等症，常飲之能使顏面清潔紅潤，辦事不倦，高尚仕女，人購一瓶，勝食水菓數倍。

大瓶二元　小瓶六角

製造者　英國倫敦　別孝勃天然水菓鹽廠

總經理　上海五洲大藥房

本外埠各大藥房均有經售

醫藥言論

關於國藥研究之我見

宋忠鈺

研究國藥之動機。乃隨二十世紀有機化學發達而起。至於今日。成績優美。凡歐美之民間藥。未有不知其化學成分者。我國國藥之產量。可甲於全球。因國人墨守陳法。不事研究。有特效之藥。反不能爲新醫界用。眞堪痛惜。東西洋對於我國藥。素極重視。近來更有多數之藥學家。入我內地。採取或購買。播回從事研究。因而分析出不少有效成分。製成新藥。再出售於我國。其價較我國生藥。高出百數十倍矣，此種金錢上之損失。未知我國藥界同仁。注意否乎。吾希望我國醫學校。從速添授有機及無機化學。或立專門國藥學校。有機及無機化學。亦要作專課教授。以備將來分析成分。提取有效物品。亦挽回利權之一良法也。未知我國醫藥界同仁。以余言爲河漢否乎。余今由日本醫報。譯出數種國藥之成分及效用。臚列於下。以供同道參考焉。

一 Oundebon 蒲公英。全部均可供藥用。含有少量澱粉。及多量乳汁。乳汁中含有 Tarazacin 苦味質及 Tarazacerin 中性物質。用途。可爲發汗藥。解熱藥。強壯藥。清涼藥。有旺盛膽汁分泌之功效。

二 Kaladana 牽牛子。藥用部分。乃採取本品之成熟果實。成分含一種 Pkorlitism 樹脂配糖體。約居百分之八。用途。用大量內服。刺戟胃部。發生惡心嘔吐。用五分至七分內服。能增進腸之蠕動。使小腸內之液體迅速入於大腸。服後三至六時。卽可排出液狀之糞便。故可用爲瀉劑。

三 S[illegible]nite Root 附子。其根含有猛烈毒性 Snonitin 及 Pikrakonitin 此外含有澱粉百分之二五。脂肪樹脂灰分百分之五。用途。外用將附子搗爛製成軟膏。爲鎭疼塗擦劑。傫痳質斯。痛風。神經痛等。有効。內服爲鎭痛劑。對於胸膜炎。肺炎。心囊炎。有效。但對於血液循環之作用太大。故宜審愼用之。

四 Eennel Eruits 茴香。供藥用者。乃本植物之果實。有特異芳香性之氣味。成分含有揮發油。內脂肪油百分之十至十二。砂糖百分之八，八四至九五。用途。茴香爲健胃驅風袪痰藥。

五 Gingen 生薑。供藥用者。乃採取本植物之根乾燥而成者。本品有特異芳香性。苛烈如灼。成分。揮發油。約含有百分之二十。特異之辛味成分。爲存在於不揮發成分中之粘稠物質。約百分之〇，六至一，三二。其他成分爲脂肪。樹脂。澱粉。約百分之五十。灰分量不過百分之七。用途。生薑爲芳香性健胃劑。

六 Redpeper 蕃椒。供藥用之部分。乃採取本植物之成熟果實。使乾燥而成者。新鮮時有麻醉性之臭氣乾燥後則消失，蕃椒之性苛烈如灼。吸入細末。誘起噴嚏。成分爲 Capsaicin 約含有百分之〇，〇一至〇，〇二。其他含有蕃椒赤色素。樹脂樣之物質及脂肪油。灰粉等。約百分之五六。用途。本品有引赤皮膚之作用。又用於消化不良。間歇熱。猩紅熱等。有用作含嗽料者。亦有用於僂麻質斯者。

七 Black Pepper 胡椒。供藥用者。乃取本植物之未成熟杲實。使乾燥而成者。成分。包內含有細小之澱粉及別比林。本品有特異芳香性氣味者。乃因其含有樹脂及揮發油之故也。灰分含有少量。用途。爲間歇熱之劑。又爲健胃劑。並爲舌部麻醉咀嚼藥。

八 Casta Bark 桂皮。供藥用者。乃本植物枝幹之皮。成分。桂皮之主要成分。爲桂皮油。次爲桂皮酸。其他鞣酸。粘液。樹脂。澱粉等。又有灰分百分之三至五。用途。桂皮爲芳香健胃劑。矯臭劑。矯味劑。用量。一回一分至五分

亢旱聲中民衆之健康問題

蒼霖

際[illegible]酷暑亢旱。災象畢現之今日。各地行政當局。均有防旱會議之召集。賑災也。灌田也。分發耐旱作物與勸導育飼秋蠶也。舉凡關於防荒救災之事。無不盡在計劃力行中。然此僅限於農事方面。而對於各地民衆之保健問題。迄未有人注意。是則不可不引爲憾事。而深以爲慮也。

茲就我浙而言。亢旱久晴。水源已斷。各地民衆均在臭水中生活。河底龜裂，則紛掘土井。爭奪泥水。而無智民衆。仍在池畔井旁。冲拭便器。洗滌污物。設有霍亂或赤痢傷寒之發現。則我民將直接受病菌之垂青。其有不突破市民健康防綫而陷於大流行者幾希。是故飲水之指定與監視（必要

時應實行飯水統制按戶分配。以杜紛爭。現浙江壽昌早已實行）土井之廣掘與消毒。疫厲之防制。衛生法規之實施。凡此種種均與我各地民衆之生存健康上。有莫大之關係。不得不未雨而綢繆者也。

夫一人之智力。容有未足。集多人之經驗。事克有成。各地保健會議之召集。實爲亢旱聲中急不容緩之舉。否則未來危機。方興未艾。各地民衆之生活。將日處於風雨飄搖之中。而無復甯日矣。民族之健否。直接影响於國運。主持衛生者。能不注意及之乎。

學術研究

肺癆概論

孫馥如

肺癆之爲病。咳嗽。咯血。潮熱。而盜汗出也。

夫肺癆云者。乃結核桿菌侵入肺臟而形成癆瘵者是也。考我國醫籍。向無肺癆之名稱。更無肺癆之專書。雖於金匱虛勞門有類如之症。外臺五臟癆中有肺癆之名。但均語焉不詳。學者苦之。苟非好學深思者。非惟不能探其奧而闡其秘。即欲瞭解於萬一。誠恐亦不易易也。且其說多謬悞。其理恆柄鑿。豈特症不畢具、語不翔實已哉。由是觀之。國醫關於肺癆之見症。與治療。固未嘗加以深切之研究。與夫深切之注意也明矣。宜乎自古雖有五癆之名。而強分配於肝心脾肺腎。味於學理者。復以氣血筋骨肉等勞傷爲五癆。而無肺癆獨立之名稱。與特有之見症。以及特效之治療，而惟附於虛損門。與所謂諸虛百損者同其治療而已。然肺癆之原因。能證明其爲結核桿菌之施虐者。在一千八百八十二年。始由Bopert Koch 氏所發見。但我數千年前之國醫。已知種癆瘵之病。均由癆蟲爲祟。故治療上亦惟以殺蟲去瘀爲第一要義。惜乎繼起無人。光大乏術。致形成今日喧賓奪主之勢。孰謂古人不及今人。而國醫界必瞠乎人後耶。其見解雖不免於誤。但事實則確鑿而無疵者也。由是知古之所謂肺萎。傳尸。癆瘵。鬼疰等症。蓋皆今日之肺癆也。

原夫肺癆之成因。當不外傳染之一途。傳染云者。大別之又有先天後天之分。其屬於先天性者。則由於父母之一造。患有結核病而傳染於胎兒。蓋胎兒之形成。乃父精母血之結晶也。我人苟患有結核病。則舉凡睪丸。精囊。輸尿管。泌月臟。卵巢。子宮。膀胱等處。在在均有被結核桿菌侵入之可能。是故初生胎兒有發見結核病者。是即由於子宮之傳染。蓋結核病之患者。其輸精管內。或卵窠。常有結核菌之存在故也。其間女性之傳染。又較多於男子。蓋胎兒寄生於母體之時間頗長。且胎兒之一切榮養。均仰給於母體之供應。夫胎兒與母體之關係。既若是之密切。則結核菌侵入胎兒之機會自多。故婦女而患有結核病。則結核菌能由胎盤而移行於胎兒。其能免於傳染者。蓋亦鮮矣。

其屬於後天性者。則其傳染之途徑不一。又可約分數端舉例如下：

有所謂癆瘵質者。極易遭結核菌之侵襲。而侵成頑固之肺癆。蓋此等體質。無不貧血。試觀其形瘦身長。面狹而不華。齒長而不澤。唇齦蒼白。肌膚澀而不潤。胸廓狹窄。鎖骨之下陷特甚。脅骨之張縮微弱。肺呼吸因之而障害。肺運動因之而紆緩。於是吸養排炭。遂不能完成其生理運化之功能。凡此種種。均毋待乎醫者精密之檢查與診斷。而爲一般略明醫學生理者所共知。此等體質。先後天均有之。大抵由於後天榮養不足。缺乏運動。及大病後而患之者爲多。

有因疾病而侵入結核菌。乃引成肺癆者。如氣管枝粘膜炎。肺炎。百日咳。及流行性感冒等。均足以減少氣管粘膜之顫毛排除異物作用之能力。往往爲發生肺癆病之誘因。蓋空氣中常含無量數之細菌。細菌隨空氣而吸入肺部。則大都截留於上部之氣道粘膜。而氣管枝粘膜之顫毛運動。本有排除一切異物作用之本能，病原菌自不易侵入。不然。吾人之呼吸。無時或間。而空氣中細菌之分佈。又隨處嚴密。何以不病者常多。而病者常少者何也。由是知病中所以易於傳染結核菌者。其原因乃爲顫毛運動之衰減。已成不可磨滅之事實。又如患傷寒。麻疹。及一切急性熱病之後。均有傳染結核菌之可能。

又有未嘗疾病。而亦染有結核病者。則或因職業關係。而缺乏新鮮空氣之轉換。與夫日光之曬射。或因飲食缺乏滋養品之供給。細胞不能得適當之榮養。乃逐漸貧血而致病。或以操勞過度。或以運動不足。或以憂愁。或以妊娠。凡足以減弱身體之抵抗力者。均爲結核菌侵入之絕好機會。而尤以與患有結核病者之直接接觸因而傳染者尤夥。

夫肺癆傳染之途徑。既如上述。而吾人之年齡。又與結核菌之傳染。又有顯著密切之關係。蓋罹結核病者。大都十六至三十歲之間爲最多。老者絕不多覯。而幼童恆以急性爲多。此等疾患。其被最先侵蝕之部位。厥爲肺叶之兩尖。蓋該部空氣之貯量。本自不多。而空氣之轉換。又極遲鈍。正適合於細菌繁殖之環境。且肺尖爲肺叶之最高部份。苟一旦被結核菌所侵入。即不限於肺尖。亦必因咳嗽震蕩之趨勢。而流竄於該部。故肺尖爲肺癆病之發源地。亦即爲結核菌之安樂窠也。由是逐漸繁殖。病勢日益擴大。病型日益蔓延。而病勢亦日益加劇。卒至一發而不可收拾。吁。可畏也矣。

又肺癆進行過程中之症狀。常分爲初中末三期。此不過僅就病型進展上作一假定之分段。藉以表明病勢之程度而已。非眞截然有鴻溝之劃。而昭告於吾人曰此初期也二期也三期也之謂也。玆將各期症狀。約述如下：

初期之症狀。大率有輕微之咳嗽。痰作稀粘之白沫。或乾咳。咳劇。則痰中帶血。時作低溫度之潮熱。及納呆精神疲乏等之自覺症。病者苟能於斯時及早治療。自不難指日痊愈。如杏仁。川貝。蔞皮。天冬。麥冬。紫菀。款冬。桔梗。元參。沙參。丹參。芍藥。柴胡。黃芩等。以及保和湯。清燥養榮湯。紫菀散之類。隨症加減治之可也。夫虛癆失血家。十有九咳。其所以然者。蓋肺爲華蓋。其中津液充盈。則肺叶腴潤而覆冋下垂。由是水津四播。水道通調。肝氣不逆。腎氣不浮。自無咳嗽之患。今乃水虧木旺。木火刑金。金被火爍。自不免於咳矣。治之之法。當以平肝益腎爲本。潤肺清金爲標。蓋腎水足。則肝木平。肝木平。則肺金自清。而咳嗽自止。此乃釜底抽薪之法。探本窮源之治。而以不治肺治肺也。惟初起因症不明顯。故病者恆誤認爲冒風之症而忽之。至是遷延失治。乃進而成所謂第二期。

至第二期之症狀。於初期之諸症。均有顯着之進步。臉色蒼白。形體羸瘦。日晡必發高度之潮熱。（或晚上八九時之間）入夜盜汗頻作。或遺精。眩暈。肢體懶楚。胸脅隱隱作痛。痰作黃粘之塊狀形。或呈鐵銹色。斯時吐血爲必見之症。常夾於痰中。作點點之星狀。成作纖維狀之血絲。或涵然作塊。其色紫暗晦喝者。爲離經之瘀血。治宜攻其瘀而兼補其本。蓋瘀血去則新血自生。補其本則元氣自復。其間自有相須相用之妙也。若赤芍。丹參。大薊。小薊。桃仁。紅花。及桃仁承氣湯。花蕊石散。牛夕散。大黃䗪蟲丸。仲景瀉心湯之類。均可隨症選用。擇尤而施，使瘀血既去。然後以四物。八珍。十全大補等湯。緩緩調之。自可漸入佳境也。鮮紅透明者。爲肺經之新血。治宜滋陰潤燥。甯肺和絡。如貝母。蔞皮。元參。沙參。天冬。麥冬。生地。玉竹。阿膠。五味子。百部。白前。兜鈴。白芨。百合。鱉甲。柴胡。青蒿。白薇。淮小麥。地骨皮。側柏叶等。及十灰散。四物湯。丹梔消遙散。小柴胡湯。犀角地黃湯。柴胡清骨散。麥冬養榮湯等。均可擇施。蓋用藥猶之用兵。全恃審症眞確。而不在藥之緩急。量之多寡也。苟能洞燭腑肺。則何慮厥疾之弗瘳也。

至三期。則已形削骨立。每發更高度之潮熱。盜汗自汗不禁。兩顴現桃紅色。肌膚慘白。斯時咳嗽或加劇。或竟不咳。蓋此時肺組織已逐漸崩潰。咳嗽本爲自然療能驅除病毒之正常現象。故肺癆病人。其咳嗽增劇。不得遽斷爲病勢之增進。蓋咳者。肺實主之。咳劇則抵抗力加強。而肺氣正竭全力以禦病也。惟所可慮者。咳劇則勢必牽動肺絡。肺絡不甯。誠恐狂湧滋端耳。反是。不咳亦不得認爲愈病之好現象。蓋此時肺組織已逐漸崩潰。結核菌之病竈亦已蔓及全部。故所咯之痰。多呈粉紅色。而有極惡劣之腥味。準是以觀。則肺部潰瘍之程度。可以見矣。斯時寇氛囂張。正氣已極度弊疲。欲求藥物上之治療。蓋已無能爲力矣。夫藥物治病。無非助正氣之不足。以排除病毒。非藥物能直接以愈病也。今人體反抗病毒之本能既已消失。則藥石亦無由而助之。無已則惟有用大劑養陰之品。若獨參湯。聖愈湯之類。以期稽延時日。不然。惟有任病機之進退。以隨自然之消長已耳。

凡癆瘵病。依照國醫之學理。無不肝旺。肝旺緣於腎虧。蓋陰虛則木旺。則肝無所制。而木火刑金。夫肺爲嬌臟。渠能耐物熱之薰蒸。由是絡傷而血溢。尋至肝木愈亢。則腎水愈竭。肺金愈損。則腎水愈竭而肝木愈旺。如此迭爲因果。如環無端。靡終底止。水津遂無由四播。而清陽亦乏以上承。故治之法。有瘀血者去瘀爲急。無瘀血者養陰潤燥爲法。命門無火者。暖其下以振陽光。蓋瘀血去。則新血自生。養其陰。則壯火自制。潤其燥。則肺金自清。暖其下以振陽光云者。如一天雲霾。得陽光之曬射而雲霧自散也。此乃指虛失血者而言。宜桂附乾姜等以助火消陰。

夫肺癆難治者也。苟不及早治療。多至不救。雖運用科學之西醫。亦惟束手無策。祇有望病人而興嘆。然者。肺癆固不可治而爲必死之症乎。是者則又不然。大足供吾人醫學上之研究。但彼西醫藉萬能之科學。殫精竭力於此者。數十年以茲。猶未能得其根治之法。與特效之藥。然者。被目爲不科學。不合衛生之國醫。[illegible]益見其技之窮。而無能爲力矣。但藥物治病。首在實驗。初非有科學與非科學二者之間有鴻溝之劃焉。苟能審症眞確。治療得宜。概病者之攝生有方。醫者之用藥適當。則雖頑固之肺癆。亦不難逐漸而愈也。科學云乎哉。非科學云乎哉！

蓋國醫之方劑。有君臣佐使之不同。奇偶複方之各異。全在醫者運用之合度。則變化不測。奧妙無窮。有非常人所能窺測而知。常理所能解剖而得明者。正所謂神而明之。存乎其人也。則肺癆亦豈難治者哉。要之未得其人耳。爰敢略陳固陋。以質當世之高明。（完）

存濟醫廬究研國藥的旨趣

葉橘泉

國藥的功效準確。早爲世界學者所公認。歐美及日本。已經由我國藥物研究製煉發明新藥。得到不少成績矣。國聯技術合作。行將從事大規模研究東方醫藥矣。國內一般有識西醫。及藥學家。咸在高呼積極提倡國產新藥之口號矣。國藥界頭腦清楚的人們。都已明瞭國醫有顛仆不破之醫療能力者。全在積久經驗所規定之方藥。相對證候以施治耳。病者顯現若何證候。投與若何方藥之能奏效者。雖非果似舊說所謂五行生尅。五味制勝之作用。而細覈病理藥理。恰與近世科學之理論無不相符。此所以識者均有以科學方法研究醫學之議。橘從事研究醫藥運動以來。深感舊有醫藥學說之紊如亂麻。設以科學方法整理之。眞如一部二十四史。簡直無從入手。因此直捷了當。把傷寒，金匱，千金，外臺，幾部注重治療的方書外。其餘宋元於後紛紛論病諸書。一概束諸高閣。對於論病理。索性買了幾種內科全書。傳染病學。產婦小兒等科。近世科學醫書。細細揣摩。一面研究國藥功效。考其何者爲強心。興奮。強壯。鎭靜。瀉下。清涼。利尿。殺蟲。消炎。……等作用。並注意病理若何變化。有顯若何之證候。[illegible]考古人經驗之症候治療。以病理藥理互相推敲。多半合於學理。於是更加深信國藥之爲科學化。誠者非難事也。雖然。言諸於口舌。形諸於筆墨。事固較易。而貢諸於社會。施諸於臨床。尙感有種種困難。（一）因我國社會。頑固之舊醫。無論已。卽一般自命知識階級之病家。亦因舊說習之久而印之深。祇知以中藥而治五行六氣之病。不信以寒熱溫涼之藥性。你把牠論定興奮，鎭靜，等作用。以治什麽細菌炎竈等病理也。任憑你診斷確實。用藥得宜。言之成理。他們未免有些懷疑。再加那些保守派的舊醫。肆口雌黃。弄得那些病家。給你一個不敢嘗試。因此使你仍感覺得此路不通。不得已。於處方之際。明明知爲腸熱病。祇得胡謅幾句「溼溫爲病。治宜苦溫化溼」。有時應用強心劑。方案仍書芳香燥溼等論調。社會環境情形如此。我知國醫藥之科學化

中国近现代中医药期刊续编・第三辑

。再經數百年後。恐難實現耳。橘苦心焦慮。不得已。變更計劃。乃專致力於驗方成藥之研究。以冀國產新藥之發明。然此事亦談何容易。(一)國藥古來之應用。以證候爲相對。特效藥之研究。須求其病理單簡。藥效準確。於是貢獻於社會。應用之。方無流弊。(二)國藥均爲草根樹皮粗笨之原料。縱不能以化學方法作大規模之提煉。亦須以設法精製而成簡便攜帶貯藏。服用便利爲標準。卽前次製成之袪痰鎭咳劑。「保爾肺」藥液。用國產藥植物製成濃縮美味褐色之液劑。裝以玻瓶。登報徵求醫界試用。得到國內各醫院醫師及國醫界紛紛索樣。總計發出樣品八百三十餘份。報告試用成績。認爲滿意者。二百十六人。認爲對於肺結核(肺癆)無效者卅四人。其餘均無回音。想以事忙無暇作答覆故也。徵求外埠試驗之成績。統計雖不能求得百分率。而鄙人親自實驗。對於普通之傷風咳嗽熱度不高之支氣官炎。有痰而咳者。成效當在十分之七八之間。此液劑雖經過滅菌防腐之操作。久貯不顯腐敗之作用。但經過年餘。每見瓶中起凝固而顯沉澱之物質。此當係植物鹼所起之變化。服用功效。雖未見減。形色外觀。殊覺不良。故決擬設法改製。務使其整潔澄清。不起變化而後已。近又研究痢疾效方。因痢疾之原因。不外阿米巴。與細菌。其病理的變化。無非腸膜發炎。生瘡流膿。國藥主治。先用瀉下劑以頓挫其勢。消炎劑以清腸歛瘡。頗合病理。考黃連有消炎健胃之功。厚朴有芳香性揮發鎭痛作用。苦參爲消炎殺菌藥。又用大黃檳榔……等配互。以達治痢之目的。更設法棄其粗粹。提取其精細之成分。製成小小片劑名曰「敵痢康。」每服祇需二三片。試之於赤白痢疾。成績頗不弱。惟所用藥材。厚朴祇取其油。大黃祇取其濃浸汁。消耗太大。成本因而昂貴。藥片之製成。形色尙嫌粗劣。將來擬設法製成糖衣丸。或糖衣片劑。使其至腸而後溶解。功效或更較勝。現將片劑廣告。徵求醫界之試驗。但願索樣試驗者。無論結果之良否。一概有以報告。俾得確實之統計。想愛護國產藥物者。當能鑒及愚衷。務必撥冗報告爲荷。

國產新藥 敵痢康

考痢疾致病之原因。不外細菌與阿米巴二者爲患。近世治痢之唯一方法。以撲滅病原微生物爲原則。阿米巴性病原虫。以厄米丁 Emetihe 爲特效之主治品。然本品對於細

答復葉橘泉君論溫涼升降疑點

金勒辰

鄙人未答疑點之前。先要聲明平素志願。非守舊思想。尤不願抱殘守缺。並未自命為保守派之古人的忠實信徒。學無新舊。服從眞理而已　據葉君自謂反對溫涼升降之動機。因學說不齊。「如同一甲。地黃說甘溫。乙說甘涼。同一芍藥。甲說苦平。乙說酸斂。同一赤痢。甲說因濕，乙說因暑……等。理論不合實際。而見棄於世界醫學之林」不知理無二致。必歸一是。地黃本屬甘涼。何嘗甘溫。芍藥本屬苦平。何來酸味。赤痢一症本有濕熱暑熱兩種。所謂「見棄於世界醫學之林。」尤非事實。擬章啓民君現代國醫之關鍵一則。謂英之巴姆醫士著中醫進步矣。法之巴黎大學編中醫講義矣。俄之莫斯科創中醫校矣。美之舊金山創中醫院矣。近鄰日本以漢醫為宗。於國醫尤有深刻之研究。明治大學已增漢醫學科。帝國大學復設皇漢醫學講座。近更以二萬金運華專購中醫書籍。羣起研究矣。至於「學說不齊。」必求其所以不齊之故。天時有氣運厚薄之殊。地利有南北燥濕之別。人事有賦廩強弱之分。古人為環境需要必對時勢以發揮。原諒古人之地位。再活讀古人之書實多互相發明。並非相悖。惟借五行之理爲說明病理藥理的工具。實爲中醫理論顛撲不破之系統。此點學說總綱。歷代相承。衆意所歸。尙無不齊。葉君勇於革新。欲幷此根本推翻。是與中央國醫舘統一病名之見解。同一錯誤。勢必治絲益棼。此鄙人所以期期以爲不可者也。至謂研究經過有感而發。例舉各點。一一答復如下。

柴胡苦寒。氣輕疏散。升腎水。以潤肝木之枯泄。逆氣以舒。膽火之鬱。是能調劑陰陽。升麻甘辛寒。行肝氣於胃。以升達膻中。宣布肌肉。發鬱散邪。解毒吐蠱辟鬼。氣陰虛者忌。其能治口瘡喉痺疹。及咽頭充血生瘡等。 皆屬鬱火之症。正合經旨火鬱發之之義。焉有升散之虞。柴胡有疏導下洩作用。其原理在舒肝膽之鬱。肝主疏洩。鬱則不洩。舒其鬱者。是以升爲降。此乃揭蓋提壺之理。升開放水之意。安得倒果爲因。謂其不升指其能降可乎。考肝陽欲動之病。一投不可收拾。如溫熱暑溫等症。鄙人三十年來。救世醫誤投柴胡之壞症。不知凡幾。黃芩苦寒主降火。枯芩降瀉心火於高位。以安肺清肌表之熱。條芩徹邪熱於上行。而厚大腸。除腸胃濕滯。黃連苦大寒。主瀉心火。靖虛火。兼退五臟六腑之火。虛寒者忌。葉君謂新藥理之作用。只知有健胃消炎。試問消炎兩字。與舊稱降火兩字意義有何分別。惟其有瀉火之功。火退而胃安。以瀉爲補之意。因義定名。謂爲消炎健胃。則妥。謂爲健胃消炎則不妥。蓋因胃寒之人。不能以芩連健之也。若黃芩湯之作用。有黃芩芍藥甘草大棗四味。苦降之中。兼寓調和腸胃之意。又安能斷章取義。而失立方之本旨。又謂五味五色。某藥入某臟。更無價值。則何以解於金匱所示肝之病補用酸。助用焦苦。益用甘味之藥。調之之訓哉。他如泰西發明輪船火車。確是以火尅金。以金生水。水火既濟。而汽以行。機因以動。不明明五行制化之力乎。電氣屬火之一種。鉛銅絲屬金之一種。因火尅金。故能接觸相傳。見木即止。以木能生火。子母相抱之意。是不是五行生尅之理乎。又如西藥提質離不了糖分鹽分酸分等。雖名稱不同未出五味之外。可納五行之中。鄙人未學西藥。。名詞上雖不明瞭，理論上可斷言也。再談瘧疾恐怕胞子虫一種。包括不盡。有三陽經瘧。三陰經瘧。寒瘧，暑瘧，濕瘧，溫瘧，瘅瘧，疫瘧，鬼瘧，瘴瘧，痰瘧，虛瘧，勞瘧，瘧母，風瘧，食瘧，之別。又有爲寒爲熱，陽分陰分，連發，間發，日輕日重，日發夜發，移早移晏，之辨。恕症狀不一一細述。只以風瘧食瘧爲詳陳之。吾徽山高水冷瘧疾最多。有句古諺無風無滯不成瘧。(滯指食滯也)鄙人前次簡稱風滯瘧。無怪葉君誤會認爲一邪。實風與食有兩瘧。凡屬風瘧者因避暑乘涼。汗出當風。閉其毛孔。熱不得泄越而作。所謂夏暑汗不出。秋成風瘧。其症煩燥頭疼。惡寒自汗。先熱後寒。治宜發汗。食瘧，一名胃瘧。因飲食失節。飢飽不常。谷氣乖亂。榮衞失所。寒已復熱。熱已復寒，寒熱交併。噫氣惡食。食則吐逆。胸滿腹脹。食在膈上探吐之。食停未化消尅之。食已消疎解之。惟此兩種瘧。服金鷄納霜屢獲奇功。由經驗而得可斷該藥有疏風化食之能。在葉君意思。必謂有殺胞子虫之效力。對在鄙人意思。既能疏風化食。即能殺菌。二而一。一而二。可以通說。白芨治肺癰根據古說。其「治癰腫惡瘡。敗疽死肌。」從敗字死字着想。合之本草載效用。功長濇斂。自是相宜於已潰。斂所難斂之時。總之學問之道不論中西。不分新舊。必求眞理所歸。事實所在。即眞理之表現。吾儒格物致知。不根據陰陽五行學說之系統。任你智珠在握彈盡畢生精力。終必望洋興嘆。以孔子之聖。倘且五十始知天命。天命即五行生化之歸宿也。鄙人感覺天下萬事萬物。均可歸納於五行之中。豈特醫理而已哉。眞如西遊記。寓言在孫行者之法力無邊。總逃不過五行山。鄙人已屆學易之年。又値院務忙冗。歸欲恕不再作無謂之辨難也。

抽血過氣注射法研究(續)

吳縣姚心源

瘧而灑灑然寒。腰脊痛宛轉。大便難。目瞬瞬然。手足寒。當刺足。

瘧而善飢。不能食。食則支滿腹大。當刺足。

瘧先寒。淅淅寒。甚久乃熱。熱去汗出。喜見日光者。當足刺跗。

瘧身瘦。寒熱不甚。見人心惕惕然。驚熱多汗出。當刺足。

瘧腰痛。頭痛。寒從背起。先寒後熱。熇熇暍暍。熱止汗出難。當刺足郄中。

足暴冷。胸若裂。腸若刀切。煩不能食。當刺足。

人身振振搖，當刺手指。

身目爲黃。名曰癉。當刺足。

治瘥當刺足。

周痺。痛從下上者。先刺其下以遏之。後刺其上以脫之。痛從上下者。先刺其上以遏之。後刺其下以脫之。衆痺各在其處。更止更發。更居更起。以右應左。以左應右。非能周也。必刺其處。勿令復起，

瘖病。當刺手。

癲狂爲病。先不樂。頭重痛。視舉目赤。甚已而煩心。當刺手。引口呼唏喘悸者。當刺手。右強則攻右。左強則攻左。先發僵而脊痛者。當刺足及手。

脇下滿。氣逆二三不已者。不可刺。

藏府生滿病。其治宜灸焫。不宜刺也。上滿者瀉之於內。

小腹滿大。上走胃至心。淅淅然寒熱。小便不利。當刺足。

腹滿脹。支鬲胠脇下厥上冒。治足。

腰痛病。刺足。

心痛引少腹滿上。下無定處。便溲難。刺足。

心痛引腰脊欲嘔。刺足。

心痛引背。不得息。刺足。不已刺手。

心痛短氣。不足以息。刺手。

心痛腹脹。嗇嗇然大便不利。刺足。

厥頭痛。項先強。腰脊爲應先刺脊。後刺足。

厥頭痛甚。耳後脈湧。瀉其血。後刺足。

厥頭痛。脈腫心。悲善泣。視頭動脈反盛者刺之。去其血。後調其足。

厥頭痛。意善妄。按之不得。取頭面左右動脈。後取其足。

厥頭痛。員員取其手再取其足。頭痛癲疾。以足爲主。

厥頭痛。面若腫起而煩心取之足。頭半寒痛。先取手。後取足。

口苦刺脊。

嗌痛不可納食。唾時不能出唾。刺足然骨前出血。

耳聾不痛者。刺足。痛者取手。

衄血不止。衄血流。取足。衄血止。取手。

徇蒙招尤。目瞑耳聾。取足。

病噦者。取手及足。嘔不詳。崩不詳。

大便難。亦痺病。

以上所考查者。皆因於古書中。其有不盡然處。仍待實驗糾正之。

且有多病均未詳載故須爲修正也。

謂中國鍼治之法。

資其化源。

折其菀氣。

本項療法。即就此二項原則。定其方術。

化源者。謂化合之源流也。資其化合之源流。人亦爲有機類之一種。故不能例外於氧氣氮氣。但是氧氣(Oxygen)無色。無味。無臭。較重於空氣。稍溶於水。溶於血。殺菌。

氫氣(Hydrogen)

在空氣中。易燃燒。及爆裂。溫度可高至二千五百度。—華氏。

氯氣(Chlorinl)

與松節油化合。成爲炭與鹽酸。與水化合。成鹽酸與氯氧。(血中含有水分)。故對於氧氣治療。宜注意焉。

氟氣 Feourinl)

遇水成氟酸。侵入矽。很利害。茲以玻璃管作鍼筒。當然在注意中。

茲考查以上之氣性。則本療器是否宜於實驗時。與以何項的防範。當再述之。

古書所稱鍼治法。

有頭上五行鍼者。以寫頭中之熱。

有背上八行鍼者。以寫胸中之熱。

有在足上行鍼者。以寫胃中之熱。

以在髓空者。以寫四肢之熱。

有在髓空旁鍼者。以寫五藏之熱。

其不可刺之熱病。

汗不出大。顴發赤且噦。

泄而腹痛甚。

因不明。熱不已

嬰兒熱而腹痛滿。

汗不出嘔下血。

舌本爛。熱不已。

欬而衄。汗不出。汗不至足。

髓熱甚。

熱血痙。腰折瘈瘲。齒噤齘也。

瘧病。寒熱自手足起者。刺手足。自背起者。刺背。

腰痛刺足。

痺病痛從下上者。先刺其下以遏之。後刺其上以脫之。

癲狂刺骶骨及足。

頭痛刺湧泉。

痿病刺足。

心痛刺手。

脹刺手。膚脹刺三理。

脇胸痛。刺肩及十椎下。

頭強刺脊。呼噫嘻。失枕在肩上橫骨間刺。

偏枯刺其腫上。

癰疽刺其處。刺腫刺鍼。宜以鍼開除去之。

鼠瘻。刺蹻膝之外。

耳鳴耳痛耳聾。皆取足大指。或手大指。

膝痛刺骸。帳誇間。或取犢鼻。

嚙舌。嚙頰。嚙脣。重舌。刺足。

欠。刺之。

噦。在足 血。在手加血。

唏。在足取血。在手加血。

韓不詳。

噫在足加血。

太息。在足取血。在手加血。

涎下。在足加血。

口目喎噼。在足治。

腸鳴。治在足外踝。

目眩頭傾。治在足外踝。

喉痺不能言。取足。能言取手。嗌乾取足。

舌捲。口中乾。煩心。取手小指。

齒痛取手。不已刺齒中。

衄取手。不已刺腕骨中。不已刺膕中出血。

喘取足。膕中胸高取足大指端。

怒刺足。

頗痛刺手。不已刺人迎。

項痛不可以顧。刺足。

足髀。刺在樞。

病注下血。取曲泉。

疝少腹痛。刺腰髁骨。暴痛刺足後。

轉筋。立而刺之。立愈。

厥。刺足。

霍亂。刺足。

目痛。刺手。

卒然無音。刺手小指。

目瞑不得臥。不詳。

本書爲係考查初步繼編當將結果實驗報告也

編譯叢林

診斷學

自序

醫也者。小則關乎民族之強弱。大則關乎國家之盛衰。古人以良相與良醫相提並論。是良相醫國。良醫醫人。其責任之重大則一也。吾人既爲醫矣。苟遇一症。若無確實診斷。則有如盲人騎瞎馬。夜半臨深池。其危險孰有甚於此者。譯者以爲醫無論中西。診斷學實爲醫士臨床上所最重要者也。

本書爲實地醫家臨床上一般樞要者。取其精華簡單譯出。免使讀者徬徨於五里霧中。始符譯者之初衷焉。是爲序。

德國醫學博士 Bulofessol, Docotol: Fon F.Bels, 原著
醫學士 宋忠鈺 譯述

緒論

醫士之要務

(一)檢查疾病之種類。及其本體。即診斷是也。學習診斷。謂之診斷學

(二)判別疾病之輕重。並預知其經過。即預后是也。

(三)治療主要之疾病。即療法是也。

治療既發之疾病。以外尚有防患於未然之醫學。(即爲預防醫學。又謂之預防法)。

診斷本爲預 爲療法之基礎。而診斷學實爲臨床醫學第一階級也。

診斷分爲左之二項

(一)醫士以他覺的及生理的處置爲主。即審查患者之方法。詢問其狀態。及病症。且檢定者也。

(二)醫士之自覺的。而以精神的作用。即利用第一項之成績。以鑑識其疾病。及確定名稱者也。

欲得正確。且精詳之診斷。當熟悉一般臨床的解剖學。及生理學始能成功。

余今就日本之大人及小兒之體格。測定之以爲標準。

身長 在日本男子。平均一五九至一六〇仙米。女子爲一四七至一七八仙米。

奧洲等處之北方人。比南方人稍高。且強健。山城地方之居民多微弱。

體重　上流社會之男子。約五十七基瓦。在勞動者及農夫。約六十基瓦。上流社會之女子。約四十六基瓦。勞動社會之女子。約四十六基瓦。勞動社會之女子。有稍超過此數者。（在歐洲成年之男子。身長百七十仙米。體重七十基瓦。婦女身長百五十九仙米。體重六十基瓦。

日本人身長及體重之發育。比歐洲人成熟較早。在十六歲時。身長及體重殆與歐洲人相同。以後身長增加三%。體重增加二十%。歐洲人身長發育至九%。體重發育至二八%。在歐洲亦獨逸人比英人發育較早。女子在十五六歲時。殆與男子有同一之身長。體重有較男子多者。然以後殆無發育。

至四十歲男女多來脂肪之沈着。

第一編　總論

一般診法

診查患者。可依左之二項。

(一)既往症患者詳述自己。或其親族。以及由他人傳染之疾病。及其經過等。

(二)既在症　醫士於診査上。檢出他覺的狀態也。（有許多疾病着明顯出固有之特徵。在熟練之醫士。無須精細之詢問及檢査。一見即可下確實診斷。例如顏面神經麻痺癲病。喘息。心臟病等。然此究屬破格的。在實際治療上須要明悉各種疾病之徵症。

既往症

凡詢問患者既往症狀時。須問其必要者。其餘冗長之雜事。不必詢問。是詢問者。對於現疾病能得正確之理想即爲良善之既往症。云是一爲醫士一種技術。由漸次熟練而得。並無其他良策。

由此觀之。初學者及不熟練者。須十分精細詢問既往症。雖微小之事。亦不可忘忽。惟勞長時間之詢問。反不及熟練者短時間所得者。常勞多而功少也。

有時不能一一得到患者之既往症。且患者多作無用之雜談。（如婦人及依卜昆垤里或神經病者）醫士更要特別注意於雜談中。擇其要項數件可也。

醫士尤有注意者。苟遇無知識之人。醫士似不必專注重既往症。只取其現狀可耳。

又有時詢問之際。患者只答以唯。或否。在下流輩爲然。而在熟練之醫士。患者唯諾之眞假亦容辨別也。且有時全然不得既往症者。如人事不省等。

既往症詢問之法

既往症詢問之際。須先詢問左列之各項。

姓名及性　年齡　職業　住所

夫性不僅特有生殖器之疾患。其他多數之疾病亦最關重要。卽胃潰瘍。及種種之神經性疾患。多發生於婦人動脈瘤。肝臟萎縮。膀胱結石。食道癌腫等。多發生於男子是也。

患者是何職業亦關重要。多數之醫學生。及青年醫士。大半不關心此類詢問。不知職業亦爲疾病之主因。對於預后及治療上亦有重大之關係。例如常用鉛砒石水銀等之職工。易罹特種之疾病。常在屋外工作者。多患僂麻質斯病。車夫多患心臟肥大症。居住人煙稀少地方之農夫。多患十二指腸蟲病。及肺基斯朶麻病。大都會之人。多患脚氣是也。

住所之詢問。對於傳染病及流行性或風土性疾病大有關係。如間歇熱窒扶斯。赤痢。虎列剌。脚氣等其他外氣。或氣候苟有不良。亦爲致病之原因。

依次下問。左列之各項。

(一)遺傳及親屬歷史

以下所列之疾病。及其素因。往往多由遺傳而來者。如各種之神經疾患。又胸廓構造纖弱結核之素因。梅毒痛風僂麻質斯。癌腫心臟膜異常等。多有遺傳性。且詢問遺傳不只父母兄弟。遠至祖父母叔伯父母。亦要追問因遺傳病有經二世或三世。突然發現者。

其他梅毒及結核等症。雖有遺傳。然多於夫妻間交互侵襲。

過去性傳染病。其家屬及近鄰有無同病。或類似病之存否。亦要詢問。

小兒往往由其乳母感受梅毒結核。疥癬。寄生性濕疹。者有之。

(二)從來之生活交際。及既往之疾病。

從來生活之狀態。對於坐業或身體勞働。其他平素之交際。及外圍關係之良否。亦要詢問。多數之慢性疾患。如結核病貧苦者比富有者患之較少。又患者之業務。亦與疾病有關係。飲酒吸煙等之嗜好。亦要詢問。

詢問既往之健康。及罹過何種疾病。是痘瘡痲疹膓窒扶斯等之疾患。各人均有一回之感染。間歇熱脚氣多發性關節炎等。有數回感染者。

實扶的里猩紅熱之經過後。往往發生腎臟炎。又患實扶的里者。每現咽喉及他部之痲痺症。幼稚或青年患頸部水脈線化膿。或骨疾患者。來多罹肺結核及肋膜炎。患梅毒者。多發生脊髓勞及進行性腦性神經痲痺。

有劇甚之精神感動，精神過勞。及過度之勞働等。往往多爲神經衰弱歇斯的里。及他種神經性疾患之主因。

由墜落頭部受有損傷者。雖經過多時。仍爲腦病之原因。

在婦人須詢問月經之狀態。配偶產兒之有無。及其數。又產褥之經過等不姙症。多基因於女子或男子生殖器之障礙。又屢次流產者。恐有梅毒之疑。

(三)現疾病之初起

何時及何樣之狀態。於何處發現初起之徵效。其發病急劇或緩徐。亦要詢問。

倘有必要者。傳染病於何處感受同樣之症。或自家親屬近鄰有無同樣疾病存在。對於傳染病患者。曾否看護及探問。並詢問患者發病之距離。有若干時日。又痲疹猩紅熱痘瘡實扶的里。不僅衣服寢具可以傳染。即書信之往還。亦有傳搬之可能性。

(四)現疾病從來之經過

患者主要之症候。及漸次發起者症候之順序。並所罹之疾病。與臟器有關係者。均要周密詢問。

(五)爾餘身體之狀態。

發病一般感覺。食欲血行神經系等之障礙。衰弱之有無營養之狀態。羸瘦之有無。及遲速並患者曾否臥床不起。又既往之治療法。及其効驗如何。均要詳細詢問。

現在症。

先注意患者意識之存在否。次則視其應答如何。是否明瞭神速。抑或言語朦朧。均宜注意。

又應注意者。一般體格之構造。營養之外貌及姿勢等。

(參觀後章)

體格構造之強健。或薄弱。外貌健康或現蒼白虛弱之狀否。皮膚血色如何。浮腫之有無。筋肉及脂肪層之發育如何。就姿勢之狀態在直立之際。是否真直。是活潑。抑是緩慢步行之狀態如何。在臥褥者之位置如何。運動之際活潑否。疼痛苦腦之狀。均宜注意。尤須記載者體溫及脈搏（其數及性狀）是也。

診查身體各部之際。由上部至下部。須詳細記載。例如診查肺病患者。須先注意胸廓之形狀。呼吸之運動。其狀態次數擴張。又胸部疼痛之有無。而後再順次記載。觸診。打診。聽診。等之各狀態。

關於各臟器之詳細診查。已述於各論之條下。茲[illegible]一二簡單者一般視察。以為未熟練者參考焉。

患者之姿勢及位置

顏貌

知覺（詳述於神經系之條下）

各運動犯規矩否

頭部所要注意者。

被髮部之腫起瘢痕。發疹毛髮之脫落者。其中苟非重篤之熱性病後。即有梅毒或癩病之疑。又於皮膚疾患見有限局性。毛髮脫落者。乃禿頭或鬼剃頭為然。成人之頭部。見有膿胞性。或限局性赤色落屑疹者。多屬於梅毒性。

關於顏面之色澤於後章詳論之。

眼（瞼裂之狀態。眼球及瞳孔之運動狀態。眉毛及睫毛脫落時即有癩病之疑也）。

耳朵鼻翼鼻腔之狀態亦要注意。

口（其形狀左右均一否有歪斜否又平常由口腔營呼吸者。易罹鼻腔咽喉之疾患）。

齒（齦肉

舌（其色溫潤之度。被苔運動等）。

口蓋（軟口蓋之位置。及運動檢查之際。須令患者發阿音）。

扁桃腺（腫脹被苔及潰瘍之有無）

咽頭（腫脹潮紅或膿性被苔之有無）

頸部之要項如左

頸部細長（癆瘵質）或短大（卒中質）其他瘢痕（多由結核性水脈腺膿瘍而來）之有無。

淋巴腺可得觸知否。其疼痛之有無。及可搖動否。

頸部脈管之狀態得透見否。或擴張又破格的搏動及靜脈騷鳴之有無。

喉頭之外形。及聲音之性質。

甲狀腺之形狀如何。

胸廓之要項如左

胸廓之形狀。及筋肉之發育如何。

脊椎柱其生理的彎曲顯着否。抑破格的彎曲之銳尖。或擴汎(弓狀性)者否。又自然或由壓迫運動等有疼痛發生呼吸運動之胸廓式。或橫隔膜式。及左右均一否。且要檢查其遲速及深淺等。

肺臟之理學的檢查。

咳嗽

咯痰

心尖搏動。(其位置及強度得望見否)

心臟之理學的檢查。

記載其他顯着之症候。

腹部之要項如左

其形狀及大小。(膨大之際平等否。對於臍位中正否。脈管之狀態(靜脈怒張之有無)及發線。

突然或壓迫咳嗽。或怒責之際。疼痛之有無。

抵抗(各部均一否。擴汎性或限局性硬固。或柔軟疼痛之有無。抵抗物限局於上方。或下方否。其邊緣之狀態如何●且要注意心窩及盲腸部在女子之下腹部。亦關緊要)。

全腹及胃肝。並脾臟之各部。均須打診

生殖器之要項如左。

炎症潰瘍及瘢痕腫脹之有無。在小兒之包莖。亦要注意●女子生殖器之外部。及內部。在必要時亦要施行診查。

四肢之要項如左。

其形狀營養色澤溫度。及發疹之有無。

運動(自動的及被動的)

知覺麻痺疼痛之有無。

浮腫

腱反射

骨及關節之狀態。

尿之要項如左

檢查其容量色澤。比重。臭氣。沈渣。蛋白及糖分。要施行顯微鏡的檢查。

糞便之要項如左

其回數及性狀。又大便之際。有疼痛否。混有粘液。或血液否。亦要注意。

於病理學上最重要者。總括論之於左。

(一)身體之一般顯象

體格構造　營養　稟賦　體質　位置　姿勢　步行　顏貌

(二)皮膚之狀態

(三)體溫

(四)脈搏

第一　身體之一般顯象

體格構造及營養

社會上有健康體格構造者。乃勞働從事者多。即農夫漁民雇丁職工等。在國民中。最占多數。而一般上流社會者。其體格多屬虛弱。是實由遺傳(上流社會虛弱人士互相結婚之故)而來。少食植物性食物。且無充分之運動。(體育缺乏之酸素供求不足)之結果也。健全之體格構造。骨格常強固擴大。筋肉之發育完全。皮膚及皮下之脂肪組織充實。兩肩胛最小之距離有達身長二十三%者。胸廓之構造偉大。筋層肥厚。其長徑殆與橫徑相等。周圍有達身長之半以上者。(詳見於呼吸器疾患診斷之條下)

虛弱之體格構造　一般纖長狹小而體格薄弱者。是實由脂肪及筋肉發育不完全。皮膚薄弱。兩肩胛距離狹小。胸廓細長扁平也。

在女子骨盤之構造亦關緊要。上流社會之女子骨盤構造每多狹小。至十八歲尚有如小兒者所生兒多纖小虛弱也。

營養之良否　診查其筋肉脂肪。及皮膚之狀態如何。在勞働者多營養不良。而上流社會之人士因體育缺乏。仍是虛弱者多。在我國之官吏。或富有者。皆不得謂之營養佳良也。

健康者脂肪等發育。亦與筋肉相等。因脂肪過多。反有害於健康。女子脂肪發育。多比男子着明。且男子在春機發動期。脂肪多減少。至四十歲前後。則脂肪增多。至高年時。則着明減少也。

皮膚及皮下肪脂。並彈力纖維之狀態。與皮膚之彈力。及堅固之強弱。均有關係者。強壯者。皮膚常如平滑天鵝絨。稍帶光澤。反之營養不良者。皮膚乾燥菲薄。且弛緩。乏彈力。脂肪短少。醫士均要注意。

營養之變化卽羸瘦。醫士見之或由患者自白。又往往患者不知自己羸瘦。反被他人見出者。

漸次所襲來之羸瘦。往往潛伏險惡之疾病。(結核瘰癧)者。

急速所襲來之羸瘦。在他人容易見出者。卽皮膚弛緩彈力消失。四肢及他部恰如纏絡囊巾。是吐瀉症最爲着明。且幼兒最多。又營養不給萎縮之小兒。經久時亦有此顯現。乃由食餌缺乏。或消化器疾患而來者。此種小兒皮膚薄弱弛緩。現一種老人樣容貌。在成人急劇羸瘦者。多起因於虎列剌。其他腹膜。或消化器之急性疾患。或高度之熱度昇騰者。(如殤窒扶斯)其緩慢者。起因於消化器疾患。或經久之脚氣糖尿病等。現高度羸瘦者。乃由各種臟器之癌腫。及結核等而來。

總之此際多發生皮膚及脂肪之萎縮。筋量減少。且現強度之弛緩也。

若僅於腹部弛緩。見有皺紋者。乃經久之姙娠腫瘤及腹水等而來者。此際通常由外上方向內下方。現特異之線。是由皮膚延長皮質纖維相隔離之故。謂之腹線。而其新鮮者。帶青白色而明顯。陳久者。邊緣多見色素之沈着。(消化器病診斷之條下詳論之)。

營養不良之皮膚。因皮脂產出減少。常乾燥落屑。(單純糠粃疹)。

由此等徵候。雖可見出多少之營養狀態。及羸瘦之如何。然在慢性者。若欲知其詳細。須用體重計檢查。例如結核症將治愈時。體重增至。如何程度。非用體重計。何由得知慢性胃腸疾病。然亦在局所之疾病。體重減次減少者。須行尿檢查糖尿病往往爲其原因也。

在窒扶斯。脚氣之回復期。體重增減之如何。極關重要者。

然體重增減之如何。有時不能以營養良否爲標準者。例如腎臟心臟肝臟等之疾患。內外水腫存在時。水腫性脚氣。其他姙娠及急速增大之腫瘤體重。均增加也。(未完)

家庭療病寶鑑

原著者：佐佐木稔
編譯者：開封鄧名世
（續前）

（八）胃潰瘍（俗名胃癰）

病人於食後三十分鐘或一小時，自覺心窩部疼痛，屢發嘔吐，此疼痛因壓迫而增劇。空腹時不發疼痛，其在空腹時發痛者，爲胃酸過多之徵。疼痛因壓迫而輕快者，爲胃痛，而非胃潰瘍矣。此皆胃潰瘍與其他胃病相異之點也。潰瘍近於食道者，則嚥下時，即發疼痛。此外吐血亦爲胃潰瘍必發之症，患者食慾雖旺盛，然常因畏食後疼痛之作，而竟不敢進食，是名恐食症。胃出血時，宜使病人靜臥，並於胃部貼置冰囊，使之暫時停止進食。

1. 棯根皮煎服
2. 其他參照胃癌條。

（九）胃痛（俗名心窩痛，古名胃氣痛。）

從來所稱胃痛，並不限於一種疾病。如急性胃炎，胃酸過多症，胃潰瘍等病發作時，常現此症。故胃痛實可視爲諸症之一種發作現象。但其療法，亦當參照各該條也。

（十）胃擴張（俗名溜飲）

患者因胃部膨滿，而感覺胸內苦悶，煩渴思飲，噯氣，嘈雜，屢發嘔吐。其療法以整理便通，節制飲食爲主。食後宜靜臥三十分鐘。然後始可出外運動散步。

（十一）胃下垂

病人症之位置變常，而垂至下方，此時心窩部凹陷，下部膨隆，熟視之；凹陷部即小彎，膨隆部即大彎。此病有先天性及後天性之別：先天性者，生來體格衰弱，胸廓細長之人，常發此病。後天性者，因反復分娩，腹壁弛緩，或衣服緊縛而起。其療法以除去致病之原因爲主。例如腹壁弛緩者，用腹帶，體質薄弱者，則強壯身體是也。

（十二）胃酸過多症（一名酸性消化不良）

1. 胃痛時服重曹少許。
2. 內服健胃散。

（十三）齒痛

1. 以極小塊之青松葉充塡於齒窩。
2. 用脫脂棉蘸丁子油充塡齒窩。
3. 用脫脂棉蘸結䊵阿曹篤充塡齒

（十四）便秘

1. 每朝空腹時，飲冷水一杯

2. 取生鷄卵混和於水飴中食之。

3. 胡黃連一日三回煎水服。

4. 內服卡斯卡拉錠(向西藥房購買)

(十五) 腸寄生蟲(蛔蟲，絛蟲，蟯蟲，十二指腸蟲)

1. 石榴根皮煎服。

2. 蕺草葉煎服

3. 多食生葱。

(十六) 下痢

1. 取車前草或當藥之葉莖，煎水服。

2. 石榴仁(或石榴花)甘草煎水服。

3. 夏枯草甘草煎服。

4. 黃連根三錢，生姜一錢半，水三合煎成二合，朝夕二回加溫服之，連服二三日即愈。

5. 小兒下痢宜用柿花燒之成粉，一日三回服之。

(十七) 痔疾(痔瘡)

1. 取未熟之生無花果，搾取其汁而食之，或用無花果葉二枚，蓮葉一枚，水五合，煎湯洗之。

2. 蕺草生根一錢，一日三回煎水服。

3. 田螺置於火上燒之成粉。調胡麻油塗擦患部。

4. 取牡丹根皮煎水服。

5. 小兒痔疾，可用蜂窩煎水溫罨患部。

(十八) 疝氣

1. 取芍藥根莖煎水服。

2. 牡丹根皮五分至一錢煎水服。

3. 五茄之葉莖根煎水服。

4. 取獨活之地下莖煎服。

5. 地榆根煎服。

(十九) 腹痛

腹痛有種種：右腹部疼痛者，爲胆石病，肝臟硬化症，結果多發黃疸病。右下腹疼痛且發熱者，爲盲腸炎。下腹痛者，爲卵巢痛，腸加答兒，疝氣等病，就中以腸加答兒爲最多。腹之全部痛者，爲腹膜炎。由此觀之：可知腹痛並非獨立疾患，實爲各病之一分症，故其治療，亦宜參照各該條也。

1. 蔔蘿嚼碎嚥下，經半小時，腹痛即止。

2. 內服雷允上號六神丸。

——未完——

衛生常識

家庭主婦應認識的衛生

正我女士

人類要生存於世界，不單是靠着吃食物以維持生命。同時還要講求衛生，以保護生命，所以維持生命，和保護生命，二者是同樣的處於重要地位，但是我國人因爲不講究衛生的緣故每年死亡率特別的增多，致被外國人稱爲東亞病夫，不是一件可恥的事嗎？現在雖然有些人提倡衛生，可是多不切於事實，而終不能夠達到普遍。

須知衛生的意義，不過防患於未然，用積極的法子，以保護生命，所以不一定要貴族化，也不是居室要住高大的洋房，衣服要穿華麗的綢綾，食物要吃昂貴的山珍，就是茅屋三間，布衣一襲，菜羹淡飯，祇要合於衛生的原理，衛生的方法那就算了

我國處於文化不能開通的今日，欲求衛生的普遍，應先從事家庭進行着手，但欲進行家庭衛生，應先要使主婦認識衛生，因爲家庭就是人類寄託的中心所，主婦就是受理家庭的重要份子，能於衣食住起居四方面，加以注意改善，那怕衛生不能見諸於事實呢。

(一)衣　衣服的功用，不僅防禦寒暑和塵埃，且能夠預防外傷，調節體溫，所以衣服應當保持清潔，寬暢舒適，勿過緊或過小，襯衣宜白色，時常更換洗濯，質料也應注意多通空氣，因爲皮膚和肺臟。常有水蒸氣及炭酸排泄，倘久阻衣下，不能透出，易生不快的感覺，故爲家庭主婦，不可忽略衣服的衛生。形式狹緊，有阻礙身體的發育，資料華美，徒多耗費金錢，我們女界努力設法改正才好！

(二)食　疾病由於食物而產生很多。所以關於食物的衛生，也要特別注意，食物須選新鮮而富於營養料，煮熟燒過，以消滅病菌，廚房宜清潔，空氣流通，夏天尤宜驅捕蚊蠅常用沸水洗滌餐具，食物宜細嚼，勿要狠吞虎嚥，食後稍進水菓，以助消化。

(三)住　房屋宜南向，但求適用。不必過大過精，選擇土地，取高爽勿低窪，地位要幽靜，在市鎮上，切不可靠近工廠，四，酌栽花木，使空氣清鮮，且於工作

暇時可以散步其間，窗宜多闢，室內器具，佈置要相宜，更宜時爲調換位置，調劑目光，帳褥枕被，純用白色，四圍壁上，塗以相當顏色，或用糊花紙屏條字畫，務取風雅，最忌塵俗，美觀悅目，在在足以振作精神，室內隨處安置痰盂，每晨宜勤加洗掃，陰濕之處，多灑臭藥水，廚房廁所，不可過於接近，易傳汚穢。

(四)起居　在家庭中，那般放任隨意的生活，最能夠影響身體的健康。所以起身，睡眠，飲食？工作等時間，應規定時間。平常至少須有八小時的睡眠，無聊時不可作不正當的消遣，每日應有一小時的運動，十分鐘的深呼吸，晨間及飯後，宜刷牙，注意日行一次大便，夏天每日洗澡一次，冬天可一星期一次，行走和靜坐時，還要留意姿勢。

衛生小問答

張子英

問　寒帶，熱帶，溫帶，瘧疾常盛行於那一處。

答　本病於溫帶中爲最習見。

問　每日瘧，間日瘧，三日瘧，在普通習見上以那一種爲最多。

答　間日瘧最多　每日瘧次之，而三日瘧爲最少。

問　瘧疾之治療方法怎麼樣？

答　本病之治療，西醫用金雞鈉霜爲截瘧劑，國醫有和營衛，豁痰，燥濕，攻截，和解，滋陰，培補，等法。

問　瘧疾之消長，病機之進退，其辨別法怎麼樣？

答　在習慣上，凡瘧連日連者病淺，間日發者病深，間二日而發者病愈深，漸早爲輕，漸晚爲重。

問　瘧疾是不是卽傷寒之少陽病。

答　否，瘧固有屬於少陽者，然亦非全屬少陽者。

問　那末古稱瘧疾不離少陽，又將作何解釋呢？

答　瘧不離少陽云者，僅就其一端而言，蓋知其一未知其二也，原夫少陽病以寒熱往來爲必見之症，故傷寒論遂以寒熱往來爲少陽病之提綱，於是凡見有寒熱往來者，均以少陽症目之。乃因瘧疾亦有寒熱往來，且亦以寒熱往來爲瘧疾之主要症候，故遂有病不離少陽之說，實者未必盡然。

問　然則瘧疾與少陽不同之處何在。

答　少陽之發，無有定時，且彼寒往熱來，熱往寒來，亦無時或休，瘧疾之發，每日一次或間日一發，或三日一作，且有一定之時間，彼少陽發後，己非健體，瘧疾發後，有如常人，於此等乃爲少陽與瘧疾最爲不同之點，亦即最易判別之處。

問　若然則小柴胡湯，乃傷寒少陽症對症之的方，猶太陽病之用麻黃桂枝，而能愈瘧者何也。

答　瘧疾原有多種；更因每人之體質關係，尤難一例，其合乎少陽症之條件，或少陽而有類瘧之附及症者，自可服少陽症之柴胡湯，而瘧疾自愈，至瘧疾之不合乎少陽症之條件者，又曷嘗可以一小柴胡治之，而愈之者哉，觀乎金匱之瘧疾篇，彼所據之症，所用之藥，豈皆因具有寒熱往來，而概與一小柴胡湯哉，如肺素有熱之癉瘧，但熱微寒者，白虎桂枝治之，內藏於腎之温瘧，先熱後寒者，青蒿鱉甲治之，牡瘧多寒少熱者，蜀漆治之，若此數者，與少陽何與，與柴胡何涉。

問　若此則瘧疾固無關於少陽乎？

答　否，瘧疾之關於少陽，用柴胡而愈者，特其一耳。己申述如上，不然則傷寒金匱，爲仲景所作，若少陽與瘧疾固爲同一治法，則金匱瘧疾篇中之白虎加桂枝湯，蜀漆散又何爲也，於此可見仲景之於少陽與瘧疾，早昭示吾人有不同之點者矣。

問　瘧母的成因及其見症怎麽樣？

答　凡瘧經年不愈者，謂之老瘧，其有積食痰涎瘀血所留滯而結成痞塊藏於腹脇，作痕而痛，令人多汗，其塊熱時增大，熱退縮小，按觸則硬固，西醫謂爲脾臟腫大，而國醫則稱之爲瘧母。

問　瘧母之療法怎樣？

答　當於補虛之中，而兼以疎肝攻痞爲治。

問　瘧疾的預防方法怎麽樣？

答　建築下水道，通利河水源流，去除不潔之障礙物塡沼澤，除汚池，植喬木，或向日葵，使土地清潔乾燥，過積水處則澆以煤油，使浮水面，俾滅滅蚊類之寄生，其他不得已地方，可張蚊帳減少蚊類之侵入，如門窗等處，如能覆以紗羅，則更善矣，外出可用防蚊覆面，及手套等則瘧症自可減少。

驗方與治驗

六月霜之研究

周岐隱

吾鄞城鄉居民，每年夏令，輒用陳青蒿與六月霜二味代茶，對於清暑利溼。甚爲有益（亦有用鮮藿香枇杷葉者，然不甚多，）陳青蒿之性味功用，已詳著於本草，可以不必備錄，惟六月霜之名目，爲本草所不載，而其性味清香微苦，清暑之外，尤善於解痧逐穢，功用更出於青蒿之上，實夏令常服之要品，不可不詳加一番研究也。

六月霜爲蒿類一種植物，生於山谷之間，莖似蒿艾，一莖直上，高四五尺。葉似佩蘭，花作黃白色，簇生成穗，結子似稗而細，花子葉皆可入藥，六七月間採之，鮮用亦可，愈陳愈佳，凡遇痧氣腹痛，泄瀉痢疾，霍亂初起，泡濃汁飲之，輒有功效婦人肝胃氣痛，經候不調，亦可用之。

鄙人近有自製泄痢丸，服之者多云有效，方用六月霜爲主，紅麯滑石二味佐之，成本輕而功效廣；同道中不妨合之以施送貧病也。

按此藥性味形狀，都與劉寄奴草相似，其功用亦相髣髴，疑卽爲劉寄奴之別名，特綱目中未及收入耳，惟本草中謂劉寄奴氣味苦温，今六月霜苦誠有之，温則未也。而六月霜三字，顧名思義，則非但不温幷且寒涼，想本草亦尙有未盡然者。

綱目載劉寄奴草之主注各症，如破血下脹治心腹痛，止金瘡血，通婦人經脈，止霍亂水瀉，治赤白下痢……吾取六月霜驗之，治效莫不相符，惟謂多服令人下痢云云，則未敢盡信，意者性味尅削易於傷氣動血之故歟。

三鮮湯之妙用

張汝偉

三鮮湯者何。係鮮沙參鮮生地鮮石斛三味並用。吾海虞流行治濕温之局方也。余聽鴻氏診餘集曾一再言之。但診餘集大都嘗三鮮湯之能留邪膩膈。今余特提出。而標明妙用者。蓋有事實可證也。攷鮮沙參甘苦微寒。味淡體輕。清肺養肝。肺陰虧者。兼能肋以達邪。鮮生地甘苦而寒。清肺之燥瀉心之火。而清血之熱。鮮石斛甘淡入脾。而除虛熱鹹平入腎。而保元陰。綜此三味。是益肺陰。清營熱。透虛邪之妙方。如熱重者。加石羔天花粉。濕重者。加蒼朮皮苡米仁。

表未解者。加豆豉。丹痧不佈足者。加豆卷。白痦不清者。加桑葉冬瓜子。大便溏泄者加葛根。寒熱起伏者加柴胡。神而明之。變而化之。治無不效。今秋余治濕溫壞症。不下十餘人。均先經六七中西名醫診過。其見濕大略相同。唇焦齒垢。面晦頭暈。紅疹微透。白痦隱約。大便或溏或堅。小溲短赤。口渴汗多。精神疲乏。譫語煩躁。熱度高在百零三四。脈濡弦而數或覺細鬱若伏。已服之藥。如荊防豆卷。桂枝麻黃。柴胡大黃。芩連涼膈。甚至草菓川朴等。表燥寒下。無不用全。余察其舌乾而紅。苔黃而膩。因思汗多則液虧。表過則陰竭。乃書大劑三鮮湯方。或加石羔蒼朮。或加白芍芩連。或加銀柴元參。三四診後。均幸告痊。此三鮮之妙用。其在斯乎。進而言之。今夏自國歷五月以來。非常炎熱。直至秋後。尚無退涼之意。熇熇炎日。汗出如雨。陰傷可知。邪之所湊。其氣必虛。而醫者執表症必用表藥。殊少托正徹邪。灌水行舟之法。所以雖舌敝唇焦。而熱度愈高。雖竣用辛燥。而濕終不解。雖大用苦寒。而熱仍不減者。此未明聚米減竈之故也。今特三鮮湯之妙用。揭而出之。以質方家。如不以一二之譬議。遂謂非古聖之成方。而見棄也。是亦病家之慶幸也夫。

看護應徵

民間看護習慣的鱗爪

薛定華

疾病及意外的負傷，爲人生所不能幸免之事，而何時遭此，又難測料，有因人身生理作用，爲了社會風俗的關係，每由生理狀態而轉變病理。人既生了疾病，又受了民間性的醫藥來治他，及習慣性的看護。所以在醫學上，又佔了一部份的地位。上海衛生雜誌十八期有徵求民間看護習慣啓事，我友黎君，徵及於我，而我對於民間看護習慣，素不注意，現在因了老友的關係，不得不調查一下，略記二則於左，請閱者諸君諒之：

一　女子來經時的民間看護習慣——經云：「女子二七而天癸至，（按天癸是人生發育的力量）任脈通；太衝脈盛「月事以時下。」當這個時候，她們的態度，常常同習慣相反；做母親的人，看到這樣，就特別地注意，囑她不要舉重，不要行遠，且禁止她飲茶，以及寒冷之物。如故口渴的話，便用益母草獨味泡湯代茶，有的同丹參（約銅元三枚）同泡代茶，這種事實，是敝鄉所特見，據我現在攷察起了，這種民間看護習慣，是非常的有價值，因爲女子初次來潮的時候，是不知不覺的，雖她的態度有變異，而她的日常工作，並沒有因經來而停止，因此行路與勞動而不免的，假使過勞，那末就有影響月經的行止。且臨經的時候，飲了寒冷的東西，（水，冰，汽水。）或食生冷的瓜果，往往經來腹痛。且婦女行經期內，例忌茶葉，她們雖沒有知道爲什麼忌茶的道理，但是這種在衛生上醫藥上立論，固有提倡的價值呢？因茶富含單甯酸，具收歛之性，能止內臟出血，（胃腸出血，子宮出血，肺出血，腎出血等）之故。假使不禁忌，往往致成月經不調，腹痛錯期。所以經期忌茶，溫州婦女已養成習慣，但在此經期的裏頭，如故身體及有水分出節制；那末又發生問題，所以用益母草丹參代茶，因益母草丹參，有調經的功能。一方節制體工的作用，一方調理月事的暢通，一舉兩得，眞算是民間看護的好習慣。

二　癩痘的民間看護習慣——癩與痘，是二種的疾病。照我們溫州的習俗說起來，痲是叫做小客，或稱做小寶；痘叫大客，或稱做大寶，假使有一個人，患這個病，他家裏就弄得非常之淸靜，如做大客。他家的大門外面定貼了一條紅條，上寫着「內有天花」四個字。指點人們，假使入內，不要吵鬧多嘴。有人說：這張紙條，一方固然是不招待客人，以得安靜，一方以謂這紙貼起來，可以使痘神知道，降臨保護，其實這紙貼起了，有敬告人們預防傳染的作用罷了！而對於病房選擇，要光線不充足的地方，然而每日夜仍點着菜油紅燈，（燈用菜油點，以紅紙捲成燈蕊，燈架全貼紅紙故名。）以謂痲痘的神，能來保護他，所以無論是痲是痘，總要去求神拜佛，假使是做大客。就去求娘娘。——陳十四娘娘——做少客，就去拜太太。——張三令公——據說：張三令公，就是征西役的張騫，也就是民間所稱的痲神。陳十四娘娘，就是閩候官縣陳氏也就是民間所稱的痘神，他們能夠保護病者轉危爲安，這種迷信，在溫州已成了習慣，除了教徒之外，無論什麽人，都是這樣管的。此外俗語說：『大客吃葷，小客吃素，大客要放，小客要藏』，這句古話，大概是五十歲以上的老太婆，都有經驗的，所以痘都要『吃毒』，大約在發病一星期內，就要實行，最多是鵝的脚掌。如乳兒患病，則乳母吃毒。這樣就容易灌漿，小客是沒有灌漿的事。而且忌毒，所以要吃素，大客喜風，小客怕風，看護的習俗，對於患痘的人，不須要專執在病房裏。也可到外面去的，而痲症則不然，非但不可到外面，而且病房定是合窗閉戶的，所以才有一要放，一要藏的古話。雖說一要放一要藏。但是裏頭的習俗，仍舊是不變改的。這個習俗，無論痲，痘，他的頭上，總裹着一條黑縐紗，大約一個月後，才脫離，據俗人說：『裏頭就是有罪樣囚犯一般，罪期滿，就可脫去黑縐紗，疾病就也算好了。』其實裏頭是防風的作用罷了！總之。上面兩種，是我們溫州常見的事，此外還有許多的習俗，如瘧疾宜觀劇，痢症宜忌鴨：產後多食薑。喉疾勿吃蟹，這些民間看護習慣，各有好坏，且待來日續談罷!?

一九三四，七。三日，寫於溫州衞生顧問社

民間看護習慣應徵之三

江蘇浦東張炳華君

（贈本誌三期）

我鄉浦東，東瀕大海，西臨黃浦，人民大半以農爲業，教育事業，未能十分普及，人民智識，頗爲低淺，故民間之風俗習慣，異常怪妄。看護當然不能例外，故每見患病者，因缺乏看護常識，以致微恙不愈，沉痾難起，長此已往，衛生事業之前途，頗爲堪危，而欲造成強健之國家，豈可得乎，玆爲本鄉民衆前途幸福着想計，特略舉一斑，投衛生雜誌社，籍以改進而喚醒民衆，惟浦東地廣人衆，以鄙人之耳聞目見，掛一漏萬，勢所不免，故願關心衛生事業而有改進風俗習慣之同志，多多錄出，則民衆之福，卽大中華民國之福也。

（一）病人住處——住處爲病人修養之房室，務必適合衛生原則，而吾鄉人士，因智識低淺，故對於病人住處之光線空氣方向位置等！絲毫不加考究，使病人寄居其間，多一增病之機會。其經濟寬裕之家庭，雖有高雅之房室，適當之方向，光線充足而空氣流通，合乎病人修養之房室，然大都廢而不用，雖或用之，則房屋之窗戶必緊閉得密不通風，使病人吸不到新鮮之空氣，蓋恐一風吹入而致病人之症象加劇也。

（二）飲食——諺云。病從口入，蓋言疾病之造成。飲食不慎爲重要之誘因也，嘗觀吾鄉人士，每以病者飲食之減少，而強其多進，菜蔬之乏味，而與以佳肴，豈不知病者之消化不良，所食之菜肴必感乏味，而昧者不審，竟拚棄適合病者之飲料，而與以禁忌之飲食，任其縱慾，是不啻爲引虎入室之妄舉也。

（三）探病——我鄉習慣！凡稍有些微小疾，親友知之。輒前來探望，而病人之看護者，必引之深入病人之房室，問候病人之症候如何，更有無知者，往往在病人前述及一切閒話，喃喃不休，以致病人聞之，多增思慮而消耗腦力，使症候愈劇。

（四）擇醫——病而延醫，欲求愈病，故必擇良好之醫生，乃我鄉人士，預先既不加以考察，及其病之加劇也，乃怨甲醫謂無才，改而延乙，而乙醫亦如此，乃旦夕更換，藥石亂投，以病者之生命爲兒戲，更有令人一噓之擇醫法，蓋病家每由卜者或巫女之指示，不擇醫生之良莠，而擇醫生之方向，如卜者言須延東方之醫生，則必延東方之醫生，而對於東方醫生之良否，竟置之不顧，及至病人被東方醫生之所誤而戕身也，而病家尚不覺悟，祇以命中註定自慰耳。

（五）服藥——患病而服藥，亦爲求疾病之瘳也，故務必審愼而不可稍忽者也，而觀我鄉之人士，每以不聽醫生之指示，貪便而妄服單方，及其病之加劇也，病家仍抱單方一味，氣死名醫之主旨，尚不自覺，乃易以他方服之，雖或痊愈，乃僥倖耳，倘或致死，則生命等於鵝毛矣。

（六）迷信——我鄉民衆，大半因未受教育之感化，故迷信之積習很深，凡遇些微小疾，往往追逐於迷信之中，以求疾病之痊愈，至迷信之種類，有拈字，問卜，燒香，求懺，請西神，請灶君，送客人，解星宿等不下數十種，惟以篇幅關係！未能詳加說明，總之我國民間風俗習慣，妄誕已達於極點，故正擬亟待改進者也，今衞生雜誌社有鑒於斯，特廣爲徵求，藉以改進，其嘉惠民衆，實非淺鮮也，

按張君對于看護習慣之不良，可謂剖晰靡遺矣，願讀是作者當知傳統習慣之不足遵守，憬然覺悟，毅然改革，則不負張君一片婆心苦口矣。　贈十一——十六

謹啓者。武進徐衡之嘉定姚若琴兩先生。近有宋元明清名醫類案之輯。醫案爲古人心血之結晶。中醫之精粹存焉。兩君所選。說理則精當深刻。方藥則堆敲入微。其玲瓏活潑。變化無方。足以增人智慧。觸發巧思。而搜羅之宏富。取舍之精嚴。尤得未曾有。爲藥籠中必不可少之參攷要籍。醫者得此一書。處方必有左右逢源之妙矣。對於醫學上有絕大貢獻故樂爲介紹。原書精裝燙金二巨冊。定價六元八角。預約價三元六角八分。紙硬面洋裝。定價五元六角。預約價三元零八分。本會並商得出版者同意。凡本會會員預約者。照預約價再打九五折。一切手續。請向本會將有成先生接洽。此致

台鑒

上海市國醫公會啓

本刊衛生顧問章程

(一)本刊經大衆訂閱者之要求。闢設衛生顧問欄。以便醫藥上疑難問題。及病因症治藥性等。作公開之討論與研究。若依本章程投函詢問。當即照來函解答。

(二)重要問題。除依來信直接通函答覆外。本刊得隨時將答案披露。以便同志之研究。

(三)疑難之答案。須檢查醫籍。詳細考慮者。至遲須一星期可以答覆。

(四)不答覆之問題如下。(一)來信記述不詳者。(二)詞義不明者。(三)要求立得藥方者。(四)無關醫藥者。(五)委託評論藥方之是非者。(六)本社同志學識所不及者。(七)無覆信郵費者。(八)無衛生顧問劵者。但不答覆者。不答之理由。覆信聲明。

(五)來函概用中式紙張。繕寫清楚。附覆信郵費一角三分。並附寄下列衛生顧問劵一個。

(六)來函寄愷自爾路嵩山路口瑞康里二六二號

衛生雜誌廣告例

地位	面積	價目
封面	大半頁	大洋四十元
底面	全面	大洋四十元
封面裏	全面	大洋廿八元
底面裏	全面	大洋廿八元
封面第二頁	全面	大洋廿四元
	半面	十二元
	四分之一	八元
底面第二頁	全面	大洋廿四元
	半面	十二元
	四分之一	八元
普通	全面	廿元
	半面	十二元
	四分之一	八元

一封面底面裏外均用二色套版印不另取資

一代製銅版鋅版費另加

一代繪圖樣費另加

一惠登廣告者贈本刊一册

衛生雜誌第二十二期

中華民國二十三年九月廿日出版

主編者 國醫張子英

發行者 衛生雜誌社 法租界普恩濟世路七十六號

印刷者 三星印刷所

分發行所 中醫書局 現代書局 上海雜誌公司

分售處 各省書局

衛生雜誌定價表 （費須先惠）

出版	月出一册	全年十二册
價目	大洋一角	大洋一元
附註	郵費在內	國外加倍
	郵票代洋以一分五分爲限	

○社址○ 上海愷自爾路高山路口瑞康里二六二號

主治

面上瘰癧　未潰凍瘡　面癬粉癬
面痣雀斑　生羊鬍鬚　脚趾縫癢
臭虫蚤咬　牙齒刺痛　預防毒染
下體發癢　洗滌帶濁　諸皮膚病
搽此藥水　非常靈驗

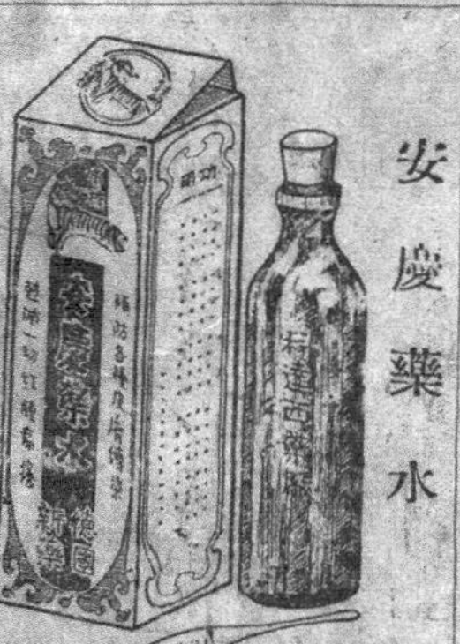

安慶藥水

KONDUK'S
COD LIVER OIL
WITH
MAIT EXTRACT

科達麥精魚肝油

全球醫藥界所公認之無上大補品

WALES FRUIT SALINE

威爾斯菓子鹽

潤腸，清血，化食，清補飲品，

歡迎醫師家庭採用

荷蒙惠顧格外從廉

「科達」麥精魚肝油，行銷東亞半球，已有二十餘載之光榮成績，凡服食者，有口皆碑，證書謝函，叠積盈箱，銅版印成若干，歡迎索閱，其他實驗藥品，亦均貨眞價實，人人樂服。

各處藥房公司醫院均售

科達西藥廠無限公司總經理

上海北四川路

KONDUK WALD DRUG CO., UNLTD.
N. SZECHUEN RD., SHANGHAI.

贈品

請贈貴廠各種說明書價目單以及證書美術信箋

姓名
地址

（衞）

◉德國政府特許專賣的內分泌物結晶製劑長壽防老特效聖藥！

德國壽爾康補丸

▲確為固腎培元之聖品：眞是生精益髓之奇藥！

▲改變損壞的舊體質：恢復青春時代的幸福！

▲怎樣使老年人享青春幸福？

▲怎樣使夫婦間得魚水之歡？

▲怎樣使乏嗣者可一索得男？

唯有購服眞正 德國壽爾康補丸

贈券

科學的機器療法壽爾康詳細說明書函索憑券寄上海本行當即原班寄奉

壽爾康：是德國愛特諾博士發明，用最最名貴之動物臟器製劑，獨具改造生殖機能的絕大權威，凡年老力衰之男女，服之立能恢復其青春時代的生殖機能，歷經實驗，百試不爽！

生殖：是人類天賦的本能，康健的男女，個個有生殖的能力，男性的睪丸，女性的卵巢，就是生殖力的主宰，如果因『房事過度』『衰老虛弱』『生理變態』等原因而致內分泌腺發生障礙，則生殖機能亦即消失矣：

男用壽爾康：專治神經衰弱，陽萎早洩，夢遺滑精，生殖無能，諸虛百損，確具滋陰扶陽生精益髓老翁種子的奇效。

女用壽爾康：專治婦科子宮病，經血不調，宮冷白帶，氣血虧虛，久不孕育，有補血調經溫宮催孕古井重波的驚人的特驗，

男服男用壽爾康，女服女用壽爾康補丸。

▲壽爾康之結晶成分與特效

A：盼荷爾蒙(PAN-HORMON)阻止衰老
B：大腦腺素(CEREBR-SICC)補腦健神
C：腦神經粹(HYPOPHYSEGLAND)
恢復性腺
D：攝護腺炎(PROSTAT-GLAND)亢進
器官
E：男睪丸素(TESTES-SICC)性官能病
F：女卵巢素(OVARIA-SICC)性官能病
G：心臟血素(HEANIOGLOBN)補血
造血
H：腎上腺炎(SUPRARENAL)I補腎強精
I：臟雪星(LECITHINE)療虛補損
J：浦歐麥(EXTRPUIRAPUAMA)強
壯精神
K：變質素(EXTRTURN)改造體質
L：維他命(VITAMINE)繁殖益髓

▲德國安特諾博士心血發明▼

▲德國威彌鄧大藥廠新創製▼

上海南京路 阿爾登洋行 經理

HEALTH MAGAZINE

衛生雜誌

中華郵政特准掛號認爲新聞紙類
內政部登記證警字第二八二九號
社址上海法租界薩坡賽路一九〇號

第二十三四期合刊

德國梅濁尅星

白濁自療 對症專葯

那怕你疼痛難忍 服了梅濁尅星包你不疼！
那怕你腫得利害 服了梅濁尅星包你腫消！
那怕你濁流如注 服了梅濁尅星包你濁清！
那怕你便中流血 服了梅濁尅星包你血無！

▲白濁乃絕嗣之總因▼

淋菌侵入睾丸，則精虫不能生存，以致絕嗣，普通一般療法，絕無透入睾丸殺滅淋菌之效能，德國淋病自療專藥「梅濁尅星」具有滲透粘膜深部之絕大權威，無論淋菌侵入何處，均能追蹤而殺滅之，故能澈底斷根，永不復發：

▲梅濁尅星殺菌力……勝過透熱電療！
▲梅濁尅星清濁力……勝過注射針藥！
▲梅濁尅星鎮痛力……勝過插入油錠！
▲梅濁尅星消炎力……勝過注射色素！
▲梅濁尅星淨毒力……勝過局部洗滌！
▲梅濁尅星利尿力……勝過內服各藥！

▲德國愛迪那博士發明 ▲德國駐滬總領事簽字證明▼

▲藥房均售▼

▲德國戚彌鄧藥廠監製

遠東總經理處 ▲上海南京路五四號柯爾登洋行啓

贈券

憑贈券附郵票十分簽字蓋章寄上海郵政信箱第一四六五號柯爾登洋行樣品部即贈德國梅濁尅星樣品及詳細淋病療養說明書各一份

救國捷徑

我們的中國，現今衰弱到極點了。愛國志士，狂呼着救國！救國!!救國的方法甚多，究竟那一條是根本捷徑？無疑地先要強種族。因爲種族的衰弱，所以處處受人壓迫而造成國家的衰弱。要強種族；無疑地必先健身體：要健身體；無疑地除加緊鍜鍊之外，要將東亞病夫的惡名除去：要除去此惡名；無疑地要根究造成此惡名之來源而掃除之，此惡名之來源是什麼？即是

痰

諸君；不要小看此痰，要知弱我身體：弱我種族：弱我國家的罪魁禍首，即是此痰，請看中國人，十個之中九個有痰，外國人一百個之中找不出一個有痰的。從這一點來比較中外強弱之分，便知痰乃是一大害。

痰入筋絡，四肢癱瘓，半身不遂。　痰犯上焦，即患急性中風腦冲血。　痰犯中焦，　便成慢性肺癆等病。痰犯下焦，　能致腎臟炎等症。　身體瘦的人有痰，即是肺病之基。　身體肥的人有痰，即是中風之根。先天虛的人有痰，男多腎虧，女必血枯。　先天足的人有痰，幼小時每多驚風，發育時易患腦膜炎。　老年人有痰，眠食不安。　中年人有痰，意興頹喪。　少年人有痰，精神萎頓，痰之爲害，實在不可勝數，此害不除，國民的健康難復。　而且有遺傳性，所以致弱種。　除痰之唯一良藥，祇有

戈老二房裕慶堂梅記秘製的戈製半夏 首屈一指。

因其能統治以上各症，而使之除根。已患痰病者服之能化痰爲水，排出體外，未犯痰病者服之能預防痰之侵入，補益血液，功效極大，已有二百餘年之聲譽，且是純粹道地國貨。請速購服：除痰補血，一切病根掃盡。身體健，百事興，種族強，國勢盛，此乃救國之捷徑。　定價每兩大洋八元　大盒四元　小盒一元

外埠函購，貨款先惠，郵票代洋，十足通用，說明書及仿單承索即寄，賜顧者請認明

戈老二房裕慶堂梅記秘製半夏 盒外封口部照，以防假冒

◉咸豐年老店上海城内學院路二〇四號（即老縣西街第八家）◉總發行所上海法租界福煦路國民里二號◉分發行所汕頭德興馬路◉分號南京中華路大功坊◉蕪湖四明路敏愼里九號◉漢口江漢路通和里五十號◉揚州校場月明軒◉甯波中馬路選靑坊◉廈門同文路五九號二樓◉特約分銷南京建康路南京國貨公司◉福州華大叅行◉梧州震亞藥房◉廣州澤蘭堂◉廈門恭安藥局◉贛州恆孚緞莊◉正陽關李隆興◉香港源和成。廣昌成。荷屬東印度吧城班芝蘭萬成公司◉暹羅曼谷光興號

衛生雜誌社緊要啓事

啓事一

本社出版之衛生雜誌。已二十有四期。銷數逾萬。對於灌輸衛生常識。頗能補助國家行政所不逮。且國聯與我政府技術合作。衛生卽居其一。其爲重要。可想而知。惟出版之初。爲廿三開本。自第十一期起改爲十六開本。篇幅擴充。定價依舊。維持至今。貼款頗鉅。茲從第三卷第一期起(卽廿五期起)。改爲全年十期。逢二八兩月停刊。定價全年仍爲一元。連郵在內。零售每册增二分。藉資彌補。此啓。

啓事二

本社因整頓內部起見。於上月中旬改組。兼之遷移社址。佈置事繁。故出版略有遲延。嗣後直接訂購。請函上海法租界薩坡賽路一百九十號新址接洽。電話八〇六四〇

編輯者言

編者

光陰荏苒。本刊出版忽忽已二十四期矣。其中雖經過許多艱辛。幸荷熱心社會事業諸公。竭力維護。復蒙海內同道。協力合作。惠賜宏文巨著。得有此區區成績。本刊同人已覺非常榮幸之至。但學術無止境。愈研而愈難。昔日認爲合理者。安知今日之非。今日認爲合理者。安知異日之非。故本刊最近之編撰計劃。主張淘汰浮泛學理。取精華而適合時代者爲標準。至於材料。主張不求其多。但求精采。蓋近來各省各縣之日報。俱有醫藥副刊。非有別出心裁之稿。不足以滿足讀者之慾望。所以凡我愛護本刊之諸同志。務希注意是點。幸勿草草成稿投來爲荷。

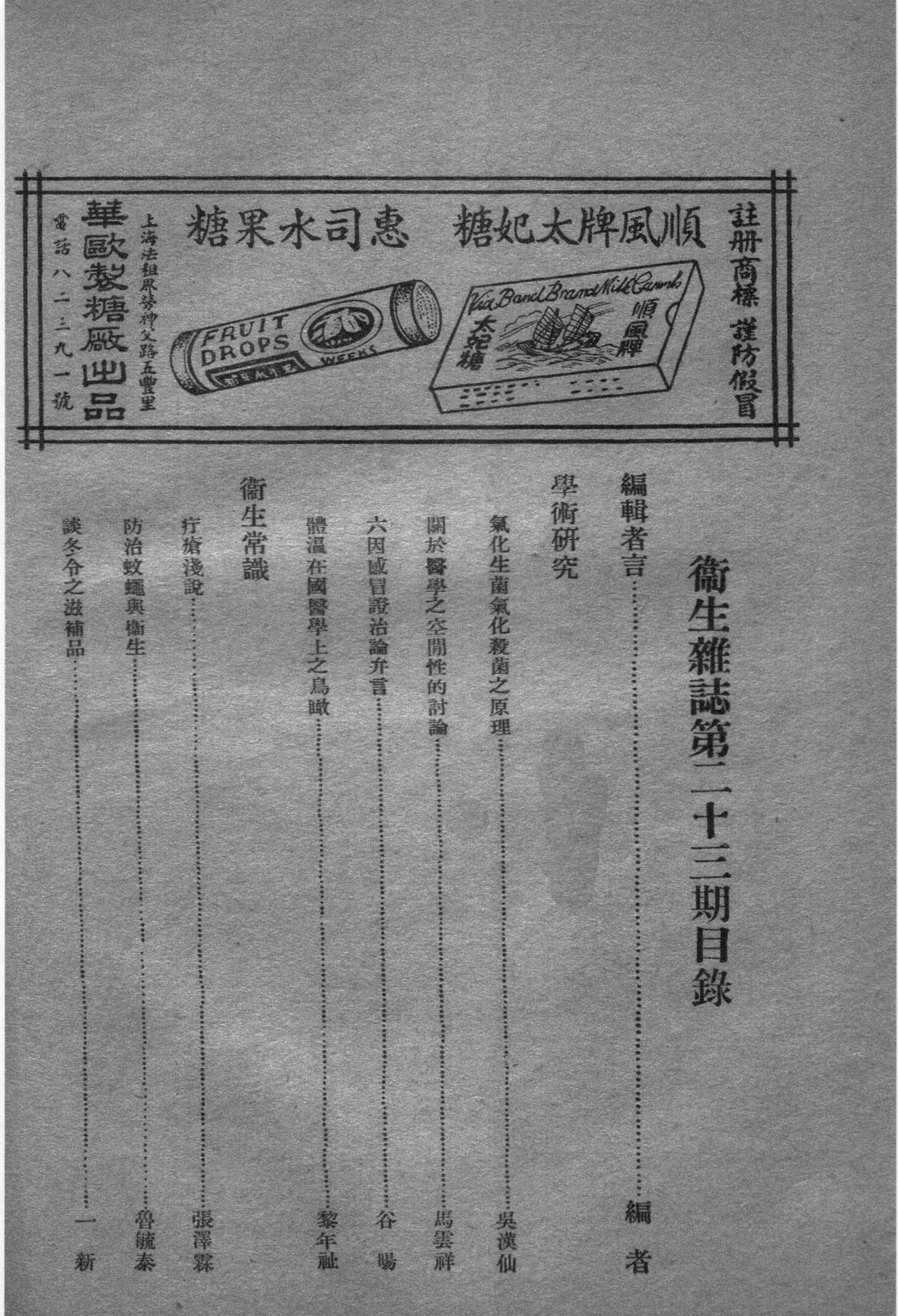

衛生雜誌第二十三期目錄

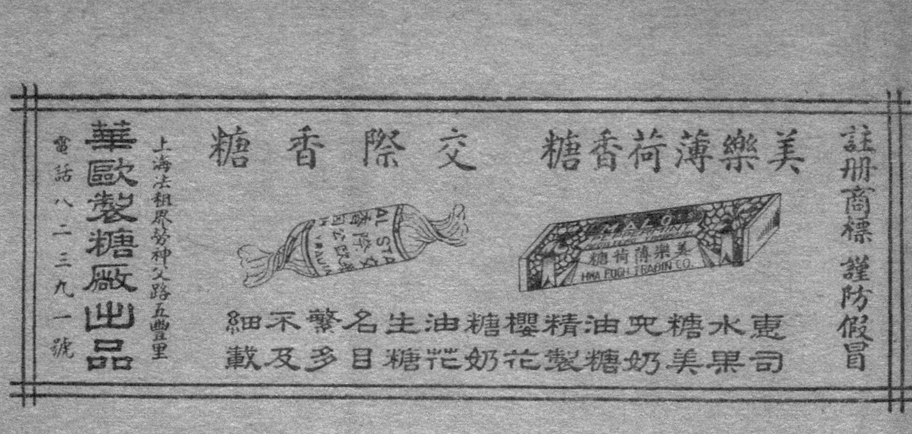

育嬰珍品

無異母乳

「今伊終日嬉躍矣！」

此語每指食勒吐精代乳粉之小兒而言諒君必常聞之以勒吐精代乳粉餵哺之小孩其精力必充足而消化器官毫無阻礙蓋此粉之製造方法特別研究使小孩食之易於消化

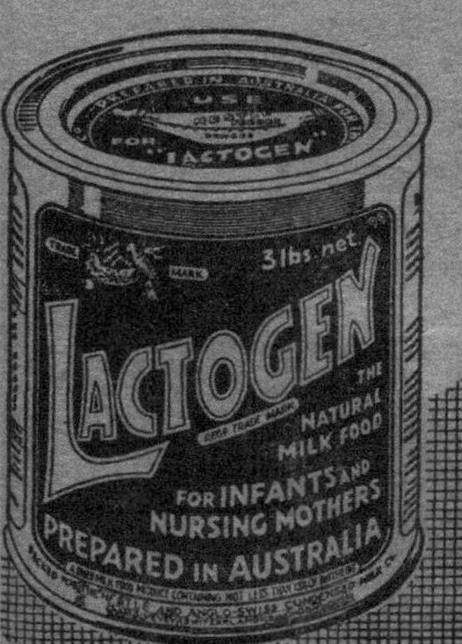

樣品券

奉上郵票兩角請寄勒吐精一樣罐及育嬰指南一冊此致上海郵政信箱七〇五號

英瑞煉乳公司

姓名

住址

學術研究

氣化生菌氣化殺菌之原理

岳陽吳漢僊著

僕近閱首都醫界名流，如余雲岫、陸淵雷、施今墨、葉古紅、諸家言論，大都崇拜細菌，推翻六氣，然徒尙理論，而不證以事實，則此中之得失是非，終不能決，夫中醫病理，以氣化爲前提，西醫病理以細菌爲前提，試究其實際，有形之細菌，終不出無形氣化之範圍，茲特就氣化與細菌之爭點，表而出之，以待海內之公決。　作者附識

緒言

自羅貝古斯氏挾其細菌萬能學說，以凌駕全球，而巴登古發氏，用獻身嚥菌的試驗，以證明其妄，而細菌萬能之學說，爲之根本推翻，夫以鏡檢查細菌，固彰彰其具在也，細菌之能病人，亦鑿鑿其可據也。又烏得而推翻也哉，惟其但據細菌之現狀，不究細菌之來源，舍本趨末，基礎既不穩固，學說安得而確定乎，蓋細菌之發生與死滅，實統攝于氣化之中，故菌由氣化以生，亦由氣化以滅，前者中衛部余雲岫，假細菌以推翻六氣，作六氣論，辟而闢之，謂六氣無致病之理由，其能直接致病者惟細菌，噫。彼但知細菌爲疾病之原，而不知生細菌者，實由六氣之變化，殺細菌者，亦由六氣之變化也，拙著警鐸，糾正余氏一偏之理論，於六氣辨之最詳，茲特就其生菌殺菌之原理，撮錄要點，加以補正，分爲上下兩章，以供學者之研究焉。

第一章　氣化生菌之原理

夫六氣之學，不特爲國醫所重，東瀛學者，且欲起而探究之，日醫和田氏曰，寒地之氣候，多呼吸器病，暖地之氣候。多消化器病，雪地多眼病，濕地多脚氣病，大暑之後，繼以大冷，大寒之後繼以大熱，凡因氣候變化所生之證候，余尙未聞於病理學也，謂爲不完備，誰曰不宜，（見醫界之鐵錐）觀於此言，則余氏之根據細菌，推翻六氣。不特爲國醫所訾，且爲日醫所笑也。

夫細菌之繁生，實胚胎於六氣之變化，故菌之生也，有

根於一氣以爲之主者，有根於二氣之交感者，何謂根於一氣也，東風鼓盪，適生害稼之蝨，田家者流，皆所常見，是菌根於風也，溝渠之水，多生孑孓，苦寒之地，亦有產雪蛆者，是菌根於寒也，炎夏溽暑，魚肉餒敗而蛆作，是菌根於暑也，火山之鼠，以火氣爲生命之根，故入水則死，入火則生，是菌根於火也，感燥發欬，多成肺炎病，喉風桿菌，每發於燥令時期，是菌根於燥也，物感濕而霉腐，人感濕而黃疸，霍亂病菌，多發於濕令時期，是菌根於濕也，此由一氣爲之主也。

何謂根於二三氣之交感也，夫天有六氣，四季之中，雖各有一氣以爲之主，然亦有二三氣錯雜於其間，夏日酷暑，驟然下雨，濕氣生焉，冬日嚴寒。久晴無雨，燥氣生焉，六氣之變化無常，細菌卽因而發育，譬之冬日造豆豉腐乳，必近之以火，然後發酵。酵菌類也，蓋冬日寒令也，豆豉腐乳，濕物也，近以火，則熱氣作矣，夫以一食物之微，必因寒作酵、因濕、因熱，而後發生酵菌，則凡外界之細菌，皆可作酵菌觀也，所謂二三氣之交感也，究之細菌之生，雖由一氣以爲之主，然必由六氣中之二三氣，而始得以成立也，試證以山中之菌，與空中之菌，體中之菌，概可知矣。

山中之菌，穀雨以後，濕令司權，立夏以前，溫度適當，濕熱交錯，菌常發於春夏之交，溽暑既退，大火時流，燥濕交蒸，菌常發於夏秋之際，此非感六氣中之二三氣而成者乎。

空中之菌，隨空氣以飛揚，大兵之後，積屍遍野，腥臭難堪，然冬令閉藏，尚不爲害，迨至春夏，熱以蒸之，濕以蘊之，風以簸之，鬱而爲戾氣，發而爲疫氣，逐戶沿村，釀成鼠疫霍亂等症，西醫所謂傳染病也，此種菌類，雖不爲六氣所產生，然惡氣逼人。實藉六氣而益張其燄，此非感六氣中之二三氣而成者乎。

至若體中之菌，亦因六氣而後成，中西各醫家，歷歷言之矣，半龍許氏曰，細菌之侵襲人體，大都因六氣之感觸，致氣血不和，而後細菌得以進展其勢力，而繁殖也，汝偉張氏曰，細菌爲六氣所化，六氣和，則細菌不生，壽人徐氏白，六氣侵則抗毒素衰，衰則細菌生，卽歐醫沛登氏，亦謂氣候不適於人類的生活，而適於病菌之發育而後生病，日醫求眞氏，亦謂人體中之細菌，必先有此培養基，始來此菌之寄生繁殖，非先有此菌而後生培養基也，觀各家之言，則知先有六氣，後有細菌，六氣爲本，細菌爲末，先後本末，斷可識矣。

夫同一病也，中醫治六氣而效，西醫治細菌而亦效者，此何故哉，蓋中醫論病，係指病之起點與來源，西醫論病，係指病之極點與現狀，人感六氣而生病，即由人身變化而生菌，直接者爲六氣，間接者爲細菌，試觀瘧痢之初，苟認爲風寒，即用表劑，則瘧痢不現，失此不治，表邪內陷，則化爲細菌，而瘧痢作焉，西醫以鏡檢查，但見有細菌，不見有六氣，則所謂病之極點與現狀，西醫能知之，而病之起點，與來源，西醫不知也，然則細菌之病人，無獨立之權，必假六氣以爲進身之地，而後得展其發育之機，六氣雖無產菌之權，而營養繁殖以遂其寄生性者，則皆由六氣所蘊釀而成，警鐸所謂六淫爲細菌之原也。

第二章　氣化殺菌之原理

氣化生菌之說，已如上言，而細菌之死亡消滅，亦莫不以六氣之勝復爲轉移，試證之生物上與病理上之事實，暨中西醫藥物上之功效，則氣化殺菌，固成爲一定之鐵案而不可拔者，請先就生物上之事實證之，物之根於風化者，害稼之蟊，生於東風而滅於西風，東風，氣之和暖者也，故蟊感之以生，西風，氣之肅殺者也，故蟊感之以死，其生於風者，亦猶傷風之能化菌也。其死於風者，亦猶桂枝湯之能殺菌也，物之根於寒化者，冰地之蠶，雪地之蛆，飼以冰雪則生，曝以烈日則死，其生於冰雪者，亦猶傷寒之能化菌也，其死於烈日者，亦由理中湯之能殺菌也。

再就病理上之事實證之，病之由於燥化者，咳嗽肺痿，多由燥令而來，然燥之爲病，有燥熱寒燥之分，病燥熱者，治以甘寒，甘寒即所以殺菌也，病寒燥者，治以溫潤，溫潤亦所以殺菌也，病之由於濕化者，霍亂赤痢，多由濕令而來，然濕之爲病，有濕熱寒濕之分，病濕熱者，治以苦寒，苦寒即所以殺菌也，病寒濕者，治以溫燥，溫燥亦所以殺菌也，若病之由於暑化與火化則更有辨，暑病即熱病，熱爲溫之極，經言先夏至日爲病溫，後夏至日爲病暑，是病暑即病熱也，故熱與暑同，與火則大異，熱在氣分，爲天之亢陽，火在血分爲地之爐火，蓋天之陽，在空中爲熱，附於木則爲火，人之陽，在心中爲熱，附於血分，則歸心包絡，合肝木而爲火矣，故清氣分之熱者，治以辛涼與甘寒，辛涼甘寒，即所以殺菌也，而泄血分之火者，治以苦寒與鹹寒，苦寒鹹寒，亦所以殺菌也。

復就中西藥物之功效證之，夫寒病在表，則取麻桂之辛熱以散之，若在裏，則取姜附之燥熱以驅之，寒爲病，即寒爲菌也，是熱氣之足以制寒病者，即熱氣之足以殺寒菌也，所謂熱可制寒也，熱病在上，則取芩連之苦寒以泄之，若在下，則取硝黃之鹹寒以攻之，熱爲病，即熱爲菌也，是寒氣之足以勝熱病者，即寒氣之足以殺熱菌也，所謂寒能勝熱也，若濕氣爲病，平胃以散滿，五苓以利水，取二朮之溫燥，以治濕氣之有餘，是燥氣之能殺濕菌也，所謂燥可去濕也，燥氣爲病，甘露以養液，瓊玉以滋陰，取二地之甘寒，以治燥氣之太過。是濕氣之能殺燥菌也，所謂濕可潤燥也，此中藥功効之大略也。

若論西藥安替必林，辛溫透表，等於國產之麻桂，西醫不講氣化。故不論辛溫，而以爲解熱之通劑，然以解傷寒之熱，則熱以發汗而退，若以解溫疫之熱，則熱以發汗而危，吾湘劉宣德之死可鑒也，(詳見醫界之警鐸上編六十七頁)金鷄納霜，性主辛溫，故多爲姙婦所忌，西醫不論辛溫，而以爲治瘧之神品，然以治傷寒之瘧，則瘧以溫散而除，若以治暑溫之瘧，則瘧以溫散而殆，江都居效雲之死可證也，(詳見醫界之警鐸六十九頁)白喉血清，爲火氣勝者之喉病所必用，若腎氣虛寒之宜於附桂者，用之則反益其寒，鱉魚肝油，爲燥氣勝者之肺病所必需，若濕重痰多之宜於朮附者，用之則愈增其濕，他如樟腦酸之止汗，石灰質之注射，亞砒酸之助長細胞，若以治肺病，皆不免有辛熱刦陰之弊(見醫界之警鐸上編七十五頁)此西藥功效之大略也。

結論

總之氣化之力量，有一種偏勝之氣化以爲害，必賴一種適當之氣化以爲調劑，否則，即用對方一種偏勝之氣化以相制伏，此天地自然之理也，試以電喻之，陰電遇陽電，則二氣相合，相合則相生，若陰與陰遇，陽與陽遇，則二氣相反，相反則相賊，故氣之反者，是增長二氣之偏勝也，二氣增長，則因腐生虫，因濕化蟻，此氣化生菌之原理也，氣之合者，是中和二氣之適當也，二氣中和，則苛風不作，毒厲不生，此氣化殺菌之原理也，西醫余氏，不講氣化，專談細菌，故用某種之藥，專殺某種之菌，分研惢性，自詡神奇，然究其所用之學，有効有不効者，何也，其効者，必其藥與病人之身體氣化暗合，其不効者，必其藥與病人之身體氣化相反，彼自以爲超出氣化之外，而豈知其効與不効，終不能脫氣化之範圍乎，是故氣化之功効，在吾國藥物上之歷史，已數千年，小之則有經驗之實據，大之則有神化之極功，此中絕詣，已足跨歐美而駕全球，而顧挾其細菌學說以詫全國，吁，何所見之陋也，蓋嘗比例以觀，彼取其繁，而我得其要，彼取其粗，而我得其精。譬之戰事，講氣化者，猶大將之統握全權也，講細菌者，猶萬卒之奔走聽命也，中西學術之高下，亦猶是耳，蓋天下之物，莫不各有其本，不揣其本，專究其末，則第據形迹以觀，雖有光怪陸離之現象，而愈究愈變，愈變愈繁，必至破碎支離，終莫得其要領，孟子所謂寸木可高於岑樓也，然則氣化其本也，細菌其末也，棄我之本，逐人之末，是可哀也。

關於醫藥之空閑性的討論（續）

馬雲祥

（二）土地與體質

「橘生淮南則爲橘，橘生淮北則爲枳，所以然者，水土異也」。晏子這一句話，粗看看似乎覺得平淡無奇，並無多大的深意含蓄着；但實際上他的確倒是「經驗之談」，並沒有間雜絲毫虛搆妄擬的成分；所以在事實上，僅僅這一句話，已足狗表明了地土與生物組織發育的全部關係。現在爲便於明瞭起見，再分「前人之學說」及「差別的原理」二項來申述。

1. 前人之學說

關于前人對於地土與體質關係所發的論調，我雖然沒有經過精密的調查和攷徵，不能斷定牠是語語覈實，句句金玉；不過祇少可以相信他們這種學說，是事實經驗歸納下的忠實報告，決不至於把「無而爲有約而爲泰」的無恆頭腦來自欺欺人的；同時我在這裏特地分立怎樣一條，也並無別的深意，不過是用來代替我關于此項理論的事實佐證罷了；我想：這一點區區之意，大概還不至於落在讀者諸君「疾首蹙額」的縐紋中罷！

1. 內經素問異法方宜論：「黃帝問曰：『醫之治病也，一病而治各不同，皆愈，何也？』歧伯對曰：『地勢使然也。故東方之域，天地之所始生也；按日初出於東，而萬物又得日始生，故以東方之域，名天地之所始生，魚鹽之地，濱海傍水，民食魚而嗜鹹，皆安其處，美其食；魚者，使人熱中，鹽者勝血，故其民皆黑色疏理，其病皆爲癰瘍，其治宜砭石，故砭石者，亦從東方來。西方者，金玉之域，沙石之處，天地之所收引也；按日入西方，而萬物又去日卽藏，故以西方之域，名天地之所收引，其民陵居而多風，水土剛強，其民不衣而褐薦，其民華食而脂肥；故邪不能傷其形體，其病生於內，其治宜毒藥，故毒藥者，亦從西方來，北方者，天地所閉藏之域也；按北方氣寒，氣寒則萬物潛藏，故曰「天地所閉藏之域也。」其地高，陵居，風寒冰冽，其民樂野處而乳食，藏寒生滿病，其治其灸焫，故灸焫者，亦從北方來，南方者，天地所長養，陽之所甚處也；「按南方氣候炎熱，熱則生物易長，故曰「天地所長養，陽之所甚處也。」其地下，水土弱，霧露之所聚也；其民嗜酸而食胕，故其民皆緻理而赤色，其病攣痺，其治宜微鍼，故九鍼者，亦從南方來，中央者，其地平以濕，天地所以生萬物也衆，其民食雜而不勞；故其病多痿厥寒熱，其治宜導引按蹻，故導引按蹻者，亦從中央出也。故聖人雜合以治，各得其所宜；故治所以異而病皆愈者，得病之情，知治之大體也。』」

2. 內經素問五常政大論：歧伯曰『……是以地有高下，氣有溫涼，高者氣寒，下者氣熱；故適寒涼者脹，適溫熱者瘡；下之則脹已，汗之則瘡已，此湊理開閉之常，太少之異耳。』（按太少乃指熱度之高低而言），帝曰：『其壽夭何如？』歧伯曰：『陰精所奉其人壽。陽精其所奉人夭。』按陰精所奉，乃指寒中所生而言；陽精所奉，乃指熱中所長而說。帝曰：『善其病也，治之奈何？』歧伯曰：『西北之氣，散而寒之，東南之氣，收而溫之，所謂同病異治也。故曰：「氣寒氣涼，治以寒涼，行水漬之；氣溫氣熱，治以溫熱，強其內守；必同其氣，可使平也，假者反之。』帝曰：『善，一州之氣，生化壽天不同，其故何也？』歧伯曰：『高下之理，地勢使然也；崇高則陰氣治之，汚下則陽氣治之，陽勝者先天，陰勝者後天，按「陽氣治之，」云當作溫熱治也；陰氣治之，當作寒涼治也；蓋亦言病因地異之常法耳，陽勝者先天，乃云熱病應於天未熱而治(晨)，陰勝者後天，乃云寒症應于熱天之熱後(晚)而治。此地理之常，生化之道也。』帝曰：『其有壽夭乎？』歧伯曰：『高者其氣壽，下者其氣夭，地之小大異也；小者小異，大者大異，……』……帝曰：『氣始而生化，氣散而有形，氣布而蕃育，氣終而象變，其致一也；然而五味所資，生化有厚薄，成熟有少多，終始不同，其故何也？』歧伯曰：『地氣制之也；非天不生，地不長也。』帝曰『願聞其道！』歧伯曰：『寒熱燥濕不同，其化也。』寒熱燥濕，四氣不同，則溫淸異化可知矣，

3. 千金方：「凡用藥皆隨土地所宜：江南領表，其地暑，濕，熱，肌膚薄脆，腠理開疏，用藥輕省；關中河北，土地剛燥，其人及膚堅硬，腠理閉實，用藥重複。」

——孫思邈——

4. 續醫說：「昔聞老醫云：「治北方之疾，宜以攻伐外邪爲先；治南方之疾，宜以保養內氣爲本。蓋北方風氣渾厚，稟賦雄壯，兼之飲食倍常，居室儉素。殊少戕賊元氣之患；一有疾病，輒以苦寒疏利之，其病如脫，而快意通神矣。若夫東南之人，體質柔脆。腠理不密；而飲食色欲之過侈。與西北之人迴異，槪以苦寒之劑攻之，不幾於操刀而殺人乎?!」

——俞子容——

5. 醫學源流論：「人稟天地之氣以生，故其氣體隨地不同：西北之人，氣深而厚，凡受風寒，難於透出，宜用疏通重劑，東南之人。氣浮而薄，凡遇風寒，易於疏泄，宜用疏通輕劑；又西北氣寒，當用溫熱之藥，然或有邪蘊於中。而內反甚熱，則用辛寒爲宜；東南地溫，常用淸涼之品，然或有氣隨邪散，則易於亡陽，又當用辛溫爲宜；至交廣之地，則汗出無度，亡陽尤易，附桂爲常用之品；若中州之卑濕，山陜之高燥，皆當隨地制宜。故入其境，必問水土風俗而細調之，不但各府各別，卽一縣之中，風氣亦有迴殊者。抃有所產之品，所出之泉，皆能致病，士人皆有極效之方，皆宜詳審旁察；若

恃己之能，執己之見，治竟無功，反爲士人所笑矣。」

——徐靈胎——

6. 藥治通義：「夫皇國六千餘里之幅員，西海北陸，其藥猶不無斟量，而今之醫有篤信邈焉絕域之術，以欲療此地之人者，惑矣哉！」——日本丹波元堅——（未完）

六因感冒證治論弁言

谷暘

夫感冒病者，是乘人之虛，防人不備，任其隙漏而客於皮毛，入於軀殼使其不覺，而精神頓失爽快，身體違和，如有外物有所蒙負也，故醫者曰，其邪淺其病表。其客易其退速，如人跋涉山川勞苦汗出，陽氣外泄肌膚不固，氤氳之風。乘此入室，馴至發熱惡寒頭痛鼻塞咳嗽之症，投以辛溫疏解之輕劑，得微汗而邪出矣，此爲感冒証之大義也，由是觀之。外淫六因之邪，皆可趁本氣之戕人體之虛，客入於軀殼而爲感冒之病也，非特風寒二則而已，然六因者，風寒暑濕燥火也，風寒暑濕燥火，既爲感冒之病，當何客爲何証，何入爲何候，各自其原，各現其象，或風邪夾濕，濕邪夾寒，以一已之氣，而夾數種之邪，或夾數種之邪。而卽病數種之證，或先感暑，而後客燥，或先襲燥而後感火，及人體之虛實，感邪之輕重，舊有之邪，伏新受之瘴氣，同是感冒之病，而其變化之證狀，各有殊別，故人生之體質不同，地土之氣候攸殊，卽人之致病也，亦各有異，苟不神明乎陰陽，表裏虛實之蘊，升降變化之原，而出之無當也，況時症一門，關乎性命尤速，豈可率爾操觚以誤人耶，然欲求勿誤則莫如求諸書，邇者醫書林立，自仲景以下，代有專書，而於脈象病原證狀之變化，分門別類，縷晰條陳，覽之使人一目瞭然者，蓋鮮，余以數年之心得原辨瑣陳於下。

風　金匱有云，風能生萬物，亦能害萬物，蓋風令行於春，春風和煦，淸爽、調暢，草木青青，萬物欣榮，無一非風氣之力也，風從虫虫因風而動，凡食根之螿嚙芽之賊未始非因風而成也，人爲萬物之一，其生於風，害於風，自當與萬物相同也，蓋風之爲物，無孔不入，無微不至，人能體陰陽適寒溫，雖有賊風勿之能害也，苟若正氣有虧，腠理不密，則風邪乘隙襲入其中，於肌表尚未入裏者，爲冒風，傷於榮者，爲傷風，中於經絡臟腑爲中風，風挾寒而病者，爲風寒，風挾熱而病者爲風熱，風挾濕而病者爲風濕，如發熱鼻塞聲重頭痛咳嗽噴嚏涕淚脉濡滑爲冒風，治宜辛溫解表之劑，如頭痛發熱，惡寒汗出，脉浮緩，爲傷風，治宜解肌散表之劑，忽然昏倒不省人事，口眼歪斜，舌強不能言語，喉中痰聲鋸鋸，此風邪乘虛深入，急以通關散取嚏，口噤者，開關散擦牙軟之，痰壅者用吐劑涌之，此乃急者治標之謂也，至於根本療法，宜分經絡臟腑治之，中經之狀左右不遂筋骨不用，葉天士云，經屬氣治宜順氣祛風之劑，中絡之狀口眼歪斜肌腐不仁，絡屬血治宜活血祛風之劑，中腑之狀昏不識人，便溺阻隔，中臟之狀神昏不語，唇緩涎流，此風起痰壅蒙蔽竅道，治宜導痰宣竅之品，如恐其力之不及，則牛黃清心丸蘇合香丸均可加入，苟或失治勢成偏枯，風痱，而爲不救之疾矣，寒熱頭痛，汗少欬嗽，體疲脉來弦緊，爲風寒，治宜辛溫疏散之法，寒微熱甚，頭痛而昏，汗多咳嗽，目赤涕黃，脉來浮數，爲風熱治宜辛涼透表之法，倘或失治，轉爲口渴喜飲，舌苔黃燥，此乃熱化爲火，則宜用清熱保津之藥，頭痛發熱微汗惡風，骨節煩疼體重而腫，小便不利，脉來浮濡者，爲風濕，治宜疏表利濕之劑，頭痛惡風，身熱自汗，咳嗽口渴，舌苔微白，脉浮數者，爲風溫，治宜辛涼解表之劑，至於錯綜變化，由在醫者，隨時斟酌也。

寒 夫寒者，乃天地肅殺之厲氣也，中人卽病，蒼猝暴厲，爲害最劇，考寒之爲病，有輕重中傷之別焉，輕者爲冒，重者爲傷，又重者爲中，冒寒者，寒邪初冒於軀殼之外，未經入裏，故但覺頭微痛發熱惡寒，遍體痠疼，而無汗也，宜微辛溫解之劑，以治之，傷寒者，寒邪傷於膀胱之經，膀胱主一身之表，其經從背上頭，故見頭痛項強，發熱惡寒無汗，脈來浮緊，治宜辛溫解表之方以汗之，若時令過於嚴寒，突受寒淫殺厲之氣，直中三陰之裏猝然腹痛，面青吐瀉，四肢逆冷，手足攣踡，昏倒無知，狀若中風，但口鼻氣息寒冷者，爲中寒？急宜回陽補正之劑，蓋虛而後寒中者，補正驅邪兩得之治矣，倘春應溫而反寒，非其時而有其氣，人感之而病者，酷類冬日之傷寒，金鑑名之爲寒疫，蓋疫者役也，與衆人之病相同也，而治法亦宜辛溫解表之劑治之，此略述寒邪感冒軀殼，及傷中之證也，他若傷寒冒寒之入裏傳經，五臟中寒之症，則仲景書中，已論之詳矣，可毋重贅。

暑 暑者長夏之時。天炎地熱，人感其熱，而爲病也，嘗考仲景雜病篇內有中暍而無中暑，後賢諸書，有中暑而無中暍，或云中暍卽是中熱，或云，中暑卽傷暑，或云。傷暑卽中暍。議論紛紛，無有指實，自潔古有靜而得之爲傷暑，動而得之爲中暑之分，可謂中切。但動靜之間，瞭如指掌，而中傷之義，未有縷晰，猶恐後蒙難啓也，蓋冬時風寒原有中傷之異，而夏間暑熱，豈無中傷之分哉，夫寒有傷寒中寒之路，以傷於外而在表，則爲傷寒，中於內而在裏，則爲中寒，冬令是斯，則夏間可不待而知矣，然傷暑者，乃盛夏之時，納涼廣廈，避暑深陰，陽爲陰竭，腠理閉塞，遂致發熱頭痛無汗惡寒，口渴嘔噁，苔白或膩，脈浮弦緊等症，當以辛溫解表之法，如藿香香薷之類，或暑熱不解，熱灼津枯，或成斑成疹，如玉女煎犀角地黃等加減，或灼胃津。大便閉結，腹痛舌燥，當宜從仲景急下存陰之訓，大小承氣有何疑哉，中暑者，或有躬臨荒野，乃由暑熱炎蒸，赤日傍午，或當力竭長途，或元氣虛損，又曝烈復逼，頓時昏倒，人事不知，口角流液，目閉手撒，甚則牙關緊急，氣喘不語。當急清暑宣竅法，如香薷菖蒲等是也，此卽動而得之也。又外爲暑熱所逼，內爲生冷結滯。或陽氣有虧，腠理不密。暑邪乘虛，直入胸腹，悶煩而痰粘，四肢厥逆而汗冷，頭暈惡寒，欲吐瀉不得，是謂中熱，論動靜俱可得之，則可用藿香正氣之屬。然暑症之來路有三，而治則亦非一例，由而擴之，則臨症無歧路之迷矣。

濕　經云，秋傷於濕，冬生咳嗽，爲後人治時病之圭臬，蓋秋傷於濕者，感而卽發之新病，冬生咳嗽者，感而不發蘊釀之伏病也，夫土寄於四季之末，四時皆有濕氣，何獨秋傷於濕乎，殊不知一歲之六氣，風君相燥濕寒也、推四之氣，大暑至白露，正值濕土司權，故經謂之秋傷於濕，而鞠通先生，論濕溫於夏末秋初者，誠非謬也，今不揣譾陋，以溫邪之病證，及表裏之原因，縷述一下，凡人於早晨霧露，雲障山嵐，或天陰淫雨，而晴後濕蒸之時，偶受其氣，似乎有物蒙之，致首如裹，遍體不舒，四肢懈怠，脈來濡緩之象，或居濕涉水，雨露沾衣，其濕束於軀殼，證見頭脹而疼，胸前作悶，舌苔白滑，口不作渴，身重而痛，發熱體倦，小便清長，脈來浮緩，此乃濕邪傷於軀殼膚表之病也，又有因於喜飲茶酒，盛夏多食生冷瓜果，其濕從內而生。踞於脾臟，證見肌肉隱黃，脘中不暢，舌苔黃膩，口渴不欲飲水，身體倦怠微熱汗少，小便短濇脈沉而緩也，且濕爲陰邪，逗留中宮，不無蘊釀成痰，偶被濕氣所侵，內外相引，遂與痰飲相搏而上冲，令人涎唾壅塞，忽然昏倒，神識昏迷，證與中風相似，但其脉沉緩。沉細沉濇之不同，證無口眼喎斜，不仁不用之各異，此言濕氣之傳於裏也，然證既有表裏之殊，則濕熱濕溫寒濕之象，又不可不知也，若身熱有汗，苔黃而澤，煩渴溺赤，脉來洪數者，則爲濕熱，治當清熱利濕之劑，遍身拘急而痛，不能轉側，蠕緩近遲，肢體無汗，但頭有汗者，則爲寒濕，治宜辛熱燥濕之品，或其證始惡寒，而後但熱不寒，汗出胸痞，苔白而黃，口渴不引飲者，則爲濕溫，治宜清宣疏化以兩解，不比寒濕之病，辛散可瘳，濕熱之病，清利得解之易也。

燥 夫燥爲六因之一，內經並未大暢其說，惟謂秋傷於燥，上逆而咳，發爲痿厥數語，及後賢諸書，所論六因之病，因於四時者，祇冬有傷寒，春有溫症，夏有暑濕，而秋令燥氣一門，則僉未論及，迨喻嘉言先生著秋燥論一篇，始以千載迷津，一朝喝破，而其秋燥論中，謂不遽燥，燥令行於秋分之後，沈目南性理大全云，燥屬次寒，奈後賢悉謂屬熱，與喻氏之言大相徑庭，蓋如盛夏暑熱炎蒸，汗出濈濈，肌肉潮潤，深秋燥令氣行，肌膚乾槁，乃火令無權，故燥屬涼，謂屬熱者非矣，余細揆其理，誠有卓見，夫秋燥之氣，始客於表，頭微痛惡寒，咳嗽，無汗，鼻塞，舌苔白薄，燥從寒化也，治當苦溫平燥之法，熱渴有汗，咽喉作痛，鼻鳴乾燥，咳逆衄血，舌赤齒枯，燥從火化也，治當養陰清火之法，咳逆胸疼，咳逆夾血，肺絡被燥火所刼，治宜清金保陰法，腸部作脹，大便不行，以燥結盤踞於裏，治宜清潤通幽之法，由此觀之，燥氣侵表，病在乎肺，入裏病在乎腸胃，其人體素強壯，陰分不虧者，燥多屬涼，稟賦陰虧，元陽偏盛，或形瘦身長，或色蒼少澤 稟乎木火之質者，類多屬熱，故醫醇賸義中，有燥而涼燥而熱之句，是授人以活法，不可偏執屬熱屬涼之言，宜隨症而論，毋可呆守舊章也。

火 外因六氣，俱由外襲，而火氣發鬱，未有不因之內者，經云，亢則害。承乃制，制則生化，外列盛衰，害則敗亂，生化大病，屬諸六氣勝復也，餘皆不離身中偏勝之機也，蓋火之爲病，其勢尤甚、其氣燔灼狂妄，焚炎銷鑠，無一非火之爲患也，然五志之火，至河間而始詳，右相之火自丹溪而有辨。火之原理，乃大明矣，然主治之法。則有簡也，夫心火者，五中煩燥，面目紅赤，口燥唇乾，甚則吐衄，外爲瘡瘍，治宜瀉心加減爲主，肝火者，脅痛耳聾，口苦筋痿，壯熱，腦甚則狂妄，治宜龍胆瀉肝爲主，腎火者，龍火也，龍不蟄藏，飛騰於上，口燥咽乾，面紅目赤，耳鳴或痛，或聾，治宜腎熱湯爲主，肺火者，則燥氣相逼，清肅不得下行，肺葉焦滿，氣喘鼻煽，咳嗽聲嘶，煩渴引飲，治宜瀉肺爲主，若小腸火盛，導赤爲主，大腸結者，承氣爲先，胃火盛者，玉女白虎可進。以上諸症，皆指爲實火，然亦有虛火在焉。如心血大虧，心陽鼓動，則心悸健忘，煩燥不寐，宜乎歸脾湯主之，或腎陰虛損，陽不潛藏，則桂附堪投，卽經之甘溫治熱之旨也，又如子午之歲，少陰君火司天，少陽相火加臨，二火相佈，彌漫天涯，人感其氣，則病飄衄，唇裂目赤，口渴肌熱，治之之法，當宜辛涼清寒之品，如舍此之例，則又將安所從耶，至其流入臟腑，則又宜酌添上述之方也。

體溫在國醫學上之鳥瞰

黎年祉

引言

體溫之變化，不論古今醫家。莫不重視，蓋不僅以體溫之變化，足爲診斷之助，抑于疾病之豫後，亦有莫大之指示也，第古今醫家，因其所操之工具——哲學的與科學的，經驗的與實驗的——不同，故其致力之結果，當然不能一致，而各有畸形之發展，所謂『西醫長於解剖，國醫長于氣化』一語，在今日似已成陳腐之談，無一顧價值。然審諦事實，未可全棄也，試平心思之，國醫研究生理解剖之典籍，靈樞以下，除王清任外，復有何人，外此諸子，蓋莫不大談其氣化者也，坐是原因，故古人對于體溫致力之結果，除反復詳其脈因證治外，初不明其眞際若何；今人雖已闡明其一小部，而大部仍屬模糊，實爲當前一大憾事，余認爲醫家研究之對象，不論古今，除少數疾病，因時代，人種，地方而不同外，殆爲一律則古今醫家之理論，縱不相牟，而治病事實，初無二致，有其事必有其理，其事相同，其理亦必相同，是必有可以互通者在也，本篇主旨除以事實證明前說外，旁及關于體溫之外候，診斷，調劑，調劑藥理，豫後……等。作一搜集與整理，以覓得一概念，惟自慚學識兩疎，未敢言是，効力先驅，聊供賢者參考而已。

一 體溫之今昔觀

『體溫』一詞，不見于我國醫書，然不得謂古代醫家，竟不知體溫也，惟古人不名之爲體溫，而名之爲衞氣，靈樞曰：「衞氣者，所以溫分肉而充皮膚，肥腠理而司開闔者也」。本藏

亦或名之爲陽及陽氣。

素問曰：「陽受氣于上焦，以溫皮膚分肉之間，」調經論

又曰：「陽者衞外而爲固也，」生氣通天論

又曰：「陽氣者，若天與日，失其所則折壽而不彰，是故陽因而上衞外者……」同上

人體溫度，賴有調節中樞，故不論外界氣候冷暖，而能維持其一定不變之溫度。（但亦有一定之限度過此限度，則調節中樞卽生障礙）今人知之熟矣，古人于此，旣無科學工具，供其研究，故無從決其體溫常度，究爲若干，雖未能以數字明白指示，然未嘗不知人體有正常之溫度也，故

素問曰：「陰平陽秘，精神乃治，」生氣通天論

靈樞亦曰：「陰陽和調，而血氣淖澤滑利，」行鍼篇

所謂平秘和調，非太過，亦非不及，中庸之道也，得其中庸，斯爲人體之常溫，故陰陽失其和調，而有太過與不及之現象，則爲病理的體溫。

素問曰：「陽勝則熱，陰勝則寒」陰陽應象大論

又曰：「陽虛生外寒，陰虛生內熱，陽盛生外熱，陰盛生內寒。」調經論

又曰：「人身非常溫也，非常熱也，爲之熱而煩滿者何也，陰氣少而陽氣勝也，人身非衣寒也，中非有寒氣也，寒從中生者何，陽氣少，陰氣多。故身寒如從水中出。」逆調論

總之，陽勝于陰則身熱，陰勝于陽則身寒，陰陽和調則身和，此古人對于體溫升降之一般見解也，今日所知。體溫升降之原因甚雜，故以陰陽二字包括之，亦復滋惑。吾人一日間之常溫。自上午七八時起，逐漸上昇，至晚間七八時，乃逐漸下降，故下午五時至八時之間，爲體溫最高之時，上午二時至六時之間，爲最低之時，于此，古人亦有相當之了解：

靈樞曰：「陽氣者，一日而主外，平旦而陽氣生，日中而陽氣隆，日西而陽氣虛」生氣通天論

非所謂生理的體温變化乎，然不無少誤，又人既不能離自然界而生存，故體温爲適應環境起見。乃不得不有調節機能以應付之。

素問曰：「天温日明，則人血淖液而衛氣浮，天寒日陰，則人血凝泣而衛氣沉」八正神明論

非今所謂氣候熱則體温加緊放散而集表，氣候寒則體温減少放散而集裏乎，體温之來源，有屬於生理者，有屬于病理者，屬于生理者，歸納之，不外：

1.體內酸化作用；

2.肌肉之運動，血液淋巴之循環等而起之磨擦作用；

3.温熱食物之輸入體內：

此三來源，古人雖未能深悉，但已知其總因。

靈樞曰：「人受氣于穀，穀入于胃，以傳于肺，五藏六府皆以受氣，其淸者爲榮，其濁者爲衛，榮在脈中，衛在脈外」。榮衛生會

其屬于病理者，歸納之，關于體温亢進之部，由：

1.放温之不足；

2.生温之亢進；

3.生温超過放温。

關于體温不足之部，則由：

1.放温之亢進

2.生温之不足；

3.放温超過生温。

至其何以使放温生温不能平衡，則由：

1.血中毒素之刺激生温與調節中樞使之興奮或麻痺；

2.寒冷温熱之刺戟；

3.心力之不足。

于此，亦有可徵信者：

素問曰：「寒則腠理閉。氣不行。」舉痛論

又曰：「上焦不通利，則皮膚緻密，腠理閉塞，玄府不通，衛氣不得泄越則外熱。」調經論

又曰：「今風寒客于人，使人毫毛畢直，皮膚閉而爲熱，……」而續之曰：「當是之時，可汗而發也。」玉機眞藏論

又曰：「體若燔炭，汗出而散。」生氣通天論

此與放溫不足及風寒刺激之條合也。

素問曰：「陽勝則身熱。」陰陽應象大論

又曰：「陽盛生外熱。」調經論

此與生溫亢進之條合也。

又曰：「有病溫者，汗出輒復熱……不爲汗衰。」評熱病論

此與生溫超過放溫及溫熱刺激之條合也。

靈樞曰：「虛邪之中人也，始于皮膚，皮膚緩則腠理開，腠理開則邪從毛髮入，毛髮立，毛髮立則淅然。」百病始生

此與放溫亢進之條合也。

素問曰：「陽虛外生寒。」調經論

傷寒論曰：「無熱惡寒者，發于陰也。」

此與造溫不足之條合也。

又曰：「太陽病發汗，遂漏不止，其人惡風……」

此與放溫超過造溫之條合也，至葉天士之熱入榮分，邪陷心包，最合于血毒素之說；仲景少陰病之脈微細，惡寒欲寐，最合于心力不足之說，則又頗爲顯明，無待詞費者也，高熱持久之後，今說謂蛋白質消耗過多，故曰瘠而致命，古人雖不知蛋白質爲何事，而于致死原因與患者狀態，則因觀察甚明。

索問曰：「其寒也則衰飲食，其熱也則消肌肉。」風論

又曰：「二陽之病發心脾，有不得隱曲，女子不月，其傳爲風消。」陰陽別論

蓋前者指急性熱病而言，後者則指虛勞而言也。」

（未完）

衞生常識

疔瘡淺說

姜堰張澤霖

疔瘡之原因

經云：「膏粱之變，足生大疔，」蓋膏粱之人，喜食肥甘炙熥，好嗜烟酒辛熱，邪毒蘊滯日久，故釀爲疔，更兼外受風熱濕毒，內伏於經絡臟府，以致血凝氣阻，注結肌腠之間。發生炎腫，此疔症之原因也。

疔瘡之證狀

初發生時，皮間生紫泡或黃泡，微癢，疼痛異常，稍腫赤而痲木。大都生在手面等部，表症身熱惡寒，頭痛乾嘔，口渴心煩，脉多滑數，苔色膩白，此疔瘡之大概現象也。

疔瘡之特殊現象

1. 一疔之外，別處肉上生一小瘡似疔，名曰應候，爲急徵，可以用針刺破。
2. 瘡之四圍，赤腫而不散漫者，謂之護場，屬吉兆。
3. 疔瘡四旁，生有多數小瘡者，俗稱滿天星，慢性疔症有此。急性則無。

疔瘡之順險

初起四五日間，由白色而至青紫色，頭潰有膿，飲食如常，內無七惡之逆象，外則神識清明，表症漸退者，爲順，若疔色灰白，頂陷不腫，如魚鱗，如蠶斑，現青紫黑炮，軟陷無膿，七惡症狀畢呈，神昏譫語者，爲險。

走黃之危態

黃者毒也，俗謂散毒，總由誤施刀砭，妄服藥餌。或不愼食物所致，毒攻心營，冲犯腦經。故神昏不省人事。煩躁譫言，局部漫腫，波及他處，如疔在口唇，則頭面皆腫，在手指則肢膀全腫，瘡口倒陷，危險堪虞，速卽施治，遲多不救。

疔瘡之治療

(甲)內治法：初起將發作時，急用蟾酥丸溫酒化服二——三粒，得汗卽解，處方以翹，芩，銀，菊，蒲公英，紫地丁，當歸，花粉等品，繼宜化疔解毒法，如黃連，蚤休，知，貝，乳香，皂刺，炮甲，草節，梔，芍，丹，地，等出入爲方，大便若秘，可加生軍，或樸硝。

(乙)外治法：(一)拔疔法1.巴豆，磁石，研末，葱蜜搗和爲餅貼上，2.拔疔丹（巴霜，乳，沒，蟾酥，明雄，各二錢，冰片，硃砂，蜂房，各一錢，輕粉，麝香，各五分，共研爲丸）貼瘡口上，3.拔疔散（番砂，白丁香，輕粉，乳香，蜈蚣，各一錢，血竭，麝香，硇砂，各六分，蟾酥一錢，酒化共研爲丸作卵圓形）插入孔內。

(二)消疔法：—皂刺，炮甲，蜈蚣，明雄，乳，沒，各等分，研末敷瘡頂上，2.生磁石，麝香，研末，用少許以膏藥蓋上。

(三)敷疔法：1.胡椒，獨蒜，葱白共搗，敷瘡四圍，2.銀硃，紅棗，（煮爛去核）搗敷，3.菊葉，及花共搗塗腫處。

(丙)走黃治法：用回疔散（上蜂窠有子者兩許蛇退一條煆爲末）調服二錢，或用護心散亦可。

疔瘡之禁忌

禁灸，亦不可妄施鍼刺，忌椒，酒，鷄，魚，海味，辛辣諸食物，並宜戒絕房事。（完）

通訊處：姜堰中心鎮

防治蚊蠅與衛生

魯毓泰

衛生重要，人所素知，衛生事項，萬緒千端，吾人所應注意者甚多，擇其顯而易見，知所避除者，乃爲蚊蠅之害耳，余不揣翦陋，將蚊蠅之害，及其防治法，分述於后。

(一)蚊蠅之害

蚊蠅小虫也，蚊能傳染瘧疾，黃熱病，象腿病；蠅能傳染痢疾，傷寒，虎疫（霍亂）肺癆，赤眼，睡死病等症，其爲蚊蠅出入污穢之所，飛集室內，吸人膏血，染污食物，又其爲害小焉者也，黃熱，傷寒，肺癆，赤眼等病，在我國最盛行，四萬萬八千萬同胞鮮有不受害者！象腿病本爲熱帶盛行之病，而我國南方各省，如廣東亦常有之，至於虎疫，則在我國爲患最大；一經發生，死亡枕藉；歷代以還，吾同胞受此病而夭折者，更不知其數！視此水火兵刃之爲害，孰有甚於此等傳染病者乎！孰有甚於此等傳染病之媒介如蚊蠅者乎！是以講求衛生，設法防治蚊蠅，爲最重要之圖！三民主義以民生爲歸宿；則防治蚊蠅，講求衛生，其亦爲民生問題一要點者也。

(二)防治蚊蠅之效果

蚊蠅之害，已爲上述，昔美洲開掘巴拿馬運河，初時派往工人，均因其地多蚊，患瘧而死，後事考查，皆由蚊傳染；於是組織衛生工程隊，滅除瘧蚊，其他各國因治蚊蠅，而少疾病，防治蚊蠅與衛生之效果如此，奈吾同胞，不講衛生；對於蚊蠅，鮮加防治；瘟疫蔓延，死亡日見，近年衛生及公安機關，知衛生與人生之重要，提倡滅蠅；但收效甚鮮，良可太息！

(三)防治方法

防治蚊蠅方法甚多，綜其大要。可分治本，治標二種；

(甲)治本方法

一 疏濬河道。

二 取締糞缸。

三 處置垃圾

四 改良溝道。

五 規定衛生條律

(乙)治標方法

一 用青化鈉治紅頭蠅。

二 用石灰治小蠅。

三 用蠅籠，蠅紙，蠅拍，蠅罩治家中蠅。

四 用洋油治蚊。

五 用人工車水治蚊。

六 用人工以孑孓網治蚊。

七 養特種魚治孑孓。

八 清除水艸以除孑孓。

此外蚊蠅防治所之組織，關於宣傳蚊蠅妨害衛生，研究衛生與防治蚊蠅之方法，均甚重要，今歲旱潦頻仍，瘟疫流行，設不設法防治，後患何堪設想！望吾國人注意及之也！

二三，八，二十，宣城多寶塔下。

談冬令之滋補品

一新

吾國人習慣，有冬令服滋補品之舉，如參燕銀耳，雞糕並進，富庶之家，比比皆然，一若除冬令之外，於服補品不適宜者也，查滋補爲療法之一種，所以彌補身體之不足。如身體衰弱，只要對症用補，無論冬夏，皆可以進補，然冬令服補品之說，已相沿成習，牢不可破，現下時屆初冬，正值衞生家進補之際，爰作冬令滋補品談話，以爲喜餌補品者，作一忠告，常人服參燕銀耳，以爲價値昂貴，必有滋補之眞價值在也，然究其功效，人參不過爲強心劑之一種，燕窩銀耳，補津液之力極薄，非多服久服，不足以見效，此外各種補品，非樹皮草根，卽獸類膠脂，補益之功均微，而無顯著之確效。

近代醫術愈臻昌明，對於人類之未老先衰。一切萎弱症狀，俱委諸人體各部器官內分泌液缺乏，因此各國醫家，研究內分泌。孜孜不倦，又根據臟器療法醫理，採取壯健獸類生殖腺液，腦脊髓液等，製成內分泌藥劑，爲補腦益精延年益壽之補品。

但市上號稱返老還童之一切內分泌物製劑，其功效較著而名譽較佳者，所含內分泌物至多不過百分之三十三，惟有德國成彌鄧藥廠監製之內分泌結晶製劑「壽爾康』，含有『盼好而蒙』Pan Hormon 百分之六十六，爲內分泌製劑之最名貴最有價值，亦卽滋補品之最有顯著功效者，如神經衰弱，陽萎遺精，種子艱難，月經不調等症，俱有確切之效驗，凡進冬令補品者，盍一試之。

臨產格言

福建長樂陳詠鶴

凡孕婦未產數日前，胎必墜下，小便頻數，此欲產也，愼重之家，於合用藥物。慣熟穩婆，宜預圖之，以備不虞，如產婦合用之藥物，催生湯丸，血暈藥物，（如乾漆渣，破漆器產時燒之產，母吸入其氣，可免血暈之疾），均須預備，產兒之日，產房中只令穩婆一二人，謹閉門戶，勿使雜人往來，禁人無事詢問，大驚小怪，直待胞漿已動，兒身已轉，逼近子門，方令產母用力，當此之時，若產母護痛，其身傾側，每令產期延長，但扶其肩膊，勿令困倒，臨產時，如白蜜沸湯，薄粥羹膳，常要齊具，如渴則飲白蜜半盃，溫湯化開飲之，可以潤燥滑胎，令其易產，如飢卽以薄粥羹膳食之，，令其中氣不乏，自然易生，如夏月盛暑之時，必用冷水洒掃房內，解其鬱蒸之氣，四面牕牖大開，以薄紗帳之，使產母溫涼得宜，庶血不妄行，以免血暈，如冬月嚴寒之時，必於房中四處燃火，常使溫暖如春，更要閉其戶牖，塞其穴隙，使寒氣莫入，庶免凍產，及中風寒之疾，臨產時，凡合用水火柴炭，鍋鑪刀剪，麻繩綿布，均須一一預備，再言催生之法，設爲問答，以盡病源，以着治法，臨產之工，庶有所憑，司命之寄，亦可無負。問難產者何，曰多因產母倉惶，坐草太早，或胞漿雖破，兒身未轉，或轉未順，被母用力努責，以致足先來者，謂之逆產，手先來者，謂之橫產，或露其肩與耳與額者，謂之側產，或被臍帶纏絆，不得下者，謂之礙產，倉卒之間，二命所係，不可無法，而險爲仁之術也。

救逆產法　令其母正身仰臥，各要安心定神，不可驚怖却求慣熟穩婆，剪去手甲，以香油潤手，將兒足輕輕送入，，又再推上兒身，必使轉直，待身轉頭正，然後服催生之藥，渴則飲以蜜湯，飢則飲以薄粥，然後扶掖起身，用力一送，兒卽生矣，此在穩婆之良，若粗陋蠢人，不可用也，切不可使針刺足心，及鹽塗之法，恐兒痛上奔，母命難存。

救橫產　法半如上截同，仍將兒手輕輕送入，再摧上，摸定兒肩，漸漸扶正，令頭順產門後，進催生之藥，飲食之物，一切如上扶正，兒卽下矣，亦忌針刺。

救側產　亦令母仰臥，法如上，穩婆用燈審視，或肩或額，偏左偏右，務得其實，以手輕輕扶掖令正，仍服藥食如前法。起身用力，兒卽下矣。

救死胎卽下　方用梹榔，蘇木，當歸尾，香椽根，麝香，各七分，班貓三個，茉莉花十枚，水煎貯房桶，將產婦豎起，以帶綏起，直立，兩邊兩人支定，下用房桶，（卽前貯藥，）冲灰，湯氣直入，玉戶闢開，上用肥皂三十個，炊溫搗嫩，寬縛腹中，其死胎卽落，驗過。

衛生小問答

張子英

問　痢疾之原因如何。

答　由於赤痢細菌而發生疾患，至熱帶地方又有由於擂足虫Amolia者，中國醫學上則謂暑溼內積多食生冷以致腸胃機能失調所致，故謂無積不成痢，無痰不作瘧是矣。

問　痢疾一症最多於何季。

答　是症多發於夏秋二季（尤其是夏末秋初之候）是因夏秋二季，人乃腸胃薄弱，兼感天地不正之戾氣，飲食起居之不愼，故易爲傳染者也。

問　痢疾是否能傳染。

答　痢疾由於細菌爲祟，傳染力頗強，（中西醫藥均歸納於傳染病學內）故對於病者所用之器皿以及排洩物等，未經嚴密消毒，切不可以健全體者接觸，（前報載某醫院治產婦便秘，經醫生灌腸，旋患痢疾不治，傳以曾治痢患病者器具，未加消毒，施用其人，致遭傳染云：

問　痢疾症狀如何。

答　初起則覺全身違和，精神疲倦，食思缺損，發熱形寒，下行結腸部份或下腹全部，略呈疝痛樣疼痛，而於糞便中混有少量之膠樣血，裏急後重，左腸骨窩有硬固之壓痛性索狀物者。

問　痢疾裏急後重何以爲必具之徵象。

答　痢疾之爲病，由於細菌繁殖腸部，小腸下口爲闌門，直腸之下口爲肛門，皆有括約筋，而使腸內容物不致下行藉以阻止，且因患痢者類多氣墜，大腸直腸腫脹，加以蠕動亢進，迫物下行，而肛門之括約筋，則收縮不時，故有腸腹疼痛裏急後重之感覺耳！

問　治療痢疾以何法爲最多。

答　痢疾一症治法甚多，中藥以保命芍藥湯爲治下痢膿血，腹痛裏急後重日夜無度最爲普遍，如其氣下墜裏急下重，屬熱之陽證者可用白頭翁湯升舉之，屬寒之陰證者，可用桃花湯兜塞之，上熱下寒口噤不食久下痢者，可用烏梅丸，夏時痢下，心胸痞滿二便澀滯者，可投寶鑑之木香檳榔丸，秋季因脾胃困於溼熱，不得運化，腹痛胸悶積滯痢下者，可投東垣之枳實導滯丸。

問　痢疾豫後屬於良者多抑不良者多。

答　痢疾豫後概良，亦因其流行時之性質而有所差異。

編譯叢林

小兒痙攣之治療方針

大阪市中村一郎醫師原著 金康時譯

問 對於小兒(六七歲)時起痙攣及各疾病急應處置及治療之方針，擬懇指示。(東京山本野操醫師)

答 六七歲小兒起行痙攣後，下次疾病必多，其治療及急應處置之際，因痙攣而生疾病須確實而且迅速診斷之，必須理解大體事項如左。

A 痙攣性素質，注意其平常之健康狀態，爲體質改善之目的，須服燐肝油，燐酸鈣等，痙攣發作對於抱水 Chrolal 注入腸內及硫酸 Magnerium 實行皮下注射，若聲門痙攣與呼吸困難則將顏面浸入冷水，將舌根壓下。引舌出外，施行人工呼吸再用酸素吸入，此時或腰椎穿刺，或腸洗滌等，有時頗有効驗。

B 鉛中毒。活字鑄造印刷業家之小兒，時時起行癲癇樣之痙攣發作時，對於硫黃温泉之水轉向於地或硫化Patrium 洗滌頗有效，對於痙攣發作腰椎穿刺時，或用抱水 Chrolal 之灌腸或硫酸 Magnesium 之注射或 Sriminal 納之注射等，有效。

C 結核性腦膜炎，光線，音響，及其他種種之刺戟使避之，將行腰椎穿刺或鎮痙劑注腸，或注射，如有熱度須用冰囊治之。

D 化膿性腦膜炎，大概與前者相同如經過良好之時則以適宜強心劑五%葡萄糖液之皮下注射，或施行滋養點滴注腸。

E 流行性腦脊髓膜炎，鎮痙劑之注射，同時施行腰椎穿刺時，即注射拾 cc 或二十 cc 腦脊髓液，以後取透明生理的食鹽水液洗滌，最後將流行性脊髓腦膜炎治療血清十 cc 注之至，至治療血清每日或隔日施行注射均可，頭部使用冰枕，或冰囊，注射強心劑亦適宜。

F 癲癇痙攣，發作對於鎮痙劑之注腸，或注射癲癇差不多不認爲必要，所謂治療方針，應得除去其原因及誘因，乃須注意日常之精神及肉體不陷於過勞，必需充分睡眠，過食肉食亦應避之，食鹽須限制，藥物療法，以臭劑及 Swminal 服用，例如砒素劑 Blusin 之施行注射等。

G 熱性疾患肺炎，腥紅熱，麻疹，水痘，其他熱性疾與初患痙攣之時，施行冰枕或冰囊置於頭部，是原病之治療，以上之法，足矣。

H 疫痢及疾痢樣，患疾疫痢與重症赤痢，重症消化不良性昏睡症急性腸，加答兒等，對於痙攣之時，施行鎮痙劑之注射，或共取適當下劑浣腸洗滌等，使消化管內空虛之，中毒症狀將絕食，對於口渴之番茶爲水分缺乏預防之意義，生理食鹽水五%葡萄糖液施行皮下注射，或連用強心劑注射。

I 尿毒症，鎮痙劑注腸或施行注射其他，瀉血使用強心劑，刻尿劑，發汗劑，緩下劑，等 Hystherie 小兒鮮患此症。

J 狂犬病痙攣將施行危險不多之時，須預防之充分量之鎮痙劑注腸，或使注射，光線，音響，等其他種種刺戟須竭力避之。

K 破傷風，將損傷部清淨，其他附近及脊髓內等將適當之破傷風血清適當量注射或用抱水 Chrolol注腸 Sium-inol 納注射或臭素劑之內服，及施行注射強心劑等。

L 敗血症，例如水銀製劑，或「電銀膠」之筋肉注射及 Chinimin 劑例如 Foborron之注射 Gomacrindin 及 Riuan l 等之靜脈注射，葡萄狀菌其他之治療血清之注射或施行健康人血清之大量注射等，近時非特異療法 Vatrin 之注射Omn tin 等注射，及特異非特異之療法，施行 Yatrin,-Stptryl yodrin,Gono Yad rin 等之注射若能以外科之化膿竈，即病之根本除去，此爲病體良善之療法也，其間對於痙攣等便用鎮痙劑，榮養之保持水分之補給及強心之處置爲最要矣。

診斷學　二續

德國醫學博士 Bulofessol. Docotol. Fon F. Bels，原著

醫學士 宋忠鉦 譯述

體質

欲知體質之如何，宜注意身體之構造，適宜，營養，姿

勢，步行，顏貌，運動，及談話等之狀態。

一、癆瘵質　於結核患者，或有素因者，多見之全身狹長而羸瘦，皮膚柔弱菲薄，而為蒼白色，且有於顴骨部發現限局性潮紅者，眼球大而有光澤，頸部纖長，胸廓細狹或扁平，且有全身生惡液性毛者。

二、卒中質　有強壯擴大之構造，脂肪充實顏貌赤色肥大，眼球充血而有光澤，頸部短厚，肩胛擴大，而呼吸短促，心悸亢進，且有發生腦充血，及肺氣腫者。

三、癌腫質　顏色灰白而貧血，皮膚乾燥菲薄，且有皺紋，筋肉稍弛緩，(惡液質)粘膜蒼白，顏貌現憂愁疲勞之色，而其運動且緩慢也。

四、神經質　意思容易變轉，且易興奮，(憤怒)顏貌多活潑(瞬時即現幽鬱)視勢不穩而敏捷，運動急速活潑也。

稟賦

一、多血質　體格營養良好，而色澤鮮麗，性質活潑，而上常現喜色，性好新奇之事，而有忍耐性者少，外貌爽快敏捷，而談話運動活潑也。

二、粘液質　與多血質相反，運動談話緩徐而少興奮性，身體精神概不活潑，營養多佳良，且富脂肪也。

三、膽液質　多羸瘦而體格強壯，色澤蒼白帶黄色，而富活潑氣，有強度之神經系興奮，且比多血質者，富有忍耐性。

四、黑膽液質，悲愴沈鬱，常有苦惱之感，惡交際，愛寂寞運動緩徐，少活潑氣象，

位置姿勢步行

意識明亮，及有忍耐力之患者，在病床上之臥狀，殆與康健者無異，若無欲狀態，而有高熱之重症患者，例如腸窒扶斯，重症肺炎，麻痺症，虎列剌，或陷於虛脫之衰弱患者等，皆取背位臥，而頭部垂下，身體不能保持正規，拉伸位置，(所謂被動的及無力背部)失其常久活動之背部，每多發生褥瘡，其他取背位者，為腹部，及關節，有劇甚之炎性疼痛，不欲變換其位置者，反之，有劇甚發作之痙攣性疼痛者，如胃痙痛者，每多彎屈跼蹐，下肢緊貼腹部，取側位，或腹位，常久一方側位者，乃同側呼吸器疾患之微患者，呼吸欲保持自由安靜者，健側多向上方，其他如肋膜炎，肺炎，氣胸等，因患側之疼痛性，呼吸運動，欲減卻壓迫疼痛，

健側多向下方，爲側位，急性肋膜炎之初期，健側暫時向下，後至滲出液增加，瀦溜時，患者側向下方而臥褥矣。

所謂側位強迫位置者，此不多見，偶與患者變換位置，患者有如彈力發條，再復舊位，是實小腦，及小腦脚重症疾患之徵候也，於大腦疾患，僅頭部爲側位廻轉，又強度之頭部向後方彎曲，所謂項部強直者，乃普通腦膜炎，最緊要之徵候也，有強度之呼吸障害，及有苦腦之各種疾病患者，不能取地平之臥位，好取坐位者，（跪坐呼吸）由之胸廓各方位營均一之横張運動，而横隔運動，亦不得自在也，取此床上坐位，所見於心臟病，及肺病患者，特於重症肋膜炎氣胸胸水心囊水腫，又全身水腫喘息重症，腎臟炎，（慢性尿毒症）其他腹腔內之腫瘍，或滲出液瀦溜横隔膜被壓迫而向上方者，又心臟病，及腎臟病患者，屢有取坐位亙數月之久者，患者上體多向前屈，頭部低垂於机上，或倚机用手支持頭部，於眠睡時，亦取此坐位，有許多之喘息患者，常倚牆壁，作直立眠睡，不臥床者，其步行及姿勢，亦要注意，虛弱者及有疾病者，姿勢多不直立，步行蹣跚，肩胛前屈，兩肩胛骨距離大而頸椎，及腰椎之生理的前彎消失，且步行之際，下肢多不能充分上舉，其步行狀態，現不確實之狀態，有如老人屢於肺臟及消化器之慢性疾病所見者。

於患重症窒扶斯之疾病後，步行常蹣跚透迤也。

共濟運動障害的步行，多爲脊髓疾患之徵候，膝及足關節勁直，舉步不能達於高度，蹠踝不接着於地上，用足趾步行，且身體左右動搖也。

於陳舊脚氣之恢復期，現腓腸筋攣縮形，成馬足位置者。

脊髓痨患者，足脚高於膝部，而昂舉，下脚強向前方投出，而足蹠全面，同時接着於地上，且步行蹈蹈踉踉，有不確實之感。（共濟運動障害的步行）

在中等之脚氣症，尚勉強能步行者，足尖則粘着地上，膝高舉之際，現麻痺，足部因固有之重量而下垂，此際患者，勉強將膝部舉上，是因筋力之衰弱故也，於半身不遂，後下肢半側衰弱，小兒麻痺，經過之不良胯關節炎，就中少年因罹此病，多見下肢之短縮，漸漸同側下肢有現拉扯者。

先天性胯關節脫臼，胯關節炎，膝關節疾患等，有破格步行，屬於外科，茲不贅述。

精神狀態舉止（運動）顏貌視勢

醫士於各種之疾病，外觀之狀態，及顏貌，亦要注意者。

人事不省　血行持續，呼吸緩徐，無熱及痙攣者，屢於卒中見之，亦有基因於一時性單純失神，或危重外傷後之腦震蕩者，在卒中症，往往於此期，得見麻痺側，是於呼吸之際，現頰之呼吸，及口角之傾斜也，不因外部之刺戟，現癡鈍無欲狀之外貌，於腸窒扶斯，發疹窒扶斯，及窒扶斯性肺炎，窒扶斯性麻疹等之重症，熱性病見之，此際於齒唇及舌現煤黑暗色，而乾燥之厚苔，此等之外貌，旣於窒扶斯性疾患見之，其他無熱者，多屬於腦疾患，及精神病矣。

運動思想及言語有持續性不安者，多於精神病者見之。

舞蹈病　（小兒多）於醒覺時，一肢或全身連續，現不隨意運動，其狀爲短小搐搦樣，稍帶痙攣狀，而此際精神上，毫不見異常也。

阿垤托基斯，亦類似前症，限局於手及前膊，現頻回反復之同一運動，神經系診斷條下詳述之。

口唇緊閉，眼球陷凹，視勢恰如需他人之幫助者，而眉間作縱形之皺紋，現苦腦不安之容貌，多有劇甚之疼痛疾患，就中下腹部之疾患所見者，而劇烈之胃痙疝痛，特於急性腹膜炎最着，此際笑顏出於勉強，如口腔開大，口角昂上，眼中無怡喜之色，頗現苦惱之狀，全顏貌作不安之色，（所謂撒爾薦尼氏痙笑）如斯狀態，極爲危險，漸次現瀕顏死，或「西百苦拉垤斯顏」即顏色蒼白，灰色顏貌銳尖，顴骨凸隆，頰部顳顬，及眼球陷沒，皮膚冷汗或發粘着性汗。

虛脫　即危重急迷，一般體力消失，各重症疾患所見者，現類似之顏貌，而多陷於死者也，周身現灰白鉛色，眼球陷沒，據多數之實驗，不僅虛脫爲然，即下腹部之急性危重疾患，亦有此徵候，此徵候頗神速發現，蓋爲神經系影響之結果。

苦痛悲哀之容貌　有疼痛，於多數之慢性胸腔疾患所見者，即癆瘵肋膜炎，喘息及呼吸困難之心臟病等爲然。

懷劇甚之畏懼，現不安之容貌，眼光烱烱，爲強度之呼吸困難所見者，即諸種之心臟疾患，胸絞症，多量瀦積肋膜滲出液，氣胸腎臟病患者，而合併喘息者，或將罹肺水腫者，其他急性脚氣等，特於脚氣症，因筋肉衰耗，不能正坐，而只能跪坐，呼吸有時在褥上至苦悶顛轉者。

憂鬱疲倦之容貌　口角垂下，顏色蒼白者，慢性消化器病患者。占多數，又於間歇熱患者，及多數癆瘵患者，所常見也。

大眼而有蒼碧色之鞏膜，眼光爛爛帶潤澤，視勢活潑，而於頰部有限局性潮紅者，多爲癆瘵患者之特徵，熟練醫士，只以此視勢之狀態，即可知疾病之部位，及其性質矣。

酒客之顏貌，多爲浮腫樣，　稍帶赤色，眼球有水樣光澤，且充血，視勢不活潑，而呼吸屢屢短促，其運動又不確實，（亞爾箇保爾性震顫）有卒中之傾向者，亦現同樣之外觀，又恰如猛獸之眼光，視勢如射，屢於精神病患者，亦常見也。

癩病患者之顏貌　特現異樣於前額，及眼之周圍，現結節樣腫脹，且放一種之光輝，睫毛及眉毛脫落，故一見患者，即可下確實之診斷。

歇私的里患者之容貌，視勢及舉止，多現一種特異狀，然實難以筆端形容也，最顯明者，爲愁悶憂鬱之外觀而已。

發笑之際，顏面半側不現笑容者，顏面神經麻痺之特徵也。

腺腫　於鼻及上唇稍現浮腫樣，且皮膚屢有發疹者，由外觀可見出腺腫脹者，　顏面之異常色澤，可參觀皮膚之條下。

第二　皮膚及皮下組織

皮膚乃職司許多官能者，對於外襲之有害物，頗爲重要之防護器，又有水分及皮脂分泌之機能，今所論述者，唯其分泌異常由外觀上可以見出障礙者，在強健者，其皮膚之脂肪量不多，而有光澤，緊滿堅固，而富有彈力者也，此類皮膚，不陷惡液質，且不受諸種疾患之侵襲也。

皮膚之濕潤汗分泌

皮膚不斷水分之分泌，於通常之溫度，而坐臥安靜之時不見蒸發者，謂之敏散汗，其分泌量一晝夜間約一千瓦（體重六十分之一）

水分之分泌，頗達高度，皮上形成點滴者，乃謂之汗。

汗於皮下組織中，蟠廻而通過長徑向皮膚表面開口，由蟠塊狀腺所分泌者，此汗腺於手掌足蹠腋窩，及鼠蹊部占居多數，且其發育亦良好也，其總有之數，約二百多萬個，其外表面積一千平方米突，多數解剖學家，謂汗腺非由蟠塊狀汗腺所產出，乃生於上皮細胞間，入汗腺通路中而達於皮膚者也。

多數之動物，例如犬，全無汗腺之分泌者。

汗為水樣透明稀薄之液體，比重一〇〇四千分中，含有十二分之固形物質，現弱酸性之反應，其味鹹，此中腋窩，及足部因含有脂肪酸，故放惡臭，（謂之臭汗）汗因神經作用而分泌者，就中脈管神經，並一種特殊之汗神經所司者，後者其手腕脛脚及軀幹之中樞，存於髓脊內，頭部之中樞，存於交感神經中，若脊髓前角之神經節細胞，全然變質時，則汗分泌即完全停止，又大腦皮質之汗分泌，亦大有關係，吾人受精神感動而發汗者，（謂之苦悶汗，或受驗汗）。

驗方與治驗

用石膏治熱病愈多愈妙

平潭李健頤

治病之法，專賨用藥，輕病以用重藥，藥之攻伐，反傷正氣，重病以用輕藥，藥不敵病，病必增劇，差之毫厘，謬若千里，夫藥有君臣使佐之用，病有表裏虛實之別，若係臣使佐藥，用多用少，則無甚害，苟其君藥，用有不合，禍害立見，可不愼乎，如石膏一物，爲治溫病痲疹之君藥，有解肌熱，透疹毒之能，更有清火潤腸達熱外出之功，蓋其解肌熱者，是使肌腠之熱，由毛竅發泄於外，乃無發汗虛脫之弊，蓋其透疹毒者，是使體內之毒，由皮膚透出於表，乃無冰伏不出之患，至於清火如銀花菊花，不如芩連梔柏，清火而有礙胃，潤腸如麻仁蔞仁，不如大黃朴硝，瀉下而有傷腸，又不似西藥阿斯比林，芬阿錫吞，披拉米同，水陽酸製劑等之退熱而有種種副作用，可知石膏之治熱病，實爲妙品，且無等等流弊，世人不識其功，反懼如鴆毒，不特不敢用，反謂石膏治熱病，則寒性冰伏，熱必陷裏，治痲疹，則涼性閉膚，疹必不出，又謂熱病多用石膏，寒涼留滯體內，永不發出，句句謊謬，悞人不淺。詎知石膏之治熱病，愈多愈妙，石膏質重味薄，苟無重用，奚能見功，常考石膏之退熱作用，非由發汗及瀉下而後退熱者，乃將病人體內鬱伏之熱，漸次推出表分，以呈退熱之狀態，故無亡陽脫汗之危險，所以每逢熱病重症，不妨一劑用至六兩及半觔之多。皆無妨礙，至於功效，更見顯著，愚歷症考驗，曾見數症，皆得多用石膏之救治者，爰舉數例於後：

一　平潭盧厝坑村，丁懷玉者，於民國八年，六月間，患熱病，醫治三月，熱終不退，徹夜不寐，煩燥口渴，骨節痛楚，中西醫皆束手，繼延林醫，投白虎湯，用石膏半斤，連服三十餘劑而收功。

一　盧九財妻，產後觸受熱疹，身熱如烘，毒疹隱伏膚間，諸醫皆認爲產後中風，服藥均變重劇，繼延林醫，用吳氏化斑湯，石膏用六兩，三劑熱退，霍而然愈。

一　芳羨村，某翁者，因暑溫熱病，延某醫，開銀翹白虎湯，用石膏二兩，服三劑，絲毫無効。後延及余，見熱勢甚惡，毒氣猖獗，用清瘟敗毒飲。石膏四兩，日夜服二劑，仍然罔效，再邀陳醫診治，該醫所用石膏，每劑祇少半斤，因號石膏大王，診後擬方，開石膏二斤二兩，親督病家煎藥，責令病者服藥，服過數劑，熱果減退，至次日，渾身發現疹點甚多，再服三劑，病魔皆爲驅逐，嗣以甘露飲，以善其後，此病診後，愚深知其熱甚，可堪重用石膏，奈以心怯不敢放膽，投以重劑，故不見功，觀此，可知石膏之透疹毒，當重用卽可著功。

一 井孟兜鄉，陳某患伏熱病，棉延二載，計服石膏一百餘斤，病纔瘳，調養數月，體格比前強健，耕作如常。

一 吾友吳君，於民國二十年，十一月間，患冬溫，熱度持續不退，連服拙擬二一解毒湯，（方見拙著鼠疫治療全書，）（印刷中）醫治半載而愈，計服石膏五十餘斤，上舉數例，皆得石膏之力，救愈者，是石膏爲熱病麻疹之救星，雖用至數十斤之多，皆無所害，奈何世之醫家，視石膏如毒物，病家懼石膏似狠虎，則患熱病者，以其不敢用石膏，而斃者，不知凡幾，誠可慨也。

本刊衛生顧問章程

(一)本刊經大衆訂閱者之要求。闢設衛生顧問欄。以便醫藥上疑難問題。及病因症治藥性等。作公開之討論與研究。若依本章程投函詢問。當卽照來函解答。

(二)重要問題。除依來信直接通函答覆外。本刊得隨時將答案披露。以便同志之研究。

(三)疑難之答案。須檢查醫籍。詳細考慮者。至遲須一星期可以答覆。

(四)不答覆之問題如下。(一)來信記述不詳者。(二)詞義不明者。(三)要求立得藥方者。(四)無關醫藥者。(五)委託評論藥方之是非者。(六)本社同志學識所不及者。(七)無覆信郵費者。(八)無衛生顧問券者。但不答覆者。不答之理由。覆信聲明。

(五)來函概用中式紙張。繕寫清楚。附覆信郵費一角三分。並附寄下列衛生顧問券一個。

(六)來函寄上海法租界薩坡賽路一九〇號

症治回憶錄

陳靑雲

杭州陳少亭之夫人，年四十餘歲，左脅患痞塊三載，大如小盌，晝夜疼痛，呻吟床褥，骨瘦如柴，胃氣大敗，延內外科醫治，鍼灸祈禱，內服外敷，毫無效驗，合家驚慌，束手待斃，一日，陳君於應酬場中，談及伊妻之病，不可救藥，旁有一友云，君屋朝南，約半里內，有一醫生坐南朝北，君去訪問，伊如肯來，尊嫂病不足患也，陳君依計來請，予以全當歸，赤芍藥，紫丹參，三稜。莪蒁，生鱉甲，製川朴，炒枳實，米炒白朮，輭柴胡，小青皮，元胡索，製沒藥，消痞阿魏丸等藥進之，外帖以消痞狗皮膏，六劑後，痞塊縮小，痛勢減輕，將以上各藥改爲膏滋，一月，痞塊全消，舉家欣慰異常，感激無既，以三年沉疴痼疾，樹大根深，居然而得一月全愈，誠爲始料所不及。

曩年予寓高資時，媳婦周氏懷孕患瘧，一日，夜間忽漲大水，飽受驚嚇，旋卽小產，病熱甚重，時中秋節後，天氣大涼，媳婦徧體虛汗淋漓，伊父母見之，大驚失色，忽又變爲肢體發冷，人中至下頦，四周皆現靑色，忽又變爲直腸洞瀉，胃氣大敗，粥飯不能下咽，病情倏忽萬變，有應接不暇之勢，伊父母非常愁悶，請予就診，遂認定產後大虛，放胆用藥，以溫補爲主，藥用炙黃耆，別直參。製附子，猺桂。米炒於朮，炙甘草，當歸身，大熟地，枸杞子，懷山藥，炒谷芽，奎紅棗，罌粟殼等味，加減出入，一月，元氣恢復。

吾子在崑山車站做站長，孫女年三歲，出紅痧，熱度過高，忽四肢抽搐，眩仆不省人事，予用達熱化痰利竅之法，三小時方蘇醒，次日又發厥，人事不省，身體溫暖如常，惟面部冰冷，血不華色，診其脈細如絲，予用炙黃耆，潞黨參，米炒于朮，炙甘草，當歸身，大熟地，枸杞子，山萸肉，猺桂等藥，大劑溫補，鄰人詫異云，先生醫理高明，予等不勝佩服，但令孫女昨今兩日，同一發厥，何以昨用大涼，今用溫補，似欠斟酌，不如請此地兒科某醫治之，較爲穩妥，予答以行道數十年，自問稍有經驗，孫女昨日係實熱，今日係虛寒，病症不同，用藥亦異，倘予不會醫自己之病，安能醫他人之病，此病非此藥不能挽救，如服之無效，命也，予亦不追悔，遂放胆灌之，頭煎入口，卽人事清醒，調理二三劑，嬉戲如常，當時若無灼見眞知，立方如生龍活虎，臨時變通，照庸手急驚風治法，再用清涼之劑，此兒尙有生理乎，甚矣，醫道之難也。

社友通信

再與金勅辰先生誠懇的談一下

橘泉

為了區區所著合理的民間單方緒言中，有幾句藥學革命的研究，把痛恨五行升降的魔障說得過激一些，引起了金先生大大的不以為然，據金先生的意思，以為古人的五行生尅，升降浮沉等學說，是天知聖人傳下來的金科玉律，不可搖動牠一根毫毛，教我們在科學昌明的今日研究醫藥學術，仍非死守迷離惝恍的五行學說不可的，他姑不論，專就金先生所說的『泰西發明輪船火車，確是以火尅金，以金生水，水火旣濟，而汽以行，機因以動，不明五行制化之理乎，電氣屬火之一種，鉛銅絲屬金之一種，因火尅金。故能接觸相傳，見木卽止，以木能生火，子母相抱之意，是不是五行生尅之理乎』，云云：可謂妙解之至，推金先生之意，世間一切萬事均逃不了五行生尅，均可以五行制勝自圓其說，鄙人不才，茲學金先生的口吻，以推廣其意，如機關槍開火，也是以火尅金，自來水管用鐵做，可算金生水了，並且可以顛倒五行銅絲傳電，是金生火，見木卽止，是木尅火，天空之雷電是溼雲中所生，乃水生火，雷電有時擊壞樹木，是火尅木，擊石有火是土生火，再不然，不直說水能生火，只說水生木，木乃生火，是祖孫相生，金雖不能生火，而先生水，水生木，乃生火，是三代再生，能如是則何事不能以五行包括乎，金先生又云：「西藥提質，離不了糖分鹽分酸分等，雖名稱不同，未出五行之外，可納五行之中，鄙人未學西藥，名詞上雖不明瞭，理論上可斷言也，」一節名詞既不明瞭，何能武斷可納諸五行之中，說到科學的藥理，化學的分晰，却是非常精密，一絲不能苟且假借，不比五行制勝之隨意可以翻騰，其中學理，我若說來。恐連篇累牘不能窮，且金先生已聲明對此未嘗學問，我就說也與不說等，所以我也不必細說了，金先生又云「由經驗而得，可以斷定金鷄納霜有疏風化食之能，」故只能治風滯瘧，不能治其他瘧疾，據此，則奎甯之滅瘧蟲，退熱，健胃三種功效，只承認其最後一種健胃助消化作用了，金先生呀，你個人之經驗，那裏作得標準呢！大凡一個人，最不可尊其所聞，毀其所不知，一種學說，必得世界所公認，方能成立，即退一步，亦須經多所學者所承認，才可作一時的定論，像奎甯之對瘧熱病，已成爲婦孺皆知，不成問題之極普通常識，何又來金先生之新發明可斷定有疏風化滯之功乎，此種發明功績，留待後人評定，區區也不必細辨，至謂「瘧有三陽，三陰，寒，暑，溫，溼，瘴，疫，痰，癉，風，食，鬼瘧，瘧母等，分別，這一點區區到也相信，不過我所相信者，瘧之原因，仍不外乎瘧原蟲，考瘧原蟲係由瘧蚊傳佈於人身血液中，血中有了瘧蟲，後再加風或寒溼，溫暑痰食等，謂之「誘因，」其瘧於是乎發生，吾人根據古人之方書，診得有因風寒而起者，用散寒祛風藥汗之，因痰或食而起者，用祛痰消食藥治之，因暑溫而起者，用清涼藥愈之，雖不治其主因，（瘧蟲），誘因去而體工抗病之機能得伸，則輕微之原蟲自不能生長繁殖，若病瘧日久而原蟲繁衍，那就非用原因療法不可了，不但西藥奎甯能撲瘧原蟲，而中藥之常山草菓，亦能撲瘧蟲，此不但區區個人之經驗，國內學者及東鄰日本，已有多人之承認，是不至於臆斷吧，不過金先生恐怕只相信常山味苦性涼，草菓味辛性溫哩，講到瘧母一節，其實，乃脾臟腫大，是瘧病中之一副[illegible]，不能稱爲一病，鬼瘧則區區尤其不敢附和爲有鬼作祟，曾見有病瘧者，寒熱之起伏甚輕微，有時人多鬧雜則病已，人少冷靜則瘧作，患者現痿黃貧血，畏光怕煩心悸亢進，怯弱神疲，設魔勝而禳禱之，其瘧輒愈，（此即催眠術作用）逾時或再發，人皆以鬼瘧稱之，余以強壯劑合補血補神藥治之全瘉，老實說，此實神經衰弱歇斯的里(中名悼慄)性瘧疾也，何嘗有鬼，何煩禱鬼，我敢大胆的說一句，古人當時爲時代所限，不知神經之病理，不識此病之眞相，其狀則陰陽怪氣，遂認爲神秘之鬼祟作怪，當時之神權思想，固不足爲怪，今日之下，金先生尙巴巴提出有神瘧鬼瘧等病理，不知其何所見而云然，金先生又云，「孔子五十始知天命，「天命」卽五行生化之歸宿也，」此一節註解「天命」，可謂奥妙至於極點，眞使人聞所未聞不愧開註釋四書家之新紀元了，金先生呀！學術固遼競而遼進，愈辨而易明，不過對於理論上之爭辨，須要語斟句酌，引證有當，方可折服人心，若一味迷信五行學說，說得如末節所謂『鄙人感覺天下萬事萬物均可歸納於五行之中豈特醫理而已哉，眞如西遊記孫行者之法力無邊，總逃不過五行山』云云等，竟將這慌說的西遊記也搬出來作引證了，卽此可見金先生的學問思想，完全與自己開始所聲明的「平素志願非守舊思想，不願抱殘守缺，作保守派之古人的忠實信徒」等語，自相矛盾，金先生實在太頑固了，聽你說，「院務冗忙，(不知是什麼院)於後不願再作無謂之辨難云」，但是區區抱革新醫學之宏願，還望金先生放開眼界，沉靜思想，急圖改進，切不可如此死守謬說，貽誤後人所以我不惜辭費，再來與金先生誠懇的談一下。

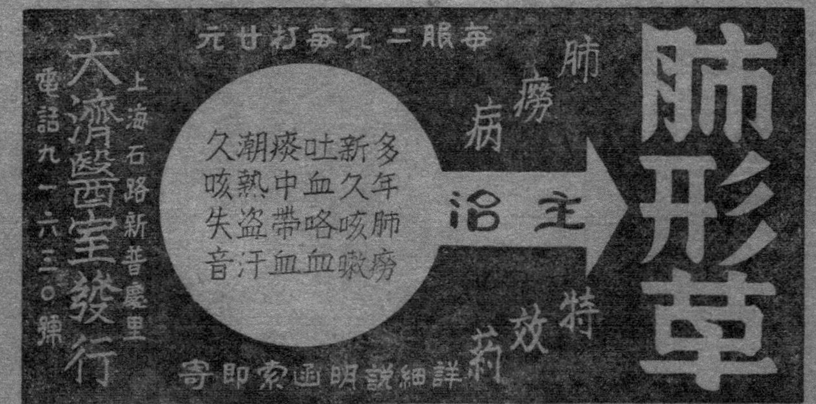

天津馮氏斷癮救苦金丹 戒烟第一

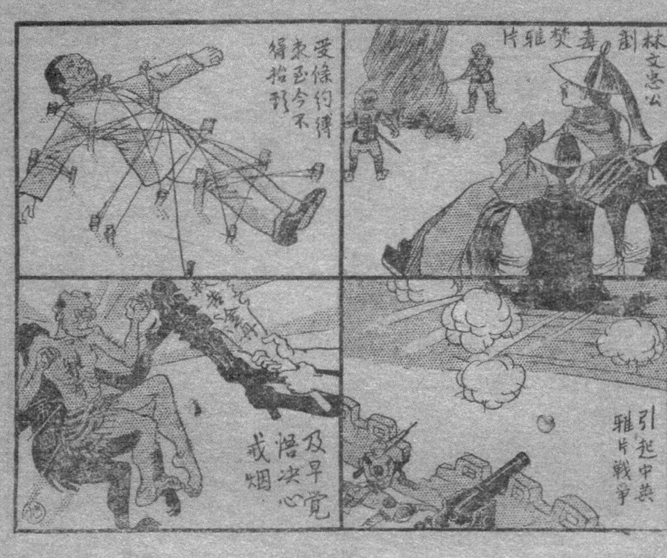

風行六十餘年斷癮數百萬人
中央禁烟委員會張主席題獎
歷任大總統黎徐曹諸公嘉獎
專戒鴉片紅丸海洛因嗎啡癮
戒時照常吸烟逐日見烟自厭
輕癮一二料重則三四料戒淨
每料祇收藥本大洋一元五角
外埠函購起碼兩料寄費加一

贈券

戒烟捷徑內容豐富凡三四餘萬言人手一册益趣無窮函索立即原班寄奉

救苦金丹發明於清同治七年，迄今已歷六十七年，其藥性的王道，功效的神速，遐邇馳名，歷古各地官廳嘉獎保護，博覽賽會屢獲褒獎，服者斷癮謝函不可勝計，詢屬戒烟藥中第一祕寶，絕非市上一般投機劣藥所可比擬，服之毫無副作用，[illegible]至中戒絕，決心戒烟，捨此莫屬。

功效 宣導烟積，剷除烟毒，打倒犯癮，潤腸滋陰增加血液，照常辦事，不害腸胃，增多飲食

成分 採取珍貴國藥，精密監製，功效靈速，與普通毒質抵癮戒烟藥絕不相同，亦不反癮重吸

服法 每晚臨睡時，用溫白開水送下，白天勿服，切勿過量多服，次晨口渴乃藥力達到之現象

代理

本埠先施永安濟華堂中和英太中西華美五洲中法華英南洋正威等均售

▲**上海** 白克西大通口 **天津峻芝堂駐滬發行所**

衛生雜誌第二十三期

中華民國二十三年十月廿日出版

主編者 國醫張子英

發行者 衛生雜誌社 法租界普恩濟世路七十六號

印刷者 三星印刷所

分發行所 中醫書局 現代書局 上海雜誌公司

分售處 各省書局

衛生雜誌定價表（費須先惠）

出版	月出一册	全年十二册
價目	大洋一角	大洋一元
附註	郵費在內	國外加倍
	郵票代洋以一分五分爲限	

◉社址◉ 上海薩坡賽路一九〇號 ◉電話◉ 八〇六四〇號

衞生雜誌社緊要啓事

啓事一

本社出版之衞生雜誌。已二十有四期。銷數逾萬。對於灌輸衞生常識。頗能補助國家行政所不逮。且國聯與我政府技術合作。衞生卽居其一。其爲重要。可想而知。惟出版之初。爲廿三開本。自第十一期起改爲十六開本。篇幅擴充。定價依舊。維持至今。貼款頗鉅。玆從第三卷第一期起(卽廿五期起)。改爲全年十期。逢二八兩月停刊。定價全年仍爲一元。連郵在內。零售每册增二分。藉資彌補。此啓。

啓事二

本社因整頓內部起見。於上月中旬改組。兼之遷移社址。佈置事繁。故出版略有遲延。嗣後直接訂購。請函上海法租界薩坡賽路一百九十號新址接洽。

電話八〇六四〇

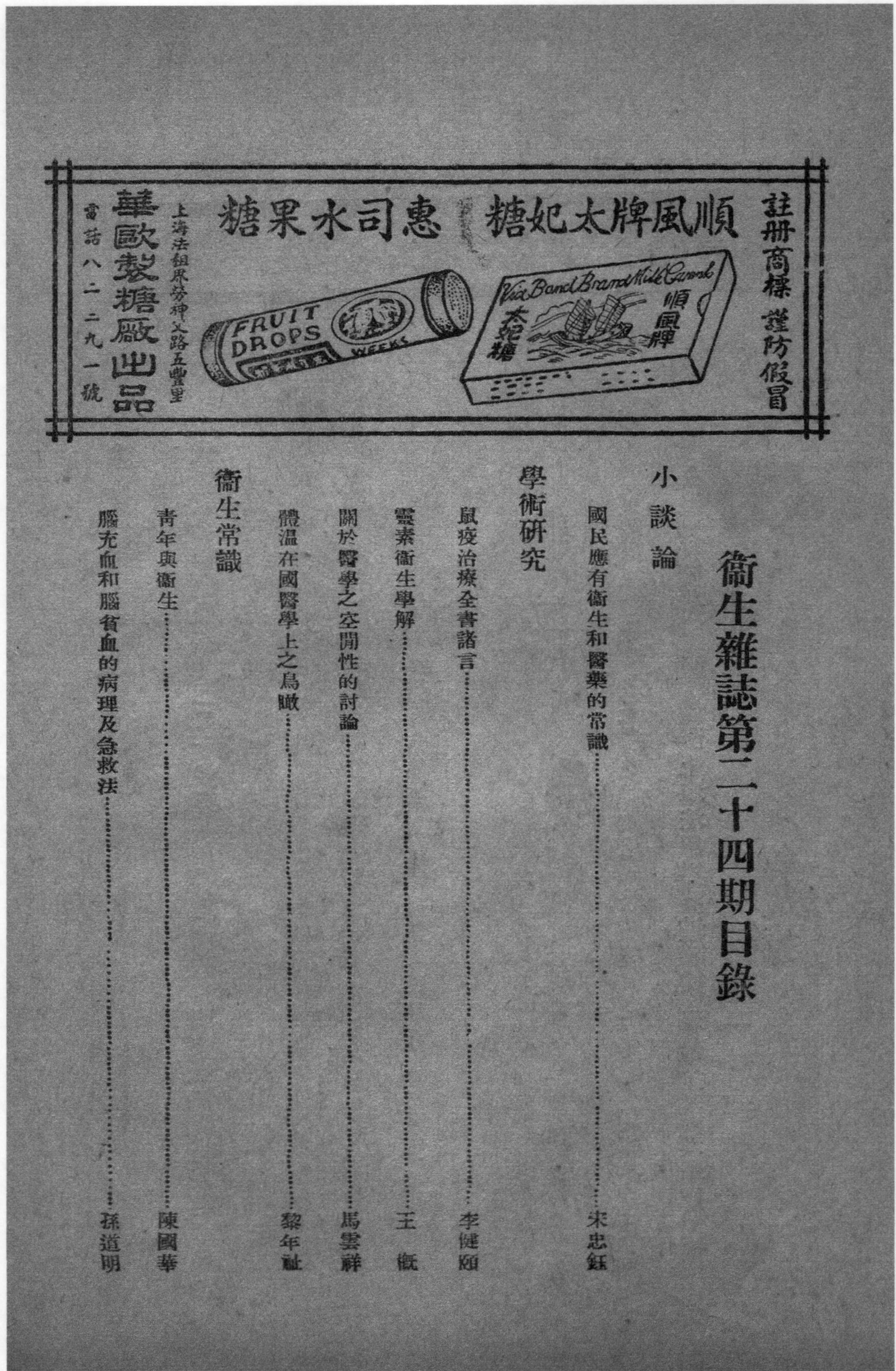

衛生雜誌第二十四期目錄

我們的中國，現今衰弱到極點了。愛國志士，狂呼着救國！救國!!救國的方法甚多，究竟那一條是根本捷徑？無疑地先要強種族。因為種族的衰弱，所以處處受人壓迫而造成國家的衰弱。要強種族；無疑地必先健身體：要健身體；無疑地除加緊鍛鍊之外，要將東亞病夫的惡名除去：要除去此惡名；無疑地要根究造成此惡名之來源而掃除之，此惡名之來源是什麼？卽是

痰

諸君；不要小看此痰，要知弱我身體：弱我種族：弱我國家的罪魁禍首，卽是此痰，請看中國人，十個之中九個有痰，外國人一百個之中找不出一個有痰的。從這一點來比較中外強弱之分，便知痰乃是一大害。

痰入筋絡，四肢癱瘓，半身不遂。痰犯上焦，卽患急性中風腦冲血。痰犯中焦，便成慢性肺癆等病。痰犯下焦，能致腎臟炎等症。身體瘦的人有痰，卽是肺病之基。身體肥的人有痰，卽是中風之根。先天虛的人有痰，男多腎虧，女必血枯。先天足的人有痰，幼小時每多驚風，發育時易患腦膜炎。老年人有痰，眠食不安。中年人有痰，意興頹喪。少年人有痰，精神萎頓，痰之為害，實在不可勝數，此害不除，國民的健康難復。而且有遺傳性，所以致弱種。除痰之唯一良藥，祇有

戈老二房裕慶堂梅記秘製的戈製半夏 首屈一指。

因其能統治以上各症，而使之除根。已患痰病者服之能化痰為水，排出體外，未犯痰病者服之能預防痰之侵入，補益血液，功效極大，已有二百餘年之聲譽，且是純粹道地國貨。請速購服：除痰補血，一切病根掃盡。身體健，百事興，種族強，國勢盛，此乃救國之捷徑。 定價每兩大洋八元 大盒四元 小盒一元

外埠函購，貨款先惠，郵票代洋，十足通用，說明書及仿單承索卽寄，賜顧者請認明

戈老二房裕慶堂梅記秘製半夏 盒外封口部照，以防假冒

◉咸豐年老店上海城內學院路二〇四號（卽老縣西街第八家）◉總發行所上海法租界福煦路國民里二號◉分發行所汕頭德興馬路◉分號南京中華路大功坊◉蕪湖四明路敏慎里九號◉漢口江漢路通和里五十號◉揚州校場月明軒◉甯波中馬路選青坊◉廈門同文路五九號二樓◉特約分銷南京建康路南京國貨公司◉福州華大參行◉梧州震亞藥房◉廣州澤蘭堂◉廈門恭安藥局◉贛州恆孚綢莊◉正陽關李隆興◉香港源和成。廣昌成。荷屬東印度吧城班芝蘭萬成公司◉暹羅曼谷光興號

小談論

國民應有衛生和醫藥的常識

醫師宋忠鈺

從前外國人曾說過。我們是東亞病夫國。這句話我們雖然不大承認。可是我們人民的體質。實在說不能算是十分的强健。這個緣故。根本是受教育未能普及的害處。教育既是不普及。全國男女識字的人。當然是少的狠啦。這樣能有相當的智識嗎。你要和他講衛生和醫藥。簡直是緣木求魚啦。但是國家的盛衰。要以人民的强弱爲標準。欲求强健的國民。第一要務是教育普及。然後再談衛生和醫藥的常識。國民是一天比一天强了。國家也一天比一天的盛起來了。到那時候我們抵禦外侮。收復失地。也不用口頭去宣傳。自能成爲事實的。今將我國的人民。所受不知衛生和無醫藥常識的害處。詳細寫出來。希望大家改改良。總可以得到相當利益的。余先說大都會的人民。有錢的是每日花天酒地。什麼跳舞場啦。電影園啦。遊戲場啦。必要樂到午夜後才歇。樂夠了回來。不是八圈麻雀。就是與夫人。或姨太太。研究研究張博士的性學。精神要是不足。再吸上幾口鴉片煙。日期長久了。請問能有强健的身體嗎。再說就是大都會的學生啦。每逢星期。不是跳舞場。就是電影園。有時高興啦。花街柳巷。也去跑跑。差不多的。還要買一本性史看看。談談自由戀愛。還有實行自由性交的。不然就是手淫啦。在我的判斷。十個人定有八九個人。犯這個病的。還沒有結婚呢。反得了一個性神經衰弱的病。這樣體質能强健嗎。將來能有强健的種子嗎。這不是全受了不知衛生和無醫學常識的害嗎。這還是有知識的。反不如無知識的農人呢，可是農人雖得到天然的衛生。沒有醫藥的常識。也受有相當的害處。農人在鄉裏。每天是日出而作。日入而息。睡有定時。食有定時。耳裏聽不到騷聲淫調的歌曲。眼裏看不到紅顏玉臂的美人。田裏工作完畢後。回來吃飯睡覺。性交不過偶一爲之。决無過度的。並且每天呼吸新鮮的空氣。你不看農人的體質。多是强健的嗎。他雖不知衞生。反得到衞生的益處。然而也有他的壞處。就是家裏的人。若是有了疾病。不是求仙。就是問卜。再不然就用那氣死名醫的單方。就是請個醫生來。多是一知半解的。人死了還說他命短呢。這不是無醫藥常識的害處嗎。再說就是鄉裏的接產婆啦。全是一班無知識的老太婆。遇到順產的。就是他的經驗高深啦。若是遇到逆產。一交臂先下來。或是日久生不下來。他就用他不消毒的手術了。總要大人孩子。一齊死在他手裏才罷。每年不知屈死多少人呢。就是大都會有錢的人。也是因爲無醫藥的常識。一遇家人發生疾病。是中西並用。雜藥亂投。本是不應死的病。反把治療期延誤了。不知又屈死多少人。就是獨鶴君的令弟作古。恐怕也是因爲無醫藥常識的緣故吧。余的提議。第一是要教育普及。無論何人。在醫藥上要有明瞭的認識。强種强國。在此一舉了。

勒吐精代乳粉

育嬰珍品
無異母乳

「今伊終日嬉躍矣！」

此語每指食勒吐精代乳粉之小兒而言諒君必常聞之以勒吐精代乳粉喂哺之小孩其精力必充足而消化器官毫無阻凝蓋此粉之製造方法特別研究使小孩食之易於消化

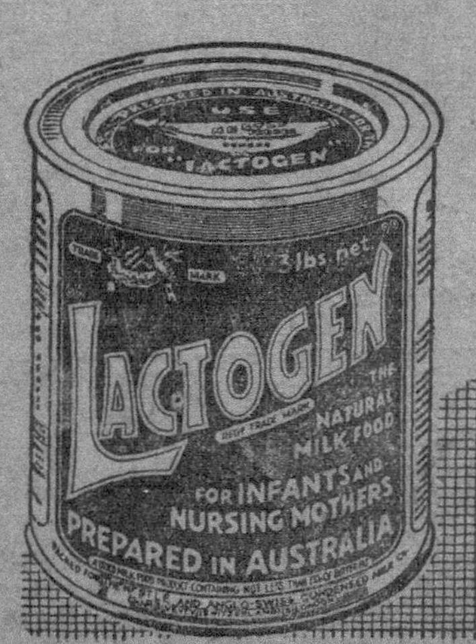

樣品劵

奉上郵票兩角請寄勒吐精一樣罐及育嬰指南一冊此致上海郵政信箱七〇五號英瑞煉乳公司

姓名

住址

介紹家用良藥

國民政府實業部及商標局登記註冊（設字第二二七號）（第一〇〇三一號）（第一五七三八號）

中央衛生試驗所化驗給證（成字第二〇二一號）

『科達』麥精魚肝油』大瓶特售一元五角，寄費四角
首創老牌，滋補聖品，健美基礎，四季可服。

『威爾斯』菓子鹽』大瓶特售一元五角，寄費四角
潤腸，健身，清血，美容，清火，解渴的最妙飲品。

『凹凸』鷄蛋魚肝油』大瓶特售一元五角，寄費四角
維他命類滋補聖劑，爲建立孩童永久康健的基礎。

『雙虎牌』牛肉汁』每瓶特售一元四角，寄費三角
，味最美，質最濃，力最大，價最廉。

『生活素』麥精魚肝油』四磅 每瓶特售二元二角，寄費五角
上等原料，最低價錢，眞誠犧牲，以期普及。

『婦女自己藥片』每瓶特售一元，寄費一角
主治月經失調，經來腹痛，經來頭痛。

『女科補元丸』每瓶特售一元，寄費三角
主治赤白二帶，奇效非凡。

『科達』健腰補腎丸』每瓶特售七角，寄費三角
專治背痛腰酸遺精腎虧等疾。

『長生飯後片』每瓶特售六角，寄費三角
功能滋補虛弱，預防疾病及治愈各種胃病。

『科達氏』靈驗藥膏』每盒特售三角，寄費三角
善治各種瘡瘤，癩頭及諸皮膚病。

『科達』清火保喉藥片』每瓶特售三角，寄費三角
專治喉疾，如喉痛，喉腫，及咳嗽等。

『清潤丸』每瓶特售三角，寄費三角
清心潤腸第一妙劑。

優待讀戶，購買任何藥品，一種或數種，滿洋三元者，概免寄費，惟遠僻郵費加倍之處，則照郵章每三元遞加寄費六角。

『阿斯必靈』每瓶特售三角，寄費三角
專治一切傷風，感冒，發冷，發熱，頭痛，牙痛及瘋痛等。

『尅來尅頭痛粉』每包特售一角，每打一元
乃消滅各種疼痛之靈藥

『康膚沙而』每瓶四角，寄費三角
消毒殺菌，防腐除臭，人人必用，衛生要品。

『雙虎牌』麥精魚肝油』每瓶特售二元八角，寄費四角
人類天然營養品，富含維他命及鈣燐鐵要素。

『科達』神功生活露』每瓶特售一角每打一元寄費均三角
神功仁心，生活靈柰，痧藥中堪稱巨擘。

『安慶藥水』每瓶特售三角，寄費三角
止痛癢，愈瘰癧，消瘡瘤，乃各種皮膚病的靈藥。

『生活賜保命』每盒特售二元五角，寄費三角
有男用女用之別，主治神經衰弱，腎虧腰痛，遺精失眠，年老衰弱，子嗣艱難，以及戒除煙毒等症，

『OIC我光明眼藥水』每瓶特售三角五分，寄費三角
專治各種眼疾。

『科達』四日兩頭丸』每瓶特售三角，寄費三角
專治瘧疾，寒熱病。

『科達』金雞納霜丸』
著名靈藥，一百片瓶裝。每瓶特售一元，寄費三角

『科達』白松糖漿』每瓶特售三角，寄費三角
善治各種咳嗽，傷風，氣急多痰。

『凍敵前』每瓶特售四角，寄費三角
凍瘡初起立搽立愈。

『五彩寶塔疳積糖』每隻特售二分
善治小兒疳積。

『特製蘇打明片』每瓶特售一角五分
乃各種胃病之靈藥。

免費贈送

請贈 貴廠各項說明證書價目單以及美術信箋至
姓名
地址
（衛）
開口信封內寄下

各處藥房公司醫院均售

科達西藥廠無限公司總經理

上海北四川路寶樂安路對過

KONDUK WALD DRUG CO., UNLTD.

N, SZECHUEN RD., SHANGHAI.

學術研究

鼠疫治療全書諸言

李健頤

余十六七歲時。鄰居有一婦。傳染溫疫。延醫診治。五六日不癒。諸醫議論不一。或斷爲熱症。或指爲寒病。藥石雜投。幾至命殞。

又數日。近村有老翁。又發生前症。醫生聞之。皆謂此症未之前聞。亦不知治法。

時有人云。家父醫理精明。治病多奇効。盍往請之。時家父經商。不暇爲人治病。所以醫名未著。其病家將信將疑。致未敢延。越二日。病勢愈危。不得已。試延一診。診畢。斷爲鼠疫。即投解毒活血湯。立起沉疴。舉家感激。

諸醫聞之。莫不咋舌稱奇。咸稱盧扁後身。至民國初元。平潭鼠疫又大作。各醫診治效機頗少。半由認症未眞。未得治法。余蒙家父傳授。悉心研究。幾至寢食俱廢。遇有是症。他醫恐傳染不敢往。余獨往治。雖妻子勸阻。亦不聽也。蓋欲親見是症。投是藥。以觀能效驗否。民國十年。潭街有陳姓者。一家十餘人。俱染是病。余日診六七次。煩腦過度。竟被傳染。幸早服解毒藥而得告愈。

蓋鼠疫之症。因疫毒直中人之心肺。及脈絡之深藪。心爲行血之機關。肺爲呼吸之要區。若瘀毒菀結於脈絡。則必影響於心肺。心肺有所障礙。則血失所司。氣無所通。神經即爲麻醉。而損害於生命者也。內經云。「膈膜之上。中有父母」心肺爲人身之父母。毒入心肺。故易損生。前賢羅汝蘭先生。深知此病。爲瘀毒結在血管。特取王清任先生發明之解毒活血湯。能解毒散瘀。以治鼠疫。是最有效。即著鼠疫約編等書行世。時醫皆奉爲圭臬。惜解毒活血。乃無通絡殺菌。及清熱瀉火之能。故或效或不效也。鄙人臨床診病。孜孜研究。每將方中有礙之柴葛歸朴減棄。加通絡殺菌瀉火清熱之藥。另立一方。試驗有效。則揭櫫病情。以爲參考。如無效。則說明誤點。以作鑑戒。由是經過二十一次之加減試驗數百病人。始得此良善之方。因名爲二一解毒湯。私心自詡。以爲此後鼠疫再有發生。當以此方爲勁敵。又恐盡美而未盡善。遂購西醫各書籍。一再研究。冀助此方所不及。執料該書只可預防注射核苗血清。餘無良藥。亦無妙法。致此症愈者百無二三。良可慨也。吁。西醫之治斯疫。實無良術。惟吾此方。可以治之。但愧才學疎淺。安敢著書。因有此方。恐年久淪滅。且現爲醫學公開之時代。故不揣譾陋。從事選述。貽笑大方。所不計也。並將前著鼠疫新篇。重新修改。增加五萬餘言。本平生之經驗。復採古今名賢之意見。彙搜中西神效之良方。以及最新注射之治療。殫十載之光陰。耗無限之精神。編輯已畢。改名鼠疫治療全書。原爲救治鼠疫起見。故運筆淺顯。分列章節。朗若列眉。按圖索驥。頗足供吾人考鏡之資。學者幸勿以其淺近。而忽之也。

靈素衛生學解

灌雲　王概

靈樞、素問。爲吾國醫學之鼻祖。包括解剖、生理、病理、診斷、治療、衛生等學說。歷代醫家。莫不宗此。至近世科學昌明。西人於此類學說。研究精而且密。故每詆靈素學說之荒誕無稽。此實武斷之論。豈不知靈素爲數千年前之產物。其各種學說。發明之早。遠超於西洋之上。其學說可得匯通者甚多。而於精神衛生言之尤多。非若西洋醫學偏重於消毒殺菌之所及。蓋精神衛生。爲却病延年之長生丹。試觀處境不良之人。往往多病而易夭亡者。實由此也。余不願古醫聖賢超過時代之偉論。掩滅而不彰。故取其合理之衛生學說。分却病、治心、窒慾、作息、飲食數類。加以新義說明之。以補西洋精神衛生之不足。

一　卻病

上古天眞論曰。中古之時。有至人者。……調於四時。去世離俗。積精全神。遊行天地之間。視聽八達之外。此蓋益其壽命而強者也。

(按)此言人能及時行樂。不爲世俗名利所役。無思無慮。嘗花修禊。臨軒玩月。遍遊山水之勝。逍遙事物之外。遯去一切塵俗。則可以却病而長壽。近世之精神療病。與此意正同。厥功非淺鮮也。

陰陽應象大論曰。喜怒不節。寒暑過度。生乃不固。

(按)喜怒爲人生不能免。喜能有常。則身心和暢。精神愉快。過度則交感神經興奮而弛緩。影響心臟之搏動。弛張而不能收束。遂引重大病變。嘗因大笑而死者。緣心臟不能收束。心臟充滿血液。血行障礙之故也。大怒則傷腦。神經一時變亂。則心臟搏動增加。全身血壓亢進。靜脈還流停頓。呼吸急迫而氣逆。傷寒則營衛不和。惡寒無汗。頭痛體痛。中暑則身熱汗出而喘渴。故人當節喜怒。愼寒暑也。

（待續）

關於醫學之空間性的討論（續）

馬寔祥

2. 差別的原理　上項所述。不過是用前人的學說。來證明事實上人類體質。常隨地方而有差異罷了；至於他所以有這樣的差異。當然也是我人智識慾中應有的疑問。現在爲申述便利起見。就從溫度地土的二方面來說明。

1. 溫度之異　地球上的氣溫。誰也知道是由太陽方面放射過來的。但是光線的照射。是直進而非曲線的。地球既是圓者球形的東西。當然無從一線普照。所以地球本身。雖然有牠自轉的能力。但事實上終不能兩極同溫。一般地理學家 Geogr pher，爲記載便利起見。不得不應着自然的趨勢。在地球的緯度中。更有赤道及南北熱帶、溫帶、寒帶。和兩極的區劃。在南北熱帶及赤道的地方。因爲日光直射的關係。氣候當然要來得炎熱。同時空氣中的濕度。也因着水分的蒸發量驟多而高增。人類——其實也不祇是人類——生長其間。體溫放散既難，體工便起而爲調節適應的作用：——腠理疏泄。皮下血管弛張。藏府機能遲緩。所以其人體質。多倦怠而頎弱。南北嚴寒之帶。溫度既小。氣溫又低。人類棲息其間。體工又爲調節適應起見。不得不緊其腠理。束其汗孔。免得多量體溫。爲外界空氣所奪。所以同一牛羊。生寒帶的毛常長。產熱帶的毛常短（珍貴的皮裘。多出寒地。就是這個緣故。）這原是生物適應環境的必然現象。也就是達而文 Erasmus Darwin 進化定律中所謂「適者生存」Survioolof the fittest 的應有差異。溫帶處于寒熱二帶之間。所以氣候亦較二帶爲溫和。關於牠溫度下所造成的事實。上面引述各家。論之已詳。玆在不另贅述。好在他差別的原理。仍逃不出因氣溫濕度的高低。而誘起生理變調的範圍。但以上所述。還只是全部溫度差異中。所影響於體質差別的理由。同時一歲之中。一地方溫度的差異率。也有造成體質差別的可能。關於差異率的大小。當然要算熱帶和赤道最小。溫帶次之，寒帶最大。譬如我國東北西北各地。冷的時候。

果然要比温帶及熱帶的地方。冷起幾倍。但熱的時候。却不一定稍遜於二地。也許還有「過之無不及」的時候呢！熱帶地方。除了崇山峻巔的特殊情形以外。寒暑的差異。終還不至到達温帶的程度。至於他所以能爲體質差異的原因。更可以從温帶地方底優間階級。和勞動階級的比喻來說明：所謂優閒階級的人。當然是「富而好禮」之家。對于氣温變異中的體工適應。需要較小。因爲熱的時候。有冷氣管電風扇等的裝置。冷的時候。又有火爐熱水汀等的設備。不像勞動階級的人。困於生活。迫於飢寒。卽使天不做美：雨雪霏霏。墮指裂膚；或是烈日炎炎。山焦金流。仍得冒寒負熱。操作於山原道塗之上；富貴人與貧賤人體質差異的原因。雖然是有種種。但因爲他們感受氣温刺激的差異。和機能揣練適應率的大小。祇少是種種中的一部。這因爲感受寒暑的差異量旣小。體工所需要的適應工作亦少。若差異量大。則需要的適應工作必繁。適應工作旣繁。藏府組織。自然要因揣練多而易臻堅實；與一個運動人和不運動人。體質強弱的差異。有同樣的關係。不過一則屬肌肉筋骨的直接鍛鍊。一則爲機能作用底簡接揣練罷了。但「過猶不及」。終是一切事物成敗中的必然現象。所以一歲之中。溫度的差最過小和過大的地方。終比不上差異適中的區域；這因爲過小的，果然要因組織機能的揣摩簡練少而易就退化。但過大的。也會因勞於適應而分[illegible]奉生之勢。並且氣候過冷。終是不合於生物發榮滋長底條件的；所以地球上強梁之國。無論古今。都是發現於溫帶之域。寒帶熱帶的地方。究竟少乎其少。就是有。也是暫而不能久的。總之：溫度對於體質的關係。初起果然因偶然的適應作用而養成習慣。同時復因習慣而變其組織機能；所以人類感受的溫度一異。組織機能便有「因之而異」的適應。同時疾病後的醫藥。亦有「隨之而別」的必要。這是從溫度的差異上。討論到體質隨地方而差別的緣故。也就是醫藥所以有空間性的原因內。一部中之一部。

2. 地土之別　地球各部　常常因着溫度的差異。而影響到耕植和雨水的多寡；更因耕植雨水的不同。形成各方地質的別異；所以然者。因爲耕植雨水不多。砂礫石塊。

就少風化變質的機會。同時復因砂石收熱放熱的捷易。而形成朝夕寒暑的局面。蒙，藏、中亞細亞、阿剌伯等處。便是這種現象的實例。否則。像澳、南歐、中美、東亞。瀕海枕水的地方。一方面果然因爲有海風的調和。但爲了雨水多。耕植繁中所形成的優良土質。未嘗不是招致氣溫和煦的條件。因此。一般地理學家。除了上面寒熱帶的分劃以外。雖然名義上爲氣候立海洋性和大陸性的種類。實際還是替地質定優劣底標準的。所謂海洋性的地帶。當然都是指傍河臨水。瞰湖帶海。雨露潤澤。土質肥沃的區域而言。這種地方的溫度。雖然也要隨所處寒熱地帶的不同而有所差異。但在他們同一緯度之中。終是居着最優勝的地位。反之。在大陸性的區域中。無論是沙漠之域。還是高原之地？或是南緯。或是北緯。在事實上。終享受不到寒暑和平代更的幸福。這可見各方的水土地質。實際上的確有轉移溫度的作用。並且與前項同一理由。更有影響體質的可能。這是從地質的差異上。討論到人類體質。所以要隨地方而差別的又一個原因。——關於高山的上寒下熱。（就是內經所謂「高者氣寒。下者氣熱」）。乃是空氣的厚薄。和光線反射的強弱中所形成的現象。當然不在上述二項解說之中；因他影響於體質的原理相同。所以不另申述。

其實。世界上各色人種的差異。無論他的發源是屬一元。還是多元。但他所以有這樣體格、色澤、和情性等的差別。——白種人多長大。黑種人類短小。（體格）。美洲出紅種。非洲產黑種。歐洲產白種。亞洲產黃種。南亞澳洲。又產棕種。（色澤）盎格魯薩克遜族的沉毅。日耳曼族的剛果。（情性）。我可以武斷的說一句：「都是各洲各地水土氣候不同下所造成的事實。更無其他任何神秘的主使。——譬如歐洲人創言白種人是上帝之嬌子等是。」因爲根據生物進化原理。人類既是由單細胞生物。多細胞生物。腔腸動物。……一直[illegible]棲類。爬蟲類。猴類。猩猩等這樣進化過來。假使環境不能轉變他的組織機能的話。在理論上。就應當世界一色。各洲一種。無論如何不應更見若何顯著的差異。而有此彊彼界的區劃。現在事實上既不如理論所設想。而異中又異了。難道還不是各洲各地氣候水土的差異所使?!

體溫在國醫學上之鳥瞰(續)

黎年祉

二：體溫變動之外候

西法有體溫計。故不必項項分析其外候。即可得其體溫之升降如何。國醫既乏此種工具。欲作簡易之診斷。不得不借重外侯。而詳加分辨。以爲診療之根據。故體溫變化之外候。國醫研究。獨爲詳盡。在治療上。亦佔重要地位。蓋亦事理使然也。茲列表于左。以便省覽：

全身症候	局所症候	自覺症候	他覺症候	兩覺症候
發熱	肢清	惡熱	發熱	惡寒發熱
潮熱	肢厥	惡寒	潮熱	惡風發熱
惡熱	肢熱	惡風	肢清	惡熱發熱
惡寒	背惡寒	戰慄	肢厥	寒熱往來
惡風	五心煩熱	背惡寒	肢熱	寒熱如瘧
戰慄	上熱下寒	五心煩熱	上熱下寒	熱厥來復
惡寒發熱	上寒下熱		上寒下熱	肢厥惡寒
惡風發熱				外寒內熱
惡熱發熱				外熱內寒
寒熱往來				晝熱夜安
寒熱如瘧				晝安夜熱
肢厥惡寒				晝夜俱熱
熱厥來復				骨蒸勞熱
外寒內熱				
外熱內寒				
晝熱夜安				
晝安夜熱				
晝夜俱熱				
骨蒸勞熱				

除右所歸納外。有不可不知者。卽熱之時間性也。熱之程度也。熱之經過也。熱之眞假也。所謂時間性者。晝夜。早暮。間歇。連續。初中末之別；程度者。微熱。發熱。壯熱之異；經過者。以往之變狀；眞假者。症狀之底面。俱有

關于診療不可不細加辨析。

三 體溫變化與各種症候之連帶關係

各種症候云者。乃指直接間接能致體溫之升騰與降落。或體溫之升騰與降落。常伴有此種症候之並發者而言。分別歸納之：諸症候有限制體溫之放散。或亢進其發生者爲一類；有促進體溫之放散。或減弱其發生者爲一類；因體溫之升騰。而牽動其他生理常態者爲一類；因體溫之降落。而牽動其他生理常態者爲一類。

1. 無汗。汗少。便秘。便難。溲閉。溲少——以上諸候。不僅妨礙體溫之放散。而爲體溫亢進之一因；抑亦妨礙毒素之排除。而造成體內毒素擾亂體溫之機會。故見上述症狀時。體溫之眞際。恆爲亢進。而惡寒惡風等症。皆體溫亢進之徵。非體溫不足之象也。換言之。體溫升騰之患者。對于以上諸症。絕對不利。必須設法加以糾正。使其症候。轉爲與上述相反地位。俾加多放散以調劑之。即爲適當之治。但體溫不足之患者。經治後而顯以上症候時。爲藥物之效力已達。不能與此同日語也。

2. 汗多。便泄。尿利——以上諸候。俱能放散大量之體溫而尤以前二者爲甚，故仲景有汗下亡陽之喻。凡見上述症候時。體溫恆爲不足。此時速加糾正。使上述症候。處于相反地位。以限制其放散。即爲適當處置。但體溫亢進之患者。施治後而見上述症狀時。爲藥物正在發揮其作用。絕不能謂爲不當。有因生溫十分亢進。雖見上述症候。亦不見退。此時只須降低其體溫。不必限制或加多其放散。

3. 口渴。煩躁。懊憹。譫語。發狂。暈厥——以上症候。大抵因體溫升騰而伴發。此等症候之消長。即一永不變壞之體溫計也。反之。由體溫之升降。亦可推知諸症之加重抑或減輕。

4. 不渴。鄭聲。踡臥。嗜眠。脫厥——此等症候，大抵因體溫降落而伴發。諸症之消長。即體溫升降之標誌也。反之。由體溫之升降。亦可推知此等症候之劇否。

四 體溫變動與診斷

診斷體溫之變動。除症候已述于前外。尚有脈搏與舌苔。雖不能單就脈舌上診察。即可知其體溫變化之狀態。但欲下確切之診斷與治療。則亦不能舍脈舌於事外也。此種診斷技術。國醫確有特殊之長處。蓋國醫于此。用功獨多。不若西醫之目爲不足道。不屑研究。正如西醫對于細菌學下功獨精。而國醫夢夢也。仲景曰：「凡脈浮大滑動數。此名陽也」凡見此等脈象時。其體溫大抵高于常度。又曰：「脈沉弱濇弦微遲。此名陰也。」凡見此等脈象時。其體溫大抵低于常度。此爲診脈之大綱。但亦不能拘執。蓋體溫升騰。全身機能旺盛。心藏之活動亦加速。與體溫下降。全身機能減退。心臟之搏動亦減弱。乃事理之常。亦有心臟搏動之遲速。與體溫之升降。適成背馳之局者。此爲心藏不勝高熱與低溫之厭迫。而呈虛弱之候也。熱病中閉脫二症之脈象近之。診療之道。且不僅注意其至數而已。而尤重在有力無力。故陽明病之脈遲。決不能謂爲心臟衰弱。少陰病之脈遲。亦決不能謂爲心臟健全。同一遲也。一則遲而有力。知其心力尚健。一則遲而無力。知其心力已衰。腦膜炎之脈遲而體溫反高。亦屬此例。故以脈搏定體溫之升降。有時亦不可能。

至如舌診。亦不能爲診斷體溫之鐵証。惟熱之經久與否傷津與否。可以一目卽知。蓋熱未經久。必不傷津。熱旣傷津。舌質必絳。葉天士曰：「初傳絳色。中衆黃白色。此氣分之邪未盡也。」質言之。有一分之苔。卽有一分之邪。苔未淨。決不可純投傷津之治。故以舌診定調劑體溫之藥物適用與否。誠不可少。總之。苔之厚薄。可決邪之輕重。質之潤燥。可決津之虧裕。茲列脈舌二表以明其普通變化。

體溫與脈搏

症候	脈搏	體溫		
惡寒發熱	浮緊	上昇		
惡風發熱	浮緩數	上昇		
惡熱發熱	洪大數	上昇		
寒熱往來 寒熱如瘧	弦數	上昇		
肢厥惡寒	沉細遲	下降		
熱厥來復	弦數 沉伏	上昇 下降		
骨蒸勞熱	細數	上昇		

體温與舌診

舌診	常見體温變化外候	療法	
薄白	惡寒發熱惡風發熱	發汗	
白膩	惡寒發熱	發汗	
積粉	戰慄發熱惡寒發熱	發汗	
黃膩	發熱惡風 發熱惡熱 潮熱	發汗 清熱	
薄黃	發熱惡風寒熱如瘧 發熱惡熱寒熱往來	發汗清熱 和解	
焦黑	潮熱 發熱 惡熱	清熱	
淡白	肢厥惡寒	扶陽	
深紅	骨蒸勞熱	養陰	
乾絳	潮熱 骨蒸勞熱	養陰	

衞生常識

青年與衞生

平湖陳國華

時代之輪是不住地向着前進。整個的社會。都充滿着文明的空氣。各式各樣的事情。都有美滿設備的表現。我今天所欲談的。就是衞生的事業——衞生——是關于人類的生命。是多麼的重要呀。凡稍具知識的人。對于這二字的意義。大概都能明瞭吧。你看各團體。機關。學校。戲院。舞場。菜館。旅館。以及公共場所。均有美滿的衞生的設備。中央有衞生署。各市縣有衞生局。鄉鎮也有衞生機關的設立。誰說我們支那人不注重衞生呢。

上面的標題。是「青年與衞生」。覺得現代的青年。對于衞生的問題。大有注意的必要。蓋因青年與國家社會的事業。均有莫大的關係。青年的身體健康與否。有關國家民族的強弱。可是環顧國內的青年。能有多少注重衞生。這雖然事實上不能調查和統計。但是事實已很明白地告訴了。看看花柳病院的病人。大多不是青年嗎。法院內的烟犯也有許許多多的青年。甚至有許多知識階級的青年。西裝革履。香水香粉。打扮得非常漂亮。像這些人在茶酒店中。時常可以聽到他們的說話。是「這只杯子是很不衞生的。這條毛巾是這樣齷齪」聽聽他們的言語。表面上是多麼的衞生。而實際上呢。不肖說。今天假如三朋四友。或到酒菜館中去大吃一頓。吃得大醉的時候。再去抽幾筒大烟吧。抽畢大烟之後。那是興高采烈了索性再到妓院中去嫖一場吧。這時候他們對于衞生二字。恐怕不知抛到那裏去了。如此。今天這樣。明天那樣。健康的身體。慢慢的瘦削下來。勇敢的精神。會使你萎疲得可憐。而一方面花柳病魔。會和你交起朋友來。這樣不得不使你走進花柳病院之門。於是六〇六。九一四等。會讓你嘗嘗味道。同時你的那些親友們。得着你這樣可怕的消息。會和你疏遠起來。還有一層。假使你經濟充足的話。還不會殺身。如其窮漢的話。那沒有金錢來醫治。將你青春的生命。送到樂國裏去。這是多麼可憫的事啊。

我上面所說的。是知識階級的青年。假使一班無知無識。目不識丁的青年。或則係家境的貧寒。或係境遇的悲苦。有時同了朋友去賭場作戲。烟窟。妓院。恣意吸食和狂嫖。

他們以爲一次二次是不要緊的。那知一次二次可去。十次廿次何嘗不可去呢。結果。也恐怕犯了如此恐怖的毛病。還有許多知識初開的青年。每至慾火發動的時候。難免要去嘗嘗這異性肉體美的味道。弄到後來。終是「一失足成千古恨」哩。

綜觀上述的種種。青年們應當如何謹愼。才不會走上這荊棘的迷道。免掉你前途的痛苦。

最後。我來聲明一下。文中有許多粗魯的地方。還請諸君願諒。

一九三四，八，二五，于青蓮寺診所

腦充血和腦貧血的病理及急救法

孫道明

(一)病理。腦髓的血液。當隨時地保養。有的體格肥胖之人。猝然血管擴張。頭疼如破。目睛脹痛。昏暈不知。顏面潮紅。呼吸促迫。中〃名中風症。西醫叫做(腦充血)。有的體膚羸瘦之人。血液本然枯少。頭蓋內榮養不足。最易引起眼花耳鳴。肌肉緩弛。脈搏細弱。知覺喪失。有時跌跌在地上。這叫做(腦貧血)。

(二)急救法。(腦充血)的時候。應當靜臥。西法把病人頭部抬高。放置冰囊。使血液向下方輸流。(腦貧血)的療法。中法用濃磨生鐵銹水。連鐵銹之渣煎十餘沸。當茶呷之。日飲數次。可以漸愈。(腦貧血)的療法。西醫將病人仰臥在水平位。頭部低下胸口放些冰水。一面用勃蘭地酒向口內徐徐送入。一面施行人工呼吸法。使病人心臟機能。得以恢復。中 對於此症。有清補血液。保養腦髓。使全身的貧血得濟。上述的症候，將慢慢地除去了。總之中西醫理。內治外治。的確可以構通的。

胎教對于胎兒之影響

大團孫春江

胎兒時期。子居母腹與母共安危。同休戚。其一舉一動。一呼一吸。莫不與母體息息相關。是以爲姙婦者。苟能注重胎教。善子調攝。則必母體康健。氣血充實。未生則胎如磐石之安。既生則兒有強智之體。如或不然。則必姙婦失其健全。胎兒受其損害。未生既有暗產半產之慮。已生則有兒體愚弱之嘆。故欲養成強健智能之兒童。首宜講求胎教。胎教之道。撮其要。可分下列三端。

(一)姙婦宜稍事運動。以流通氣血。勿操勞過度。以振撼胎兒。勿高舉取物。或俯身作事。毋跌仆損傷或越險負重。以免胎兒受迫墮落。他如飲食之宜節。食品之宜擇。房事之宜禁。衣服之宜愼。寒暑之宜調。起居之宜安。洗浴之宜勤。尤當隨時留意之。如是則胞胎未有不堅固。生兒亦未有不強壯者也。

(二)宜安閒甯靜。以和意志。逍遙快樂。以暢氣血。並宜拋棄思慮。放寬心懷。有消遣之處者。則逢場而作嬉。有不滿于懷者。毋介念之不忘。尤宜安靜其身體。愉快其精神。毋擾于煩。毋動于怒。如是則七情不起。五志和平。生兒亦必性情溫順。意氣和洽矣。

(三)宜讀聖賢之書。或閱偉人之傳。以修身心。或聆演說。或覽報紙。以廣見識。或作詩歌。或繪圖畫。以娛性情。或弄音樂。或習歌曲。以解寂寞。如是則養成高大之人格。及自愛之精神。生兒亦必智且賢也。

今時一般漂亮女子。不顧姙娠與否。每當風淸月白。華燈初上。身坐摩託之車。風馳電掣以取快。馳騁跳舞之場。高其跟。束其腰。濃妝艷服。祗爲迻日工作。厚味膏粱。早已習以爲常。目所見者紅與綠。耳所聞者聲與色。打罵怨怒。似無意而有意。驕奢淫佚。若明知而故犯。凡此種種。皆違背胎教者也。而爲其丈夫者。爲綽闊計。爲時髦計。不特不加禁止。抑且竭力慫恿。不知好事多磨。洎夫墮胎難產時。母子有性命之憂。可不深嘆惜哉。即或墮胎難產。得以倖免。其所生兒女。豈獨終身孱弱。愚鈍無術。亦必競尙奢侈。倒行逆施。流爲社會之蠹。噫！胎教關于胎兒之感化如此。凡欲得健全智能之子女者。可以鑒矣。

衛生小問答　淋濁

張子英

問　何謂淋濁病。

答　小便裏有黃白色濃液。滴瀝分泌出來。有時帶癢帶痛。或遇小便時。兼有紅色血液。或刺痛如刀割。或尿意頻數。或小便短赤。精神疲倦等症狀。

問　淋與濁有分別嗎。

答　古稱小便刺痛者爲淋。但流濃與血而不痛者爲濁。其實淋濁乃同一病症。

問
淋濁發生原因何故。

答
淋濁發生原因。大抵以傳染淋菌者爲多。如與有淋濁者同衣被。或與淋濁者性交等。但因稟體虛弱。生殖器裏細胞組織氣血鬱滯而生菌或濕熱下注者。亦能發生淋濁。治療方面。前者以消毒殺菌爲主。後者以舒鬱淸虛火爲主。

問
淋濁由傳染而來。或不由傳染而來。如何辨別呢。

答
凡患淋濁者。必有膀胱炎腎臟炎等副症。若將濃液以顯微鏡細視之。必有淋菌。所以診斷方面。是否由傳染而來。殊難辨別。必須詳問患者是否曾與妓女性交。或是否與不潔者同衣被。或從前是否患過淋濁病。若無以上原因。而患者或喜飮酒。或肝脈洪大。或相火素盛性情易暴怒者。必因生殖器細胞組織氣血鬱滯。而致發炎生菌。

問
治療淋濁以何法爲主。

答
治療淋濁醫師通常以利尿消炎殺菌爲主。但遇慢性。或非傳染而來之淋濁。有時竟非利尿消炎殺菌所能奏效。

問
治療淋濁。醫師以局部洗滌。並透熱電療。或插入油梃以鎮痛。可以奏效否？

答
以上諸法。不過得一時之小效。殊非根本辦法。

問
淋濁根本治療。究屬應該怎樣辦呢。

答
淋濁初起時。呈急性狀態。以利尿消炎殺菌。以減其勢。預後以疏達生殖器裏細胞組織之鬱滯。並增加其抵抗力。使淋菌無繁殖之機能。而自然消滅。爲根本治療。

問
市上淋濁藥甚多。以何者爲最有效。

答
市上淋濁藥甚多。編者未能一一試用。但豐國威彌鄧藥廠出品「梅濁尅星」之治效。確屬勝於注射針藥。或注射色素等等。

問
梅濁尅星之優點在何處。

答
「梅濁尅星」利尿消炎殺菌力獨強。而無檀香油固齒之弊而有疏達生殖器裏細胞組織鬱滯之功。以臻增加抵抗力。達到根本治療之效。

編譯叢林

診斷學 三續

德國醫學博士 Bul fessol. Docotol. Fon F. Bals,原著
醫學士 宋忠鈺 譯述

汗分泌之量。在強健者。尙有等差。且同是人。因有種種之關係。亦有不同。肥胖者比羸瘦者汗發較多。在中等或低等之溫度。於安靜時多不發汗也。

強健者及多數患者。發汗之際。皮膚潮紅溫暖。是由血管開張之故也。險惡之發汗。(惡液質及瀕死之際)因汗神經受刺戟而來者。其皮膚寒冷而現蒼白色。(謂之冷汗)

汗分泌增多者。因高度之氣溫熱浴。一定之飲料及醫藥等。(菩提樹花，接骨木花，咖啡茶，酒精，必魯加爾必湟，安母尼亞製劑等)反之。若服亞蔦魯必湟。汗分泌完全停止。發汗在夏期。大可助溫度之調節。汗分泌蒸散。可消失其溫度也。吾人在濕潤高熱之外氣中。比在乾燥高熱之外氣中。水分蒸散迅速也。外氣中之蒸發水分愈濃稠。發汗之蒸散愈遲鈍也。故於風及空氣之疎通處。皮膚常觸接新鮮之外氣時。故水分之蒸發容易。居於濕潤之地者。可不用扇子。即是明徵。

汗分泌之量。與腎臟及腸管水分之排泄。爲反對之比例者。

汗分泌之增多者。謂之發汗過多。

汗分泌之減少或停止者。謂之發汗減少。

汗之分泌僅見於偏側者。謂之半身發汗。

汗之發現異色者。謂之着色汗。

局所的發汗。僅手掌足部等處發汗者。特於神經疾患見之。又強健者。亦有時見之。

汗分泌增減之有差異。特於患疾病者。最爲着明。

疾病中汗分泌過多

(一)熱性病。例如多發性關節炎。肺炎。及流行性感冒之發熱時爲然。

發熱突然下降之際。(分利發汗 溫度降至常度。(三十七度)以下。來饒多之發汗者。如肺炎。在持續性時。又間

散熱發作時。膿毒症、重症肺癆。多見一時的發汗過多。

(二)盜汗。 多衰弱患者。特於肺癆見之。又於窒扶斯患者之末期。亦有見之者。盜汗與熱。及夜間大有關係。多於眠睡中發生。

(三)於多數痙攣狀態中所見者。如破傷風爲然。

(四)危重之呼吸困難。 此際之發汗。多由煩悶而來者。是乃因精神作用。而於重症心臟疾患。胸絞症。喘息。多量之肋膜滲出液。亦見發汗過多。

(五)冷汗。於畏懼虛脫死戰之際。多見之。又麻痺性運動衰弱。於蒼白寒冷之皮膚上。發生稍帶脂肪性之汗。乃麻痺之徵候也。

(六)神經性汗。 間有發生手掌及顏面者。見強度之發汗淋漓。即謂之發作汗。(癲癇樣)予於患神經衰弱者。及歇私的里患者。見此特異之發汗也。

(七)藥物發汗 欲達治療之目的者。以用必魯加爾比涅。接骨木花。菩提樹花等而來。又因斯蔦里幾尼涅尼閩金撒里失爾酸片腦。安母尼亞等之副作用。及飲用濃茶咖啡酒精等之嗜好品而來者。

汗分泌減少

(一)由腎臟及腸管損失大量水分之際。如糖尿病。尿崩。劇性下痢。及嘔吐等。

(二)許多之稽留性高熱。

(三)日久不愈之腳氣。

(四)強度之皮膚水腫。

(五)癌腫之惡液質。

(六)患癆瘵及慢性間歇熱者。皮膚異常乾燥。然有於發熱時。或眠睡之際來一時強度發汗者。

(七)亞蔦魯必涅西越斯幾阿氏等內服時。汗可全止。莫爾比涅及阿片內服。亦可減少汗分泌。半身發汗。此症屢於神經質者見之。在病理上多於頭部交感神經之偏側疾患。及歇私的里患者所發見。

性質異常之汗。

血汗。此症不多見於神經疾患。偶有見之者。

黃色汗。亦不常見。乃由膽汁而來者。

青色汗。有特異質者。於腋窩見之。然無害。

汗中來尿素者。其一部溶解。一部結晶。偶於尿毒症患者之汗中見之。

皮脂分泌異常

皮脂接於毛髮根部。由葡萄狀皮脂腺所分泌者。在腺病質者。於顏面分泌異常旺盛。（皮脂漏 皮脂腺擴張。面分泌口閉塞。若加壓。卽有昆蟲樣小體漏出。（面皰）其漏出物尖端帶黑色分泌物。中含有無害之寄生小體。

粟粒疹。爲慢性無疼痛白色之小結節。多生於眼瞼皮上。微隆起。乃皮脂腺擴張。及細胞集積而起者。

皮脂分泌減少

皮膚之狀態。枯燥粗鬆。有許多之上皮落屑。達高度者。謂之單性蛇皮癬。此症在摩擦之際。有纖細白色之屑落下。四肢伸展。側面最爲顯著。又有於腹部見之者。在罹結核靑年之惡液質。及痒疹者多。在老年人於癌腫及重症窒扶斯之末期多見之。老年人無特種原因。屢有強度之瘙痒。皮膚現異常枯燥者。（皮膚瘙痒）

毛髮及爪之異常

中國人日本人朝鮮人蒙古人。及馬來人種。同爲毛髮稀疎之人種。其鬚毛（上唇之髭例外）較之歐洲人。及西部亞細亞人。毛髮稀疎。且發生遲緩。故多毛症者極少也。

一般多毛症。顏面及全身長毛密生。間或由親屬中遺傳。（所謂毛人或犬人）又偶有女子生長鬚者。

局所多毛症。生黑子及母斑。有於女子乳房見之者。在腰薦部存在者。每多隱匿。乃先天性脊椎披裂存在之證標也。

其他局部多毛症。於脊髓疾患後。及強劇之局所。皮膚刺頭後見之。

破格的毛髮缺乏。多屬遺傳。（高老之禿頭例外）其外觀上。皮膚無異常。謂之禿頭。或鬼剃頭。間或有達全頭部者。又有限局於一部者。或於頭部各處。爲斑點狀。蓋由營養神經作用者。有時因寄生小體者。

頭部一般稀疎者。屢生於頭部丹毒後。又於腸窒扶斯產褥熱重症　腳氣等之重病後有見之者。

稍強度之毛髮脫落。常爲第二期梅毒之特徵。感染二三個月而來者。因寄生體毛髮脫落。（乾性頭癬禿頭匐行疹）全然脫落者少。只毛髮稀疏而已。且易折斷。其診斷皮膚。因雜周密檢查。欲得正確。須用顯微鏡檢查。

眉毛及睫毛之局部脫落者。常有癩病之疑。

惡液毛（又謂之飢餓毛）纖細無髓性短小之毛。類似初生兒之胎毛。且發生之部位相同。卽上膊之伸展側肩上。及肩胛骨部位。惡液質患者。就中結核患者。多發生之。從病症之增劇而繁殖。苟結核治愈。惡液毛亦隨之而消滅。是實診斷及預後判定之際。最有價值者也。此類惡液毛。小兒及青年者。最爲顯着。二十五歲以上之結核患者。見之極少。偶有遷延窒扶斯及經久之脚氣。亦有生此毛者。究屬例外。是蓋因上皮細胞皮脂發生之變角質發生而來者。

毛髮之灰白變色。乃色素缺乏。毛髓中因小氣泡竄入而起。老年之變白。屬於生理的。在病理上。有因重症疾病而速變色者。亦有於一夜中。俄然變色者。屢次受非常之畏怖。或懷劇甚憂悶之際而發生者。青年之毛髮斑白。或黑髮中雜有白髮者。乃由機能失其作用也。

爪　屬於內科者尙少。在慢性惡液質疾患者。早期於爪上見裂狀凹凸。又屢屢於急性症持續時。拇指爪形成橫溝者。

在危重窒扶斯患者。偶有各指爪全然脫落者。而病愈後。有再發生者。又有因痛風而發生慢性濕疹。全指爪脫落者。

患梅毒時。有誘起一指爪之障害者。初變色後。肥厚且剝脫。（梅毒性爪匯）

光澤指。　乃指爪周圍之皮膚。爪壘爪溝等現萎縮。而指尖恰如爪質。平滑而有光澤　皮膚及爪在外觀上。已不見界限。又有爪之長徑或向橫徑屈曲者。而全指節肥厚成鼓撥狀。（鼓撥狀指）

如斯之狀態。於慢性心臟病。及呼吸器疾患來者。特於肺癆。及饒多咯出物。慢性氣管支炎。（氣管支擴張。化膿性氣管支炎）所見也。又有發現於先天性心臟異常症者。

皮膚色澤

白[illegible]人種之皮膚色澤（歐洲人及東亞細亞人）之白。因其毛細血管之充實。及色素短少也。歐洲北部人之純白皮膚。實基因其皮膚。及虹彩之色素缺乏。且毛髮之色素亦缺乏之也。（所謂黃金色髮種屬　中國人日本人或歐洲人南部人之皮膚。因麻爾比基氏皮膚之最深層細胞部位。含有多少褐色素核者。是以皮膚稍白。或現暗色。若常受日光照射之皮膚。多爲黝黑。是實由色素增加也。故常居住海濱。因受日光及熱度之強反射者。漁夫及船夫夏期海水浴者。其皮膚多現褐色。常在屋內坐業之纖弱婦人女子。其皮膚常潔白也。

在富有色素之皮膚。比蒼白者多強固。其抵抗力亦強。此色素可防護太陽之灼熱力。此灼熱力乃因化學的作用。爲青色線及紫色線所發者。極潔白之歐洲人。在中國於盛夏若少時裸體曝露於日光之下。容易受第一度或第二度熱傷。此理因歐洲人之白色。實生理之缺點也。於亞弗利加稍白色之拉比亞人。必穿衣服。反之。黑奴雖於日光中裸體。毫不受爲障害。卽可知矣。

關於熱度之色素。形成與效力。多適合之證例。久時芥子泥貼布。因之局所多着色。常擁火爐之前膊。及常用脚爐之下肢。多見褐色素網。

其餘生理的着色。亦要注意。小兒產生後。於薦骨部。現青色班點。但不久卽消失也。初生兒之皮膚。常現紅色。(俗謂之赤兒)有生後第一週終。現橙黃色者。(嬰兒黃疸)經一二個月後。皮膚復尋常之色。

醫士注意一般皮膚之色澤。特於顏面最關重要。且由外部所應注意者。爲口唇粘膜軟口蓋之色澤。爲最確實之證徵。據予之經驗。病理的着色異常。不必專注意於外皮也。

皮膚蒼白

中國人有嬌柔細狹之體質者。其皮膚之色澤。常帶黃蒼白色多。呼吸外氣之勞働者少。女及妙齡之婦人。於顏面頰部。[illegible]明之紅色也。

欲驗皮膚之蒼白如何。以顏面中頰部口唇口腔之粘膜。(齒齦)耳朵及指爪爲最良部。經過急速之蒼白色。於寒冷驚駭人事不省之際。(此際有瞳孔散大)反惡寒期發生者。久時持續之蒼白色。(是爲醫士所要注意者)及因血量減少。血中之血色素減少。或血液之分配異常等。

甲　急劇而來之蒼白色

(一)內部及外部劇甚失血之際。卽現脈搏細數。虛脫之際。所來之急劇蒼白色。在診斷上。內臟出血。如動脈瘤破裂。胃潰瘍窒扶斯潰瘍出血之際。最緊要之徵候也。

(二)有瞳孔散大人事不省之際來之者。又醫士診査之際。危重患者。不能坐位時　陷人事不省者。故宜注意患者之顏貌。若見蒼白色時。可命其平臥將頭部下垂。

（三）於胸絞症。又喘息發作時見之。

（四）急性局所貧血。因動脈痙攣。於手及足部見之。此際多伴有知覺異常。及知覺過敏也。

乙　亙數時或數日間緩徐而來之蒼白色

（一）持續性出血。　如數日之咯血。子宮出血。腸出血。衄血等。

（二）諸種之傳染性病。　於間歇熱。流行性感冒。產褥熱等見之。若實扶的里患者。現蒼白鉛色。極爲惡徵。頃刻有即死亡者。因氣管狹窄。由窒息或心臟衰弱而來者。

（三）胸腔臟器之疾患。於心臟衰弱。及肺臟之呼吸作用障礙之際見之。

（四）急性腎臟炎。

（五）胃腺腹膜之諸種急性疾患。

（六）重症急性脚氣。

本刊衛生顧問章程

（一）本刊經大衆訂閱者之要求。闢設衛生顧問欄。以便醫藥上疑難問題。及病因症治藥性等。作公開之討論與研究。若依本章程投函詢問。當即照來函解答。

（二）重要問題。除依來信直接通函答覆外。本刊得隨時將答案披露。以便同志之研究。

（三）疑難之答案。須檢查醫藉。詳細考慮者。至遲須一星期可以答覆。

（四）不答覆之問題如下。（一）來信記述不詳者。（二）詞義不明者。（三）要求立得藥方者。（四）無關醫藥者。（五）委託評論藥方之是非者。（六）本社同志學識所不及者。（七）無覆信郵費者。（八）無衛生顧問劵者。但不答覆者。不答之理由。覆信聲明。

（五）來函概用中式紙張。繕寫清楚。附覆信郵費一角三分。並附寄下列衛生顧問劵一個。

（六）來函寄上海法租界薩坡賽路一九〇號

衛生顧問劵

驗方與治驗

溫毒治驗

金山孫道明

丙寅暮春之初。有南京人周嫗者。症患溫毒發癍。身熱神糊咽喉腫痛。兩頰皆紅。目花欠明。延予往診。診得脈弦細數沉。舌乾絳。若有裂紋。高年患此。棘手之至。勉擬大劑。顧正托邪。師先賢雷少逸祛熱宣竅一法。用烏犀尖磨冲二分。鮮石斛錢半。眞玉金三錢。京元參三錢。鮮石菖蒲三分。大青葉錢半。吉林鬚五分。燉冲至寶丹一顆。去蠟殼研化。病家按法煎服後。汗洩淋漓。神識漸清。次日復邀予診。診得脈偏弦兼數。舌轉乾膩。色紅癍紫。係伏邪尚重也。宗前法加鮮生地二錢。炙升麻五分。連翹牛蒡子牡丹皮各錢半。玉金天虫青黛包各三錢。象貝二錢。甘中黃一錢。囑服一劑。又中病機。翌日復延復診。見病者癍色退淡。毒發已輕。神識亦清。舌膩較薄。惟兩頰生糜。係心火上盛也。宗前法以吉林鬚易西洋參。除去升麻丹皮青黛象貝甘中黃至寶丹。加入京赤芍錢半。生甘草一錢。淡竹葉二錢。焦瓜蔞二錢。生苡米三錢。淡條芩一錢。雲茯苓三錢。囑服二劑。復邀復診。見病者癍已退盡。神清氣朗。口糜亦去。惟舌光紅而碎。脈偏弦數。係陰液未充也。再仿前章。仍用吉林鬚五分。以扶正氣。原方去鮮生地京赤芍鮮菖蒲牛蒡子玉金天虫淡竹葉。加入山梔仁三錢。細石斛二錢。多瓜皮三錢。光杏仁三錢。令服三帖。更歷一星期。而病者已能起身步履。恢復健康。亦云幸矣。

又治鄉間沈嫗。年七十七歲。患傷暑症。寒熱頭痛。肢楚無汗。曾經嘔逆。神思困然。舌乾絳。脈浮數。知邪鬱漸化。方用西洋參五分。莧麥冬二錢。金石斛二錢。陳皮一錢。朴花五分。栝蔞三錢。皮苓三錢。六一散包三錢。炒香薷三分。炒夏䌷錢半。雞內金錢半。乾菖蒲三分。生熟苡米四錢。服後通身得汗。寒熱亦除。此係病者之長子云。

藥物學研究

南飛

金櫻子

氣味　酸濇平

効用　固精秘氣治夢泄遺精，泄利便數，腸粘膜炎，

用量　錢半至二錢

禁忌　腎臟炎

產地　未詳

鑒別　如榴而小黃赤有刺

用法　取半黃去刺核用熬膏亦良

成分　主要素爲蘋果酸CO_2H，$CH(OH)CO_2H$ 樣檬酸 $C_6H_8O_7$ 餘者爲單甯酸膠糖質入胃後微助胃液，促進消化，又使腸粘膜收縮，分泌減少，至血中能將微血管收縮，白血球之運動亦稍被壓，故有止瀉退熱之效。

訶子（訶黎勒）

氣味　苦酸濇温

効用　泄氣消痰，斂肺收脫，止瀉開胃，治冷氣腹脹，膈氣嘔逆，脫肛崩帶，開音止渴，又赤痢胃粘膜炎

用量　一錢至二錢

禁忌　能濇氣而泄氣，氣虛及嗽痢初起者忌用

產地　廣東　從番舶來者名訶黎勒

鑒別　嶺南亦有六稜黑色肉黃厚爲良

用法　酒蒸，服時，去核，取肉，生用清金行氣，熟煨温胃固腸

成分　主要素爲沒食子酸$C_6H_2OH_7$，CO_2H %單入胃能令胃內之配瀫新及蛋白質皆凝固而消化甯酸$C_{14}H_{10}O_9$。$2He$35%被阻，且收縮胃粘膜，使分泌減退，至腸能收縮腸壁微血管減輕下痢，且微有殺菌能力，吸入血中，能使血液流動之血管收縮，阻止血管及白血球之滲出，故有間接止血之功又能使腸收縮而減下痢。

御米殼（罌粟殼）

氣味　酸濇微寒

效用　固腸澁腎，歛肺治久咳，瀉痢遺精，脫肛心腹諸骨諸痛，罌中有米極細甘寒潤燥，煑粥食，治反胃又可治腸痛，和關節痛又可丁能鎮欬（嗎啡亦有同樣作用）治喘息，和肺結核之咳嗽甚効，有止瀉作用，治大腸加答兒和下痢。

用量　八分至錢半

禁忌　嗽痢初起者忌用

產地　雲南四川等

鑒別　一名麗春花，紅黃紫白，美麗可愛。

用法　凡使殼洗，去蒂及筋膜，取薄白醋炒或蜜炒用將醋烏梅陳皮良

成分　雅片中含嗎啡 Morphtn 可丁 Codetn 納可丁 harcotin 拍拍法林 Pap. aefrin 等罌粟殼和子中也含小量成分

白果肉（銀杏）

氣味　甘苦濇溫

効用　定痰哮，歛喘嗽，縮小便，止帶濁，生食降痰解毒，解酒殺虫，熟食溫補益氣，浣油膩。

用量　三錢至五錢

禁忌　多食令人壅氣臚脹，食千枚則死。

成分　含有多量脂肪，和蛋白質。

龍骨齒

氣味　甘濇微寒

効用　歛心腎潛浮陽，收斂浮越之正氣，濇腸益腎，安魂舒驚。治多夢紛紜，吐衄崩帶，遺精脫肛，固精止汗，定喘歛瘡，皆濇以止脫之義，（以上治大人驚癲狂熱，小兒五驚十三癇（齒）搗爲細末，用於熱病，又作強壯藥，味甘平，㨃鬼魅定魂魄。

用量　三至五錢

禁忌　忌魚及鉄畏石膏川椒，得人參牛黃良

產地　四川成都山東沂州山西太原係象類動物之骨埋土中化石而成。

鑒別　白地錦紋舐之粘舌者良

用法　酒浸一宿水飛，三日用，或酒煑酥炙火煅，亦有生用者，又云水飛晒干黑豆蒸過用。

牡蠣

氣味　鹹濇平

効用　化痰消癧結核，治遺精崩帶，止嗽斂汗，固腸，微寒以淸熱補，水治虛勢煩熱。貝殼粉末是制酸性強壯藥，內服是滋養強壯藥。

用量　四錢至一兩

禁忌　惡麻黃細辛，得膝遠蛇床子良，胃酸缺乏症忌之。

產地　廣東南海沿岸　海水化成統雄無雌故名牡

鑒別　色灰白，表面凹凸，綸紋形扁圓左殼較右殼厚大，外面淡黃色，鱗片相重，內面是白色。

用法　鹽水煮服亦有生用者。

成分　炭酸鈣（$Caco_3$）燐酸鈣（$Ca_3(Po_4)_2$）硅酸（Sio_2）入胃能中和胃中鹽酸，使消化增進，入腸能減少腸分泌。使大便燥結，一部由腸壁入血，增大白血球效用，使血液凝固力強健，並有小部分燐酸鈣，能促全身細胞之新陳代謝，而於腦神經，尤有顯明之効

葛根

氣味　辛甘平

效用　輕揚升發，開腠發汗，生津（止）渴，解肌退熱，爲治脾虛泄瀉之聖藥，療傷寒中風，陽明頭痛，血痢溫瘧腸風，傷酒吐血，解酒毒

用量　一錢至二錢

禁忌　多用反傷胃氣（升散太過之故）

產地　山野自生

用法　生葛汁大寒解溫病大熱，吐血衄血諸血。

鑒別　根外面淡紫色，內白色，類如山藥之紡綞狀，販賣者有生干二種，前者呈黃褐色，後者白色帶白粉。

成分　主要成分含有多量澱粉

芫荽（胡荽）

氣味　辛溫

效用　宣發痘瘡，解惡氣，內通心脾，外達四肢，健胃驅風祛痰。

用量　八分至一錢

禁忌

產地

用法　痧疹痘不出煎酒漬之

鑒別　有麻酸性之惡臭

成分　百年中含揮發油一分，脂肪油十三，分餘爲蛋白質單甯酸等。

（未完）

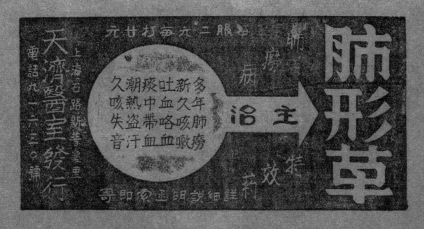

藥丸彙要

薛定華

內科門

(一)補養類

十全大補丸(太平惠民和濟局方)

效用 此丸專治一切氣血兩虧。諸虛百損。五勞七傷。頭痛昏暈。耳鳴目眩。口舌生瘡。牙齒不固。心煩作渴。喘嗽嘔逆。羸瘦不食。胸腹悶痛。腰膝痿疼。經絡拘急。夢遺便泄。有升陽滋陰之功。氣血交虧者宜之。

藥品 人參 熟地黃 黃耆 各一兩五錢(一作各一兩)白朮 當歸 白芍 肉桂 (一作五錢)各兩。川芎 (一作一兩)白茯苓(一作一兩)甘草(一作五錢)各八錢

製法 先將參地酒洗。焙蒸黃耆鹽水拌炒。(一作蜜炙)白朮炒焦。(一作飯蒸)當歸酒拌。白芍炒。(一作酒洗)甘草炙。均令乾。同桂芎苓共研細末。蜜丸如桐子大。

用法 每服四錢。以淡鹽湯送下。開水亦可。宜常服。

說明 本丸乃十全大補湯第一方。倍量爲丸。攷十全大補湯。本有沉香木香。無黃耆。肉桂。至李東垣氏始用黃耆易木香。肉桂代沉香。使其有益氣溫血之功。本保元之意。合四君四物黃芪建中三方。凡勞傷太過。氣血兩虧。眞陰竭于內。虛陽鼓於外者。皆宜之。經云陰平陽秘。精神乃治。補奚爲者。若房勞傷精。思慮傷神。以致咳嗽吐血。胸悶煩燥。納食不佳者。用之病勢反見轉劇。可不愼哉。

補元丸(驗方)

效用 治氣血兩虧。骨蒸勞熱。陰溫盜汗。咳血吐痰。形瘦等症。

藥品 紫河車一具牛膝 杜仲 各二兩 黃柏 龜版各三兩 陳皮一兩

製法 先將活胎人胞一具。入銀器而不變色者良。挑去血絡漂淨血水。隔水火煮爛如糜。絞去滓。代蜜糊丸。(或成粉末亦可)候用。此外將牛膝酒炒。黃柏酒製。龜板炙。與餘藥及已製人胞共研細末。煉蜜爲丸。如梧桐子大。

用法 每服四錢。鹽湯送下。多加乾薑五錢。夏加炒五味子一兩

說明　氣血乃人身之元。氣血兩虧。則本元不固。法當補之。此補元丸命名之所由來也。本方以紫河車爲君藥。餘皆臣使之品也。蓋河車卽人胞也。包裹胎兒。粘貼於子宮之頂。上半頗厚。由無數微血管所構成。產科名曰胎盤。下爲薄膜。臍帶連於胎盤。胎兒由此攝取養料。故胎兒之有胞衣。猶成人之有腸胃。其在腹中日漸長大。全賴于此。故紫河車稟受精血。結成爲胎之餘氣。得母體之血氣居多。故能峻補營血。用以治骨蒸羸瘦。喘嗽虛勞之疾。是補元以味也。故母體患梅毒性之病以及其他病毒者。其胎兒之胞衣。切不可作藥用。故製法中以胞衣入銀器內。而檢定之。苟銀器遇有毒之胞衣。則其色變暗黑。卽可定是胞不可入藥也。

河車大造丸（吳球方）

效用　治虛損勞瘵。形體瘦弱。神志失守。內熱水虧。

藥品　紫河車一具人參　黃柏　杜仲各一兩五錢牛膝　天麥門冬各一兩　龜板　熟地黃各一兩。

製法　將紫河車漂淨煮爛如糜絞去滓成粉末。又將黃柏鹽水炒。龜版經炙。再將製就河車同諸藥共硏細粉。另用茯苓六錢煮爛。和勻酒米糊爲丸。

用法　每服三錢空腹時淡鹽湯送下。

說明　本丸以河車爲主藥。故以河車定其名。大造者。言其有奪天造化之功也。其副效有烏鬚黑髮聰耳明目之能。故爲世人所推重。然方中用地黃天冬麥冬黃柏龜版。一派滋膩之品。終有呆胃之虞。雖有一味人參。恐反助羣陰之勢。服之每致嘔泄。凡虛勞衰弱。消化不良者用之。亦當注意也。

河車丸（證治準繩方）

效用　治咳嗽一切勞瘵虛損骨蒸。

藥品　河車一具。白茯苓五錢　人參一兩　乾山藥二兩。

製法　先將河車漂淨重湯煮爛。成膿汁將餘藥硏成細末。和胞汁加麵糊爲丸如梧子大。以麝香末少許爲衣。

用法　每服四十丸。空心時米飲溫酒或鹽湯送下。若勞咳甚者。以五味子湯送下

說明　河車丸較河車大造丸爲佳。因勞瘵之人。脾胃虛弱者難治。若多用滋膩之品。則有礙脾胃。反害身體。故本丸去滋膩之品。具補養之能。以山藥茯苓健脾。尤爲本方之妙用。近世改用鮮者。尤爲得力。卽虛人服之。可無犯胃氣。實爲補養虛損之良劑也。

天津馮氏斷癮救苦金丹戒烟第一

▲風行六十餘年斷癮數百萬人
▲中央禁烟委員會張主席題獎
▲歷任大總統黎徐曹諸公嘉獎
▲專戒鴉片紅丸海洛因嗎啡癮
▲戒時照常吸烟逐日見烟自厭
▲輕癮一二料重則三四料戒淨
▲每料祗收藥本大洋一元五角
▲外埠函購起碼兩料寄費加一

贈券

戒烟捷徑內容豐富凡三四餘萬言人手一冊益趣無窮函索立卽原班寄奉

救苦金丹發明於清同治七年，迄今已歷六十七年，其藥性的王道，功效的神速，遐邇馳名，歷古各地官廳嘉獎保護，博覽賽會屢獲褒獎，服者斷癮謝函不可勝計，詢屬戒烟藥中第一祕寶，絕非市上一般投機劣藥所可比擬，服之毫無副作用，于安全中戒絕，決心戒烟，捨此莫屬。

功效 宣導烟積，剷除烟毒，打倒犯癮，潤腸滋陰，增加血液，照常辦事，不害腸胃，增多飲食

成分 採取珍貴國藥，精密監製，功效靈速，與普通毒質抵癮戒烟藥絕不相同，亦不反癮重吸

服法 每晚臨睡時，用溫白開水送下，白天勿服，切勿過量多服，次晨口渴乃藥力達到之現象

代理

本埠先施永安濟華堂中英太和中西華美五洲中法華英南洋正威等均售

▲**上海**白克路西大通路口 **天津峻芝堂駐滬發行所**

衛生雜誌廣告例

地位	面積	價目
封面	大半頁	大洋四十元
底面	全面	大洋四十元
封面裏	全面	大洋廿八元
底面裏	全面	大洋廿八元
封面第二頁	全面	大洋廿四元
	半面	十二元
	四分之一面	八元
底面第二頁	全面	大洋廿四元
	半面	十二元
	四分之一面	八元
普通	全面	廿四元
	半面	十二元
	四分之一面	八元

一封面底面裏外均用二色套版印不另取資

一代製銅版鋅版費另加

一代繪圖樣費另加

一惠登廣告者贈本刊一冊

衛生雜誌第二十四期

中華民國二十三年十一月廿五日出版

主編者　國醫張子英

發行者　衛生雜誌社

印刷者　三星印刷所　法租界營恩濟世路七十六號

分發行所　中醫書局　現代書局　上海雜誌公司

分售處　各省書局

衛生雜誌定價表（費須先惠）

出版	月出一冊	全年十二冊
價目	大洋一角	大洋一元
附註	郵費在內	國外加倍
	郵票代洋以一分五分爲限	

◉社址◉　上海薩坡賽路一九〇號

◉電話◉　八〇六四〇號

真正價廉物美大補品

安慶藥水

主治

面上瘰癧 未潰凍瘡 面癬粉癬
面痣雀斑 生羊鬍鬚 脚趾縫癢
臭虫蚤咬 牙齒刺痛 預防毒染
下體發癢 洗滌帶濁 諸皮膚病
搽此藥水 非常靈驗

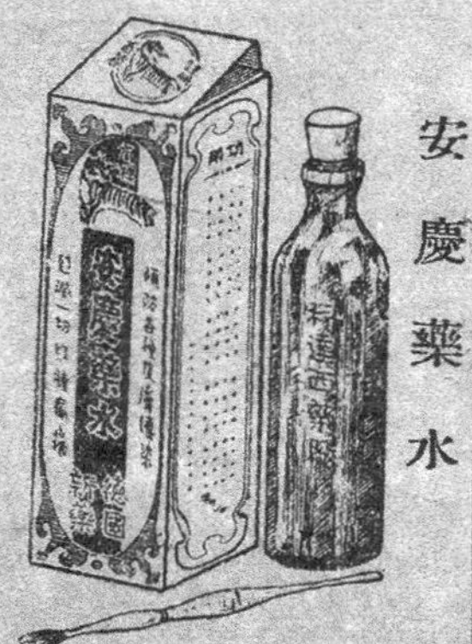

KONDUK S
COD LIVER OIL
WITH
MAIT EXTRACT

科達麥精魚肝油

全球醫藥界所公認之無上大補品

WALES FRUIT SALINE

威爾斯菓子鹽

潤腸，清血，化食，清補飲品，

歡迎醫師家庭採用
荷蒙惠顧格外從廉

「科達」麥精魚肝油，行銷東亞半球，已有二十餘載之光榮成績，凡服食者，有口皆碑，證書謝函，叠積盈箱，銅版印成若干，歡迎索閱，其他實驗藥品，亦均貨眞價實，人人樂服。

各處藥房公司醫院均售

科達西藥廠無限公司總經理

上海北四川路

KONDUK WALD DRUG CO., UNLTD.
N. SZECHUEN RD., SHANGHAI.

贈品

請贈 貴廠各種說明證書價目單以及美術信箋至姓名地址

（衛）

◉德國政府特許專賣的內分泌物結晶製劑長壽防老特效聖藥！

德國壽爾康補丸

▲確爲固腎培元之聖品‧眞是生精益髓之奇藥！
▲改變損壞的舊體質‧恢復青春時代的幸福！

▲怎樣使老年人享青春幸福？
▲怎樣使夫婦間得魚水之歡？？
▲怎樣使乏嗣者可一索得男？？

贈券
科學的藏器療法壽爾康詳細說明書函索憑券寄上海本行當即原班寄奉

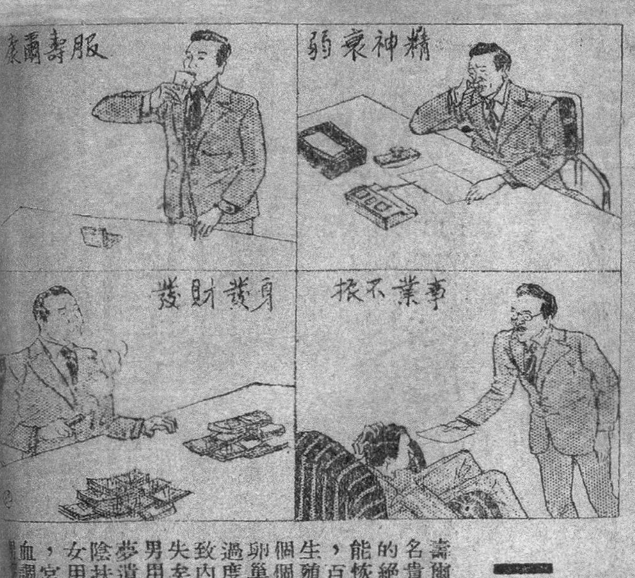

唯有購服真正 **德國壽爾康補丸**

壽爾康：是德國愛特諾博士發明，用最最名貴之動物臟器製劑，獨具改造生殖機能的絕大權威，凡年老力衰之男女，服之立能恢復其青春時代的生殖機能，歷經實驗，百試不爽！

生殖：是人類天賦的本能，康健的男女個個人生殖的能力，男性的睪丸，女性的卵巢，就是生殖力的主宰，如果因『房事過度』『衰老虛弱』『生理變態』等原因而致內分泌腺發生障礙，則生殖機能亦即消失矣：

男用壽爾康：專治神經衰弱，陽萎早洩，夢遺滑精，生殖無能，諸虛百損，確具滋陰扶陽生精益髓老翁種子的奇效。

女用壽爾康：專治婦科子宮病，經血不調，宮冷白帶，氣血虧虛，久不孕育，有補血調經溫宮催孕古井重波的驚人的特驗，男服男用壽爾康，女服女用壽爾康補丸。

▲壽爾康之結晶成分與特效

A：盼荷爾蒙(PAN-HORMON) 阻止衰老
B：大腦腺素(CEREBR-SICC)
C：腦神經粹(HYPOPHYSEGLAND) 補腦健神
D：恢復性腺
攝護腺炎(PROSTAT-GLAND) 亢進
器官
E：男睪丸素(TESTES-SICC) 性官能病
F：女卵巢素(OVARIA-SICC) 性官能病
G：心臟血素(HEANIOGLOBN) 補血
造血
H：腎上腺素(SUPRARENAL)1 補腎強精
I：臘雪星(LECITHINE) 療虛補損
J：浦歐麥(EXTRPUIRAPUAMA) 強
壯精神
K：變質素(EXTRURN) 改造體質
L：維他命(VITAMINE) 繁殖益髓

▲德國安諾特博士心血發明▼
▲德國威彌鄧大藥廠新創製▼

上海南京路柯爾登洋行經理

HEALTH MAGAZINE

衛生雜誌

中華郵政特准掛號認爲新聞紙類
內政部登記證警字第二八二九號
社址上海法租界薩坡賽路北永吉里

第三卷第五期　(即第二十九期)

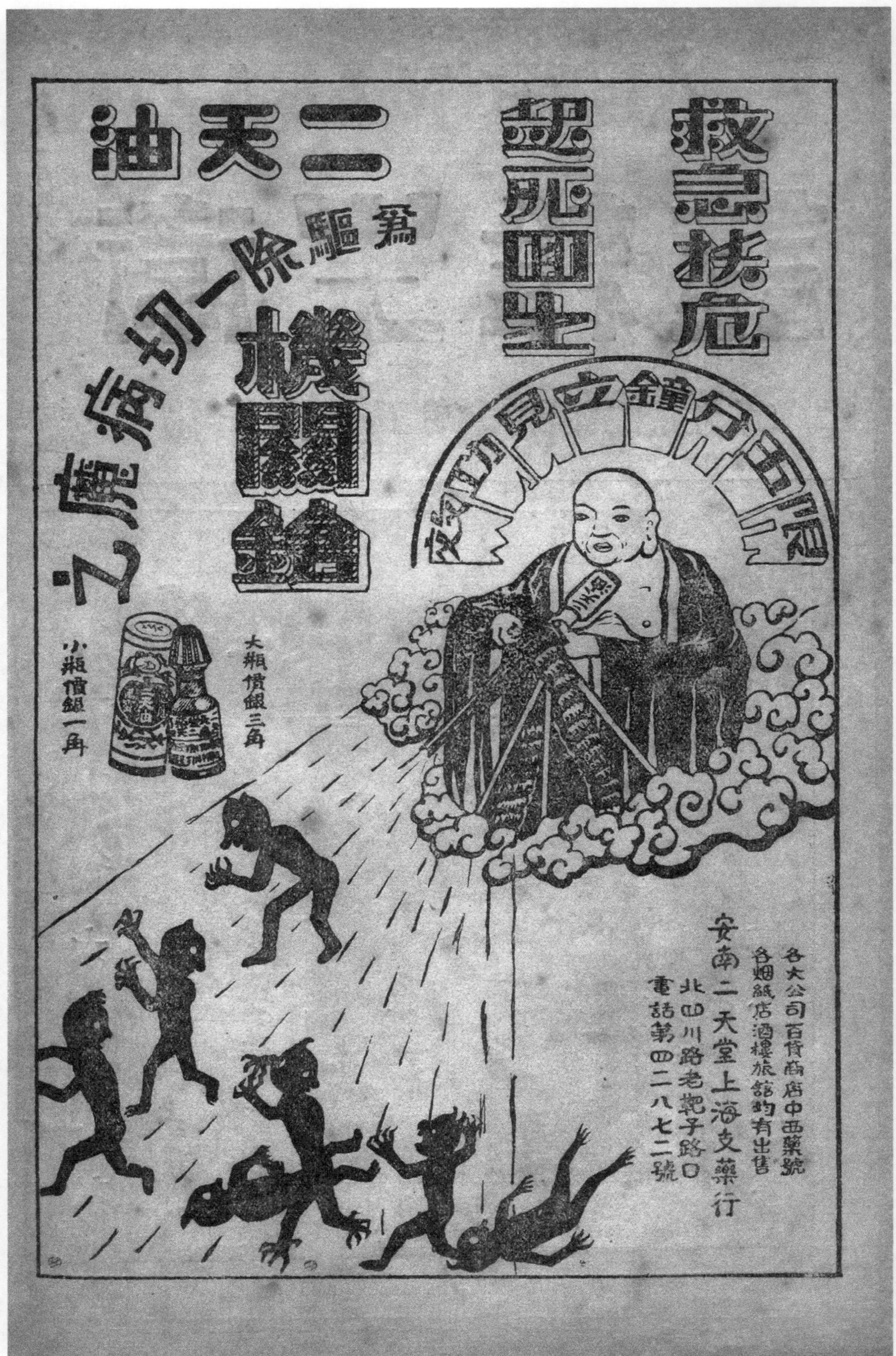
救急扶危
起死回生
二天油
為驅除一切病痛之機關鎗
不出分鐘立見功效
大瓶價銀三角
小瓶價銀一角
各大公司百貨商店中西藥號
各烟紙店酒樓旅館均有出售
安南二天堂上海支藥行
北四川路老靶子路口
電話第四二八七二號

“蒂德珠”

一老人之晶品一

蒂德珠世界公認最有功效之補藥

▲該藥經世界性問題專家德國許飛博士用最新科學方法研究成功他的品質經過海岱保大學的魯緯教授用生物學的試驗所確定爲有價值無上補品

▲服後二星期便能見效

永安，先施，福安，各大藥房均有出售

說明書函索卽寄

遠東獨家經理

德商華裴洋行

上海博物園路一三三號

◉電話一九九八〇

美容妙術

▲德國五和美容片

W-5

（歷史）此美容片經世界性學問題專家葛其福博士多年研究成巧化驗確實有效

（暢銷）此片暢銷歐美有年凡好來塢電影明星多服用之

（功効）能保留青春不老兼使皮膚嫩白已老之人服後能恢復他的過去音容雖皮膚有微疵亦能使之脫離

永安，先施，福安各大藥房均有出售

遠東總經理處

上海德商華裴洋行

電話一九九八〇

郵政信箱九七三號

說明書函索卽寄

德國梅濁尅星

自濁自療 對症專葯

那怕你疼痛難忍 服了梅濁尅星包你不疼！

那怕你腫得利害 服了梅濁尅星包你腫消！

那怕你濁流如注 服了梅濁尅星包你濁清！

那怕你便中流血 服了梅濁尅星包你血無！

▲白濁乃絕嗣之總因▼

淋菌侵入睪丸，則精虫不能生存，以致絕嗣，普通一般療法，絕無透入睪丸殺滅淋菌之效能，德國淋病自療專藥「梅濁尅星」具有滲透粘膜深部之絕大權威，無論淋菌侵入何處，均能追蹤而殺滅之，故能澈底斷根，永不復發：

▲梅濁尅星殺菌力：勝過透熱電療！

▲梅濁尅星清濁力：勝過注射針藥！

▲梅濁尅星鎮痛力：勝過插入油錠！

▲梅濁尅星消炎力：勝過注射色素！

▲梅濁尅星淨毒力：勝過局部洗滌！

▲梅濁尅星利尿力：勝過內服各藥！

▲德國愛迪那博士發明▼ ▲德國駐滬總領事簽字證明▼

▲藥房均售▼

▲德國戚彌鄧藥廠監製

遠東總經理處 ▲上海南京路五四號柯爾登洋行啓

贈券

憑贈券附郵票十分簽字蓋章寄上海郵政信箱第一四六五號柯爾登洋行樣品部郎贈德國梅濁尅星樣品及詳細淋病療養說明書各一份

上海 中華路 文廟路 金城雜誌公司

代定全國定期刊物
代售海內雜誌畫報
特別優待照原價八折

代售 全國期刊應有盡有無不完備

代定 負無限責任 遇中途停刊可以還款并中途可以改定他種刊物

總發行 三大雜誌

衛生雜誌 每册一角二分 年十期連郵一元

生計教育 每册一角二分 全年十期連郵一元

國術統一月刊 每期二角 全年十期連郵二元

郵票十足通用 目錄單函索即寄

健美爲幸福之源
風行三十餘年
各地百貨商店
均有發售
雙妹老牌花露水
辟穢止癢提神醒腦
中國廣生行有限公司出品
雙妹老牌如意膏
雙妹老牌
如意膏
花露水
中國
雙妹嚜花露水
GIRL BRAND
FLORIDA WATER
商標
註冊
KWONG SANG HONG
LIMITED
246 248 DES VOEUX ROAD
HONG KONG
香港廣生行有限公司
主治
四時感冒 咳嗽霍亂
牙痛肚痛 頭痛骨痛
跌打刀傷 湯火等傷
無名腫毒 犬咬蟲傷
治法甚多 不能盡錄
照法搽食 百發百中

小談論

不景氣釀成的疾病

編者

處這農村破產商業蕭條的不景氣時候。據衞生家觀察。世界上又橫添着許多不景氣釀成的病症。如思慮過度。勞心憂鬱。七情所傷的內傷病。肝鬱胃呆心臟衰弱營養障害。神經衰弱貧血等症。原來人們的心力有限。腦力又有限。而一日所供消耗之營養料又有限。又處不景氣的時候。只好節衣縮食。減少營養身體的滋養料費用。但供身體內的消耗。有過之而無不及。自然發生變化。釀成以上各症。所以現在的醫生。當注意由經濟壓迫下的不景氣病。

衞生雜誌第二十九期目錄

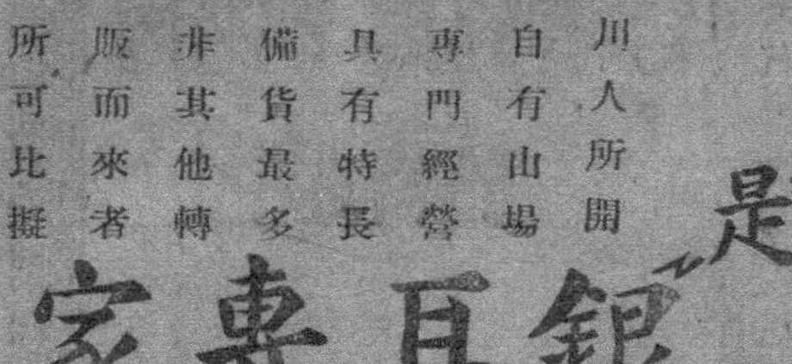

國內千萬兒童皆快樂健全
因哺育於
勒吐精代乳粉
以勒吐精代乳粉哺育之嬰孩。皆發育健全。肌肉豐盈。筋骨堅實。神經靈敏。因此粉所含滋養原質。易於消化。而便於溶解。適為嬰孩所需要之唯一代乳品。
樣品券
寄上郵票兩角請將勒吐精代乳粉一樣罐及育嬰指南一冊寄下為荷此致
上海郵政信箱七〇五號
英瑞煉乳公司
姓名
住址
LACTOGEN
NATURAL MILK FOOD
FOR INFANTS AND NURSING MOTHERS
PREPARED IN AUSTRALIA

衛生言論

不景氣時代應特別注意衛生

張光耀

處這不景氣時代。謀生計極度困難的當兒。吃勞心飯的人們。雖然天天絞盡腦汁。生活還是不安定。吃勞力飯的人們。雖然天天用盡力氣。生活也是不安定。可憐人們的腦汁和力氣是有限的。在經濟困苦的當兒。又得不到極充分的滋養料營養身體。消耗既然過度。補充又不足。怎能不患病呢。所以我們處這不景氣時代。應當特別注意衛生。在最低的條件下。也應該把消耗精力的賭博聲色烟酒等不良嗜好。完全戒除。原來賭博聲色烟酒等嗜好。最足以戕害身體。影響到事業和生活方面。其次。起居飲食。在可能範圍內。都要顧到衛生。因爲有了康健的身體。尙且生活困難。若患了病。既然賺不到錢。還要橫添一筆醫藥費的支出。眞眞所謂屋漏還遭連夜雨。怎能度生活呢。還有一層。我們在生活困難中掙扎。事事非有健全的精力。不能勇往直前去幹。若身體虧弱。辦事畏縮。怎能成功呢。現在處這不景氣的時代。我們沒法抵抗牠。惟有用全健的精力去掙扎。就是抵抗不景氣。

夏季的農村衛生

卲霖生

炎熱的夏季到了。我們這破產了的農民們。是經不起病魔們來一擊的。尤其是在農作繁忙的當兒。萬一稍有不愼。略感不適。別的不必講。至少是自己不能下田做工了。請人做一塊大洋祇有二工。還得請他們喫魚肉飯。如果患得重了一點的病。請醫生看。喝湯藥。在這青黃不接的時候。又那兒來送給醫生的謝金。和配方的藥資呢。而同時健全的人又無暇來牀第服事。一個人病臥在牀上。眞是痛苦萬分呀！

萬一更是因爲症候嚴重。或醫治不得其法。而致一命嗚呼了。親屬們的傷心不必說。而購買棺材要錢，購買下材衣要錢。擡出去也要錢。更是在有幾處地方的風俗。又要請鄰里親朋來大喫一頓。在自已也沒有飯喫的時候。那有飯來可給人家喫呢。不得已的爲了要撐場面。勉強把田地向人抵押了。或是去借人家的青苗錢。更受別人的重利盤剝。弄得子子孫孫雖有出頭之日，多麽的可怕呀！

我在這裏說了一大篇不吉利的話。眞是對不起讀者諸君。不過我的意思是好的。動機是正的。是要叫諸位農村的朋友們看了。特別注重於夏季的衞生。非農村的人看了。也要向農民們宣傳。防患於未然。那末我們的敵人——病——不會光臨。可以平平安安的渡過這個可怕的炎熱的夏季。而轉眼卽來的秋收。又可使我們笑容滿面了。

那麼我們應當怎麼樣的衞生呢。在此我約略的寫幾端在下面。

一・天天洗澡。

二・天天更換衣服。

三・不喝生水。

四・不喫生冷隔宿和蒼蠅叮過的東西。

五・常用臭水灑地。(此項臭水。大洋六角可買半加倫。)

六・無論熱到怎樣。決不在外面露宿。

七・撲滅蒼蠅。並府牠的出生地厠所等處。用臭水殺盡牠們的幼蟲。

八・晚上在帳子裏睡覺。不使污水積留而生蚊蟲。

九・滅除蚤蝨臭蟲之類吸人血的害物。

十・竭力注意廁所。厩房。肥料場的清潔。最好在可能範圍內。將牠們移置於與住所較遠的地方。

上述十條不過一個大要罷了。總話一句。要請諸位在農村的朋友。特別注重這夏季衞生身強體健。和福壽延年。尤藉非農村的人們去勸導農民。功德無量。

學術研究

耳病各論

俞愼初

夫人生之器官肢體。有互相輔助運用之妙。苟失一者。則其他之效能亦受障礙。而腦神經之動作。因之失固有之敏銳。耳爲人身主要器官之一。耳聽目明。則思想作事必敏捷活潑。其構造分爲三部曰。外耳。曰中耳。曰內耳。外耳包括耳翼外聽道鼓膜。耳翼乃最外之部分。亦謂耳殼。係軟骨屈曲而成。外聽道乃與耳翼相連接彎曲之腔道。鼓膜橫于外聽道與中耳間之膜。中耳位于內耳與鼓膜間。有三個小聽骨。曰錘骨。曰砧骨。曰鐙骨。錘骨接連於鼓膜之上。砧骨則介于錘鐙二骨之間。鐙骨在中耳及內間隔牆中之小孔裏。而中耳內之空氣。由耳氣管通於咽喉。內耳潛藏於顳顬骨內。由骨及膜而成。亦分三部。曰前庭。在內耳中央。隔膜連接於聽骨。曰半規管。在前庭上部。曰蝸牛殼。在前庭下部。前庭及中耳之間隔牆中有一孔。曰卵圓窗。鐙骨卽嵌入其中。蝸牛殼及中間隔牆上。亦有一孔。曰圓窗。內有一膜。阻止中耳和內耳之相通。外耳爲集音波送于鼓膜。鼓膜受其振動。傳于聽骨。由聽骨達于內耳之卵圓窗。與外淋巴相接觸。由外淋巴入于內淋巴。內淋巴振及聽神經之末端。聽神經傳之于腦。而知覺生焉。

由上述耳器管之構造之精巧。與人身關係之密切。對于衛生尤須注意。若被損傷破潰。細菌侵入。輕則化膿作痛。重則變成聾聵。要宜時常洗滌。以防細菌之侵入。避猛烈之聲音。以防鼓膜之損傷。

耳聾

原因　耳乃腎竅。人所共知。然手足少陽二脈皆入于耳。又手太陰之結穴（卽籠葱）亦在于耳。故耳之統主不一。是以聾之原因亦不一。致其病之原因。先賢朱丹溪謂。耳聾屬于左者。足少陽胆經之火也。縱情多怒者多有之。耳聾屬于右者。足少陽膀胱經之火也。嗜酒好色者多有之。兩耳俱聾者。足陽明胃經之火也。醇酒厚味者多有之。其他則由體弱。精氣不足。勞力傷氣。心腎兩虧。肝陽上逆之故。

症狀　耳聾則不聽于聽。不聽于聽。不特妨礙自身之動作。卽入社會活動。交際場所。亦所不能。夫耳不聽。聽神經失其固有之敏銳。以至于遲鈍。於是由活潑而變爲愚笨。甚且常有頭暈目眩之痛苦。

診斷　平常談話而不答。必大聲呼之則知者。此兩耳俱聾之徵象也。右耳聾掩左耳則不聽。左耳聾掩右耳則不聽。此爲耳聾之徵象也。

治療　縱情多怒聾左者。宜龍膽清肝湯主之。嗜酒好色聾右者。宜加味六味地黃湯主之。醇酒厚味兩耳俱聾者。宜清聰化痰丸主之。天雨陰濕猝暴聾者。宜用宋半夏。廣陳皮。常服代茶自愈。

耳鳴

原因　耳鳴有二。一屬虛。一屬實。腎陰虧損。肝陽上逆。耳液乾耗。此屬于虛。痰飲濕火。內擾上騰。耳液涸濁。此屬于實。

症狀　虛者。身體羸瘦。頭暈目眩。不時內熱。鳴如蟬聲。或蟲聲。或水鷄聲。實者。身體強壯。痰火上沖。舌苔厚膩。鳴如喇叭聲。擊鑼聲。

診斷　虛者。脈弦細而數。實者。脈滑大而數。

治療　虛者。宜加味杞菊地黃丸主之。實者。宜控涎丹主之。

耳癤

原因　由于外聽道之耵聹皮脂二腺。侵入化膿菌而發生。或由搔抓剃毛以起。

症狀　初起該部僅感覺壓痛。後則皮膚發赤。腫脹疼痛。更有發熱化膿。甚且聽力因之而障礙。下頷及耳部之運動不能。

診斷　此症一名外聽道炎。因發于外聽道故也。赤腫加甚。可蔓延于中耳。

治療　宜先用石灰酸與古加因甘油溶液滴入。以減其痛。若流膿。以陳皮一錢。燈草燒灰一錢。冰片一分。爲末吹之。

聤耳

原因　耳垢由于外聽道耵聹腺之尋常分泌物。少則無礙。多則耳爲不聰。此乃由風火太甚。耵聹腺過于分泌。久則積結而爲硬核。耳孔被塞。聲音因之而不通。

症狀　有時亦發生重聽耳鳴之感。且耳內常覺脹痛不快。

診斷　風熱鬱火上擾冲激。所流之液無如膿耳之膿多。

治療　宜歸芎地黃湯主之。外用地龍糞三錢。釜底黑五錢。生猪脂一兩。三物共搗勻。再取葱汁拌之。研成如棗核大。棉裹塞耳。潤則換之。有膿者用麝香（炒）五分。蟬退（燒存性）五錢。共研細末。先將耳內洗淨。後用此藥吹之。

膿耳

原因　風熱鬱火入于胆經。循經上行。壅塞于耳。而爲膿矣。

症狀　時流膿汁。其色不一、甚則生臭。且有時膿流不出。壅聚于內。發爲腫痛。

診斷　此症亦屬風火之爲患。有時甚者必惡寒作熱。

治療　宜柴胡清肝湯。或歸芎地黃湯主之。外用海螵蛸五錢。枯礬末五錢。乾胭脂三錢。眞麝香一分。共研細末。貯密勿令洩氣。用時少許吹之。或摻敷爛處。流黑色者曰耳疳。外用白鵝腦中枕骨燒紅候冷。每兩加冰片一錢。研爲細末。用藥棉花拭淨膿汁吹之。流白色者曰纏耳。外用蝸蛀竹屑加麝香少許吹之。流青色者曰震耳。外用青魚胆和冰片滴入。流紅色者曰風耳。外用麝香（炒）五分。蟬退（燒存性）五錢。共研細末。先將耳內洗淨。後用此藥吹之。名稱雖不一。其原因總不離風熱鬱火也。

耳痔

原因　此症乃由足厥陰足少陰足陽明三經之火上冲。凝結而。

症狀　其形如櫻桃。或如羊乳。微腫悶疼。色紅痛不可觸。

診斷　多生於外耳之間。其色紅。觸之則痛引腦巔。洩短脈數。

治療　宜梔子清肝湯主之。外用硇砂散點之。此外又。耳菌耳挺與耳痔大同小異。治法無異。

耳衄

原因　此症由於少厥二陰之爲病也。

症狀　血液由耳中湧出。如鼻孔之流血。

診斷　不疼不痛者。乃少陰之虛火也。暴出而痛者。有厥陰之實火也。

治療　少陰虛火者。宜生地麥冬飲主之。厥陰實火者乃宜柴胡清肝飲主之。

耳痛

原因　經云『少陽之勝耳痛，』是以此症之發生。多由少陽相火旺盛所致也。

症狀　或微痛。或乾痛。或濕痛。或痛如蟲走。

診斷　微痛虛火之爲患也。乾痛風熱之爲患也。濕痛風濕之爲患也。痛如蟲走風也。

治療　宜生犀丸、解熱飲子、涼膈散主之。內有生瘡者。宜鼠粘子湯主之。

耳根毒

原因　由於風火循三焦胆經上冲所成也。

症狀　形如痰核。赤腫疼痛。發熱惡寒。

診斷　生於耳後根部。風火之毒冲激而發。

治療　初起發熱疼痛者。宜荊防敗毒散汗之。或仙方活命飲消之。成膿者。宜透膿散主之。潰後宜貼萬應膏。膿盡搽生肌散。

方劑　龍胆清肝湯。黃連、陳皮、胆星、龍胆、香附、玄參、青黛、木香、酒當歸、黃芩、山梔、生姜汁。

加味六味地黃湯。生乾地黃、知母、黃柏、菖蒲、遠志、白芍、當歸、淮山、石粟、茯苓、澤瀉、丹皮、川芎。

清化聰丸痰。蔓荊子、赤茯苓、鹽橘紅、酒炒山梔、酒炒青皮、生地黃、(酒洗)酒炒黃連、酒炒黃芩、酒炒柴胡、姜製半夏。

杞菊六味丸。生地黃、茯苓、澤瀉、丹皮、山萸肉、淮山、北枸杞、杭菊花。

控涎丹、甘遂、大戟、白芥子。

歸芍地黃湯。炒赤芍、炒歸身、黃子苓、生地黃、生山梔、白茯苓、滑石、柴胡、甘草。

柴胡清肝湯。柴胡、生地、當歸、赤芍、川芎、連翹、牛蒡、黃芩、山梔、花粉、甘草節、防風。

梔子清肝湯。柴胡、黑梔、丹皮、當歸、白芍、川芎茯苓、牛蒡、甘草。

生地麥冬飲。生地、麥冬。

柴胡清肝飲。柴胡　人參、黃芩、甘草、山梔、川芎、連召、吉梗。

坐犀丸。犀角、牛黃。南星、白附子、丹砂、炮姜、半夏、沒藥、龍腦、烏蛇、(酒浸炙)乳香、官桂、防風、當歸、麝香。

解熱飲子。赤白芍、當歸、大黃、甘草、木鱉子。

涼膈散、大黃、芒硝、薄荷、甘草、黃芩、連召、梔子、

鼠粘子湯。鼠粘子、黃芩、梔子、連召。玄參。吉梗、甘草。龍胆。板藍根。

荊防敗毒散。荊芥、防風、羌活、獨活、柴胡、前胡、川芎、桔梗、枳殼、茯苓、人參、甘草。

仙方活命飲。穿山甲、皂刺、乳香、沒藥、赤芍、防風。草節、貝母、花粉、白芷、歸尾、陳皮、銀花。

透膿散。生黃芪、川芎、當歸、皂刺、穿山甲。

生肌散。兒茶、乳香、沒藥、冰片、麝香、血竭、旱三七。

六氣致病之原理

湘醫

寒

寒爲冬令。係太陽光線斜射赤道。熱量不能盎溢地球。而天空高壓之寒液凝結。雨雪霏霏。地球上之寒冷極矣。夫人體溫調節。抵抗力強。諸凡刺戟物不能侵入。即使寒冷外壓。亦不過肌膚蒼白起粟。手足踡攣。顏面發生凍瘡而已。何能從毛竅侵入。偶或侵入。則呼吸器官。起而反亢。鼻塞聲重。咳嗽噴嚏。亦必宣達於外。若汗腺閉塞。體溫之蒸發停頓。則皮膚上充分之炭酸。不能排泄於外。反而急奔於肺。胸滿氣喘。積熱甚多。溫度日高。則雖冬令嚴寒。竟爲溫病。以故衣裘閉戶。擁被圍爐者雨雪愈厚。病溫愈繁。陸九芝所謂傷寒之病而傳爲溫。則陽盛爲之者此也。反之非其時而有其氣。冬令溫暖過盛。造溫機能日增。亦成溫病者。與此大相逕庭也。

雖然。風與寒有通共性質。六氣之病。感冒風寒獨多。故一年四季之中。莫不有此天空高壓之寒冷空氣。凡風雲雨露。霧障陰霾。皆此天空高壓之寒冷空氣也。豈僅多傷於寒已哉。

考古傷寒之定義。實爲吾國學說上溫熱寒涼之統稱。素問熱論。首曰熱病者皆傷寒之類。中曰人之傷於寒也則爲病熱。終曰凡病傷寒而成溫者。先夏至日爲病溫。後夏至日爲病暑。是言傷寒皆能發熱。熱病皆爲傷寒類。即夏至以前之溫。夏至以後之暑。亦爲傷寒類也。難經論傷寒有五。有中

風。有傷寒。有風溫。有熱病。有溫病。是傷寒爲其總綱。而五種則爲子目耳。張仲景著傷寒論。有中風。有傷寒。有風溫。有濕有暍。而總以傷寒冠其篇。後經王叔和編次。雖發明傷寒有中而卽病。與中而不卽病之分。然其例言寒毒藏於肌膚。至春變爲溫病。至夏變爲暑病。則於素問熱論二語。各加一變字。而不玩索通篇宗旨。其言夏至以前之溫。夏至以後之暑。則是隨時發現新感之溫暑。爲傷寒類。且更推而變爲溫瘧。風溫。溫毒。溫疫四種。皆從寒字胎出。乃無一種不是冬傷於寒。感而不卽病之伏氣。豈非怪誕離奇。莫測端倪哉。劉河間奴隸叔和。不敢反對。且續以至秋變爲濕病。至冬變爲正傷寒二語。夫以冬月之寒。而可爲四時之病。雖凡百疾病。皆上生理上之變化。然以週年之病。僅僅產生於冬三月。斷無是理也。又況去冬之寒。還轉爲今冬之正傷寒。叩之河間。何以自解。近今施今墨欲以西人腸窒扶斯充當傷寒。謂其症候有太陽少陽陽明少陰。與傷寒符合。吾不知太陽少陽陽明少陰四經。從腸中何處發生也。又豈非怪誕離奇。莫測端倪哉。是非判斷傷寒。係古人溫熱寒涼統稱之定義。烏能爲學者今日之標準乎。

然則傷寒之爲症。研究六氣者。當知所先務也。夫肺主呼吸而合皮毛。寒從毛竅而入。干犯肺藏。咳嗽聲重。胸滿氣喘。如上所云云者是。太陽亦主皮毛。寒從毛竅而入。不干犯肺藏。則首傷太陽。蓋以太者大也。陽在外也。太陽包裹觔肉骨骼。居人身極大極外之第一層。故傷寒從此傳入各經。其在太陽。則爲桂枝麻黃湯症。若稍化熱。則大青龍湯症矣。若入少陽。雖從熱化。而柴胡桂姜湯症。猶有未化之寒也。若入陽明。則化熱矣。陽明之葛根湯症。則其病猶在太陽。而不盡涉陽明也。若入三陰。不從熱化。則以理中四逆白通通脈諸方。可統括也。究之傷寒竟有不從太陽而入陽明者。而入少陽者。而入三陰者。則各從其局部之毛竅而入。正張令韶所謂三陰三陽所主之部位而受者。宋元以來。劉分三陽爲傳經。三陰爲直中，豈通論哉。(靈樞病形篇)中于項則下太陽。中於面則下陽明。中於頰則下少陽。中於膺背兩脅。亦中其經。又曰。中於陰者。常從踏臂始。柯韻伯本此以註釋張仲景傷寒論。謂太陽中邪。有中項中背之別。中項則頭項強痛。中背則項強几几也。陽明有中面中膺之別。中面則鼻乾目痛。中膺則胸下痞鞕也。少陽有中頰中脅之別

•中頰則口苦咽乾。中脅則脅下痞鞕也。此岐伯中陽溜經之義。其云。邪中於陰。踦臂臂始者。謂自經及藏。藏氣實而不能容。則邪還於府。故三陽有自利症。是寒邪還府也。三陰皆有可下症。是熱邪還府也。此岐伯中陰溜府之義。

由此言之。是直中不獨三陰。三陽亦有之。傳經不獨三陽。三陰亦有之（况傳經有從三陽而陷三陰者。有從三陰而出三陽者。故陽經中亦多陰症。陰經中亦多陽症也。然寒之與熱。極端反對。而其爲病。則隨人身生理上之虛實而分寒熱。其人實則化熱。不終爲寒。其人虛。則終是寒而不能化熱。故三陽有實熱。亦有虛寒。不涉三陰者。三陰有虛寒。亦有實熱。倍難攻下者。日本喜多村。以實熱屬之三陽而虛寒屬之三陰。準定六經名義。豈知六經之蘊奧哉。故六經傷寒。藏氣實而不能容。則邪還於府。即爲傳經。藏氣虛而不能經府。即爲直中。此以藏氣之虛實。判別六經之傳經與直中。即由人身生理上之虛實。斷定傷寒之能化熱與不能化熱者耳。

夫邪之從毛竅入者。則爲感而即發之病。邪之從鼻竅入者。則爲感而不即發之病。今傷寒從其三陰三陽局部之毛竅而入。則爲感而即發之病。吾國往哲所謂卒中寒者。亦不外是。然明季喻嘉言不解寒自鼻竅而入，則爲伏邪之理。獨於仲景傷寒論外。特立中寒一門。推朱丹溪戴元禮爲登壇建幟之將。而不知爲仲景傷寒論內理中四逆白通通脈諸方所包圍。考朱丹溪之言曰。中寒者。倉卒受寒。其病即發而暴。但分卒中天地之寒氣。口傷生冷之寒物。戴元禮曰。中寒是身受肅殺之氣。口含冰水瓜果冷物。故喻氏之論卒中寒也。謂寒氣。口食寒物。斬關直入少陰腎經。然鼻吸寒氣。上篇病邪潛伏之原理。辨之已詳。口食寒物。經胃消化。腸吸而出。胃不消化。即不能食。食即停滯胃府。則當發生慢性消化器病。唐宋方書中。丁蔻藿砂。與枳樸硝黃並用者。不少概見。千金之備急丸。和劑之溫脾飲。其尤著也。何能斬關直入少陰腎經。發爲急性卒病耶。不然。即仲景自序傷寒。何嘗非卒病也哉。葉天士謂口鼻吸入之寒。即爲直入陰病。尚不能分析口鼻。較之喻氏。猶遜一籌。葉勁秋謂寒冷空氣從口鼻入者。肺胃不勝其壓迫。而觸於皮膚。汗孔立即閉塞。是蓋與嘉言天士輩。未悟透肺主呼吸。而毛竅反應之理。蓋寒冷觸於皮膚。汗孔閉塞。立即奔迫於肺。此咳嗽噴嚏之所由起也。何須從口鼻入哉。況口爲消化器系之竅。鼻爲呼吸器系之竅。迥然不同。是口不能吸收寒冷空氣也。何致壓迫於肺哉。如從鼻吸入。則爲伏邪矣。之數子者。殆未見及此歟。

然有寒從內生。不謂之傷寒者。乃人身生理上自起變化。正西醫所謂心藏衰弱。溫度低減。與感受天空高壓之寒冷空氣有別。（內經陰盛生內寒。藏寒生脹滿。）夫陰盛則陽虛。凡少腹症瘕發痛。臍上脹滿痞痛。痛極則衝起。有形如頭足。或胸痺。寒凝水結。邊如盤旋。或胸痛徹背。背痛徹胸。以及眞心痛。眞頭痛。此皆陰寒上衝之症狀。而金匱總標其治曰。此虛寒從下上也。當以溫藥服之。則寒從內生。此其明證。又烏頭赤石脂丸。取赤石脂重降鎮墜。領導椒姜烏附。以堵塞其上衝之路。則陰寒上衝。此又其明證。自此而下。千金外台聖濟總錄和劑局方。凡用紫石英陽起石禹餘糧代赭石一派重降鎮墜之品。配入椒姜桂附溫藥隊中。皆從金匱此方脫胎而出也。

抑有進者。陰盛則陽虛。陽虛則火越。西說溫度產生。吸收天空養氣。而中說吸收天陽。亦本之先天父母。歸納於

臍下丹田。有此眞陽。乃有此眞火。今陽虛於下。火越於上。其從前面胸腹上衝者。咽喉腫痺。唇舌糜爛。其從後面背脊上衝者。頸筋纍大。頭烙如火。此種症候。就西醫片面言。當作反面觀。前之所謂心藏衰弱。溫度低減者。今必謂其心藏興奮。溫度高昇。則於病理。豈有合耶。若在國醫。非有內鍊功深。鮮克識此。喻嘉言謂是地氣加天之刼厄。陡進附子乾姜純陽之藥。亟驅其濁陰從下竅出。然不得童便猪胆汁。則格而不入。烏能返還地界。收功再造耶。

由是以觀。則今人徒以貧血及血壓低降。譯釋內因寒字。非僅此內因寒字之眞理。無從探究也。而中央國醫館學術整委會。以窒扶斯菌。改變傷寒名稱。而傷寒之眞理。亦永墮於黑暗地獄也。噫。

大蒜研究

無成

大蒜。一名葫。又名葷菜。屬百合科植物。種植頗易。在我們鄉村裏極爲風行。且爲農家之副產。而其因俗語說。「多吃大蒜能撤屁」之故。所以在城市裏却不易多見。但若以醫學的立場說起來。則大蒜具有驅虫。殺菌。消炎。利尿。驅風。強壯的藥劑。據老於經驗的醫學云。「其喜吃大蒜者」患肺勞之病比較少些」。此實有可爲研究之點。至其化學成分爲一種硫化 Allrl 式揮發油。在國外已製成亞力山丁等治肺。除痰滅咳藥品。而在我國治療上沒有普遍施用。致我國天產的物品。失其效用。殊爲可惜。今特爲錄數節諸家之說。和讀者研究。

一 本草綱目所載。主治——歸五臟。散癰腫𧏾瘡。除風邪。殺毒氣。下氣消穀。化肉去水。惡痒氣。健脾胃。治腎氣。止霍亂轉筋腹痛。療癆癘冷。吐血心痛。利大小便。能引熱下行。治泄瀉暴痢及乾濕霍亂。止衄血云。

二 日本井匕博士內科新書之記載。謂大蒜於Calizien地方供食用。故該地肺結核頗少云。

三 日本小泉氏和漢藥考所載。謂成份含有揮發性之含硫油及大蒜油。有袪痰。利尿。殺虫等効能。

四 和蘭藥鏡載。謂球根含味辛熱刺戟酷厲揮發性之油。內服後。其氣速即普遮全身鑽透開達。稀釋硫解。排泄。發汗。利小便。總之對於寒冷。粘液質之人。虛冷之症。用之最良。又爲殺虫良劑。用大蒜二個剉開。浸葡萄酒十六兩。一日一小茶碗。分三次服用。於胸水及頑固之間歇熱奏効。服用適宜。能刺戟胃腹粘膜。消化促進。抵抗傳染及疫氣。用於寒粘性之久咳粘痰多。及咳嗽痰涎壅寒之喘息等。能使痰疎豁而易容。

五 日本野氏著之和漢藥物學記載云。大蒜之特異臭氣乃係一種所謂大蒜油之油分在化學上稱爲「硫化重問立耳。」又稱大蒜係發汗藥感冒消炎藥。癰瘡及其化膿肉服物。在民間以溫熱的供食用大蒜油。古昔加以灌腸劑。以驅除燒虫。全爲肺癆患者食用。

六 藥學雜誌四九一號所載。謂大蒜供食用。最古記載在紀元前四百五十年「開奮斯」時代。而其藥用價值。如各地醫師所承認。至近代則用于刺戟作用。尤以各種傳染病肺病應用云。

七　表丁台爾氏增門藥局方載。大蒜汁。可治喉頭結核。內服或蒸汽吸入。均有効驗。

由上面的各節記載。大蒜確有特殊的効能。但此物則一經煮沸。其維他命及有効成份。立即破壞。且硫化Allyl之臭氣有刺激性。令人嫌忌。惟此是爲其缺點耳。

論不寐症

常熟趙子剛

平人衛氣。晝夜五十週於身。其氣行陽則寤。行陰則寐。蓋夜爲陰。而主靜。靜則目瞑。若陰爲陽勝。動而不靜。則不得臥矣。考其由來。有心血衰少而不眠者。存肝魂不藏而不眠者。有痰火擾胃。胃氣不和。而不眠者。蓋心爲離火。中有眞水。今人心事煩冗。思慮過度。以致心血衰少。心火上炎此坎離不交。而不眠者也。脉必左寸短濇。甚或終夜不能交睫。久則必成怔忡。治宜加減歸脾湯。或滋硃丸之類。肝者魂之室也。魂性飄揚。賴陰血而鎭靜。人有合眼。則魂夢震驚。牀若魘魅。片刻不安者。皆肝血虛極。魂不歸之候也。亟須大劑人參。或加味溫胆湯等治之。至於陽明胃病之不眠。必有痰濕以擾之。經云。胃不和。則臥寐不安。投以半夏秫米湯。陰陽已通。其臥立至。觀其方治。可以知病源之所屬矣。然則不寐之症。陰虧血衰者。屬于虛。痰濕擾動者屬於實。惟陰血既虧。痰火轉易浮動。且心爲離火。腎爲坎水。坎離相交。中通之點。全在乎脾。脾濕生痰。阻於中洲。坎離欲交。而不得通。不寐之由。多出于此。此虛實之錯雜不易辨者。在臨證時。善爲察度也

寫於虞山琴月軒醫次

談紫河車之利害

金山孫道明

臟器療法吾國早有發明，紫河車其一也。查本草載紫河車味甘鹹而溫。本人之血氣所生。故能大補氣血。治一切虛勞損極。恍惚失志癲病。又云以初胎無病婦人而色紫者良。用長流水洗極淨。酒蒸焙乾入藥。以上數言。無非教誨後人以愼覓此物而治虛損。庶幾有利而無弊也。試以實驗一則言之。同邑某姓。開設藥肆有年。於去冬十一月初。有人持醫方來前購藥。病係勞損。內用紫河車一味。余曾親見當秤此藥時。氣甚腥臊。灌鼻難忍。不禁欲嘔。意者此藥苟強病人

以飲服。勢必輕則轉重。重則轉危何也。原因藥肆家採購不善。製法不精。而遺此腥臊歟。我謂此藥必有毒。非徒無益而又害之。吾人倘不幸而罹虛症。不得已而服此。須託鄉親於無病產婦家代覓。或向鄰近覓取亦可。第宜漂洗極淨。用酒浸再洗。以銀針插入置砂鍋內。以炭火煮熟。不黑則無毒。須極爛。宜淡食。如此服法。比鄰友曾嘗試之。覺能得到恢復健康之效果。誠民間之治癆聖藥也。患虛弱者其鑒諸。

徐靈胎治下疳驗方

金山孫道明

濮院沈維德。患下疳。前陰連根爛盡。溺從骨縫中出。瀝灌腎囊中。哀號痛楚。肛門亦復爛深半寸。載至余家止求得生爲幸。余亦從未見此病。姑勉爲治之。內服不過解毒養血之劑。而敷藥則每用必痛。屢易其方。至不痛而後已。兩月後。結痂能行。惟陰莖僅留根耳。余偶閱秘本。有再長靈根一方。內用胎狗一個。適余家狗生三子。取其一。泥裹之煨燥合藥付之。逾二年。忽生一子。舉族大譁。謂人道已無。焉能得子。蓋維德頗有家貲。應繼者懷覬覦之心也。其岳徐君密詢之。沈曰我服藥後。陽道已長。生子何疑。徐君乃集其族人共驗之。陽道果全。但累生如有節無總皮。再期。生一子。衆始寂然。遠近傳之以爲奇事。今尤有述之以爲異聞者。

附再長靈根方

煅乳石三錢五分　琥珀七分　硃砂六分　人參一錢

眞珠七分　牛黃四分　眞水粉五分　胎狗一個

雄黃六分　用鹽仙首烏大力子蔘草汁。煮一晝夜。炒如銀色。每服三盞。日進四服。臥又一服。俱以土茯苓半觔。陰陽水十二碗煎五碗。連進五服。七日驗。

明按。本方爲外症內服之藥品。沈君自患前症。經名醫靈胎先生診治以來。五旬而結痂。陽道復全。且能生子。斯眞絕妙靈方也。現今世界文明。人慾橫流。吾意患同病者。當必有之。姑存此方。聊備治本病之一助云耳。

溫熱症之白瘖

中央

白瘖者。皮膚上發生如痱子而色白之小顆粒也。其發見之部位。以頸項及胸部爲最多。溫熱證中。每多有之。有初病即見者。有病經日久而始見者。關於白瘖之說。議論紛紜。莫衷一是。

或曰。溼淫於內。治不得法。以致如麴糵之蘊釀。遏鬱於胸膈之間。濕熱無由化出。而白痦見也。如早用淡滲之法。使之從下焦屈曲而出。不致發生白痦矣。或曰。痦之所釀。良由胃中溼濁。無從出路。上薰於肺。肺失宣降之機。而外達於皮毛。故獨見於胸項之間。一般見解。多以為溼之蘊於內者。無路可出。故從皮膚而外達。至於此溼之為何物。何以獨多於胸項。究竟有何利害關係。尚未得有確實之表見。

以個人之意見。白痦之發生。必與淋巴腺有關。此處之所謂溼。或即指淋巴液而言。淋巴腺雖體內隨處可見。而淋巴液與血液會合之處。則在胸部之鎖骨下靜脉。如受病理之影響。其會合之處。發生障礙。則外達肌表而為白痦。凡透白痦之人。必有胸脘痞悶現象。或即此故。

余於白痦。所見甚多。不僅溼溫症有之。惟濕溫之症。所見較多耳。一般人之見解。以為白痦為佳兆。白痦一透。病機暢達。證情即可輕減。證諸實際。則又不然。其因白痦透後。病勢減輕者。固不在少數。然既透白痦。病勢毫無鬆動者亦甚多。且有一見白痦而反發變生危候。亦時有見之。故以白痦之有無。而斷病情之利害。實不足為憑。

生殖神經衰弱時候的腦症狀

謝筠壽

當生殖神經衰弱的時候。除局部症狀如遺精。陰萎。攝護腺過敏症等症候以外。還有一種關於腦的症狀。就是病人的精神狀態。變成過敏。容易興奮。也容易疲勞。常常覺到頭痛。頭重。頭部緊束感。眩暈。頭腦昏憒。不眠等。這樣的症候。當病人事務繁忙精神過度使用之後。更加增劇。積而久之。病人對於一切事物。容易遺忘。成功一種健忘症。感情也受着一種障礙。平時性情和平的人。忽然變成煩惱易怒。平時樂觀勇進的人。忽然變成怏怏悲觀的態度。而且他的理解力。也被障礙。書雖讀不能瞭解。或讀後隨即遺忘。青年學子。因此廢學。同時神經過敏。凡是接觸於目的一切事務。均發生恐怖的觀念。例如走過曠場的時候。發生恐怖。這叫做恐場病。閉戶獨坐的時候。發生恐怖。這叫做閉室症。渡河的時候。發生恐怖。這叫做恐河病。衆人羣居的時候。發生恐怖。這叫做稠人恐怖症。孤身獨坐的時候。

發生恐怖。這叫做孤獨恐怖症。以及暴風恐怖。夜間臨睡的時候。發生恐怖。這叫做夜間恐怖症。鐵道恐怖。顛側恐怖。動物恐怖。水恐怖。汚穢恐怖等。還有一種疾病恐怖。例如恐懼發生肺病。心臟病。腦病。傳染病。花柳病等。這叫做疾病恐怖症。甚至以食物中混有毒物或害物而恐怖。這叫做恐食病。以上均因生殖神經衰弱的結果。所引起的腦症狀。如果把生殖神經衰弱治好的時候腦症候也却愈了。

本刊衛生顧問章程

(一)本刊經大衆訂閱者之要求。開設衛生顧問欄。以便醫藥上疑難問題。及病因症治藥性等。作公開之討論與研究。若依本章程投函詢問。當即照來函解答。

(二)重要問題。除依來信直接通函答覆外。本刊得隨時將答案披露。以便同志之研究。

(三)疑難之答案。須檢查醫藉。詳細考慮者。至遲須一星期可以答覆。

(四)不答覆之問題如下。(一)來信記述不詳者。(二)意義不明者。(三)要求立得藥方者。(四)無關醫藥者。(五)委託評論藥方之是非者。(六)本社同志學識所不及者。(七)無覆信郵費者。(八)無衛生顧問劵者。但不答覆者。不答之理由。覆信聲明。

(五)來函概用中式紙張。繕寫清楚。附覆信郵費一角三分。並附寄下列衛生顧問劵一紙。

(六)來函寄上海法租界薩坡賽路北永吉里十四號

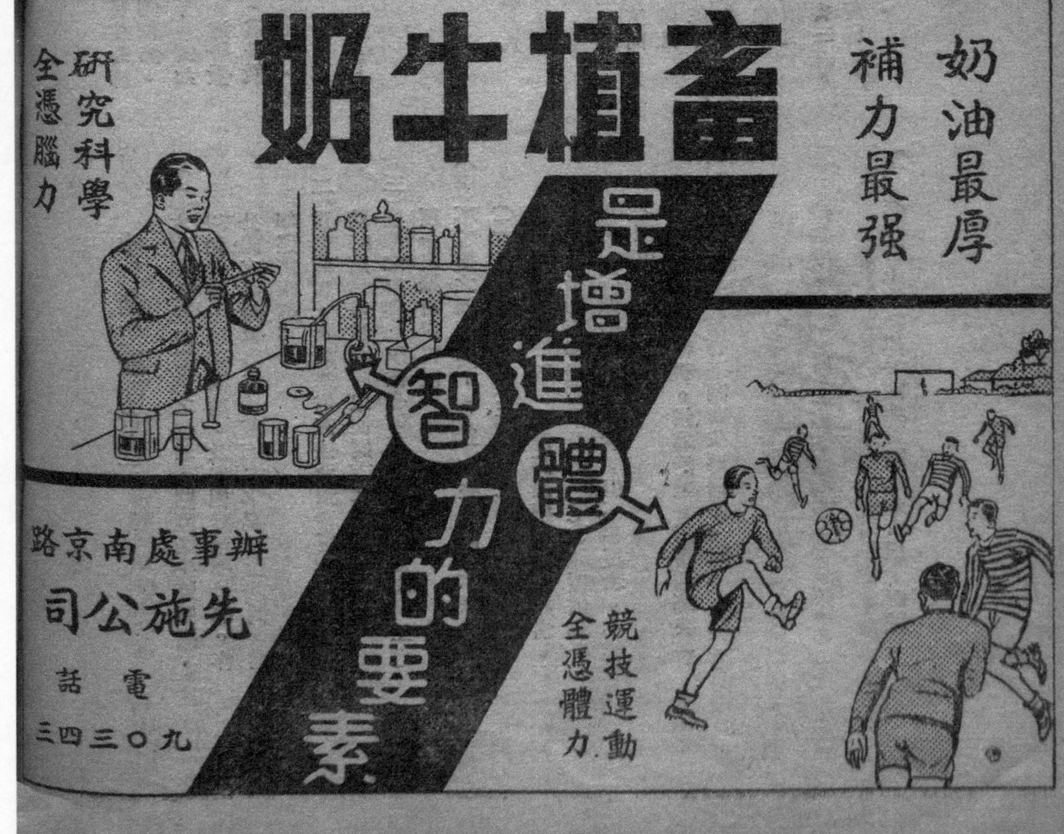

畜植牛奶
奶油最厚
補力最强
研究科學
全憑腦力
是增進
智
體
力的要素
競技運動
全憑體力
辦事處南京路
先施公司
電話
九〇三四三

衛生常識

關於理髮的衛生

一心

上古時代的人民。茹毛飲血。囚首垢面。不知道什麼叫做衛生。後來人智日開。生活逐漸改善。對於頭髮的整理。也同樣的感到需要。於是梳之編之。或盤頭頂。或垂腦後。所以吾人推究理髮的本來目的。原是爲的衛生。但是晚近以來漸漸舍本逐末。專尙美觀。未免失去理髮的本旨了。

在近代摩登化的都市裏。理髮店的富麗堂皇。並不在一般大商店和大銀行之下。夜間。那些顏色鮮明的年紅燈。發出神祕而富於誘惑性的光彩。大的玻璃櫃裏。陳列着各種髮式的照片。以及精美的化裝品和理髮器具。裏面則明鏡洋椅。洋磁面盆。冷熱水管。應有盡有。理髮師一律西裝革履。髮光可鑑。遠非三家村裏拖鼻涕挑擔子的剃頭匠。所能望其項背。店的名稱。也極漂亮。不是「廣寒宮」。便是「紅玫瑰」。並不像鄉村薙頭店稱做「張福記」「王鴻記」一般的寒蠢。

這樣摩登的理髮店。從表面看來。多麼美麗而合於衛生。無怪一般青年。趨之若鶩。而理髮店的老闆。笑逐顏開了。但是一究其實。在衛生上僅僅做到表面清潔的程度。需要改革的地方。還是很多。我以爲。理髮店不可但求裝璜門面。而忽略了實際的衛生工作。甯可少買一瓶巴黎香粉。不可少買一瓶消毒藥水。眞眞摩登(原意爲近代的)的理髮店。至少要做到下列各項。

(一)消毒　理髮器具。往往能夠間接傳染疾病。如剃頭刀。剪刀梳篦等物。經禿瘡病人用過以後。就沾染了禿瘡的微生物。如果不消毒。又被別人用了。這人就要發生禿瘡。消毒的藥品很多。最適宜的。便是百分之五十至七十的酒精理髮師的手。常常沾染細菌。也可用本品消毒。

(二)手巾　我國人愛用公共的手巾。在理髮店。酒菜館。戲院。茶樓等處。隨在可見。這是一個很不好的習慣。最易傳染沙眼。往往荏苒經年。難以治愈。並且輾轉傳染。爲害無窮。我以爲。小理髮店最好請顧客自帶手巾。大理髮店在手巾用過一次以後。即須用克利沙耳 Kresol 或來沙爾 Tys二百分之二·五的稀釋液消毒。

(三)口罩　有許多細菌。（如結核菌。肺炎菌。流行性感冒菌白喉菌等。）往往混在唾液裏。當談話。咳嗽。或噴嚏時。能夠傳染到對方。叫做飛沫傳染。所以在修面時。理髮師應帶口罩。

(四)挖耳　理髮師往往用器械爲顧客挖耳內的或耵聹。剝去耳毛。有時因此發生外傷。甚闊帶入細菌。釀成各種炎症和腦疾患。以至死亡。若耳垢太多。妨礙聽覺。可用溫水或曹達水洗去。

(五)鼻毛　鼻腔爲吸氣之要道。鼻毛能阻止灰塵。煤烟等的侵入。不可剝去。且鼻粘膜經器械之刺戟。往往發生鼻粘膜炎。鼻茸腫。副鼻腔蓄濃等症。因而阻塞氣道。造成流行病傳染之機會。爲害甚大。不可不注意之。

(六)剃眉　吾人當額汗涔涔之際。流經眉峯。輒被橫阻。不能流入眼中。故眉毛有天然保護眼球的作用。乃一般摩登女郎。將其剃去。另行着色。而眉毛之功用全失。故宜戒之

(七)盪髮　理髮的目的。原爲使之整齊清潔。而摩登女郎。多喜盪髮。使成蓬鬆之狀不但時間不經濟。曩其損失。而其易藏污垢。殊非衛生之道。

(八)施粉　理髮店所用之撲粉。大多質料粗劣。能使血色素沉着。發生雀斑。甚且引起鉛中毒。礙及健康。爲害更大。應設法改良

(九)搥背　搥背足以造成脊柱彎曲。胸廓畸形。並且能傷內臟。尤以兒童爲甚。又理髮師的手術敏捷。縮短時間。那麽。顧客就不會發生搥背的要求了。

我以爲。能夠做到上列各項的理髮店。才是眞眞衛生的摩登理髮店。縱然不裝璜門面。亦必生涯鼎盛了。

沐浴之種類與功效

毛　澍

吾人身體。全賴細胞之新陳代謝作用。得保持其生命之健康。既憑飲食呼吸以攝取養分。復藉大小便以排除廢料。而皮膚之排除廢料。介乎大小便之間。若泌尿器或消化器受損而停止功作時。未必影響於皮膚。若皮膚一旦失去排除汗液之作用。則全身均受影響。故皮膚必時時清潔。勿使垢泥堆積。致阻塞毛細孔。欲清潔皮膚之妙法。惟常沐浴。但沐浴種類不一。而功效亦各異。茲詳言於後。以供衛生家之參考。

温水浴　温水浴之温度。以攝氏三十至三十五度爲宜。每日或隔日一次。在空腹時行之。每次時間。至多以二十分鐘爲限。浴畢宜安靜身體。孫思邈曰。『沐浴必須密室。不得大熱。亦不得大冷。』蓋浴時受熱或受冷。最易釀成感冒。故宜忌之。此浴能擴張皮膚之血管。使血液流動增速。心跳亢盛。若浴水內加少量之食鹽。行之稍久。可愈胃腸消化不良。若每次用硫酸二三滴。可愈一切疥癬等皮膚病。

冷水浴　每日晨起。先以乾毛巾遍擦全身。至裸體而畏寒冷。乃以毛巾浸冷水。絞乾後。摩擦全身至不覺困難時。再改用入冷水浴。惟初入時僅宜兩足。漸由下而上。以達全身。時間至多五分鐘。其功效在鍛鍊皮膚剛強。使寒暑不易侵襲。故可免除感冒傷風之患。又因表皮細血管收縮與刺激神經之結果。而致內臟充血而奮興。又因沐浴時摩擦之力。而催進血行之循環。以健快其身心。故凡患遺精陰痿神經衰弱頭痛眩暈及痛風等。均有全愈之可能。惟時日之長短。各不相同耳。

海水浴　海水浴之時節。以每四月開始至十月止。於此期內。最爲適宜。每日一次。時間以午前十時或午後三四時爲最佳。每次至多以二十分鐘爲限。其對於人體之作用有三。第一、因海水含多量之無鹽類。能刺激皮膚內末梢神經及微血管之奮興。第二、因海水有奪温作用。將皮膚內之微血管驟因寒冷而收縮。繼復由反作用而轉使擴張。血流增速。第三、海波之衝擊。無形間養成肌肉有堅強之伸縮力。同時體內之氣化亦盛。廢料之排泄亦增。肺臟因呼吸之深長而動脈更形活潑。心臟因血液循環之迅速而收縮愈形有力。故身體虛弱及初期肺癆病者。適量行之。均得全復。但年幼及年老或孕婦等均宜避免。

蒸汽浴　先令浴者入温室。此室之温度約在攝氏四十度以上。使略出微汗。旋入温度在攝氏六十度至七十度之煖室。次又入攝氏八十度以上之熱室。則浴者因受熱之刺激。而全身大汗。恍如雨下。此時復回至煖室。用肥皂遍塗全身。更用軟毛巾擦之。擦畢。淋以清水。滌去汗垢與肥皂液。然後至温室用毛巾拭乾。在熱室內之時間。至多以五分鐘爲限。若時間過多。則易誘起腦充血而生頭痛也。此浴亦宜在空腹時行之。每次時間。至多半小時。凡筋肉關節等酸痛與慢性風濕痛乾咳等症。皆能治之。

日光浴　每逢天氣晴朗之日。適正午之候。將全身露曝於陽光直射之下。惟生殖器與頭部。宜用衣巾遮被。初起時每次五分或十分鐘。漸進而加至半小時。初學日光浴之最宜時期。爲春季之四五月與秋季之九十月。因日光內紫內線除促進生物細胞之生殖外。尚有極強之滅菌作用。故患肺癆病及皮膚病及胃消化不良者。最爲有益。若因畏冷風之侵襲。而沐於玻璃房之內。則效力大減。因普通玻璃。不能使紫外線透過。又炎夏與嚴冬時節。應縮短時間。因炎夏曝日過久。恐釀成腦充血日射病及心臟悸進之病。嚴冬在空中裸體既久。實不堪北風之吹拂。恐有誘起腸炎感冒諸患。理宜注意。又患中度或重症之心臟病者。不可行日光浴。然僅浴腹腿足諸部。亦屬不妨。

孕婦的營養料

千里

胎兒身體的生長，須要多量的營養料。這些營養料是得之於母親每天的食物中，經母體的血管而至胎盤，而再供給胎兒。母親決不能將她自身的原料供給胎兒，因爲如此，母親自身定會受害非淺。所以你也可明白，在這時期！將母體胎兒充分的而且適當的營養。是何等的須要！

營養對胎兒雖然如此的重要·但是我們知道：在胎兒的種子裏已種下了他將來發展一切的機能了。當父母的精卵相遇的時候，已決定了這人將來身體的形態以及精神上種種性質了。胎的進化是依着自然的定律而發展，母親的保養和醫生的看護對這先天的本能補益極微！或看護上極大的過失的疾病·稍有補助能

近代的許多結婚。多是戀愛的結合而對種的選擇上太不注意了。我很想同你談談優生的問題·就是如何使我們種族改良，但是這些話太長了·而且現在同你談·也是太遲了。因爲你胎兒的種子已種下了幾個月了。兒童的選擇他們父母，實是件非常重要的事！因爲衰弱的父母，特別是因重病而而身體受害的父母·所生的兒童們也是衰弱多病的。過度飲酒者·或多於花柳病的·多能使他們的種子受毒·這受毒的種子將來也必定發育成衰弱多病的人！這些顧慮，你可不必有，因爲我想你同你的丈夫精神肉體上都是絕對的健康者！

現在我們可以談談你的食物了。我們要注意，胎兒在二百八十天裏所須要的營養料，在我們每天的食物裏有否充分的包含。

這裏第一要使你明白這小小的人究竟須要的是什麼，就是他須要什麼材料去建築他的身體。許多年輕的母親們都不注意這些。因爲她們不知道牠的重要。

我們知道很清楚健康人的身體是由幾種物質在一定比例而相組合的。倘若某一物質缺少了，過少了，或太多了，這不是健康現象。使你胎兒的身體不健全組合，這是你極易犯的過失，只要在你每天的食物裏長期的缺少某種物質或使某種物質長期的加增

組合我們的身體的物質就是。一，水二，蛋白質三，礦物質四，脂肪五，澱粉或糖素六。極少量的物質，我們稱之曰維他命，爲上述五物質外之必不可少的補助品。

這六類物質，必須包含在我們的食物裏，不然身體就無由發育完全。不過各物質的須要量大有不同，譬如我們身體裏包含蛋白質多於澱粉。而且各物質，在各氣管裏的分配亦不均，譬如蛋白質最多在筋肉裏，礦物質多在於骨頭裏，而脂肪，則集於皮膚之下，澱粉質則在肝臟中。

使你非常驚異的，就是人體中有百分之六五是水；若將水份少的脂肪及骨除外，那末人體裏有百分之七五的水份。所以兒童身體重了一磅，這就是說這裏面三分之二的水分的增加，三分之一的乾燥物的增加。人體的生長，是須要大量的水份，不過水份的供給在我們日常的飲食中是非常的足夠，無須怕他不足。因爲你只要想一想，我們日常食物是取之於動物的，他含有同我們身體同樣的水分。至於植物的食物，如菜疏水菓等含水分更多，差不多有百分之八五至九十之多。反而你要注意，不要進過分的水量。因爲每點水必須經心臟，而使這點水的流動，而在肺，或腎臟裏排洩，是須要相當的心力。我們要注意，我們的心臟力，不要使他無故空費。過量水份的吸收，有時候能使身體的組織水化，而成水腫的。這就是病的組合，而是不健全的現像。

固然長期的過量的飲水是有害的，但是我們也須注意一點。我們可以全天不進乾燥的食物而無妨礙，可是我們每天必須進相當的水份，以維持我們體內的新舊代謝作用之健康。你很可以讓你自己或你小孩餓幾天，可是你決不能讓他們好幾天不進水份而渴着。因爲我們的身體內必須水分，方能工作。譬如由消化而剩餘的陳謝物，必須用水分變成尿而分泌，如血液的製造或呼氣中的水氣，在在須要着多量

的水！

我們須要蛋白質同水分一樣。你也要注意，不要過分的進蛋白質。我們知道。長期的過量的蛋白質也是有害於我們的身體，因爲身體內均衡的組織會因此而受阻礙。許多的痛症。如痛風(尿酸關節炎)或早期的動脈硬化。或許因進過量的蛋白質。而改變了我們身體內健康的組合。我們中國，特別是富貴之家，常有一種思想。以爲食非魚肉不飽，這是根本的錯誤！我們只要看我們的——牙齒同猪一般。是屬於雜食類，猪的食物才是我們的模範。我們應該什麼東西都要吃，在我們通常的營養中，包含着充分的蛋白質在，許多的研究中，都巳證實了(在歐洲)。一定分量的蛋白質，我們是必須的，以爲細胞的新生。

現在要說到我們身體的第三種組合物了，這就是礦物性，也是很重要的。我們人體內有用的礦物質：是鈣，鈉，鉀，鐵，錳，綠，燐，及硫黃質：礦物質對我們新陳代謝的作行，還是最近數十年來才研究出來。我不願在這裏談高流的理論，但是我要使你對他們的作用，有相當的想像。

礦物質的作用有二方面：一方面礦物質同蛋白質一樣，爲製造身體細胞之用。就是成人也是不斷地建設新的，排除舊的；小孩子正在生長的時期，比成人當然有更多的建設，自然要特別充分的須要。因之你得明白你現在特殊的環境，而使你營養上有充分的礦物質，以備孩子們身體的建設。

他方面，——或者是一部分的礦物質的作用，是將我們體內的酸性分解物，如炭酸氣或其他蛋白質的分解物，與之結合而成無毒之物。我們體裏新舊代謝的作用不斷地進行着，陳舊的分解物也是不斷地製造着，這分解物要有充分的礦物質與之結合，以爲排洩。倘若我們沒有充分的礦物質，那末我們或許要將身體細胞裏的礦物質拿來應用，這樣我們身體要蒙其害了。或者這些分解物不與礦物質結合而成毒素，於是就成病象。因爲蛋白質的分解物是須要礦物質的結合，所以食物裏愈多蛋白質，也愈須要多量的礦物質。蛋白質和礦物質的吸取，應該有一定的比例，並且礦物質應該要更充分些！礦物質在體內還有許多的功用，欲一一詳述，似乎是太繁瑣了。不過二種礦物質有他特別重要的地位，就是鐵質和鈣質，尤其是鈣質生對長的兒童又屬切要！

你大概知道年輕的姑娘們正在發育時期，常有一種貧血的毛病，面無血色。同時他們身體內的鐵質也是缺乏，特別在血裏，或造血的骨髓裏。這貧血的毛病，有時在姑娘們結婚期或生產期仍不痊愈，於是由這貧血(鐵質缺乏)的母親所產生的小孩，自然要發生許多的弱點。我們知道，新生兒的體內，儲藏着相當量的鐵質，以備在哺乳期漸漸的應用，因爲在母親的乳汁裏含着極少的鐵質。等到小孩能夠自己消化植物的食物時，他才能自己在菜蔬中獲得鐵質，由此你就可明白，二個女人，特別是一個貧血的女人，在受孕期內，要如何注意，充分鐵質的吸收！

同樣，鈣質在母乳裏也包含着非常少，所以我們也可以說：新生兒自母胎裏也帶了鈣質來的。胎兒在最後的三四個月，正是骨格開始生長之則，是最須要大量的鈣質。所以未來母親對鈣質的充分輸送，與鐵質有同等的重要！

怎樣預防砂眼

守淵

砂眼是最普遍的一種社會病。患染的人，非常的多；尤其是素不注重衞生與缺乏衞生常識的我們中國社會，差不多十九都有這個毛病。推究其故，不外一方面因社會上的不講求衞生，民衆不注意預防，使各人互相傳染，他方面由於該症的傳染機會。隨處皆是；而且該症頑固異常。傳布感染易，而根本治療，却異常的困難。因不衞生之社會環境，旣使人人隨處隨時，都有傳染的機會，而傳染該症的病人，又如此不易診治痊癒，無怪乎患染該症人數之與日俱增，而幾成爲砂眼國了。

砂眼一症，在表面上看來，似乎無足輕重的一種病症，與病人的生命無若何影響；其實，這是浮面的觀察。和人體的生命雖少直接的危害，但患者，得病以後，如不善加治療，則可由急性進至慢性，在慢性砂眼的時期，戲法百出，變化無窮；可以眼毛倒磨，使眼球日夜感覺不適；可以破壞眼球的角膜表皮，使成潰瘍而失明。人生如果那一天到了兩目失明的瞎子辰光，諸君想想還有什麼做人樂趣？只不過是廢人罷了！

旣知砂眼是這樣的一種可怕疾病，我們就不可忽視牠，得病的原因，我們旣知由於傳染，卽無病的人，經過砂眼病的人用具，(多半爲日常揩拭眼睛之毛巾手帕等物)的接觸，卽有傳染的可能，卽能把病人的砂眼細菌傳遞到好人的眼裏面成砂眼病，故如能切實的講求衞生，嚴格的注意預防，未始不可避免的，卽既病的病人，如能明瞭該病日後的危險，而及早就診，根本治療，也未始不可以根治的，歐西各國因社會衞生發達，人民衞生講究，砂眼症已逐日的減少，至今日幾乎絕跡，這就證明講求衞生，注意預防的效果了

現在本人來摘要的寫幾條預防法出來。給大家做個日常預防的一點常識。

一，洗臉毛巾各人自已備，

不要將自己的毛巾給別人用，也不要隨便用別人的洗臉毛巾來洗臉拭眼，須得各人備用一條，別人家如親戚朋友的洗面毛巾，固不知其有無砂眼，不可以用，自家人就是父兄妻子，亦宜分用，卽明知其無砂眼症，亦以各備一條，分用爲宜，

二·公用手巾忌拭眼睛

不論遊戲場也好，旅館客棧也好，必須嚴格的拒絕拭眼！這些場所的公用手巾是傳染砂眼的唯一路徑，製造砂眼的獨步法門。如果隨便拿遊藝場，旅館客棧的毛巾裏來拭眼亂用的朋友檢查一下，我相信一千五百個人裏頭，找不出三個五個沒有被砂眼傳染的人。我們中國社會對於應用公用手巾一事，素有一種極不良的惡習慣：就是無戲院，茶欒，酒館，飯店，火車輪船，客人跑進去，第一把手勢，第一件大事，就是茶房拿出一條千人萬人拭的公用毛巾出來給你拭臉（當然拭臉漏不了眼睛），表示賣力，希望客人可多付賞幾文錢的小帳。那裏曉得這種未經過蒸沸消毒的不潔毛巾，却正是砂眼唯一的製造廠；天天在那裏給砂眼，開闢新殖民地！我們如何還可用得呢！

三，臉盆也須自備

因爲共同幾人用一個臉盆，難免無機會傳染，且分用更易表示清潔精神。如果在特殊的情况之下，必須數人或十人共用時，則亦須先用開水拭洗過後，才可應用。

四·洗臉水每盆用一人

別人說用過後的臉水，不可再用來洗臉拭眼，否則，也可以傳染砂眼的。這一點，社會上，不但缺乏智識的一般民衆，便是普通智識階級的人們，也難免於有這樣一個陋習；如公共機關的辦事職員或學校裏的學生教職員，在飯後的辰光，多數接受大家公用宕盆當水絞出的公用手巾，來揩臉拭

眼，實在說，這當然是有傳染的可能，夠傳染的條件了。

五，病人用過什物須得隔離消毒

砂眼病人的一切用具手巾衣服都須遠離開，不要與之接觸；如果是些共居的公共物件，則加以煮沸消毒，才可免除傳染的危險。

六，傳染的根源必須設法斷絕

譬如學校，兵營，工廠監獄等等的團體中要有砂眼病發現，該將病人速送醫院請醫生，加以診治醫療，以免除傳染別的根源。

七，砂眼病人須得速醫

如果已經得了砂眼病人，須得馬上，就診治療，不要延誤時日。到了不可救藥時，才找醫生喊救命。

八醫療期中要能耐心，

上面曾經說過，砂眼病是很頑固的一種病症，斷斷不是三天二天可以醫治斷根。療得全愈的。然而，如果病人能下決心，肯忍耐，聽從醫師的說話，那末，也未始沒有根本治愈的希望，如果求愈心太切，那就沒有法子了。

九，左眼砂眼宜與右眼隔離開

同樣如果病的是右眼，當然也要和左眼分隔離開的，因隔離開後，就可以希望其不再由砂眼的砂眼傳染到無砂眼的好眼去，不過，如其二只眼都患有砂眼的話，那隔離分開，也失了他的效用了，

十 患者本人要具公私道德心

有許多的砂眼病人，以為自己有了砂眼，不管別人傳染，別人的毛巾手帕隨便拿來亂用亂拭，這實在是一種很不道德的行為，應加以革除的。要知道自己有了病，感受到如何的痛苦，他人因如你的不小心檢點，也傳染了砂眼於良心上說得過去嗎？所以患者，須要自己小心，戒避。與他人設法隔離不使別人受染。並宜告別人以自己有傳染與人的危險才是呢。（完了）

衛生小問答

張子英

（問）怎樣保護呼吸器。

（答）時常施行深呼吸。並挺直胸膛。并戒避烟酒等刺激品。

（問）吸氣由口而入。有害否。

（答）吸氣宜用鼻孔。若由口而入。則空氣內之灰塵什物。及病原菌。很容易吸入喉頭或胃內傳染疾病。

（問）怎樣保護消化器。

（答）食物宜細嚼而後嚥下。以省胃力的消化。食前宜運動。食後應該休息片時。食物不可過飽。并宜選擇清潔。富於滋養料而易消化的食物。

（問）多食油類。於身體上有什麼影響。

（答）多食油類。除增加體內脂肪令人肥胖外。並可以營養體內細胞殺滅外來的病原菌，又可以暢通大便。

（問）大便不通暢。有什麼害處。

（答）糞便滯積腸壁。起逆行蠕動。發生腹痛及口臭胃炎。甚則發生盲腸炎。

（問）大便秘結與腦病有關係否。

（答）大便秘結。腹部之內壓亢進。大動脈血行障礙。直接能影響於腦髓。發生頭眩等症。

（問）怎樣能使腸蠕動促進呢。

（答）多食植物性物質。如果實蔬菜等。能促進腸之蠕動。如易於便秘者。可投以緩下劑。增進腸之運動。

餘興小說

鼠的末日

張炳華

鼠。夜夜被牠們吵得睡不着。

肢肢閣閣。一到了夜間。只聽得這種聲音。帳幔。被牠們挖了好幾個小窗。衣服和書籍。都咬得七零八落。米桶和飯籮。成了牠們出入鼠都會了。捉捕。於是我想出了捉捕的方法。被我用一隻捕鼠的鉛絲籠。在籠的鈎穿上一個花生果。把籠放在牠們出入的地上。於是我睡在座上。期待牠們的來臨。

果然。不個鐘頭。一隻目光灼灼的老鼠。大得很。牠經過籠的傍邊。看見籠裏有花生果。便站住了脚。起了偸吃的野心。但是。牠站在籠的門外。伸頭縮脚地探了探。總於沒有追進去偸吃的勇氣。牠怪難過的。在籠外徘徊了半個鐘頭。嘴裏的吐液都垂出來了。

前進。結果牠仍舊冒着險前進。

牠先輕輕地追到籠的門裏。她用脚在籠裏鈎子上掛着的花生果上一拉。砰。那籠的門已經緊緊地閉着了。此時牠着急了。牠用脚籠在門的縫裏撬着。

儘你用盡氣力的撬。除你不追進去吃。要是你貪吃這花生果而追了進去。那你沒有出籠的希望了。我在床上望着牠這樣地說。

牠越發着急了。牠索性用牙齒把鉛絲籠咬。但是咬了好久。那鉛絲依然咬不斷。

可惡。本來誰叫你夜夜惡作劇。吃去了食物不算數。還要把衣服書籍等物都咬得七零八落。現在我用一個花生果引進了監牢。使你吃吃官司。一到明天。還要判你死刑。你見了這個花生果。竟奮不顧身的要吃去它。致遭了這個死的刑罰。你現在懊悔嗎？一個人把別人所有的物件打破了。扯破了。或者偸去了刼去了。就要遭法律的制裁。免不了吃官司。甚至判死刑。你現在好比一個犯了這種罪的人一樣。在床上的我。又在自言自語地責備牠。

到了明天。我不去用刑器射死牠。或戳死牠。我就連籠把牠浸在河梢裏。起初牠在水中還能游來游去。但是後來吃飽了水。就再不像起初的樣子了。約摸有半個不到些鐘頭。看牠不能動彈了。於是替牠挖了一個泥窟。把牠葬在泥窟裏。這是牠的末日。

▲戈老二房裕慶堂梅記秘製半夏號發明肺形草預告!!

啓者本堂不久須發行肺形草一藥。功能治一切肺經受傷出血諸症。效驗如神。轉瞬春令一屆。諸種血症隨時而生。此藥實爲救治靈丹。俾患病者知所問津焉。同行批銷請向上海汕頭總發行所接洽。此照。

說明書

天然肺形草。又名吐血草。產於四川深山 專治吐血。在二百年前本號卽已採爲秘製半夏材料之一。今復經多年之研究及實驗。加以他藥數種。配合炰製行世。以輔本號秘製半夏拯救痼疾。因本號秘製半夏。乃統治各種咳嗽痰症肺病之唯一聖藥。注重治本。常服能以化險爲夷。轉弱爲強。一切咳嗽痰症。肺病除根之後。永不再發。惟肺受外傷出血等類標病。則不及專用此草之收効爲速。此草專治。

肺炎咯血　肺管出血　咳嗆吐血　積勞吐血　痰中夾血

童女乾血　房勞咯血　損傷吐血　肺癰肺萎　肺癆肺癌

一切肺經受傷出血諸症。服用此草。可以治標復原。血止之後。再服本處秘製半夏。不論新久癆咳。腎肺兩虧。百節均能除根復原。本號爲求病者進痊起見。特配製此草發行。並邁進秘製半夏之神効。肺病者一試便知。此兩藥相輔並行之奇効。

此肺形草經本號配製。用潔淨布袋裝妥。服者連布袋加清水濃煎。(用水二碗煎存約一碗務必透滚 傾出候温服之(滚熱時切勿服夏日天熱冷飲亦可) 輕症每日一盒。重症加倍。十歲以下。小孩減半。服時最宜臨睡之前。或在飯後亦可。藥渣雖可再煎第二次。但一盒藥方。僅抵輕症一日之量。服此草時忌食魚腥蝦蟹等品。惟牛肉及鷄不忌。並須靜養。切勿過多思慮。動肝火煩惱。

▲每盒定價大洋壹元。每打拾元▼

蘇州上海 戈老二房裕慶堂梅記秘製半夏號監製

總分發行所 上海福煦路國民里二號 汕頭德興馬路六十三號

三星蚊香
燃點一盤
蚊蟲絕跡
全國各埠均有經售
中國化學工業社出品
（敬439）

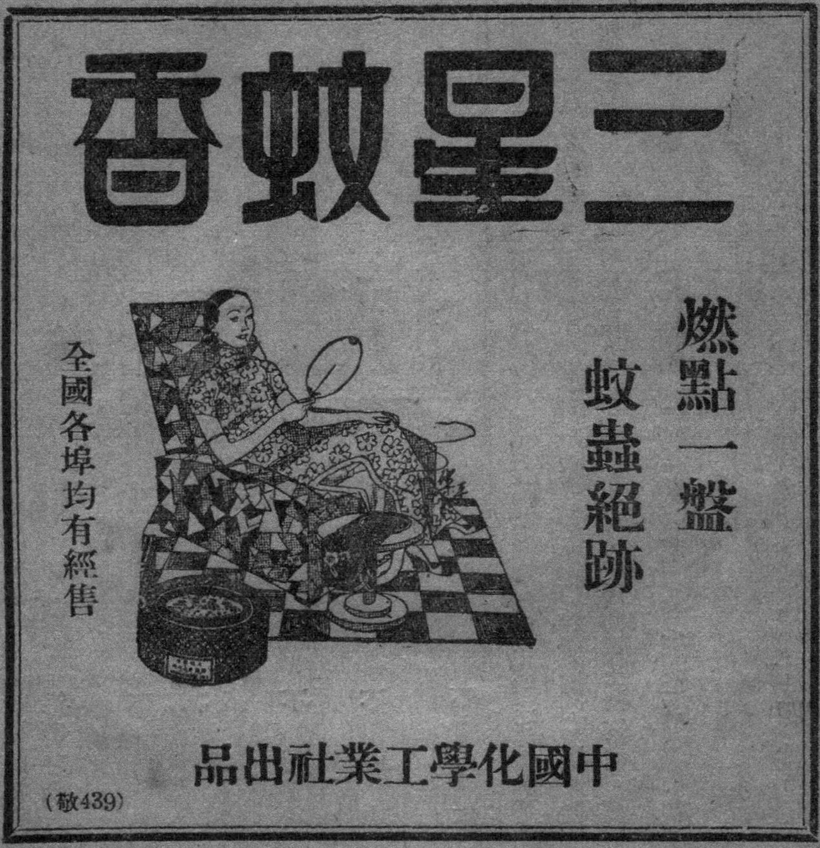

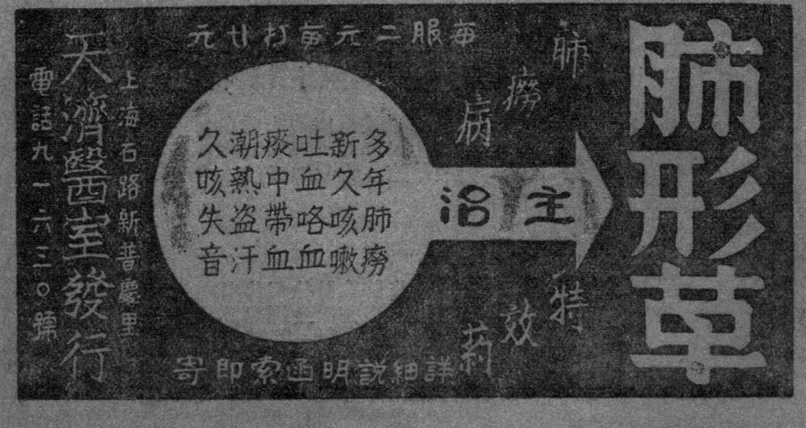

肺形草
肺癆病特效藥
主治
多年肺癆
新久咳嗽
吐血咯血
痰中帶血
潮熱盜汗
久咳失音
每服二元 每打廿元
詳細說明函索即寄
天濟醫室發行
上海石路新普慶里
電話九一六三〇號

特優待，再加贈品。良機無多。請速定閱：

△醫學家俞愼初主編 **現代醫藥** 是現代唯一科學化之讀物

中央委員兼國民政府委員陳立夫
中央國醫館館長焦易堂 先生題簽

是 家庭醫藥之顧問 中西醫界之良友

是 研究醫學之導師 大衆健康之指南

全年特價壹元弍角介紹三份者贈價值五角書劵一張介紹五份者除贈值五角書劵一張外照特價再打八折並登刊獎勵介紹十份者除贈價值五角書劵二張並八折優待登刊獎勵外再贈本刊全年一份。特價概取現洋祈各注意

總發行所： 福建福清官塘墘 **現代醫藥學社**

經濟房屋

半價

——新屋每幢月租四元——

霞飛路巴黎戲院西對面。有樓上吉屋頗多。每月自五元起至二十元。房捐水電在內。並有庸僕服侍。雙間三層樓洋房新尾店面。原租每月一百九十元。現僅租九十五元。分租合租均極歡迎。且有贈品。另有共和新路底大花園旁新屋。店面住宅廠棧。每幢月租四元。三年內不加租。每幢有房間二。客堂一。廚房一。合每間月租一元。水電均有。專租高尙什女。不取小費

押租。如購每幢兩百元。徐家匯西農地。每畝年租九元。如購每畝三百元。如承光顧。奉送名貴贈品。請向霞飛路銘德里十九號。求是法律事務所接洽

（請剪此召租優待廣告三個月內有效）

衛生雜誌廣告例

地位	面積	價目
封面	大半頁	大洋四十元
底面	全面	大洋四十元
封面裏	全面	大洋廿八元
底面裏	全面	大洋廿八元
封面第二頁	全面	大洋廿四元
	半面	十二元
	四分之一	八元
底面第二頁	全面	大洋廿四元
	半面	十二元
	四分之一	八元
普通	全面	廿元
	半面	十二元
	四分之一	八元

一封面底面裏外均用二色套版印不另取資

一代製銅版鋅版費另加

一代繪圖樣費另加

一惠登廣告者贈本刊一冊

衛生雜誌第二十九期即三卷五期

中華民國二十四年七月十日出版

主編者 國醫張子英

發行者 衛生雜誌社 上海法租界菩恩濟世路七十六號

印刷者 三星印刷所

分發行所 中華雜誌公司

現代書局

上海雜誌公司

分售處 各省書局

衛生雜誌定價表（費須先惠）

出版	月出一冊	全年十冊逢二八月停刊
價目	大洋一角二分	大洋一元
附註	郵費在內	國外加倍
	郵票代洋以一分五分爲限	

◉社址◉上海薩坡賽路北永吉里十四號

◉電話◉八〇六四〇號

天津馮氏斷癮救苦金丹 戒烟第一

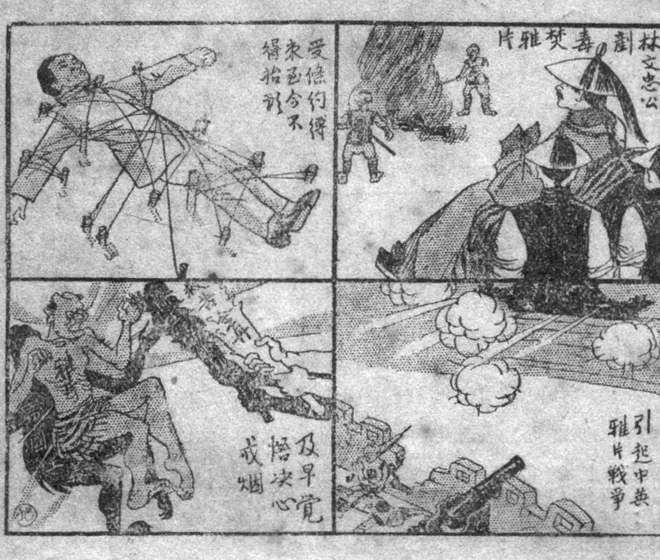

▲風行六十餘年斷癮數百萬人
▲中央禁烟委員會張主席題獎
▲歷任大總統黎徐曹諸公嘉獎
▲專戒鴉片紅丸海洛因嗎啡癮
▲戒時照常吸烟逐日見烟自厭
▲輕癮一二料重則三四料戒淨
▲每料祇收藥本大洋一元五角
▲外埠函購起碼兩料寄費加一

贈券
戒烟捷徑內容豐富凡三四餘萬言人手一册益趣無窮函索立即原班寄奉

救苦金丹發明於清同治七年，迄今已歷六十七年，其藥性的王道，功效的神速，遐邇馳名，歷古各地官廳嘉獎保護，博覽賽會屢獲褒獎，服者斷癮謝函不可勝計，詢屬戒烟藥中第一祕寶，絕非市上一般投機劣藥所可比擬，服之毫無副作用，于安全中戒絕，決心戒烟，捨此莫屬。

功效 宣導烟積，剷除烟毒，打倒犯癮，潤腸滋陰增加血液，照常辦事，不害腸胃，增多飲食

成分 採取珍貴國藥，精密監製，功效靈速，與普通毒質抵癮戒烟藥絕不相同，亦不反癮重吸

服法 每晚臨睡時，用溫白開水送下，白天勿服，切勿過量多服，次晨口渴乃藥力達到之現象

代理
本埠先施永安濟華堂中英太和中西華美五洲中法華英南洋正威等均售

▲**上海** 白克路西大通路口 **天津峻芝堂駐滬發行所**

◉德國政府特許專賣的內分泌物結晶製劑長壽防老特效聖藥！

德國壽爾康補丸

▲確為固腎培元之聖品·真是生精益髓之奇藥！
▲改變損壞的舊體質·恢復青春時代的幸福！

▲怎樣使老年人享青春幸福？
▲怎樣使夫婦間得魚水之歡？
▲怎樣使乏嗣者可一索得男？

贈券
科學的臟器療法壽爾康詳細說明書函索憑券寄上海本行當即原班寄奉

唯有購服真正 德國壽爾康補丸

壽爾康：是德國愛特諾博士發明，用最名貴之動物臟器製劑，獨具改造生殖機能的絕大權威，凡年老力衰之男女，服之立能恢復其青春時代的生殖機能，歷經實驗，百試不爽！

生殖：是人類天賦的本能，康健的男女個個人生殖的能力，男性的睾丸，女性的卵巢，就是生殖力的主宰，如果因『房事過度』『衰老虛弱』『生理變態』等原因而致內分泌腺發生障礙，則生殖機能亦即消失矣：

男用壽爾康：專治神經衰弱，陽萎早洩，夢遺滑精，生殖無能，諸虛百損，確具滋陰扶陽生精益髓老翁種子的奇效。

女用壽爾康：專治婦科子宮病，經血不調，子宮冷白帶……

▲壽爾康之結晶成分與特效

A：盼荷爾蒙（PAN-HORMON）阻止衰老
B：大腦腺素（CEREBR-SICC）補腦健神
C：腦神經粹（HYPOPHYSEGLAND）
D：恢復性腺攝護腺炎（PROSTAT-GLAND）亢進
E：器官男睾丸素（TESTES-SICC）性官能病
F：女卵巢素（OVARIA-SICC）性官能病
G：心臟血素（HEANIOGLOBN）補血
H：造血腎上腺素（SUPPRARENAL）補腎強精
I：腦雪星（LEGITHINE）療虛補損
J：浦歐麥（EXTRPUIRAPUAMA）強壯精神
K：變質素（EXTRTORN）改造體質
L：維他命（VITAMINE）繁殖髓益

▲德國安諾特博士心血發明▼

HEALTH MAGAZINE

衛生雜誌

中華郵政特准掛號認爲新聞紙類
內政部登記證警字第二八二九號
社址上海法租界薩坡賽路北永吉里

第三卷第六期 (即第三十期)

德國梅濁尅星

白濁自療 對症專葯

那怕你疼痛難忍 服了梅濁尅星包你不疼！

那怕你腫得利害 服了梅濁尅星包你腫消！

那怕你濁流如注 服了梅濁尅星包你濁清！

那怕你便中流血 服了梅濁尅星包你血無！

▲白濁乃絕嗣之總因▼

淋菌侵入睪丸，則精虫不能生存，以致絕嗣，普通一般療法，絕無透入睪丸殺滅淋菌之效能，德國淋病自療專藥「梅濁尅星」具有滲透粘膜深部之絕大權威，無論淋菌侵入何處，均能追蹤而殺滅之，故能澈底斷根，永不復發：

▲梅濁尅星殺菌力……勝過透熱電療！

▲梅濁尅星清濁力……勝過注射針藥！

▲梅濁尅星鎮痛力……勝過插入油錠！

▲梅濁尅星消炎力……勝過注射色素！

▲梅濁尅星淨毒力……勝過局部洗滌！

▲梅濁尅星利尿力……勝過內服各藥！

▲德國愛迪那博士發明▼ ▲德國駐滬總領事簽字證明▼

▲藥房均售▼

▲德國戚彌鄧藥廠監製

遠東總經理處 ▲上海南京路五四號柯爾登洋行啓

贈券

憑贈券附郵票十分簽字蓋章寄上海郵政信箱第一四六五號柯爾登洋行樣品部即贈德國梅濁尅星樣品及詳細淋病療養說明書各一份

「老人之晶品」

蒂德珠世界公認最有功效之補藥

“蒂德珠”

▲該藥經世界性問題專家德國許飛博士用最新科學方法研究成功他的品質經過海岱保大學的魯緯教授用生物學的試驗所確定爲有價值無上補品

▲服後二星期便能見效

永安，先施，福安，各大藥房均有出售

說明書函索卽寄

遠東獨家經理

德商華裴洋行

上海博物園路一二八號

◉電話一九九八〇

五和美容片

五和美容藥片確有嫩膚保顏之功凡我姊妹們值得採用之 胡蝶

（歷史）此美容片經世界性學問題專家葛其福博士多年研究成巧化驗確實有效

（暢銷）此片暢銷歐美有年凡好來塢電影明星多服用之

（功效）能保留青春不老兼使皮膚嫩白已老之人服後能恢復他的過去音容雖皮膚有微疵亦能使之脫離

永安，先施，福安，各大藥房均有出售

電話一九九八〇

遠東總經理處 **上海德商華裴洋行**

郵政信箱九七三號

說明書函索卽寄

▲戈老二房裕慶堂梅記秘製半夏號發明肺形草預告!!

啓者本堂不久須發行肺形草一藥。功能治一切肺經受傷出血諸症。效驗如神。轉瞬春令一屆。諸種血症隨時而生。此藥實爲救治靈丹。俾患病者知所問津焉。同行批銷請向上海汕頭總發行所接洽。此照。

說明書

天然肺形草。又名吐血草。產於四川深山 專治吐血。在二百年前本號即已採爲秘製半夏材料之一。今復經多年之研究及實驗。加以他藥數種。配合炮製行世。以輔本號秘製半夏拯救痼疾。因本號秘製半夏。乃統治各種咳嗽痰症肺病之唯一聖藥。注重治本。常服能以化險爲夷。轉弱爲強。一切咳嗽痰症。肺病除根之後。永不再發。惟肺受外傷出血等類標病。則不及專用此草之收効爲速。此草專治。

肺炎咯血　肺管出血　咳嗆吐血　積勞吐血　痰中夾血

童女乾血　房勞咯血　損傷吐血　肺癰肺萎　肺癆肺癌

一切肺經受傷出血諸症。服用此草。可以治標復原。血止之後。再服本處秘製半夏。不論新久癆咳。腎肺兩虧。百端均能除根復原。本號爲求病者進痊起見。特配製此草發行。並邁進秘製半夏之神効。肺病者一試便知。此兩藥相輔並行之奇効。

此肺形草經本號配製。用潔淨布袋裝妥。服者連布袋加清水濃煎。(用水二碗煎存約一碗務必透濃 傾出候溫服之(滾熱時切勿服夏日天熱冷飲亦可) 輕症每日一盒。重症加倍。十歲以下。小孩減半。服時最宜臨睡之前。或在飯後亦可。藥渣雖可再煎第二次。但一盒藥方。僅抵輕症一日之量。服此草時忌食魚腥蝦蟹等品。惟牛肉及雞不忌。並須靜養。切勿過多思慮。動肝火煩惱。

▲每盒定價大洋壹元。每打拾元▼

蘇州上海 戈老二房裕慶堂梅記秘製半夏號監製

總分發行所 上海福煦路國民里二號 汕頭德興馬路六十三號

健美爲幸福之源
雙妹老牌 花露水
辟穢止癢提神醒腦
中國廣生行有限公司出品
雙妹老牌 如意膏
風行三十餘年 各地百貨商店 均有代售
花露水
中國
雙妹嚜花露水
GIRL BRAND FLORIDA WATER
註冊 商標
KWONG SANG HONG LIMITED
246 248 DES VOEUX ROAD HONG KONG
香港廣生行有限公司
雙妹老牌 如意膏
主治
四時感冒 咳嗽霍亂
牙痛肚痛 頭痛骨痛
跌打刀傷 湯火等傷
無名腫毒 犬咬蟲傷
治法甚多 不能盡錄
照法搽食 百發百中

小談論

怎樣普及衛生教育

編者

衛生教育果然要政府的力量去普及。但是國庫這樣支絀。衛生建設。不易進行。那末。全仗人民團體的扶助政府衛生行政。去宣傳衛生常識。和灌輸康健知識。現在一般報紙裏。都有衛生醫藥副刊。實在對於普及衛生教育。有很大的功效。此外對於衛生醫藥刊物的風行。尤其收效不淺。不過政府要有一個訓令。凡屬有關社會教育的刊物。應該通令全國學校機關團體等。一體訂閱。庶幾收効宏大。至於學校團體等。對於衛生演講。和衛生事務演講。和衛生事務的推行。尤須努力進行。警務人員。對於衛生事業的取締。尤須力行不懈。認真辦事。那末。上下督促起來。衛生教育可以逐漸普及了。

衛生雜誌第三十期目錄

小談論

衛生言論

學術研究

衛生常識

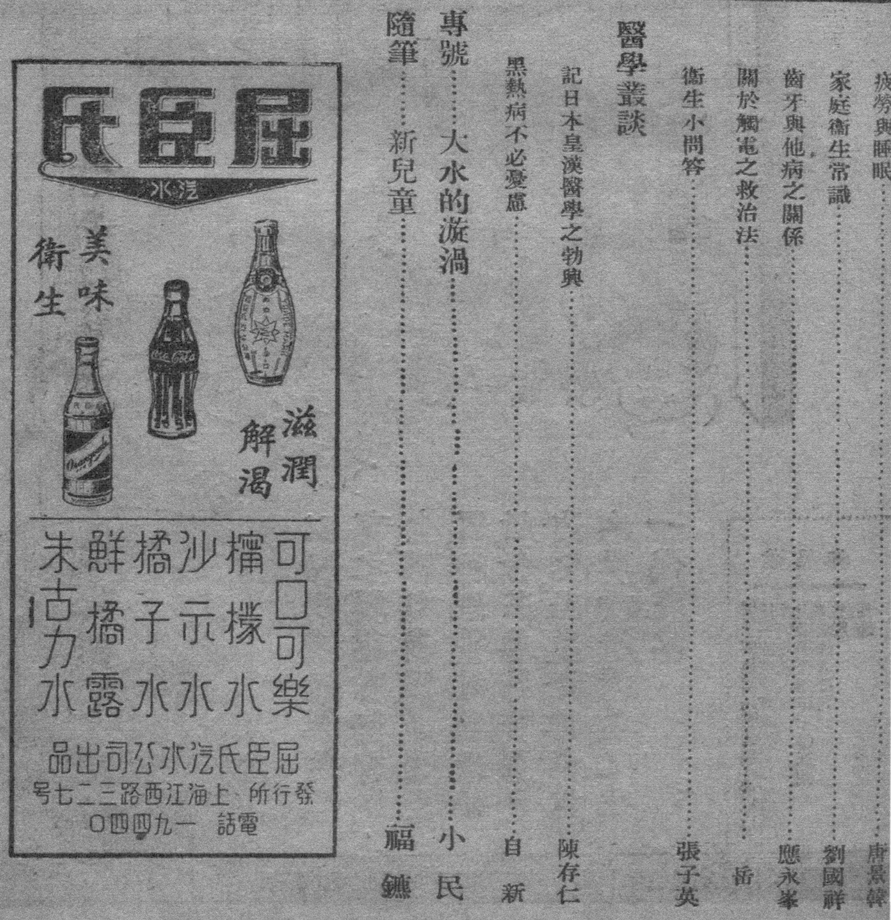

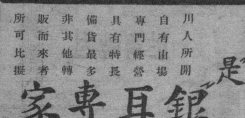

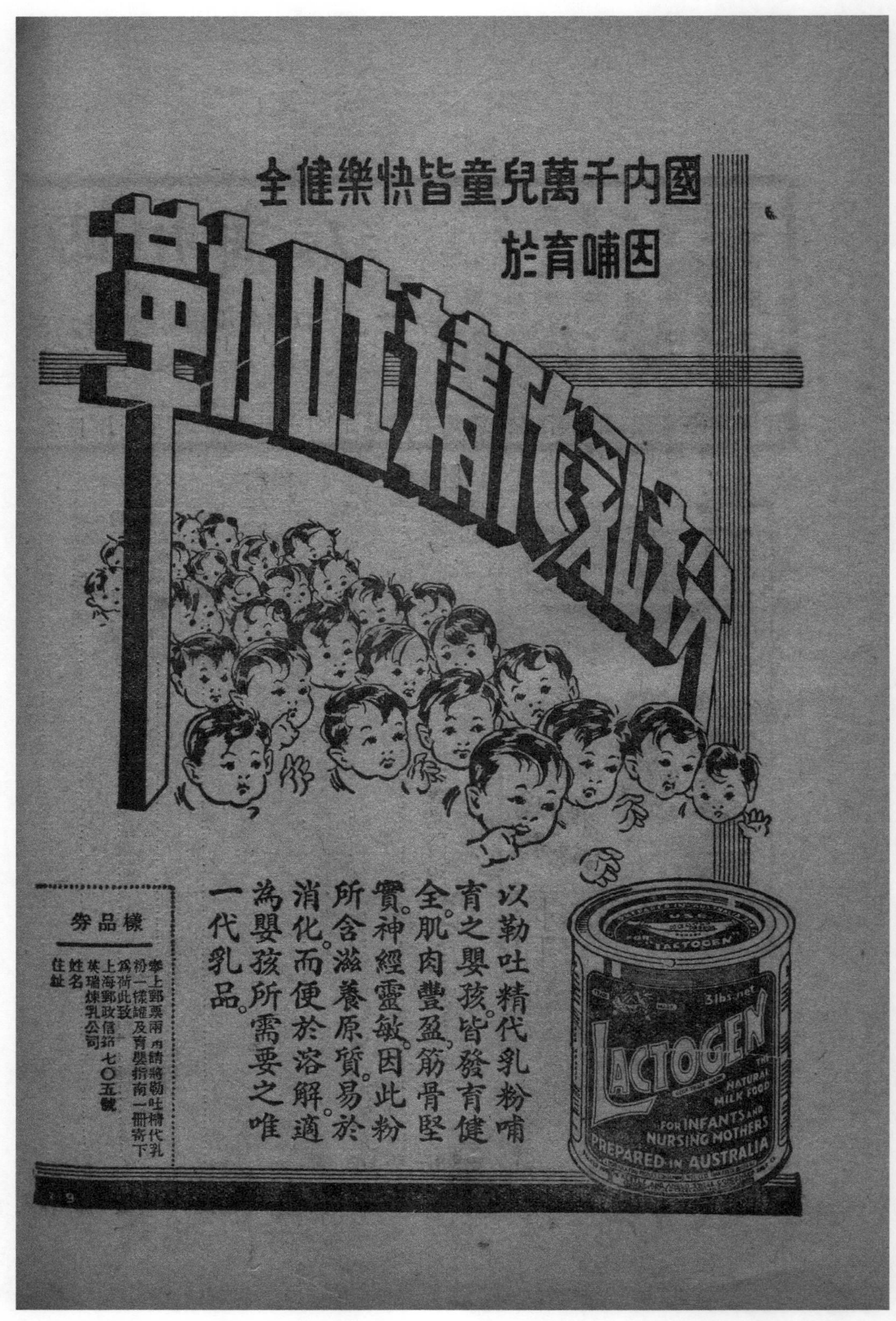
國內千萬兒童皆快樂健全
因哺育於
勒吐精代乳粉
以勒吐精代乳粉哺育之嬰孩。皆發育健全。肌肉豐盈。筋骨堅實。神經靈敏。因此粉所含滋養原質。易於消化。而便於溶解。適為嬰孩所需要之唯一代乳品。
樣品券
奉上郵票兩分請將勒吐精代乳粉一樣罐及育嬰指南一冊寄下爲荷此致
上海郵政信箱一七〇五號
英瑞煉乳公司
姓名
住址
LACTOGEN
3lbs net
NATURAL MILK FOOD
FOR INFANTS AND NURSING MOTHERS
PREPARED IN AUSTRALIA

防病較治病尤爲重要

歐陽梓彬

各位民衆們。今天我所講述的題目。就是「防病較治病尤爲重要」。我可分做三點來說。

第一點生病的原因——我們人類生在天地的中間。外受風，寒，暑，濕，燥，火六淫的變化。內受喜，怒，憂，思，悲，恐，驚的影響。沒有那個能夠免却終身疾病的。如六淫傷及肌膚和臟府。可以發生傷風，傷寒，中暑，中濕，中熱，秋燥各種疾病。就七情所傷說起來。喜極可以傷心。怒極可以傷肝。憂極可以傷神。思極可以傷脾。悲極可以傷魂。恐極可以傷腎。驚極可以傷胆。這就是七情所傷的常識了。以上所講的六淫七情。都是生病的原因啊。

第二點治病的重要——要是生了疾病。必須請學識精通。經驗宏富的醫生診治。才能認清寒熱虛實。表裏陰陽。如果請了一知半解的人診治。頭痛醫頭，脚痛醫脚，必輕病加重。重病必死。這是治病很重要的地方。

第三點防病更重要——要是病既發生。然後請醫診治。這好比花木巳枯。才去灌水。口裏乾渴。才去掘井一樣。不預防於未病以前。但救援於旣病以後。非常危險。但是要怎樣防病才好呢。就是喝喫水物。要有節制。不胡喫亂喝。傷害己身。如瓜菓涼粉。以及各種生冷物件。如果喫多了。以致溫涼不調。陰陽清濁二氣。彼此混亂。或卽時發生霍亂。或延期發生紅白痢症。爲害最烈。爲禍最深。更不可不嚴格預防。免生後悔。預防的方法。第一不喫生冷食品。第二不感受暑熱癘氣。第三不宿外貪涼。第四以致中和的魚意油常揉鼻孔。加以起居有常。不操勞過度。然後疾病才可不易發生。身體才可以康健。精神才有以內守。古人有兩句話說。「健全的精神。宿於健康的身體」這兩句話。是很不錯的。大凡人之有精神。好比燈之有油光一樣。人無精神不振作。燈無油光不明亮。想要身體時刻健康。精神長久內守。就要保養腎精。不可嫖賭鴉片。傷害精神。因精神是才能生氣。氣旺才能養神。人有精氣神三寶。並常吸新鮮空氣。使血液清潔。常做合宜的運動。使血液周流。自然可以長生。這是防病較治病更重要的地方了。

最後還希各位民衆們。注意我國的精神衛生。並加以物質衛生。努力的實行起來。我相信不僅可以長生。而且可以強國。更可以發揚我國的民族了。

性衛生教育的重要

龍秀章

性慾爲天賦本性，又名生殖慾，爲保存人類種族不可少的原動力。但數千年來各種民族對於性的關題，均保守秘密主義，就是中國素稱爲開化最早的民族，談及性的問題，亦抱避諱的態度，以爲性慾既屬羞惡穢褻並且認爲是不道德不名譽的事，致使一般青年發生性病。因性病傷身敗名者，何可勝數！故性的問題，誠屬生命中一重要條件。亦爲衛生教育之重要問題。茲將衛生教育之目的，歷史與實施方法，分別討論之，以供閱者參考焉。

一、性衛生教育之目的：即使人類明瞭一種普遍性的智識，調和兩性生活，以解決兩姓間各種性的問題。據美國巴哥羅氏說：「性衛生教育之目的，有三種意思，第一是使人人對於性慾問題有鄭重的，科學的，坦白的，嚴肅的心理；第二，使人人有性之衛生智識。第三使人人明瞭個人性慾和因性所發生疾病的關係。」中國黃公覺先生在教育雜誌性教育專號內。曾論道：「性衛生教育之目的，是要宣傳幫助人類得着性慾及生活最良好的適應以及實地解決性的問題也。」

二、性衛生教育之歷史：民國紀元前七年二月美國首先開始性衛生教育運動，當時有馬羅博士組織美國道德衛生預防會，專門宣傳性之衛生及花柳病預防問題，很引起社會一般注意。更於民國紀元前二年全美國成立性慾衛生聯合會。至民國八年正月美國東北各州學校教育家會議，曾有兩個決議案：第一是性衛生教育須占有教育上的新位置，應當同生物學，生理學。衛生學及體育等有重要之關係。第二是關於繁殖作用之重要事實，春情發動期所引起生理變化之意義及梅毒淋病之危險，均宜在中學課程中，教導學生。以上所說是美國方面性衛生教育之經過。至於其他國家，如德國，法國等，皆熱心研究性衞生教育，以解決性所生之各種問題。

三、性衞生敎育之實行方法：欲性衞生敎育之發展，非由家庭及學校入手，指導兒童不爲功。蓋家庭中爲父母者接觸子女之機會很密切，對於子女之心理，非常明瞭。今將家庭所應施行之性衞生敎育，分述於下：第一是性慾之訓練，爲父母者應指示兒童以性慾所發生之種種弊病，並利用時機，使兒童明瞭性慾之智識。第二爲父母者須絕對禁止兒童食酒吸煙，因爲煙酒能刺激性慾之成熟，而使身體受重大的害處。第三是對於兒童所穿之衣服，須合身適體，不可有刺激性慾之情形。第四是父母須禁止兒童作不適當的跳舞遊戲，以免性慾之發生。第五是家庭應備置一切正當雜誌話報紙等，凡足引起性慾之觀念的小說，爲父母者宜特別注意。

以上五點屬於家庭方面所應施行性衞生教育之大概，但家庭施行性衞生教育，往往受舊道德之約束，對於性慾素抱避諱主義，或自己本身沒有完善性之智識，以致兒童不能領受相當智識。必須由學校敎員負性衞生之責任。今將學校所應施行性衞生教育，可分爲兩個時期：第一個時期是小學時期，凡是小學校學生年齡普通六七歲至十餘歲，當此時期教員應依自然科學或生物學中，向學生說明粗淺生理及生殖原理，例如花由陰陽兩蕊之相交，而結成果實的，當以自然界兩性現象，而授以普通性之智識。第二個時期是中學時期，此時期學生之年齡大概爲十五歲至廿歲左右，正當春情發動時期，亦爲最危險之時期，所以敎員除灌輸學生以性衞生智識，更必須利用時機，討論戀愛之意義及婚姻進化歷史等重大問題，同時鼓勵學生自動選擇文明而有戀愛式婚姻之理想家庭，並授以娼妓制度的歷史與國家種族之關係。總之，學校施行性衞生敎育乃完成或補充家庭中所施行之性衞生敎育耳。

學術研究

骨蒸的病原和證狀

默然

——虛勞與骨蒸之區別——

骨蒸之病原

一，先天遺傳性

二，後天分：疾病的——患慢性氣管支炎，流行性感冒
　　　　　非疾病的——營養不良，過勞，空氣不潔

◉◉病灶的浸潤證狀……分初中末三期◉◉

關於骨蒸與虛勞的區別，玆列一極簡單的對照表如下：

古名	今名	種類	性質	感覺	脈象	治法
虛勞（虛損 五勞 七傷）	神經衰弱	複雜（心腦胃腎等藏器衰弱症）	不染傳	遲鈍	濡弱或浮大或細濇	宜溫補
骨蒸（勞瘵 肺痿 傳尸）	肺結核（肺癆）	單純肺結核	傳染	靈敏	初期虛而數末期弦而大	宜清攻

骨蒸與虛勞，在中醫書上，常混合而不分；且所言皆詳於虛勞而略於骨蒸，以致骨蒸的眞相不明，對症之効力甚少。西醫對於肺結核的原因證狀，可謂剖晰無遺了。然因其藥物治療之方法簡陋。殊不能滿足吾人之要求。無已，只有取西籍所論病證之無需繁重之手術與器械而能診察者，分三期敍出；使人們明白骨蒸的眞相，以免誤治之危。再於中醫書上搜集比較對症之方（另作骨蒸陳方輯要以供討論。

（甲）原因　骨蒸之根本原因，自然是由結核桿菌寄生於肺部而發。然而人們肺部之所以讓此毒菌，滋生繁衍於其上者，又有先天原因，後天的原因和病灶的浸潤三種。分述之如下：

（一）先天的原因　人們有天生而易感染肺結核者，（遺傳）所謂癆瘵質體格是也。此種體格，大抵面狹長而色蒼白。容貌軟弱而目光銳利齒牙整齊。長頸而狹胸，肋骨斜向下行，鎖骨上窩陷凹甚深。吸氣肌薄弱，心臟及血管易與奮（易於漸紅失色）。手足細長，筋肉及脂肪細織發育不良。是皆由遺傳得來。間有由幼

年之不運動及疾病之遺患者。

(二)後天的原因　後天的原因，又分爲疾病的與非疾病的。細菌隨空氣吸入，大抵截留于上部氣道粘膜；而氣管枝粘膜之顫毛運動，又有排除異物作用；病原菌本不易侵入肺部。唯患慢性氣管枝粘膜炎，纖維素性肺炎，氣管枝肺炎或百日咳，流行性感冒者；減弱氣管粘膜之能力，往往爲發生肺結核之誘因。又如患傷寒，痲疹，糖尿病，慢性酒精中毒，亦易生肺癆。由非疾病的原因而罹肺結核者：或因職業之故，缺乏新鮮空氣和日光之吸取。或因貧困缺乏滋養品之供給。或以操勞過度，或以運動不足。或以憂愁和妊娠。凡足以減弱身體抵抗力之原因，皆爲結核菌乘隙而入的絕好機會。

(三)病灶的浸潤　結核菌有脂狀物或蜡狀物包被於外，故抵抗力頗大，惟日光曝之立死。其最先侵害者爲肺尖。因肺尖之呼吸運動甚爲微弱，(乏排菌能力)且血液之供給又較少，(乏殺菌能力)。大利於結核菌之發生進行，(故肺血減少之疾患，如肺動脈瓣孔窄狹，往往發生結核菌) 結核菌既竄入肺尖，因其體內毒素，而起局部炎症。因其分泌毒素，而起全身發熱。肺尖之組織細胞，上皮細胞，因結核菌之繁殖堆積，生成小硬固結節，此節所謂結核也。結核初如粟粒大而半透明，繼乃逐漸增大，變爲黃色不透明之硬核。結核中無血管。血液無由供給，故易於壞死。壞死後成一種黃色乾酪狀物，是名乾酪變性。久則軟化爲糜粥狀，與痰一同排出。於是中部成爲空隙，名曰空洞。空洞之大小，或如豌豆，或乃過於胡桃。其內壁分泌多量濃液，爲結核菌發育增殖之材料。又有他種微生物(連鎖狀或葡萄狀釀膿球菌爲最多，四聯球菌流行性感冒菌次之)，自外界吸入，佔據空洞，與結核菌比周爲虐，使病人熱度頓高，此之謂混合傳染。結核菌逐漸繁殖，病灶逐漸擴張，由是肺之下葉，亦遂爲結核菌所佔領。斯時賴以營呼吸作用者，僅能容少量空氣之剩餘部而已。若病灶達於肺表，則起肋膜炎症，肋膜腔中滲出血性或漿液性之液體(間有帶膿性者)，以致無數、節散在肋膜板上。肺表而之空洞，若穿破肋膜而開口於肋膜腔，則空氣竄入胸腔而成氣胸。其餘許多合併症，亦多由病灶之浸潤而起也。

(乙)證狀　肯蒸罹病者以中年(十八至三十歲)人爲最多

。小兒患者大抵爲急性經過。高年患者則屬慢性經過。急者不過一年半載，卽陷於衰憊而死。慢者則常延長至二三十年以後。其經過中本無截然的鴻溝爲界。然爲便於診療計，將進行之比較規則者，以其證狀之輕劇，分爲初中末三期。

(一)初期　1.全身證　形容枯槁，易發疲倦，身體之羸瘦日甚。

2.氣管證　因奔走勞動而致呼吸迫促。中宵或清晨常發乾性短咳。或咳出少量粘液性膿性之貨幣狀及球形痰。本期往往爲頑固性之氣管枝炎所隱蔽，患者信爲尋常感冒而不介意。亦有竟毫無欬痰者，名曰閉性結核。

3.熱候及盜汗　傍晚發間歇型輕熱(日晡潮熱)，往往惡寒。至夜熱降則盜汗。急性經過(一年或半年)之奔馬性(或名開花性)肺癆，其熱往往似傷寒之稽留型。昇降甚者謂之消耗熱，最易耗燥病人津液。

4.胃證　始也食慾不振，繼則食後胸部起壓重膨滿諸感覺。惡心嘔吐亦繼咳嗽而起。本期有誤認爲胃炎者。

(二)中期。　1.全身血證漸漸貧血。赤血球及血之全量減少。馴至貧極，面色蒼白，兩顴發赤如錢許大，或口唇紅鮮。如婦女加以月經不調，在初期有誤視爲萎黃病者。

2.循環器證　心臟容積縮小，脈搏增速。病者常覺心悸亢進，非常煩苦。又經過緩慢之肺癆，肺尖旣萎縮(同時鎖骨上下窩及胸壁陷沒，病側半胸在呼吸時上升極微。)肺循環徑路日蹙，右心室因之肥大，遂呈鬱血證候。

3.血痰咯血　各期皆有之。往往爲單獨之小血線，混於膿性痰中。或由數次短咳，而排出數食匙以上之泡沫狀鮮血(末期)。

4.肋膜炎　乾性肋膜炎因有纖維素沈着於肋膜腔中，致肺與胸壁結合，胸廓生側面刺痛。至於漿液滲出性肋膜炎，亦得於各期中見之，而尤以初期爲多。

5.氣胸　多于急性肺癆見之。肋膜腔內不僅有空氣積聚，又加以炎性滲出物，致患側胸廓擴張，肋骨發脹，呼吸困難，成結核之危險合併症也。

(三)末期　1.乾酪肺炎　卽結核性肺炎，始起戰慄或咯血。數日後肺下葉部發生浸潤，範圍甚大，體溫稽留不退。排出透明之濃性痰，色赤或綠，中含結核菌。患者大抵一月或數月內，速陷衰弱而死。

2.喉結核 喉爲痰之出路，故肺結核病者均有三分之一罹此症。每致喉梗失音，險惡之徵兆也，又頸部之淋巴結核（即瘰癧），乃由扁桃腺進入之結核菌而生。

3.腸結核 因咯痰下嚥，而被浸潤。往往起頑固難治之下痢，糞中混血液。

4.肝脾澱粉變性 肝脾腫大，觸之平滑硬固，食物吸收受障害。初則排瀉粘土之脂糞，繼則起不可制之崩場性下痢而死。

5.死候 瘦極，衰憊，虛脫。

西術診病，常備重于醫療器械和檢驗方法。上列骨蒸證狀及合併症，雖多採自西醫書中，然概擇其便于中醫四診者述之。西醫之治此症，多行空氣日光息養滋補等療法，中醫之用藥物治療者，多主清攻。今將陳方中常用之藥品，與新醫所認爲比較有效者，列舉于左，聊供熱心研究本症治療者之參考。

（甲）清藥彙 1.組 杏仁 款冬 紫菀 天冬 麥冬 白石英 桑白皮 瓜蔞 貝母 桔梗 枇杷葉

2.組 芍藥 生地 玉竹 阿膠 甘草 白蜜 西洋參 北沙參 元參 百合 黑大豆 花生 白毛鴨

3.組 青箱子 草決明 苦參 丹皮 片芩 地骨皮 銀柴胡 秦艽 胡黃連 乾柿 青蒿 知母 浮小麥 馬兜鈴

（乙）攻藥彙 1.組 大黃 芒硝 桃仁 紅花 水蛭 䗪虫（地鱉虫）

2.組 赤芍 丹參 乾漆 白芨 昆布 海藻

3.組 童便 獺肝 鱉甲 龜板 牡蠣 鮑魚 鰻鱺魚 金絲魚（白鱓） 鱅魚

（丙）其他 人參 當歸 五味子 茯苓 胡桃 鐘乳粉 蛤蜊

痢疾商榷

胡佛

到了秋天的時候。痢疾尤其流行。西醫稱爲腸加答兒。痢症的原因。西醫諉有腸加答兒菌。其實把病人的糞水。用顯微鏡照起來。確實有細菌。從物質上說起來。西醫言之很有理。不過從發生細菌的原由說起來。西醫籠統稱爲傳染來。似乎理由不充足。現在我把歷年治愈痢疾的經驗。和大衆談談。那末痢疾發生細菌的原由。也可以明白了。

痢疾的原由

痢疾的原由。有內因。外因，和內外之別。假使飲食過度。或不潔淨。細菌由食物傳入。而發生的。是爲內因。宜先用通因通用法。西醫所謂洗腸法。假使風寒外襲。入腸胃而泄痢的。是爲外因。宜先用疏散法。鼓邪外出。假使厚味恣食。濕熱久蘊。一旦風寒外湊而發生的。是爲內外因。宜疏散外邪。兼清濕熱。但痢疾的發生。每因先有伏邪。蘊釀蒸鬱。發生細菌。如夏月的暑邪多飲了冷物。迫熱內陷。伏於腸胃。漸漸地生細菌。所以秋令的多痢疾。實在是夏天伏暑的緣故。

凡人既有伏暑。又加厚味恣食。積滯旣盛。細菌就生。且伏邪欲出不出。火性炎上。不得上達。迫而下行爲痢。火性急速。欲泄痢而氣滯住。欲解不解。疼痛難堪。甚至於濃血和黏液剝融而下。一日泄痢數十次。而便實在不多。

還有稱爲噤口痢的。因爲胃口有熱。而邪熱不殺穀。所以不能食。實在是痢疾最重的症。用人參黃連湯下咽頗效。

痢疾的治法

痢疾的原由。旣然是伏邪和積滯爲主要原因。所以治法最重要的。也應該注意於疏邪外出。和清利積滯。內經通因通用的方法。就是蕩滌積滯和清利結熱而設。實在是治痢的常法。但施之壯實的人們很相宜。稍涉虛弱的人。猶慮誤事。余治痢疾。每注重於鼓邪外出。和疏滯清解。通因通用的方法。非積熱熾盛勿用。對於治療方面。效驗很靈。每每二三劑痊愈。永不復發。

伏邪不透出。痢疾就纏綿難愈。雖日下數十次。極重的痢疾。一經伏邪透達。泄痢逐漸減少。就有向愈之可能。所以鼓邪外出。實在比較攻下的方法。來得穩妥得多。

尙有泄利既久。積滯已去。熱邪很微。而痢疾纏綿不止。有用補澀法。但初初起來。斷不可止澀。

痢疾欲便不便。疼痛後重。是氣滯不達。原來肝主疏泄。性喜升達。苦肝氣鬱陷。則氣滯疼痛。營血淤塞。則腸胃之濃血隨便剝融而下。所謂調氣則後重自除。行血則便濃自愈。實在是治痢的格言。

痢疾效用藥

鼓邪　白芷　藿香　葛根　桂枝　大豆卷　荊芥　蘇叶
調氣　木香　青皮　陳皮　砂仁　佛手甘　枳殼　厚朴
行血　白芍　紅花　川芎　當歸　丹皮
去積　山查肉　神麯　穀芽　萊菔子　雞內金
清熱　黃連　黃芩　梔子　白頭翁　連翹　金銀花
分利　澤瀉　猪苓　茯苓　車前子　通草
補澀　阿膠　赤石脂　龍骨　牡蠣　人參　白朮
攻下　大黃　枳實　元明粉　檳榔

大汗能亡陽亦能耗陰

陳伯民

汗也者，合陰陽精氣蒸化而出者也，以陰津爲材料，以陽氣爲運用，內經曰，人之汗，以天地之雨名之，西洋醫云，人體壯熱時，用以放散熱度，調節體溫也，故陽氣不足，又爲陰寒肅殺之氣所縛，汗不能自出，所謂表實症，必用辛溫發散之藥，運用其陽氣，開泄其玄府，然汗出太過，又使陽亡津傷而變病，是以傷寒論云，太陽病發汗，遂漏不止，其人惡風，小便難，四肢微急，難以屈伸者，桂枝加附子湯主之，夫病在太陽，固當汗之，若不取微似有汗而發之太過，陽氣無所止息而汗出不止，衞氣散懈，遂致亡陽，汗液慓悍，以至耗陰，葢陰病每及於陽，陽病每及於陰也，四肢微急，難以屈伸者，素問陽明脈解篇云，四肢者諸陽之本也，陽盛則四肢實，鍼經云，脫液者，骨屬屈伸不利，本論以踡臥但欲寐爲少陰症，四肢微急，難以屈伸，卽踡臥之漸也，又內經曰，陽擾於外，陰爭於內，九竅不通，須知小便難，亦九竅不通之漸也，仲師出桂枝加附湯主治，固其陽，亦所以救其陰耳、凡汗多亡陽，固能脫液，然下之失當，亦有津液，乾枯之虞，今之醫者，一遇是症，卽用石斛潤之，不明書意，未有不殺人者，須知太陽之底，卽是少陰，少陰固有津枯之證，陽明亦有之，證狀雖同，病源有異，治法自各不同，陽明之津液乾枯，多由發熱化燥而成，熱也，正治法當宜清之，少陰者，心腎也，人飲入之水，由胃之微絲管，散入油網，從油網入膀胱，待心火下交，方能化氣上騰，其化之未盡者，則有膀胱之後，大腸之前，中間一夾室，空空洞洞，惟陽氣是也，薰蒸餘氣而上達，潤喉鼻，溫肌肉，出皮毛，是爲衞外之陽，此夾室名氣海，又稱胞宮，道家名之曰丹田，卽兩陰之中，一陽爻也，少陰之津枯，乃下焦腎陽不能上蒸，氣化失職所致，虛也，從治當以熱治熱，舍附子莫能任，柯韻柏云，太陽病自出汗，心煩脚攣急者，非附子不愈，亡陽固必須附子，津傷惟人參獨佳，蓋參乃陰中之陽，又屬陽中之陰，與附子同加入桂枝湯中，大有扶陽救津，調衞和營之功，固陽卽所以止汗，止汗卽所以救液，其理細微，較之用黃芪石斛以治標，豈非更進一籌乎。

瘰癧之研究

王子文

瘰癧爲一種頸項部特發病。患者多係婦女。常患於婚嫁前後。(男子老人及小兒較少)西醫謂爲腺病結核。而中醫就金鑑所稱。種類至繁。以大小部位形狀性質。各別區分。考其原因。不外痰溫風熱氣毒結聚而成。對症治療。不得不舒肝解鬱。活血敗毒。至病理診斷諸要點。學說事實等論究。又均太欠允當。茲就前賢學說及臨床實驗。分述如次。

(一)種類　金鑑所載。約分四類。二十二種。1.大者爲瘰。小者爲癧。大小不一者。爲子母癧。形小多壘者爲風癧。以上四種爲依大小分類者。2.色赤而堅。形長如蛤蜊。痛如火烙。腫勢甚猛者。爲馬刀瘰癧。如黃豆結莢者。名鎖項癧。形如荔枝者。名石癧。如鼠形者。名鼠癧。亦名鼠瘡。以上四種。爲以形狀分類者。3.形堅實而硬筋縮者。名爲筋癧。連綿如貫珠者爲瘰癧。一包生長十數個者。名蓮子癧。

堅硬如磚者名門門癧。以上四種爲以性質分類者。4.生項前者名痰癧。生項後者名濕癧。左右兩側者名氣癧。耳根左者名蜂窩癧。右者名惠袋癧。頷紅腫痛者。名燕窩癧。延及胸部者。名瓜藤癧。生於乳傍兩胯軟肉等處者。名瘰瘍癧。生於遍身漫腫而軟囊內含核者。名流注癧。獨生一個在顖門者。名單窩癧。以上十種。爲以部位分類者。愚按臨床實驗。（本症確爲腺病結核之一分症除極顯著者數種爲瘰癧之確症外其餘均可當作皮膚結核）參照新舊學說。劃分瘰癧爲精神刺戟誘發性。及實質變常特發性之二種。玆將其原因症候病理診斷治法及類症鑑別中西驗方。分述如次。

（二）原因　精神刺戟誘發性瘰癧：患者體質爲過敏性。加以環境不良。思慾不遂。七情鬱滯。神經受極大刺戟。血液淋巴循環失當。起居飲食失調。

實質變常特發性瘰癧：患者體質素弱。加以勞逸不均。起居失節。或過食膏粱厚味。及魚豚蝦蟹等毒之物。偶遇六淫侵犯及化學藥物等之刺戟。則發生也。

（三）症候　初起於頸項。亦有繼達胸腋等處者。在初期多不着意。初起爲豆粒大之小結節。有單一個者。有數枚者。皮色如常。推之移動。經過緩慢。有經過數月漸次增大如梅李者。亦有持續數年及至死不愈者。一遇七情六慾誘惑。即發作增劇。疼痛腫脹。皮色變赤。或爲青紫。如爲精神誘發性。則隨七情而轉移。怒悲即增劇喜樂即緩解。實質特發性隨六淫爲轉移。感受風寒者濕燥火。即增劇。邪退即緩解。精神的緩解後。復發者多。實質的緩解後治愈者多。前者有倦怠思臥飲食減退之特徵。後者有惡寒發熱二便秘積之特徵。

（四）病理。本症病理。中醫書籍。無有專註。偶有論及者。亦平淡無味。不能道其底蘊。玆就師友研討。及臨床所得者。分述二者如左。

（1）精神刺戟誘發性瘰癧：爲精神上受刺戟。致血液淋巴神經系統起異常變化。罹斯病者。多爲神經性體質。尤好發於婚嫁前後。被舊禮教束縛之婦女。在臨床實驗。常爲寡言笑。多思索之人。且絕守禮教。對一切不能壓止之慾望。悉鬱滯而不宣。朝夕愁悶。致飲食起居失常。體質反乎生理。且不喜人道其短長。稍聞是非。羞怒立形顏面。頸項部之血管淋巴。立即潮紅膨脹。該部之血液淋巴被其壓迫。鬱滯桎塞。勢難獲免。況頸項部之位置狹窄。血液淋巴神經特多。久滯不流。故有本症之發生也。

(2)實質變常特發性：身體素弱。及脂肪特多之人。嗜膏粱厚味。或魚豚蝦蟹等有毒之物。而致腸胃不潔，血液溷濁。細菌異物潛於組織內。害及血液淋巴。偶被六淫之邪誘發。則生病變。發於頸項。而實質變常特發性瘰癧。以斯而起。

診斷　精神刺戟誘發性瘰癧。精神倦怠。飲食減退。項間微覺不爽。結節初期形如豆粒。至二三期即大似梅李。在平素皮色如常。倘遇憂思悲怒驚恐感觸時。即變爲紫赤色。或青紫色。脉微細。遲弱時多。洪大滑速時少。體溫多不變常，偶有五心煩熱。及微覺惡寒者。亦有自汗盜汗者。實質變常特發性瘰癧，形狀大致與前相同。但遇有風寒等六淫誘發。即有惡寒發熱。潮紅腫脹。灼熱疼痛諸見症。脉搏洪而浮數時多。二便有時秘結。飲食有時減退。亦有發生飢餓狀者。

治法　隨患之體質。及發病之誘因而異。臨床習用者。分內外二法。1.『內服藥』。中醫常用者。不外解毒舒鬱祛邪調和營衛等法。2.『外用藥』。不外各種收斂膏。防腐膏。及腐蝕散等（如紅升白降等丹）。西醫常用者。內服多係強壯劑。及消炎鎮痛劑。外用不外防腐消炎鎮痛諸法。或用外科手術。或用注射療法。至治法之處方見後驗方項下。

類症鑑別　本症之類症繁多。鑑別頗難。診斷時必究其原因。察其部位性質。鑑別始有把握。凡頸項間之結核腫瘍。均與本症容易混亂。且前述之種類內。亦有爲結核而混爲瘰癧者。如(瘨瘍癖燕窩瘻瓜藤癖等)再如『時毒夭疽耳根毒等』。均生於頸項間。形狀亦彷彿瘰癧。但時毒初起。有類似傷寒之憎寒發熱。恍惚不寧等現象。瘰癧絕無上項症候。且時毒發作迅速。治愈亦速。而瘰癧則有經年累月不愈者。夭疽有一定部位。生于耳後一寸三分。瘰癧即無一定。瘰癧有治愈者夭疽多豫後不良。其他症候。都有類似瘰癧處。但詳細檢查其大小硬度顏色。究與瘰癧有別耳。耳根形如瘰癧之鼠瘻。但其發作迅速。預後亦良。究與鼠瘻有別。

中西應用驗方　1.鷄鳴散　墨牽牛一兩　胡粉一錢　生大黃二錢　朴硝三錢　上共爲細末。每服三錢。鷄鳴時井花水調服。以二便利爲主。如未利再服。上方治痛疼煩悶熱而不寒者。

2.楊氏家傳治瘰癧方　荆芥炒去絲　黑牽牛各二錢　蟹螯二十八個去頭翅足大米炒

右爲末一錢。用米飲調服。半夜時再一服。五更初則用温酒調服一錢或二三錢。量人之強弱用之。

3.夏枯草膏　京夏枯草一觔半　當歸　白芍酒炒　黑參　烏藥　浙貝母去心　殭蠶各五錢炒　昆布　桔梗　陳皮　撫芎　甘草各三錢　香附一兩酒炒　紅花二錢　上藥共入砂鍋內。水煎濃湯。布濾去渣。將湯復入砂鍋內。慢火熬濃。加紅蜜八兩。再熬成膏。磁瓶收貯。每用一二匙。滾水冲服。兼戒氣怒魚腥。亦可用薄紙攤貼。

西醫無特別驗方1.內服魚肝油或沃度劑。2.注射碘化鉀碘化鈣於患者局部。腫脹成潰瘍或壞疽時。用外科療法。（完）

秋季兒童下痢之處置

郭人驥

此分二種。一爲傳染性疫痢。二爲乳兒消化不良性下痢。

一疫痢

秋令最可怕之兒童疾病。厥爲疫痢。其劇烈者。有在十二小時以內即死亡者。家庭不能一刻躊躇。即當施行應急之處置。以拯救兒童之生命爲要。此病乃由一種未明的猛烈病毒。發生於腸中。被其吸收而循環於體中。直犯腦及心臟之一種激烈中毒症。稱爲疫痢。救治之法。務以清除。該毒所在之腸內容。即設法完全排出其大便。爲最要之方法。

請先述疫痢之徵候。兒童態度不活潑。疲乏昏沉欲睡。輾轉不安。不思進食。或食後即覺疲乏而睡。頻起欠伸。如是突發三十九度乃至四十度之高熱。頭痛。身體戰慄。亦有訴腹痛嘔吐者。下痢時。排出粘液便。即起痙攣。亦有竟陷於昏睡者。

以上所述。其中必發之症狀。即發熱及不活潑輾轉不安之症狀是也。兒童署期突發高熱。無欲而現不安之容態時。切不可忽視。若有發起痙攣。陷於昏睡之時。已得確定爲疫痢矣。

家庭中可以施行之處置。第一。如前所述。速行設法排去腸內容。即大便。斯時先用多量之微温湯灌腸。以排出其在腸下部之物。其在腸上部者。用灌腸法。不能排出。宜用下劑使其下降。

一、灌腸。施行之時。宜用充分多量之液體。卽用石鹼水或普通微溫湯。亦佳。最良之方法。卽用洗腸器灌入微溫湯。約一合乃至一升左右。將消息子自肛門插入。略至深處。而施行洗腸。須俟其洗出之液體清潔而止。

二、下劑用蓖麻子油。一次令飲十公分乃至二十公分。因其有嘔吐故。不可不注意。其他雖有種種下劑。然若爲劇藥。家庭中不能濫用。

三、須冷却其頭部及心臟。若已發起痙攣須解開其帶。以緩和其身體。若齒牙相擊。斯有咬傷其舌之虞。宜以布或木片。挾持於齒間。以預防之。

茲將發起疫痢重要之誘因述之。

第一。爲不消化物之囫圇呑噬於腹內者。

第二。爲寢中受寒舉例以言之。鹽菜豆類果實其他傾於腐敗之食物。胡亂呑入。而又足部腹部受冷。或寢中受寒。尤以其日中盛暑。晚間驟雨時。發起爲多。總之。在氣候急變寒冷之時。尤不可不注意。

第三。爲體質之關係。平素易起發熱。而有下痢體質之兒童。或其兄弟已患疫痢之兒童。亦具有此體質。不可不注意。

第四。爲年齡之關係。三歲乃至七歲之兒童。最易罹此病。然最危險之重症疫痢。多侵襲四五歲之兒童。

此病爲腸傳染病。故其大便吐物。均須善爲處置。不可不行嚴密消毒。以上爲應急處之必要。吾人旅行之時。行篋中所最不能缺少携帶之物。首爲下劑(蓖麻子油。)第二灌腸器及注腸器。冰夾。休溫計是也。

二、乳兒之消化不良下痢

其次兒童可畏之疾病。厥爲乳兒之消化不良症下痢。已述於前飲食物注意條下。飲腐敗之乳卽起下痢。更進而有發起重劇之中毒症者。祇起下痢之時。苟能加以完全之手續。嚴重之處置。大抵卽愈。此時若誤其處置。或不施手續而放置之。下痢益甚。遂致兒童發熱。或吐乳。元氣驟衰。傾向於嗜眠。或起痙攣。至此時期。疾病已不在腸。毒素周行於全身。雖有名醫。亦難爲助。尤以此種危險病態。經過四五日以上時。十之八九殆不能治。不可不覺悟也。嬰兒罹消化不良症。若不僅於其下痢時。加以充分之注意。則有坐失時機之虞。

下痢時期家庭中首先注意者。其在母乳飼育之場合。極為簡單。母乳飼育令其依規則行之。或一時斷乳亦佳。大抵僅依限制母乳比較的早日痊愈。然特人工營養之兒童。例如以牛乳為營養者。若罹下痢即為輕症。如不受小兒科專門醫生之治療。亦有危險之虞。如前所述。設使兒童發起下痢。熱度上升。吐乳之症狀時。雖依母乳為營養者。亦決不能在家庭中。自行治療。宜早乞醫師之治療為妥。

本刊衛生顧問章程

(一)本刊經大衆訂閱者之要求。闢設衛生顧問欄。以便醫藥上疑難問題。及病因症治藥性等。作公開之討論與研究。若依本章程投函詢問。當即照來函解答。

(二)重要問題。除依來信直接通函答覆外。本刊得隨時將答案披露。以便同志之研究。

(三)疑難之答案。須檢查醫籍。詳細考慮者。至遲須一星期可以答覆。

(四)不答覆之問題如下。(一)來信記述不詳者。(二)意義不明者。(三)要求立得藥方者。(四)無關醫藥者。(五)委託評論藥方之是非者。(六)本社同志學識所不及者。(七)無覆信郵費者。(八)無衛生顧問劵者。但不答覆者。不答之理由。覆信聲明。

(五)來函概用中式紙張。繕寫清楚。附覆信郵費一角三分。並附寄下列衛生顧問劵一紙。

(六)來函寄上海法租界薩坡賽路北永吉里十四號

衛生顧問劵

衞生常識

慢性便秘談

徐績宇

康健人們的大便。每天總有一次或兩次，這種糞便排洩是我們人體不可或缺的一種機能牠是受了腸肌劇烈的收縮和橫膈膜的壓力才發生的，一旦糞便排泄有了障礙，就一定能發起很利害的疾病，尤其是長時間的便秘害最甚，若大便三五天一次，每很少且不暢，那麼糞便在腸內，能變成了很硬的糞石和糞片，被覆在腸粘膜上，於是腸內物不能和腸粘膜接觸，動作就怠緩起來，腸內就發生醱酵和腐化，所以患有便祕的老饕因多食蛋白質及獸類脂肪能常有「自家中毒」的現象，這是由那從腸部混入血液中的臭氣造成的，內臟器官遂大為損害。肝臟更厲害，於是新陳代謝及造血器官的機能發生了障礙，所以有許多萎黃症和貧血是因為了腸部的慢性自家中毒而生成，一般感染因腸部動作不健全所致的糞便腐化而爆發，因一般缺乏醫學常識和不相信衞生者在沒有得着直接痛苦以前，大家是不加以注意，所以慢性便祕遂變成了一種大衆病了。

我們常用的人工所製的礦物性和植物性的瀉劑只能惹起下痢的，牠是永不能使大便變成正常的規則，這種瀉劑的刺戟性很大能使大量血液水份排出，所以能引起腸部虛弱，由是可知，長服瀉劑是和放血一樣的有害處。

便秘的症象：最明顯的症象是口臭，這口臭大多的人們都以為是從胃部發生分來的，並且同時自己以為是患着胃病，那知道這臭氣大部份是從肺部發生出來的，因臭氣由腸部而混入血液後，遂在肺部中和水蒸氣及炭酸氣一起離開了血液，於是經過氣管口腔而發出來，同時臭氣也能由皮膚而蒸發出來。

在大便不暢時總覺得腹部很脹和很飽，肝胃和心覺得好似有石頭壓着一樣的沉重，屁也不通暢，舌苔不乾淨，嘴裏無味，在舌根處和軟口蓋上簡直覺得很苦，這些症象都因了腸部的醱酵租腐化而生於是便祕患者，常有的疲倦，憤怒，呼吸困難及血壓增高，是可想而知了，這種臭氣非但能使人體中毒和痲痺，簡直還能惹起很利害的精神憂鬱，有時竟能引自殺的舉動，我們都知道，當嗅着了極少量臭氣時可以惹起惡心，頭痛，嘔吐 發顫，出汗，心跳等的那麼當這種極毒的肉類蛋類牛乳和乳酪的分解物不斷的深入了十分靈敏的嬌柔腦組織內時惹起的精神障礙和神經病是必然的事了。

慢性便秘總有血液循環障礙連在一起的，大的腹靜脈肝臟血管，和痔血管中起了蓄積，於是脚部冷和頭部充血是發生了，面色成黃色或炎黃，眼睛也混濁起來，指甲不美頭髮乾而脆，面上顯痢動着倦容，男子亦常有性障礙發生的可能，遺精是最多，女子的痛苦更大，骨盤底和下腹臟器勒帶弛緩起來，於是子宮下垂，位置有時也竟移向後方，因了血液蓄積子宮大半是較平常大些同時也有加答兒的變化，有些人因爲特別過敏，就常有腸胃的痙攣，他的原因還是那蓄積着的糞便和屁。

便秘的原因　造成便秘的主動力是：生活力的缺乏（先天性或後天性的神經衰弱），欠缺的飲食和腸胃的機能障礙，所以肉類的食物辛辣的香料和其他的調味品都是我要禁食的，腸胃中的障礙如：潰瘍，痂皮，腸狹窄，腸屈曲，愈腸合[●]腹腔妊娠。子宮轉住，子宮瘤腫等能惹起便秘，或能使原有的便祕加劇。

便祕的治療，輕度的便祕患者假若沒有其他疾病的話，只要把飲食的方式和多寡規定一下就可以了，吃的東西要蔬菜爲主，多在日光下把身體活動活動，多吸新鮮空氣，稍行運動或體操（如八段錦，徒手操，深呼吸等），但勿可太激烈，否則心和腦要被刺激的，那麼結果又變成適得其反了，凡是少量的激動腸運動的東西，都可服用。但絕對不可過多的。

還有水也是很要緊的，就是我們身體的三分之二，也是水構成的啦，水能把體內的渣滓和毒物洗刷乾淨，所以我們每天至少應該飲半立到的水，這是我們人體必需的水量，假若能按時而行，各種的便秘症象，不久就消失了。

假若腸管有了很利害的弛緩現象，就應該靜臥服菊花茶，只能吃些湯和水，這樣，大便就慢慢會通順起來，刺戟性的東西可是都要鏟除，日後可以吃些固體的食物，於是蔬菜在這時候，可以吃一些，牠是一種極佳的物理性的食物，有時禁食也可以，把利害的便祕消失的，凡由腸障礙而發生之便祕，只能用外科手術來解決了。

便祕豫防：諸位假若現在沒有得着這種極討厭的疾患！就更應該注意到下列的一般衞生的原則：多食水菓和生菜，每天大便須有定時，勿可怠忽，食時要好的咀嚼，所以在進餐時勿可談笑，並且狠吞虎嚥也是極不合衞生的，在都市的諸位應該設法常常向鄉間去吸些新鮮空氣，因爲否則一旦獲得了這便秘，那痛苦是不可以言語形容的。

合理的民間單方數則

葉橘泉

——猪膽汁治石黃疸——

黃疸有數種。而膽石黃最疸易發見。本病之原因。女子或執坐業而缺少運動者。及酒客肉食之輩。每易使膽汁鬱滯成膽。結砂。阻礙輸膽管。致膽汁不能暢輸於十二指腸。肝膽部分鬱積膽汁。血管及淋巴管吸收之。遂發生黃疸。蓋膽色素混入血液。皮膚黃染。呈硫黃色。至橘黃色。尿含膽汁色素。糞便成淡白色。肝臟大而硬且痛。脾臟腫大。右季肋部發疝痛。或發嘔吐。大便往往艱難。如因膽石而發之黃疸。投以猪膽汁。殊合學理。而能奏特效。

橘泉按　動物之膽汁。如猪膽牛膽等。其形性大略相同。內含鹼性鹽類。及膽色素。粘涎等。爲解凝性輕瀉藥。苦味健胃。助消化。改血殺蟲藥。能促膽液之分泌。並消膽道內之一切病原細菌。及結石等。悉使排出。腸胃經膽液之沖洗。則大便通暢。肝膽之疾患。黃疸便秘等悉除。現市德商咪吔洋行新出之『膽素靈。』卽根據此理而成。還望國內製藥家。將本品設法精製之爲幸。

——常山治瘧疾——

瘧疾之病原。係一種原蟲。由蚊類傳染。寄生於人類赤血球中。現已考查確定有三種。(一)二十四小時成熟者致夏秋瘧。(二)四十八小時成熟者致間日瘧(三)七十二小時成熟者致三日瘧自幼蟲入血而侵入他種赤血球依其時期發育分裂而顯寒顫發。汗出熱高發散而解。其幼蟲分裂繁殖而轉侵其他赤血球。依時再發。如是循環往復。往往致脾臟腫大貧血虛脫。而惡性夏秋瘧。且易致昏迷譫妄甚或因而致命。金雞納霜雖爲瘧疾特效藥。盡人而知第其原料來自外國。且近年價格巨貴。民間財力不足者。不易得。我國產藥植物中。有常山焉。用以治瘧。每服四五錢。煎湯服。一日分服二三次。價廉而效頗確也。橘按。本品爲芸香科之蜀漆。其根謂之常山。根與葉均具治瘧之效。其成分內含「秘魯培林。Berbern$C_{20}H_{17}NO_4$與黃連之主成分相同。爲退熱。健胃。殺蟲。用於間歇熱有特效。近賢郭君受天。曾有實驗。謂於歐洲戰爭時。外貨來源缺少。軍醫院中乃以常山一味製成丁幾。令患者日服三次。多獲奇效。故數年來每遇瘧疾。感毫不規甯之必要。潮安許小士氏。亦有臨床實驗多例。於成年患者。無其他合併證時。予以常山三錢。令煎作茶飲。均見著效。著者常以本品製成濃煎。給與本病患者。屢著顯效。曾以此方介紹知友。南潯同仁醫院院長許持平醫師。據渠函告。詫爲神效。並謂奎甯治瘧。瘧愈後若非繼續連服。每致復發。向本品服後。瘧止後不見復發。尤爲神奇云云。國內藥學家。及化學家。如能注意研究。提出其有效成分。以成精品。或製爲注射劑。定可爲中國藥學上開一新紀元耳。

——爐甘石治爛足瘡——

腿足爛瘡。脫皮流脂。痛腫往往經年累月。久纏不愈。在女子患此愈多。年老體弱者更不易收斂。民間每以精製爐甘石攙冰片少許用蜜水調敷頗效。或貪便利者。即取眼藥料(即用精製爐甘石冰片等製成)敷之。亦效。

橘泉按、本品產硫化鋅礦及銅脈礦中。爲白色長方形質軟礦石。又有作褐色青色而稍透明者。色白質軟者名羊腦甘石爲上品。化學成分內含炭酸鋅、及鐵、鈣、鎂、及錳、少許。有清血、變質、消炎、退腫、而防腐、收斂之功。原用爲眼科退炎去翳特效藥。用治爛腿瘡、即利用其消腫防腐收斂之功也。製法、用童便浸三日。放火中煅紅、淬童便、再煅、再淬。如是七次。用水漂洗。研細。水中磨至無聲。曬乾、(愈細愈佳)應用。

——硫黃主治疥癬——

本病係一種寄生蟲。名疥癬蟲。寄生於皮膚間。且常喜寄生於指間。指側肘、腕、膝等之關節部。遂發小水皰狀、蕾疗狀、膿皰狀之疹。奇癢不堪。夜間臥蓐後身體溫暖。癢尤特甚。用天然石硫黃磨細粉。豬脂調勻塗擦患部。翌日洗淨塗。再擦再洗殊有效。

橘泉按。本品內有信石、雄黃、或鐵、及硒等。爲殺蟲、改血、治皮膚病之特效藥。且本品磨擦能發電氣。不過有一種臭氣。遇火則易燃燒。其燄爲淡藍色。可以熏白別物。如熏草帽、及燕窩、銀耳等。又如病人久住之房屋。慮有細菌。微蟲。餘毒沾染，則可緊閉門窗。焚燒本品於其中。亦可作消毒之用。蓋本品被燒。則化爲礦養之酸氣也。

——硼砂治小兒鵝口瘡——

乳兒口腔內遍生白點及糜爛。甚則吮乳不便。俗名鵝口瘡。實卽寄生性口炎。致病之原。係一種名『白色釀母菌』。凡口腔粘膜無病。則不患此菌，如口不潔淨。食物屑之釀成酸。或患口卡他者。均易引起此菌之繁殖。此病不僅小兒患之。卽成人當熱病之末期亦皆患之。患甚者每能延至頰脣及硬腭。更累及腭扁桃及咽。危重者全蚼粘膜均被灰白色膜所遮。甚或蔓延入食管。胃及盲腸。凡療治此病。必須拭洗口腔。令其潔淨。用百分之五硼砂水洗拭口腔。再以砂硼研細一份蜂蜜八份。甘油二分。調和之。時時塗擦口內。有效。橘泉按．硼砂爲防腐消毒藥。且對於人體爲最無害之殺菌制酵劑。實最有力之清淨藥也。微有收斂性。能去皮膚及粘膜面之汚穢。又能利小便。通經。清涼止嗽。治喉痺。一切口齒諸病。蓋口腔爛腐諸病均有微菌在內。以本品之殺菌制腐消毒。所以治其病原菌也。

——龍眼肉之補償用腦耗神治失眠善忘——

思慮過度。耗傷腦筋。遇事輒頭腦脹痛。怕煩擾。喜獨處。夜則失眠。記憶力衰退。或心悸怔忡。耳鳴頭暈。每伴起大便艱難。食慾欠缺。顏面現貧血。常服龍眼肉。確有補腦益神養血開胃之功。服法每日二十枚。去殼及核。取肉煮汁分二次服。或蘊量煎濃去渣收成流膏。日服二次。每次半瓢匙。開水沖。

按龍眼。產於閩粵等處。屬無患樹科龍眼樹之果肉。爲球圓形。殼帶歷赤色。或紫紅色。破之空虛。正中有類似枇杷核之種子。其種子被有黑褐色柔韌肉質。是爲龍眼肉。味甘、成分含有『葡萄糖』『蔗糖』『埡幾斯篤林』『酒石酸類含淡物』『脂肪纖維』等。爲緩和營養品。有補血壯神經。利大便之作用。乃清涼甘美之開胃滋養藥也。據著者親自實驗。本品之對於用腦過度。失眠善忘。頗有實效耳。（每冊五角。寄費九分。可向四川路四十九號民衆醫學社購閱。）

小兒啼哭之研究

尤學周

小兒啼哭。最易發生。蓋小兒不事運動。賴啼哭以代之。生理上一種自然之狀態也。其啼哭之狀。聲大有力。且有呼號之狀。功能擴張肺部。運動呼吸。增速血行。發育身體。不必速止之。每次啼哭之時間。以十五至二十分鐘適度。

然小兒啼哭。正當者固多。由於感覺不適而哭者。亦屬不少。如太冷或太熱。饑餓或口渴。尿布淋溼。衣服太緊。有所痛癢。患害疾病或不能如意而發脾氣。凡此種種。皆非正當之啼哭。其啼哭之聲音與狀態。亦有種種不同。須詳細審視。按其原因而治之。

痛則啼哭。聲必壯烈尖銷。忽急忽緩。旋作旋輟。（因痛止後。哭亦停止。復痛則再哭）。再有屈曲兩腿。雙手掉動不安。雙眉緊縐。淡液甚多等表示。須察其內衣。有上針尖蚤虱之刺吮。並常察其大便之顏色與次數如何。腹部與胃部有否脹滿。因小兒不知饑餓。易起發腸疾患。以致腹痛。

饑餓之啼哭。每據連於其既食之後。或發生於下次食時之前。其聲綿長無力。且有煩躁之狀態。其口常作嚼物狀。或作吮指之舉動。此乃饑餓之表示。當配量增加其飲料。

哭聲呻吟低微。悲哀而無力。爲體弱或疾病之表示。須察其致病之原因而治之。太熱或太冷。亦能引啼哭。該因太熱。察其是否出汗。蓋嬰兒易出汗。汗後受冷。易感冒。故宜徐徐使涼。若防受寒。察其手足冷熱如何。加以溫暖。於冬季足上宜穿絨線襪。則換尿布時。亦不受寒。

尿布溼汚。下部不潔。亦能啼哭。更換清潔。則平安無事矣。又有洗滌不勤。臀部及胯間發生納腫。以致感覺不適或生疼痛。亦常啼哭。

至若發脾氣之啼哭。聲調雄大而強烈。同時必亂踢其雙足。硬挺其身幹。從其所欲。哭即停止。此種使性之蠻哭。爲親長者。決不能姑息以順其情。然任其啼哭。亦非所宜。故應懷抱之。撫慰之。其待靜甯安泰。再眠之於牀上。初不可以亮弭。釀成哺乳不規則之習慣。

疲勞與睡眠

景韓

夜間睡眠，爲恢復疲勞之唯一方法，無論何人，皆得享此天然之權利；但人之所以感覺疲勞者，據吳有恆君所著生理之疲勞現象內說；「疲勞之原因，在於神經，蓋神經細胞，本甚圓滿，勞動過甚，則變爲長形或新月形，原形質卽不復如前，試取晨飛之鳥。而剖其胸，細胞皆圓滿，若不剖視，閉於室內，迫之使飛，迫其困倦，接後剖視，則細胞無不變形矣，推之於人，亦復類此，眠食二事，一養息，故細胞旋缺旋圓……」於此乃悟睡眠之眞目有三，其一暫停體內消耗，其二使作內各器官，得盡力攝取營養，以補充未睡眠時所耗者，其三經過時間，使一部分神經與其他器官，得因工作過勞而休養。

通常身體健康之人，每夜睡八小時，卽可恢復身心，身心過勞，及正當發育之小孩，俱宜多睡，下表係健康學專家Sargent氏所鑑定，爲吾人每日睡眠最適宜之時間：

年齡	每日睡眠時間
四至歲	十二小時
七至九歲	十一小時
九至十四歲	十小時半
十四至十七歲	十小時
十七至念一歲	九小時半
念一至念八歲	九小時
念八歲以上	八小時

家庭衛生常識

劉國祥

「東亞病夫」這是外人賜與我們的徽號，據調查報告中國人生肺病的，佔十分之七，也就是不衛生的結果，

在一個家庭裏講求衛生，並不要高大的洋房，美麗的衣服，昂貴的設備，出入車馬，僕從滿階的，就是布衣一襲，茅屋數椽，菜羹淡飯，祇要有衞生的智識，能夠依衞生的原

理，衞生的方法去做，也可以保護我們的生命，

關於家庭的衞生，可分衣食住起居四方面來說，

衣……清潔……適舒

衣服的功用，除了防禦寒暑外，第一是預防外傷，第二是調節體溫，第三防禦塵埃，第四是表示文明，現在一般人，往往忽略衣服的衞生，形式上非常狹緊，質料上但求華美，一方面阻礙身體的發育，一方面又耗損金錢，應當竭力設法，改正衣服，首宜保持清潔，襯衣尤宜更換，或者間日晒於陽光中，晚上不可連襯衣而睡，衣服形式須寬大舒服，不可過緊過小，外國婦人喜束腰，中國婦女喜束胸，都是極不衞生的事，衣服質料，須求多通空氣，皮膚同肺臟，一樣也要排泄水蒸氣及炭酸，倘不可透出，久阻衣下，易生不快樂的感覺，

食……富營養……要新鮮

古語說，病從口出，我們的該病，確是往往從不清潔的食物，傳染而生的，所以對於食的衞生，要特別留意，

廚房最宜清潔，窗戶須掛竹簾，或釘鐵絲紗，那是預防蚊蠅，食物放在橱內，尤須四面裝鐵絲網，多流通空氣，

跑進廚房，須要穿着白色的圍衣，食物的原料，須要新鮮，而且富於養料，烹調都宜煮熱燒過消滅病菌，食量不講求多寡，須以營養的豐腴爲標準，

食物用具，天天要用沸水洗滌，吃的時候，最宜細嚼，採分食制和公著法，每備筷兩雙，一以取菜，一以入口，吃了以後，最宜助以水菓，

休息半小時，然後工作，

住……幽靜……精美

適宜的住宅，是建立新家庭第一個條件，地處宜幽靜，氣候宜溫和，風景宜美適，都市裏住切不可近工廠，最好靠公園，或曠地最好住房屋須南向，建築不必過大過精，終求適用，四週曠地，多栽花木，好使空氣新鮮，工作之暇，散步其間，也可遊目暢懷，窗須多闢，室內壁上，加塗相當顏色，務求美觀，

帳枕褥破，純用白色，廚房厠所，須離住宅稍遠，糞坑上宜佈鐵網，所以拒蠅。

屋中宜隨處，安放痰盂，勤加掃除一次，

起居……定時……運動

我們學校裏起居定時，常覺生活呆板，其實這是一件很衛生的事，在家庭也倣效實行，

倘是放任隨意生活，最能夠影響人體的健康，起身，睡眠，膳食，要有一定的時間，平時最少須睡八小時，大便宜在早晨，每日食有一小時的運動，及十五分鐘的深呼吸，刷牙每日須三次，每三時宜洗澡一次，行走時宜昂身挺胸，靜坐也最忌傴僂，

上面所舉的辦法，差不多都是爲高等生活的人士着想，至少也是學生，鄉村的農人那能這樣講究，金錢方面困難固多，就時間說，恐怕也是不允許的，總而言之，抱定「清潔」兩字，就可說踏上「衛生」的路途去了，

齒牙與他病之關係

應永峯

齒牙疾病舉其顯要者。如齒神精痛口內粘膜牙槽膿漏齒根膜炎等症。不特因此能引起頭痛眩暈精神萎靡等現象。且有惹起白喉腦膜炎胃病等之可能。玆以簡明醫理。述之如左。

一白喉：齒牙爲呼吸之關門。而前齒有抵抗外來空氣之機能。拒納雜質吸入。卽所以護喉部潔淨。若夫發生牙齒膿漏口內粘膿症象。菌垢毒質。恆向下嚥。致使喉頭氣管發生加答兒。呼吸之氣既不潔而白喉等症。易於引起矣。

二腦膜炎：由齒牙疾患致發齒根膜炎者甚多。不爲早治。貽害無窮。若日益增據。致膿潰頰穿。醫治費時。卽幸獲痊。亦疤痕斑斑。大損美容。否則症象成慣。續發不已。一旦變及化膿性之腦膜炎。醫藥亦鮮能加援矣。諺云：『大隄之潰始於蟻穴』可不留心之乎。

三胃病：我國人士患胃病極衆。尤以婦女爲最。雖病原起因不一。而牙患所造成之疾病。當亦不僅少數也。患牙槽膿漏齒根膜炎者。膿液毒質。隨唾液下嚥。次送胃中。不獨有害胃之粘膜。且損胃中之消化液。發出加答兒。而吐出之酸敗液。益復殘害齒牙。互相循環。兩相助長。靡有窮盡矣。且患牙疾者。飲食難過。咀嚼不周。變成胃呆胃弱等症。比比皆是。總之太半胃病起因於牙患者。彰明照著。亦屢經查驗而不爽。方今醫家每有據斯以告人。須及早醫治。是亦惜胃病起因於小患。加以驚醒而使注意矣。

以上所述與齒病皆有直接影響。若簡接影響。更不勝欺枚舉。鄙人不學。不過藉臨診經驗所得。筆之而已。

關於觸電之救治法

岳

查近來市面。常有發生觸電斃命情事。一般人因毫無衛生常識。一旦慘狀發生。大都束手無策。此種現象。實爲人類生命之危機。茲於山西醫報覓得一救治方法。公開告人。以防不測。望讀者幸勿漠視之也。

一、在街道中觸電者。應速用電話通知電燈公司將電門關閉。

二、在任何處觸電者其電門若在附近之處亦應立卽關閉。

三、救護觸電人時。千萬不要用手去推拉。可帶橡皮手套。或用數層布類及手巾衣裳等物套於手上。或用木桿竹杆等物。將觸電人與電線分開。以免繼續過電。

四、觸電人離開電線後。無論已死未死。用人工呼吸法救治俾使觸電人恢復呼吸機能。（有時兩三點鐘始能恢復）。

五、速用臥龍丹吹鼻取嚏或請西醫注射樟腦針。效力最大。（按臥龍丹各中藥房有賣）

六、觸電人呼吸恢復後。如四肢寒冷。可令臥於較暖之床上。用熱水袋暖之。

七、揉擦觸電人全身皮膚。令其血液流通。恢復原狀。

八、如用蚯蚓（俗名曲蟮）搗爛。塗觸電人肚臍以內。亦能慢慢緩過來。

衛生小問答

張子英

（問）夏秋之間多患痢疾何故。

（答）暑熱鬱迫不進。無從發洩。火性急迫而氣滯之。遂成裏急後重之疾。

（問）怎樣預防痢疾。

（答）飲食宜清潔之外。尤不可過食涼物。夏秋之間。如以薄荷或菊花茶代飲料。可以預防痢疾。

（問）治痢疾以何法最爲穩妥

（答）痢疾通常以導滯通大便爲主。但施於壯實而急性者爲宜。否則依喻嘉言逆流挽舟法。以桂葛鼓邪外出。最爲穩妥。

（問）治痢疾中醫治法較西醫爲美。妙在何處。

（答）中醫治痢疾以調氣行血後之重自除。便濃自愈。

（問）痢疾忌用鴉片止濇然否。

（答）痢疾雖日泄數十次。不宜鴉片止濇。否則毒素留連。腹痛增劇。若得毒素發洩。泄痢就減。

（問）痢疾兼發熱難愈否。

（答）痢疾兼發熱。必待熱退。然後痢可愈。否則難治。

（問）休息痢何故。

（答）毒菌潛伏腸間。有時因飲食關係而增劇。有時潛伏休息。

（問）痢疾忌食何物。

（答）痢疾忌食不易消化之食物。而滑膩之品尤忌之。菜蔬及菜菓最爲相宜。

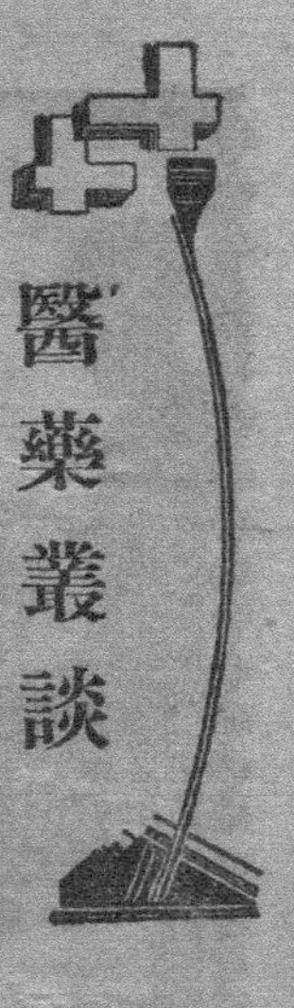

醫藥叢談

記日本皇漢醫學之勃興

陳存仁

日本舉國復興皇漢醫學運動之際。漢醫之受人崇拜信仰。固不待言。東洋和漢醫學研究會揭出『現代醫學改進之烽火』標幟。以爲號召。意謂『現代醫學。亟須改造。復興漢醫。猶如山頂舉放烽火。將令全世界爲之響應』。該會長渡邊熙氏。爲德國留學生。德國博士學位。歸日本後。歷任國內各大病院長之職。今次發出宣言。謂『余每感西洋治療學術。不敷應用。又無充分把握。乃决心習漢醫。學成後。始知前者藐視漢醫之心。全爲志氣用事。故欲極力表揚漢醫。爲世界藥學闢一新途徑』云云。

當此舉國注重漢醫若狂之際。日本京都藥學專門學校。有藥窗會之組織。會長米倉達昌。爲日本子爵。名重當世。特請藥學博士中尾萬三氏編輯『本草書目之考察』一書。於時出版。此書之刊梓目的。卽在導領全日本藥學界研究中國本草。日本醫藥校學生視中國藥物。『本草』爲醫藥學之重要課程。其重視中藥出人意表。惟返顧國內醫藥學校。西醫校視中藥如芥土。中醫校尚無此遠大目光。能不令人氣阻。

日本帝國女子藥科。亦有專攻漢醫漢藥之組織。藥學博士塚本氏。監督進行。已有出版物多種。皆係研究中國醫藥者。

復興漢醫運動之陣容中。爲舉國所屬目者。卽『國譯本草綱目』之出版。報紙競相刊載其事。視爲日本今日之新興盛事。列名參加其事者。爲東京帝國大學名譽教授藥學博士白井光太郎氏。任監修及校註之事。東京帝大教授理學博士牧野富太郎氏爲本草綱目之攷定者。尙有東京帝大教授。理學博士脊水氏等均參與編譯及攷定工作。該書內容擴大爲十五鉅冊售日金八十元之鉅。中國古人李時珍先生。爲日本如此推崇。實中國學術界之絕大榮譽。中國人事事爲日人所輕視。無一事不爲日人所竊笑。中國學術界又久爲日本文化所征服。獨『中國醫藥學術』在日本如此推崇。不可謂草芥細事。奈何吾國科學界對中醫中藥至今不屑予以提倡。毒心曷極。

日本攷定之肺病漢藥特效靈方。鄙人方在切實應用。並統計其成效。以備來日大規模公告於世。暫時擬不宜佈。惟已確知此項方劑有特殊效力耳。

黑熱病不必憂慮

自新

最近江北一帶。發現一種惡疾。據西醫稱謂黑熱病。蔓延極速。症狀頗險。當局甚爲注意。現正注全力於設法救濟。以免廣播。但據滬上醫界消息。本埠亦有少數。現記發者訪問魯班路星星里十三號力記綢廠主人秦秉章君。近亦身染此種惡疾。初投西醫。經過注射及內服藥水。並無效驗。依然腹大如鼓。腹皮繃急。筋絡凸露。內熱口臭。肢體暴瘦。面色沉着。勢甚危殆。旋經晨報館陳君介紹。延望志路北永吉里十四號衛生雜誌主編國醫張子英診治。試投一劑。腹脹減退。便著小效。數劑之後。霍然全愈。據張醫士告病家。稱是病爲瘧菌侵襲脾臟。體內濕痰淤血等。被吸收於脾臟脂膜之間。而成爲癖塊。致腹部脹大。症態險惡。若能對症發藥不難治愈云。

專號

大水的漩渦

小民

黃水泛濫的聲浪，蘇北同胞的遭危運，在沒頂的那天，有無限悲切聲調；同滬上爵士的音樂一樣的雜奏着：倘有意賞鑑；那可以增加一些哀切意識的領受了！

防隄冲倒，水像天般的瀉奔來，一幕悲劇的巡禮；於是開始了，嘈雜的聲音不約而同的在漩渦裏：掙扎：哭：喊救命……

但聲息是終以力的不支而奄忽了，浪的冲奔，流屋漂物，頓使我們同胞遭慘死，恐怖的聲音，有駕於非洲將戰時犧牲和殘殺時的一幕！

大水的漩渦裏，是慘苦的，但苦慘證狀，始是含有殘食的可怖；近年天災人禍，不勝枚舉，人民依舊不安，雖建設進步，但建設所用的原料，盡是外來，如汽油的用途，反增人民負担。

漩渦是在洋面上湧起，一切的聲調，是使整的個世界沒淹，各國都在製造漩渦中的一切了！

希望開始的第一天，和「遺嫁前一夕」一樣的羞嬌，於是有一切哀幕，專呈着漩渦的食慾了。

「物盛則衰」，如花開則謝，新穎空氣的急轉惡劣，正如良晨美景不長，青春時期限，並育人口的過剩，正含此理想：同樣的謬誤；非這漩渦；又有誰能再造啊！正合古語的天地久有時盡吧！

人們以不能競存而轉入漩渦中，一切深刻的影象，急轉着時代的再造，在我們得到領受他巡禮的一天，發生無限的理想；眞是科學化的盡人類時期，或是我們地球的傾覆，致於天災的大水，有「異曲同功」的辭意，或許時代的新陳代謝期間！

隨筆

一葦作

新兒童

福鑣

健美而壯麗活潑天眞爛漫的新兒童，他笑渦的顏容，可從顏容的笑渦內給人一種可愛迷醉！

× × × ×

在他未受過社會經濟的巡禮，而將來膺着我們民族光榮的重任；輕快地從幼時輸給他造成偉大事業的基礎；

天真

健美的新兒童

陳安生之二公子斌華

× × × ×

他可以在我們國家地會上做主人翁；今日是我們中國的新兒童，新兒童的義負，是我們熱烈期待着他新穎的再造！

× × × ×

他是固然爲重大責任的負擔，但是永遠是從我們希冀和理想，凡可作新兒童的兒童，舊有「富家子弟多驕」「貴家子弟多傲」的俗諺，可打破他的驕傲，但有一般學齡的兒童將接近無賴戲玩；沒有心志的革新，他簡直可稱爲腐化的禍患；或有倚勢凌人的一幕巡禮，以施他腐化形式惡慾，這眞是滅亡我們的民族，不如早可以不讀書等費用，也可以完他的一切了！

× × × ×

我讚美優良可佩的天眞；扶植着好的訓育，長成有功於人羣中的一人，他是永遠地新穎熱烈的光榮！

× × × ×

可以再造希冀的兒童們，現在是這樣底的告訴，以無限的造成民族中的金鑑吧！『行易知難』的障礙是逸樂和驕奢，消極和思淫！

× × × ×

我可在可能隨筆中助育新兒童，的確負着「爲一大事來；做一大事去。」的責任，兒童責任的可慕，是新兒童中新生活中的新生力軍。（未完）

衛生雜誌廣告例

地位	面積	價目
封面	大半頁	大洋四十元
底面	全面	大洋四十元
封面裏	全面	大洋廿八元
底面裏	全面	大洋廿八元
封面第一頁	全面 半面 四分之一	大洋廿四元 十二元 八元
底面第二頁	全面 半面 四分之一	大洋廿四元 十二元 八元
普通	全面 半面 四分之一	廿元 十二元 八元
特別	書版邊 書版下	每條三元 每方五元

一封面底面裏外均用二色套版印不另取資
一代製銅版鋅版費另加
一代繪圖樣費另加
一惠登廣告者贈本刊一冊

衛生雜誌第三十期卽第三卷第六期
中華民國二十四年八月二十日出版
主編者　國醫張子英
發行者　衛生雜誌社　上海法租界菩恩濟世路七十六號
印刷者　三星印刷所
分發行所　金城雜誌公司　中華雜誌公司　現代書局　上海雜誌公司
分售處　各省書局

衛生雜誌定價表（費須先惠）

出版	月出一冊	全年十冊逢二八月停刊
價目	大洋一角二分	大洋一元
附註	郵費在內	國外加倍
	郵票代洋以一分五分為限	

◉社址◉上海薩坡賽路北永吉里十四號
◉電話◉八〇六四〇號

天津馮氏斷癮救苦金丹 戒烟第一

▲風行六十餘年斷癮數百萬人
▲中央禁烟委員會張主席題獎
▲歷任大總統黎徐曹諸公嘉獎
▲專戒鴉片紅丸海洛因嗎啡癮
▲戒時照常吸烟逐日見烟自厭
▲輕癮一二料重則三四料戒淨
▲每料祇收藥本大洋一元五角
▲外埠函購起碼兩料寄費加一

贈券

戒烟捷徑內容豐富凡三四餘萬言人手一册益趣無窮函索立卽原班寄奉

救苦金丹發明於清同治七年，迄今已歷六十七年，其藥性的王道，功效的神速，遐邇馳名，歷古各地官廳嘉獎保護，博覽賽會屢獲褒獎，服者斷癮謝函不可勝計，詢屬戒烟藥中第一祕寶，絕非市上一般投機劣藥所可比擬，服之毫無副作用，于安全中戒絕，決心戒烟，捨此莫屬。

功效 宣導烟積，剷除烟毒，打倒犯癮，潤腸滋陰，增加血液，照常辦事，不害腸胃，增多飲食

成分 採取珍貴國藥，精密監製，功效靈速，與普通毒質抵癮戒烟藥絕不相同，亦不反癮重吸

服法 每晚臨睡時，用溫白開水送下，白天勿服，切勿過量多服，次晨口渴乃藥力達到之現象

代理

本埠先施永安濟華堂中英太和中西華美五洲中法華英南洋正威等均售

▲上海白克路西大通路口 天津峻芝堂駐滬發行所

◉德國政府特許專賣的內分泌物結晶製劑長壽防老特效聖藥！

德國壽爾康補丸

▲確爲固腎培元之聖品·眞是生精益髓之奇藥！
▲改變損壞的舊體質·恢復靑春時代的幸福！

▲怎樣使老年人享靑春幸福？
▲怎樣使夫婦間得魚水之歡？
▲怎樣使乏嗣者可一索得男？

唯有真正服購 德國壽爾康補丸

壽爾康：是德國愛特諾博士發明，用最最名貴之動物臟器製劑，獨具改造生殖機能的絕大權威，凡年老力衰之男女，服之立能恢復其靑春時代的生殖機能，歷經實驗，百試不爽！

生殖：是人類天賦的本能，康健的男女，個個人生殖的能力，男性的睾丸，女性的卵巢，就是生殖力的主宰，如果因『房事過度』『衰老虛弱』『生理變態』等原因而致內分泌腺發生障礙，則生殖機能亦卽消失矣：

男用壽爾康：專治神經衰弱，陽萎早洩，夢遺滑精，生殖無能，諸虛百損，確具滋陰扶陽生精益髓老翁種子的奇效。

女用壽爾康：專治婦科子宮病，經血不調，宮冷白帶，氣血虧虛，久不孕育，有補血調經溫宮催孕古井重波的驚人的特驗，男服男用壽爾康，女服女用壽爾康補丸。

▲壽爾康之結晶成分與特效

A：盼荷爾蒙(PAN-HORMON)阻止衰老
B：大腦腺素(CEREBR-SICC)
C：腦神經粹(HYPOPHYSEGLAND)補腦健神
恢復性腺
D：攝護腺炎(PROSTAT-GLAND)亢進
器官
E：男睾丸素(TESTES-SICC)性官能衰
F：女卵巢素(OVARIA-SICC)性官能病
G：心臟血素(HEANIOGLOBN)補血
造血
H：腎上腺素(SUPRARENAL)補腎強精
I：臘雪星(LECITHINE)療虛補損
J：補歐麥(EXTRPUIRAPUAMA)強
壯精神
K：變質素(EXTRTOHN)改造體質
L：維他命(VITAMINE)繁殖髓益

▲德國安諾特博士心血發明▼
▲德國威爾鄧大藥廠新創製▼

上海南京路五〇四號 柯爾登洋行經理

HEALTH MAGAZINE

衛生雜誌

第四卷第一期（即第三十一期）

中華郵政特准掛號認爲新聞紙類
內政部登記證警字第二八二九號
社址上海芝罘路北益豐里八號

本期要目

德國梅濁尅星

自濁自療 對症專葯

那怕你疼痛難忍 服了梅濁尅星包你不疼！
那怕你腫得利害 服了梅濁尅星包你腫消！
那怕你濁流如注 服了梅濁尅星包你濁清！
那怕你便中流血 服了梅濁尅星包你血無！

▲白濁乃絕嗣之總因▼

淋菌侵入睪丸，則精虫不能生存，以致絕嗣，普通一般療法，絕無透入睪丸殺滅淋菌之效能，德國淋病自療專藥「梅濁尅星」具有滲透粘膜深部之絕大權威，無論淋菌侵入何處，均能追蹤而殺滅之，故能澈底斷根，永不復發：

▲梅濁尅星殺菌力：勝過透熱電療！
▲梅濁尅星清濁力：勝過注射針藥！
▲梅濁尅星鎮痛力：勝過插入油錠！
▲梅濁尅星消炎力：勝過注射色素！
▲梅濁尅星淨毒力：勝過局部洗滌！
▲梅濁尅星利尿力：勝過內服各藥！

▲德國愛迪那博士發明▼ ▲德國駐滬總領事簽字證明▼

▲藥房均售▼

▲德國戚彌鄧藥廠監製

遠東總經理處 ▲上海南京路五四號 柯爾登洋行啓

贈券

憑贈券附郵票十分簽字蓋章寄上海郵政信箱第一四六五號柯爾登洋行樣品部即贈德國梅濁尅星樣品及詳細淋病療養說明書各一份

衛生建設爲復興民族的基礎

編者

現在一般救國的口號。雖然高喊着「復興民族」「復興農村」。然而病疫蔓延。人民死亡率很高。民族萎靡不振。東亞病夫的口號。依然存在。要想復興民族。恐怕萬難得很。我們知道無論什麼事業。要有全健的精神。然後有偉大的成功。整個的復興民族問題。也許有全健的民族精神。然後有相當的希望。但是全健的民族精神。全使衛生建設之進展。若衛生建設幼稚。怎能談得到復興民族呢。所以衛生建設。爲復興民族的基礎。基礎穩固。一切事業。才有成功的希望。

衛生雜誌第三十一期目錄

天厨
天厨
天厨味精
一日千里
天厨厰創辦于民國十二年，歷史最久，
工厰三所佔地卅萬方尺，規模最宏，
製法上有百餘種改良，品質最精，
價格較昔便宜百分之四十五，定價最廉！
選購調味粉
天厨味精 當然最好
天厨味精厰創製
各處食物舖均有經售
上海愛多亞路一二三號

衛生言論

衛生運動感言

朱宏之

世有相輔而行，脣齒相依，息息不能一刻分離者，莫衛生與醫學若也。試考輓近東西各國，衛生事業之發達，亦卽醫學事業之發達有以致之，未聞有醫學發達之國家，而衛生事業，反落於人後者也。當十九世紀之中葉，醫學尙在萌芽時代，各國人民，對於流行之時疫，輒目之爲天地之癘氣，神鬼之作祟，與吾國今日一般未開通之社會，前後如出一轍也。洎乎十九世紀之末葉，有識之士，競先發明，力闢先前之謬說，而倡爲接觸傳染，謂時疫之來也，必先有其一定之病毒，會風土氣候之適宜，方能侵襲於人羣云。此說一出，世界景從，而研究豫防衛生之學者，亦得奉爲指南，朝夕孜孜，其進步殊爲猛速。雖然；世界之科學，邁進未已、科學之發明，日有報告，而衛生事業，亦從此精益求精，自顯微鏡之成功，而一切殘害人羣之傳染病，都能證明其病原性微生物，同時研究撲滅或預防之方法，亦日新而月異，如所謂某種血清，或某種伏克辛。旣能制止其蔓延，復可防患於未然。今日二十世紀，東西洋各國醫學之進步，不啻一日千里，而衛生事業至時，亦將登峯造極，誠非吾國夢想所能及也。試舉各國近今死亡人數，因主要傳染病死亡之百分比，列表於左：

美	百分之九	英	百分之十一	日	百分之十
法	百分之十四	德	百分之十一	中	百分之七十二

觀乎上表，凡我國人，亦當知所愧懼；而外人常譏笑我國人性命，最不值錢，殊令人聞之悚然！

試更舉各國男女平均壽命，亦因醫學之進步，與衛生之講究而增加，列表於左：

澳大利人	五五，二〇	丹麥人	五四，九〇
諾威人	五四，八四	瑞典人	五四，五四
荷蘭人	五一，〇〇	美國人	四九，三二
瑞士人	四九，二五	英國人	四八，五三
法國人	四五，七四	德國人	四四，八二
意大利人	四四，二四	日本人	四三，九四

印度人　二二，五九　中國人　？

觀乎上表，世界文明各國之人民，其壽命平均，在四十齡以上；觀印度人則祇有二二，五九，似相差一倍；然而印人居赤道之下，生長甚易，成熟極早，故其壽命亦短也。

顧我國號稱世界古國，開化最早，有五千年之歷史，人口達四萬萬衆，其衛生與醫學之進步則如何？檢視右表，雖未有我國人之壽命記出，然以每年之天災人禍，交逼而來，而國人又不知生命之可貴，任意斲喪，其平均壽命，雖欲比擬印人，恐亦不可得也！不然，世界各國人口之增加，大約每二十年而一倍，何以我國當距今將近二百年前清乾隆時，日人爲我計算全國人口，有四萬萬之數，迄今如以算學式計數，則二百年當爲二十之十倍，其總數約得二千萬萬以上，然而事實相反，仍止於前數，未聞有所增加，況中山先生曾謂我國人口，現在尙不滿四萬萬乎，倘常此因循，不事奮鬥，則死亡率不知伊於胡底，

婚嫁和壽命的關係

斯密士

這裏有一個最有趣的問題，就是婚嫁和壽命的關係，在男女結成配偶者，未婚者，死別者，生離者，（中途離婚之類）四種生活狀態之中，以那一種人的壽命最爲長久？

美國梨特孟，斯密士博士對於此項問題，經過多年的研究和調查，得着一個結論：「一般旣婚者之死亡率，遠較獨身之男女爲低，生離與死別者，所處境遇苦樂不同，故壽命修短相差甚遠，平均約在中年，以未婚者爲最惡劣，

有配偶者之死亡率所以低下之原因，據斯密士之意見，不外下列三種理由：

（一）結婚合於生物的自然規律。

（二）結婚者之生活，較諸未婚者爲有規則的，堅實的，

（三）就生理衛生言之，結婚生活最爲適宜，

獨身者死亡率所以較高的原因，除與上述三項原因相反以外，其人所以未能結婚之「質」的問題，尤不可忽視。

日本內務省社會局曾舉行全國總調查，所得的結果，恰與斯密士博士之學說相符合。

以下將四個集團，對於人口千人的死亡率之百分比，表列如次：

有配偶者之死亡率

【男子】

二〇—二四歲	三・〇〇%
三〇—三四	三・〇〇
五〇—五四	一六・六八
七五—七九	一〇九・一一

【女子】

二〇—二四歲	五・五一%
三〇—三四	七・三九
五〇—五四	一一・三六
七五—七九	七九・六三

上表中可注意的事項，爲女子的死亡，恆在妊娠期間，即二十至三十四歲之間，比率較男子爲高。女子越過此重關隘之後，其死亡率則較男子爲甚低。

未婚者之死亡率

【男子】

二〇—二四歲	一〇・六三%
三〇—三四	二七・〇九
五〇—五四	八三・五〇
七五—七九	四八九・〇〇

【女子】

二〇—二四歲	一九・一七%
三〇—三四・	四二・五九
五〇—五四	一〇二・二五
七五—七九	二三八・五〇

上表可注意之事項，五十歲以前，女子的死亡率甚高，至七十歲以後，驟然銳減。未婚男子的死亡率則甚爲高。

學術研究

糖尿病淺說

沈仲圭

原因　本病之原因。有屬於生理者。生理上之糖尿。不久自能復元、病理上之糖尿。則奏效不易、茲分別列下。

甲　生理上致糖尿之原因凡五。(1)食多量之糖類。肝臟不及容。脂肪不及化。經二小時後。其尿現糖反應。(2)刺激小腦前房底近運動血管中樞之處。此處爲變化動物澱粉之腦中樞。亦現糖尿。(3)胰腺之分泌。與糖之新陳代謝有關係。割去胰腺。則亦致糖尿。(4)服副腎精亦致糖尿。因副腎之內分泌。能使肝臟放出動物澱粉。以成葡萄糖。無病時胰腺之內分泌。能敵副腎之分泌。故不致糖尿。服副腎精。等於副腎分泌加多故也。(5)中毒性糖尿。以服食梨根精 Phloridyiu 爲最。

乙　病理上致糖尿之原因凡三。(1)得之遺傳者。如遺傳肥胖病。或痛風病之家族。多發糖尿。(2)因他種疾患而併續發者。如癲癇、臟躁、及外傷性神經血。腦出血。腦軟化、腦腫瘍、及脊髓硬化。脊髓勞等腦脊髓疾患。急性傳染病中如傷寒、急性關節炎、麻疹、猩紅熱、霍亂、赤痢等。亦多續發糖尿。(3)肝臟硬化、膽石症、胰腺疾患。亦能引發。

症狀　以尿中含有糖質。及尿量加增。爲主要症狀。病之初起。恆有胃腸疾患。如食慾變異食味變常。噯氣、酸性嘔吐。胃部膨滿。大小便無定等。兼以暈眩、耳鳴、頭重、不眠、精神沈鬱、時有逆上之感。

病理　致本病之原因。因膵質萎縮。內分泌停止所致。蓋膵有兩種分泌。一曰消化液。輸入十二指腸。以消化蛋白、脂肪、澱粉諸質。一曰內分泌。功能減少血中糖分。若膵臟病而內分泌減少。則血中糖分。逾於常量。(平人血中含糖千分之一。此症增至千分之四。)不得不由腎臟濾出。此尿液所以味甜。尿量既增。糖質益濃。乃取外界之水以稀釋之。此病實所以苦渴。（金匱飲水一斗。小便亦一斗二語。深契病理。）且食物中之砂糖。縱隨入隨出。毫無積貯。而身體所需要者。初不因之減少。乃先取肝糖。（靜脈經過肝臟。即攝取其中糖分。貯於細胞。以供血糖缺乏時之補充者。是曰肝糖。）化分應用。繼則分裂蛋白。暫濟燃眉。此病人所以多食而瘦。

治法 本病治法。西醫以因蘇林爲特效藥。蓋因蘇林爲動物膵臟製劑。而本病最大原因。係膵臟起病理變化。因而糖分之新陳代謝。不循常軌耳。若中醫則見症分治。不以一藥統治諸症也。如大渴引飲有熱症者。用人參白虎湯。善飢多食大便鞕者。用調胃承氣或三黃丸。飲一斗溲一斗。陰痿脚腫者。用腎氣丸。近見報載。有以一味山藥治愈者。雖其例不多。不足認爲特效藥。然事簡功宏。亦可聊備一格。誌之以廣見聞。

珍珠米鬚治糖尿病特效

金匱臟燥病的研究

張子英

我國醫聖張仲景先生。在金匱要略婦人雜病篇論曰。「婦人臟燥。喜悲傷欲哭。象如神靈所作。數欠伸。甘麥大棗湯主之。」這個臟燥病，素問稱爲心氣痿。後人稱爲心氣不足。或煩惋善怒。或稱婦人腦筋不安症。日本稱爲花風病。近世西醫稱爲歇斯的里 Hysterie 病。原來歇斯的里。就是子宮的意義。因爲本病專發於婦女占多數。而且往往和生殖器有關。所以譯爲此名。

臟燥病的症狀。爲知覺異常靈敏。嗅覺尤其過敏。時常發生持續性神經痛或頭痛。胸內苦悶。和心悸亢進。運動障礙。發生欠伸噴嚏。或牙關緊急。角弓反張等痙攣。和全體或局部的麻痺。有時感覺亡失。對於精神方面。感受性過敏。或麻痺障礙。易悲觀。少樂觀。時有妄想。色慾或減退或亢進。幷有兼發嘔吐嘈雜噯氣呑酸等症。

臟燥病的病源。中西醫各書。尚乏切實的闡明。不過病灶方面。大抵屬於神經的髓汁乾涸。缺乏濡養。新陳代謝的機能阻礙。體工起救濟作用而變興奮反應。由興奮過度而成麻痺。所以因神經乾燥，而有時候牙關緊急角弓反張。因神經興奮。而有時候知覺過敏。因神經麻痺。而有時候感覺亡失。因腦神經不健全。而有時候精神障礙。婦女患本病較多所以婦女多憂鬱。好悲善怒。常抱悲觀。少興趣。多猜忌。少決斷。都因爲神經髓汁乾涸的緣故。

然我們要研究神經髓汁乾涸成爲臟燥病的原因。大抵有下例幾點。(1)先天性身體虧損。髓汁缺乏。(2)因患白帶等症而子宮分泌物過多。(3)由於月經姙娠產褥等病。(4)由於荒淫不節慾。和患淋濁等症。(5)由因於患傳染病和貧血萎黃等病而成。(6)由因於忿怒焦急苦思失望而成。(7)由因於遺傳性的神經病和精神病而成。其他營養欠佳。身體過勞。環境不衞生。都足以誘起臟燥病。大抵以十五歲至二十五歲的神經抵抗微弱女子。最易釀成本病。男子較少。而且症狀的發生。非常複雜。有時輕。有時劇。忽然發作。忽然停止。令人不得捉摸。醫聖張仲景先生所謂「象如神靈所作。」一句話已包括詳盡無遺了。

臟燥病的治療。醫聖張仲景先生已經把甘麥大棗湯舉出了。考甘麥大棗湯。爲緩和滋養藥。乃臟燥病的特效劑。查甘草小麥大棗三味的配方。有極妙的藥理作用。所以奏效這樣宏大。原來甘草是含有一種配糖質成分。名叫甘草糖。能激動腸的蠕動力。由腸壁吸入血中的糖份。能發生體溫和筋力。節省體內脂肪和蛋白質的消耗。促進全身細胞新陳代謝作用。所以爲緩和强壯和貧血的要藥。小麥富有澱粉質。能增加神經細胞津液。滋養神經乾燥。也是滋養强壯藥。大棗含糖質和黏液質很富。入胃和胃酸起作用。成爲糖素。由腸壁吸收而入血中。也能發生體溫和筋力。强壯細胞的繁殖力。所以也是緩和强壯和貧血的要藥。

但是西醫治療臟燥病。(卽歇斯的里病)多用鎭靜神經藥。或强壯興奮劑。如神經興奮者。用鎭靜劑。神經麻痺者。用興奮劑。所以頭痛治頭脚痛治脚的機械式療法。遠不如緩和滋養的中醫療法。

現在我們從經驗上得到一種臟燥病的特效藥。就是胡桃仁。原來胡桃的成分。含有脂肪五九、一八。蛋白質二八、四七。無窒素有機物三、一九。水四、七四。纖維一、五四。灰分二、八八。性味溫而無毒。仁味甘微苦。皮更苦濇。爲益氣養血。溫肺補腎。强陰潤燥。養腦安神。化痰定喘。心肺腎腦的特效藥。對於貧血症和神經衰弱不寐症。尤爲特效。對於滋養神經治療臟燥病。也具同樣功用。患者可用胡桃仁一兩搗亂。和糖開水冲服。每日三次。久服。自有驚人的效驗。

胎產衛生一夕談

丁福保

妊婦之攝生

妊娠非病，乃生理的變化。妊娠後雖無急改常態生活之必要，然婦人當妊娠時，體中起有種種變化，如不予以適當攝生，每至招致意外危險，此則不可不知也。

妊娠中之最感痛苦者，厥惟初三月與末三月之兩期間。其初三月概起氣悶，嘔吐，食慾減退，唾沫增多，以及時時欲放小便等所謂惡阻現象。其末三月，則因子宮滿塞腹中，腹中腸胃，神經，血管等，均受其壓迫而起種種障礙，例如行動則感足疲，或覺胎兒下降，或覺腹皮緊張。又自股以下，常有浮腫及青筋隆起（靜脈瘤）等現象。同時胃之組織亦起變化，稍進食物，胸部卽感梗塞。此等現象，雖曰變調，然其程度甚淺，苦痛甚輕，無足慮也。但若毫不攝生，則可由淺而深，由輕變重，普過流產，早產，或產生羸弱小兒者，原因雖多，而妊娠中不知攝生，實其大原因也。就中流產可成種種子宮病患，甚或釀成流產習慣，馴至一生不育一兒，或不育一健康兒者，婦人之不幸，蓋無逾於此者矣。故須改革習慣，暫守次述養生法。

一、禁戒事項

A 過度運動

1 旅行

妊娠中不可旅行。

距離之長短　通常以爲遠方旅行有害妊娠。但長途旅行，亦有未影響及於妊娠者。反之旅行近處，乘車二三小時而致流產者，亦時有所聞。同一人身，前次妊娠中旅行，並未發生事變，下次妊娠中如再旅行，則亦有因此而流產者。

妊娠中之時期　妊娠前半期，（卽第五月末以前）與妊娠後半期（卽第六月初以後）旅行孰宜之問題，常見討論，但以均不旅行爲宜，妊娠初時，腹未膨大，子宮尙小，胎兒之胎動亦尙未明，體中一切，無異平日，斯時妊婦往往對於己身一如平日不加攝生，甚或無理妄動，因此常致流產，至於妊娠後半期，則胎動分明，腹亦膨大，妊婦行動，雖有緩慢而不如前半期之無理妄動，然此時胎兒甚大，容易下墮，故更不宜旅行。

總之，妊娠中旅行，雖不流產，亦爲僥倖之事。故無論距離之長短，妊期之前後，苟非萬不獲已，總以禁止旅行爲宜。

2傾斜路及階梯之昇降

身體之上下震動，較之水平的前後左右搖動，其影響更大。故傾斜之往來與梯之昇降，均以避之爲要。無法避免時，則須十分注意。

住居樓上，每日必有幾度之梯子昇降，於妊婦極不相宜。

他如乘馬，跳舞等，若妊婦行之，更爲危險。

B增加腹壓力之事(下腹用力之事)

1重荷或重持。

2用力揭開箱蓋或抽拉抽斗。

3持息張腹作壓榨力。(如便祕時之壓榨大便)

4長時蹲踞。

5洗濯多量之衣物。

C使下半身受冷之事

1冷水浴。

2海水浴。

3睡中着寒。

4寒天長時坐於冷室中。

5寒天洗濯衣物。

D使骨盤起充血之事

1高熱水浴身。

2高熱水洗脚。

世人常以熱水浴治下半身着寒，但因而流產者甚多，故不可。

E高伸兩手之事

1取下高處之物或以物置於高處。

2撥動懸於高處之時鐘。

普通疾患

1感冒。

2胃腸發生故障。

二、飲食物

妊娠中胃腸易起故障，故須注意飲食。普通應禁止之飲食物如左。

1不易消化之物。

2平日不慣食之物。

3刺戟性甚重之物。（如芥子，番椒，山葵等）

4酒精性飲物。

5濃茶，咖啡。

6冷食之物、尤以冰琪琳等。

又在妊娠後半期，進食不可過飽。但普通妊婦此時食慾旺盛，故亦無特意減食之必要。

總之，所進食物以不害及胃腸爲標準。

三、衣服及帶

A衣服

穿衣宜順應氣候，此外更須注意左列各點。

1必須輕寬而不壓迫胸腹。

2宜適度保温，尤以冬季腹部及腹部以下、不可着寒。

3不宜盛裝現身交際場中。

B帶及腹帶

1裙褲之帶、在可能範圍內，愈鬆愈佳，否則妨礙胎兒發育。

2妊娠時宜使用腹帶，一則可保腹部着寒，再則可防腹皮過張而免胎兒變易位置。第五月以後，尤可不少。夏季宜用狹幅棉布，冬則宜用法蘭絨纏捲下腹二度。其端又以安全扣針上下扣之爲宜。

四、運動

A散步

娠妊中須有適度運動。就中以散步屋外爲最適宜。蓋散步時可呼吸新鮮空氣，接觸温暖日光，則心神自然愉快，而食物之消化與便通之整正，均可不期而至矣。然至妊娠後半期，腹部膨大，體重偏倚前方，步行之際容易跌倒，故當散步屋外時，必注意左列各點。

1鞋須輕軟，忌穿高跟靴鞋。

2雨天不宜外出。

3散步之時間，須以歸家後不感疲乏爲限。通常以三十分乃至一時間爲宜。又散步途中，若感腹中膨脹，歸家後卽宜安靜休息。

因事外出時，亦宜遵守右述各條件。

B屋內工作

家庭中日常慣作之事，例如掃除堂室等事，爲之毫不爲害。但使用裁縫機與彈鋼琴風琴等事，在妊娠後半期，則以停止爲宜。手工裁縫，其時亦忌多作。

C乘車或船

以嚴格論之，則妊婦不可乘車或船。

汽車行砂礫敷布之凸凹路或橫行電車線路，可使乘者身體上下劇動，故於妊婦不宜，對於此點，則以乘坐電車較佳，但電車亦有其缺點。卽(一)須注意下車或換車之車站。(二)乘客擁擠，不易獲得坐位。故於必要時，莫如乘人力車而使徐徐行之爲宜。

妊婦不可長途旅行，已如前述。萬不獲已而必須乘坐長途火車時，則以乘寢台車比較安全。寢台之搖動，下層少於上層，昇降亦較便利。又普通火車，車室中段之搖動，少於前後兩方，亦須注意及之。

乘船優於乘車，但暈船者，又當別論。

D劇烈運動

一切劇烈運動，妊婦行之，危險卽至。

五、大便

吾人至少亦須每二日有充分之大便一次，妊婦亦然，而其妊娠後二三閱月間起所謂惡阻之時，尤須注意。斯時如患便秘，則惡阻之程度必因而增加，不可不知也。

倘果便秘，則宜(一)適度運動。(二)每朝飲冷開水或冷牛乳一杯。(三)每朝定時到便所大便。(四)每進食後必食水果少許。總以不服瀉劑爲佳。

如此而無効果時，則宜以無毒肥皂水或偘利攝林(Glyc-erine或Glyelrin)浣腸。如仍無效果時，則商諸有信用之醫師，依其處方以服通藥。蓋强烈瀉劑，常致流產，故須愼加注意。

六、小便

妊婦對於小便，亦宜時時注意，不可怠於尿之檢査(尤以蛋白尿之檢查），當兩足或顏面起浮腫時，尤非檢查小便不可。出蛋白尿時，則妊娠中或分娩時，將起所謂子癇之全身痙攣。此病係險症，可置母子於死地。

妊娠初期如常忍小便使尿滿溢於膀胱時，則子宮或起位置異常（後屈症），故宜革除此習慣。

七、身體之清潔

妊婦入浴，每日行之爲宜，其易不潔之處，宜時以微溫水洗之，但不可注水於體內。坐浴於熱水中，有流產之虞，亟宜禁止。

八、乳房

產後授乳（尤以初產婦），每因乳嘴及其周圍之皮膚薄弱而致受傷。其傷雖小，但再授乳時，則甚疼痛。如更被化膿菌侵入，則即腫爛乳房，至爲危險。故有豫使此部皮膚增加抵抗力之必要。法以妊婦自以清潔之手指，執清潔之白布，浸清潔之冷水或酒精，每日一度擦拭乳嘴及其周圍爲要。若乳嘴發育不良或陷入乳房中時，則宜先以肥皂淨滌兩手，而後以已清潔之拇指食指中指等三指頭，每日徐徐摘拔乳嘴數次。

九、精神衛生

妊婦心宜鎮靜。憤怒，恐懼，悲哀等情，均有大害。讀小說。看電影，聽戲等事，亦非所宜。睡宜充足，腦宜安閒。

妊婦，尤以初妊時多抱杞憂。或慮難產，或恐產生殘廢之子，因而寢食不安，常貽大患。須知產兒乃生理上之自然變化，如能順乎自然，即無須憂慮，憂慮固爲無益而有大害者也。

妊婦節慾，最爲切要。妊娠中如不節慾，常爲流產或早產之原因。妊娠末期，更須嚴戒性交，否則危害生命之產褥熱，即由是而引起。

（未完）

鬱金治療辨誤

方望霓

鬱金一味，舉世用以解鬱，謂其婦人之病，多起于鬱，鬱金能解諸鬱，爲婦人之良藥，而不知鬱金氣味辛甘苦寒，本入血分之氣鬱，主治血積下氣，生肌定痛，破惡血，故吐血，衄血，淋血，尿血等，一切逆上之血，及血瘀之證，用之最宜，其云氣味苦寒者，謂氣寒而善降，味苦而善泄也，其云血積者，言血不行則為積，積不去則為惡血，血逆于上，從口鼻而出，則為吐血衄血，血滲于下，從便溺而出，痛者為血淋不痛者為尿血，即金瘡之瘀血不去，則血水不斷，不能生肌，此物所以統主之者，以其病因皆由於積血，故要取其大有破惡血之加也，近世以鬱金為解鬱之聖藥，豈知解鬱二字，不見經傳，切不可惑此邪說，若經水不調，因實而閉者，不妨以此決之，若因虛而閉者，是其寇讎，至於懷孕，最忌攻破，此藥更不可以沾唇，即在產後，非血結停瘀者，亦不可以輕用，且病起於鬱者，即內經所謂二陽之病，發于心脾，此端經文，實大有深旨，若誤認此藥為解鬱而頻用之，必致禍不旋踵，而生命危矣。

腹痛談屑

張子英

腹痛的症狀甚多。而引起種種腹痛的原因更多。若原因認錯。治療腹痛。就覺困難。茲將腹痛的原因。簡述如下。

腹壁和腹膜疾患。如腹壁和腹膜發生炎症。或腹壁出血、腹部受傷等疾患。往往易誤認為腹痛。

胃腸病疾患。如胃加答兒。胃痙攣。腸加答兒。或食物藥劑引起腸運動過度。更有虎列拉。赤痢。疫痢等等發生腹痛。

肝臟炎。膽囊炎。膵臟炎。脾臟病。腎臟炎。膀胱病。男女生殖器病。均能引起腹部疼痛。

不過腹部疼痛。必須辨別何種原因發生疼痛。否則往往治療困難。

醫家依腹痛的部位。測驗病原的情形。頗為有根據。如心窩處疼痛。以胃病為居多。腹部上左方疼痛。以脾臟病為多。右胸下部疼痛。以肝臟疾為多。肚臍上部疼痛。則為胆囊疾。臍下或左右疼痛。則為腸加答兒。顯露其他劇烈狀者。則為盲腸炎。婦人生殖器及膀胱患者疼痛。則在下腹部。腎臟患疼痛。則在左或右上腹部之後側。

不過以疼痛的部位。測驗病原。亦不能一概而論。如盲腸炎初起時。右下腹部反不覺疼痛。而胃部與臍部。反覺痛甚者。乃火性炎上之象也。

且疼痛之發生。狀態各異。有突然起急劇之疼痛者。有緩緩疼痛者。有疼痛而有持續性者、有疼痛而忽止忽作者。其疼痛之性質。如割如刺。如燒如壓。亦各有不同。

腹痛狀態既然各異。診斷殊非易易。雖然如有幾種腹痛。診斷很明瞭。但慢性腹痛。屬於內傷者。有時覺不易診斷。

關於治療腹痛。一般常人大抵用下劑與灌腸。雖然如腸加答兒等症。輒見效驗。但有幾種病症。非但不效而有危險性。反將腸壁血分水液逼出。大便愈覺閉塞不通。

從經驗所得。腹痛當依通則不痛。痛則不通法治療。而以寒熱虛實狀況。隨症施藥。則相距不遠。如胃腸炎。隨其性而發散火鬱。則通而不痛矣。寒痛。隨其性而發散寒氣。亦通而不痛矣。余曾治劇烈之慢性腹痛。西醫斷爲盲腸炎。乃用升麻葛根川連吳茱萸等藥而愈。始終不用下劑與灌腸。

本刊衛生顧問章程

(一)本刊經大衆訂閱者之要求。闢設衛生顧問欄。以便醫藥上疑難問題。及病因症治藥性等、作公開之討論與研究。若依本章程投函詢問。當卽照來函解答

(二)重要問題。除依來信直接通函答覆外。本刊得隨時將答案披露。以便同志之研究。

(三)疑難之答案。須檢查醫籍。詳細考慮者。至遲須一星期可以答覆

(四)不答覆之問題如下、(一)來信記述不詳者。(二)意義不明者。(三)要求立得藥方者。(四)無關醫藥者。(五)委託評論藥方之是非者。(六)本社同志學識所不及者。(七)無覆信郵費者。(八)無衛生顧問劵者。但不答覆者。不答之理由。覆信聲明。

(五)來函須用中式紙張。繕寫清楚。附覆信郵費一角三分。並附寄下列衛生顧問劵一紙。

(六)來函寄上海芝罘路北益豐里八號

衛生顧問劵

衛生常識

鼻閉塞談

唐仁縉

鼻閉塞一症。是鼻科疾病當中的一個主要症候。這個症候是人人都可遇著的。因爲發生鼻閉塞的機會。太多的緣故。凡是可使鼻腔粘膜發生腫脹及肥厚的各種鼻炎，鼻腔的腫瘍，鼻中隔的畸形，以及鼻腔的異物等等。均足發生鼻閉塞。我們營呼吸運動的時候。本以鼻腔爲主。如果有了鼻閉塞。那就鼻腔陷於閉塞不通。呼吸氣量。亦感不足。勢必開放口腔。補足呼吸。此時稱爲口腔呼吸。在高度鼻閉塞的時候。並可將鼻腔呼吸完全廢棄。同時對於患者的周圍器官及身體發育上。亦因此而蒙極大的影響。玆將由影響而發生的病情。略述如左。

一、對於周圍器官上所發生的病情最易受著影響發生病變的。就是呼吸器及聽器的兩部。在呼吸器方面，常易發生咽頭炎，喉頭炎，及氣管炎。這是因爲由口腔呼吸所吸入的空氣。大都乾燥的緣故。並不像由鼻腔呼吸所吸入的空氣。能夠得著鼻腔粘膜產生的濕潤。使他變爲濕潤的空氣。不致發生呼吸器官的炎症。在聽器方面，則因口腔呼吸的關係。常致歐氏管的換氣不充分。或竟完全杜絕。這個時候最易發生中耳疾病。並繼常發耳聾。此外尙須注意的。就是鼻閉塞患者。在營鼻腔呼吸的時候。一般常有狹窄性的雜音。在睡眠的時候。常發鼾聲。有時往往引起頭痛，鼻性注意不能症，記憶力減退，睡眠不足等等各種神經症狀。

二、對於身體發育上所發生的病情，人在少年期的時候。正是身體各部發育的時期。如果在這個時期患著了鼻閉塞。那就易起各種發育的障礙。在少年期中。最易引起身體發育障礙的一種鼻閉塞。最顯著的就是由患腺樣增殖症而來的一種鼻閉塞。關於腺樣增殖症的病情和發生鼻閉塞的原因。待我下次續談。

食物不消化之原因及其預防法

徐人龍

古諺云，「病從口入」，胃爲百病之根可知矣，然胃本甚健，循軌司職，初無二致，致病之源，本歸之於腦，何哉，蓋人缺乏消化器衛生之常識，亂食亂飲，不擇善惡，不問需否，必俟痛苦呼救，始惕然知所以欲衛生之理，養生之道，亡羊補牢，時已晚矣，嗟呼，快一時之慾壑，致畢生之莫贖，亦可懼也。

甲、胃之本能　胃屬消化之器，居於腹上，處肌膈之下，其形如一彎囊，長約十至十二英寸，寬脹大小，隨食肌飽，上下有二孔，一端近接食管，名賁門，一端接近小腸，名幽門，食下時，由賁門入胃，卽自然蠕動，兼以胃汁同時消化，施佈全身，其作用略可分三項。

一、能使寬張大小，適合食物之多寡，胃壁得與食物相體貼，以便略厭食物。

二、能使幽賁二閉塞，禁食物出而便消化。

三、胃有胃液分泌，使與食物調和，易於消化。

乙、不消化之原因　凡人一舉一動，飲食居起，勞力憂鬱，皆能阻滯消化，而尤以憂鬱爲最大之關健，試觀事大業，居高堂者，往往着筷蹙眉，雖有良好之膳品，亦不足其歡，因而罹此症，誠屬不尠，其餘種種，列如次。

一、食入過多，胃蠕動增加，胃酸過多，而感痛苦，煩悶，此種祗要節制飲食，卽可避免。

二、煙酒辛辣，縱之過度，亦爲其害，當其初起，亟宜糾正嗜好，亦可避免。

三、憂思苦慮，過則精神受傷，因而胃之蠕動日減，或膳食時以家常瑣事相擾，由此患者難以爲功，故尤須遷地療養，使離開其環境，休養其性情，厥疾其庶瘳乎。

四、身體過勞，此由全身各體互相維繫，體力旣乏，胃之收縮，因而弛緩，不克盡其職，其結果亦爲不消化症，患此症者，宜運動腹部，不常作勞，宜愼飲食，不必驚恐，若妄投藥品，非徒無益，而又害之。

丙、不消化之症狀　輕者，覺腹部不舒，頭痛脘塞，噁心嘔吐，舌苦膩垢，口苦口燥，腹痛或瀉，此稍有積滯，小孩最易患此，重則頭痛如裂，煩悶懊濃，飲食不納，大便乾結口臭，腹痛，食後更覺不舒，如有鯁梗之狀，此停食阻結，宜早治療，否則傳變轉重，百病叢生矣。

丁、胃之保養法　食時毋使太過，必須細嚼慢咀，食後宜散步，不作劇烈之運動，或因所需不足，致大腸失其暢行，則當食時略增於其所需耳，嘗聞有規定之食例，茲照錄如下。

一、心之所喜食之，但毋使太過。

二、不肌不食，不爲定時所拘。

三、食時必須從容整肅。

四、食而甘之，是爲唯一有效之消化劑。

戊、不消化症預防　人既患不消化之症，限不能立愈，急急乎乞靈於藥，每見市有出售此等藥者，無不嘗試，終鮮見效，繼則求慎於飲食，又蓋其效緩，要之此等不但無益，而且加害，所謂自然療法者，仍宜飲食得其當耳，晨起飲清水少許，早餐宜適暢，餐時佐以新鮮果蔬之流液，又未去原料之穀品，亦爲主要品，其輔佐品可隨意選用，則其見效必百倍於舖張聲譽之藥石，又有食時感覺脹滿，進以食物，則稍平息，或夜半亥子之時，胃液充溢，則胸脅間煩悶而覺醒，患者宜速治療，使不常發而後可，若因循失治，致遷延而成胃癌，雖非絕望之症，治之亦甚困難，故須防之於早也，茲將預防不消化症之要訣列下。

一、進食烹調得宜，而食有益之品，食時細嚼，牙須使清潔無垢。

二、食時從容，勿匆匆然急遽下嚥。

三、煙酒等宜戒絕，因其不論多寡，悉含刺激性也。

四、食時不宜談笑，不宜幻想。

五、生冷之品，不宜多服，毋使胃受寒。

六、身體勞動，精神疲倦時，及劇烈運動後，皆不宜進食。

七、攻瀉止痛、蕩滌消散，皆不宜亂投。

八、食後宜廣步園庭，不作勞力之舉動，及用腦之事等。

嬰兒營養法

汪美僊

初生的嬰兒。如看護不得法。則將影響其終身。看護得法。則往往能得健全身體。幸福無窮。看護嬰兒。除注意空氣清潔。衣服冷暖諸事外。最要注意營養方法。普通哺育嬰兒。以母乳爲最佳。此乃天然所賦之責。然母體有疾病或有不得已的時候。生母不能授乳。則宜選乳媼代之。茲將其應注意各項。分述於後。

一、母乳營養

當胎兒寄生於母體時。全賴母體的養素以爲營養。分娩之後。最適於嬰兒營養的。實爲乳質中最優越的母乳。但近代婦女，往往漠視之。反以飼獸乳或以代乳粉等爲時髦。豈知獸乳代乳粉。決比不上人乳。就是乳媽的乳。決沒有母乳的好。對於嬰兒的利害相差甚遠咧。

茲將母乳與各種乳的比較列後

乳	蛋白	乳脂	乳糖	灰分
人乳	一·五%	四·〇%	六·六%	〇·二%
牛乳	三·四%	三·八%	四·〇%	〇·八%
山羊乳	三·八%	四·三%	三·六%	〇·八%
驢乳	一·三%	二·四%	六·二%	〇·四%
馬乳	二·〇%	一·二%	五·一%	〇·四%

■母乳飼兒的益處　對於母體。可藉以增加食慾。加多營養。促進子宮收縮。對於嬰兒。因母乳的性質與血液同。胎兒在胎內。以母血作營養。生產後。仍以母乳營養。對胎兒非常適合。因含有抗毒素。可使小兒對傳染病的抵抗力增强。及決無病菌混入。且分娩後四日至一週的初乳。有緩瀉的功效。

■獸乳飼兒的害處　一、病菌易混入。來源有二。甲、從獸身上來的。如牛結核桿菌。小兒食之。便患腸癆。乙、從人體傳染。各種病原體均可。二、易作假。如提去乳脂。加水。置入硼酸以防腐。加鹹以防變酸等。久飼易患腸胃病。

合理的民間單方數則

葉橘泉

當歸主治月經痛。

女子到青春成熟期於後。自有月經來潮。蓋卵珠成熟。卵巢黃體刺激子宮壁粘膜。致起毛細血管充血。充血既足。則細血管破裂。猪壁粘膜剝離。鬱血與卵液混合流下。是爲經水。卵球每月一成熟。故經水每月一來潮。因此稱爲月經。月經之主動力在卵巢黃體。黃體之刺激素太過或不足時。月經自必失調。子宮神經或血液凝攣。月經亦必困難而攣痛。月經痛者在來潮之前或後。少腹及腰腑痠痛拘攣。經水色紫黑或淡紅。經期或早或遲。參錯不齊。其原因不單在卵巢黃體。亦連及神經血液矣。斯時若用黃體製劑。不若用國產當歸之合理。而奏效更確耳。

按當歸爲繖形料 Ligustlcumacutl Lobum. Set Z. 之根。富含芳香性揮發油、及蔗糖。具有興奮而兼營養性。爲神經痛及血液病要藥。自古以家。多用於婦人科。作通經、調經、引血歸經之用、故有當歸之名稱。其對於月經痛，月經困難等。確有調節黃體。活潑血液。弛和神經之偉大功效。已爲世界各國所公認。國產新藥之『優美露。』卽本品之製劑也。

檳榔子用於痢疾及驅除寄生蟲痢疾或腸卡他。下痢腹痛。裏急後重。及因寄生蟲而起之腸痛膨脹。或下痢等。用檳榔二至四錢。煎服。爲最理想的有效治療劑也。

橘泉按檳榔爲產於熱帶地之棕櫚科檳榔樹所結的子實。卵圓形。外面灰褐色。內堅實。有紋理。其味略甘而有收斂性。化學成分則含有『阿雷科林』Areeolir C8 H13 no2 與『倍雷替林』及類於『派魯卡品』植物鹼。爲消化劑。及驅蟲藥。主用於家畜如犬等之驅蟲劑。亦可用於人類。惟有刺激胃腸。及引起便祕之副作用。如阿米巴痢。及腸寄生蛔蟲。或絛蟲。十二指腸蟲等而起腹痛膨脹。或下痢。用本品之消化作用以達驅蟲之目的。最爲合理。蓋增進消化酵素。則腹痛下痢等症自退。排除寄生蟲類。則腸內毒素戢刺自愈。且其除消導作用之外兼具收斂之功。故又能奏鎮痛止痢之效也。

輕粉之驅毒

中國醫學之應用輕粉於黴毒。【楊梅瘡毒】自古以來亦熟知之矣。前人因不明其成分。耳見投本品於患者。每每發生齦腭糜爛流涎。稱之謂倒提之法。認藥性之猛烈。實不盡然。玆者。經日本柴田承桂之精密檢查。始知其成分爲「亞綠化汞」。與甘汞完全相同。此物爲結晶性之疏鬆粉末。分量極輕。故名輕粉。但本品之製造有精粗之別。中國藥店中出售之物。恐不免有雜質及猛汞攙入。醫用須選取精純之品。(藥房出品)較爲穩妥。本品之醫治效用。主要在驅黴及下劑。內用爲驅黴之目的。一日量用○・○二——○・○五。若爲緩下劑則一日用○・一——○・五。緩下則覺腹痛不如甘汞之無痛。驅黴則甘汞遠不及本品之擅勝場也。如下疳、黴瘡、關節毒、神經毒、或腦梅毒、諸惡毒疳瘡。黴毒痼疾。用輕粉○・○二瓦。和入白糖半瓦投與。或和生甘草及其他對症藥物爲丸投與。外部潰瘍、再以輕粉一分豚脂八分調和攤貼。如患者齒齦微現紅腫則暫停數日。頻進滋養物。及一般的對證處置據著者的實驗。覺本品於黴毒大有殊功。蓋黴毒之治用汞劑。不論古今中西已趨一致。價廉物美之輕紛。如利用得法。竟可起痼廢之沉疴。誠大有一試之價值也。

▼無花果治痔腫痛▲

俗語云、十人九患痔。蓋多靜坐。少運動大便不按時排除。則肛旁靜脈漸漸鬱血。久而成痔。或更受其他刺激如大便秘結。則發炎腫痛。潰爛流膿放血。每致坐立寢臥不安。用無花果煎湯薰洗。或巴布。有排膿止痛之效。

考無花果、係桑科 Ficuscarica,l 之果實。隨處有之。可以栽植於庭園。高丈餘。葉爲單葉。有裂缺三五。邊緣有鋸齒。有毛茸。樹質粗糙。切傷之。有白汁流出。花生於花托。花托作囊狀。漸次膨脹。變成倒卵圓形之果肉。氣候寒冷則其表面被有白色粉霜。有特異氣味。及佳良甘味。此果外部。生時作綠色。熟則變紫褐或黃褐色。內部爲紫色。或紅色。在未熟時滲出辛味乳液。及漸成熟。

則漸減少。增加甘味。藥用採成熟之果乾燥之。此果又名一熟。以其果一月而成熟故名。昔時誤爲無花而結果，故名無花果。本品內含葡萄糖．膠質。脂肪等。爲最有力之緩和滋養藥。其豐富之甘味粘液，能解酷厲毒，焮衝．或疝痛．痔腫．焮痛等。用本品作緩和劑。內服或外用。均佳。如咽喉口中焮痛。可用煮湯作漱劑。將鮮果實搗爛貼腫瘍。有排膿止痛之功。巴布於痔瘡。腫痛速消。如無鮮果。則以乾果煎湯薰洗。再研乾果粉。以麻油調敷。或以凡士林調作巴布劑。貼於潰爛。有淸涼排毒。消炎退腫止痛之殊效。又本品未熟之果。味頗辛濇。含有酷厲之乳狀汁。用以磨擦贅疣魚目等。屢能消散。或用其汁和猪脂擦痔核。亦皆有效。

食料衞生

菓品之功效

仁

凡一切菓品。如橘梨等類。人知有解渴生津之功用外。餘多作消遣品。其於醫藥上之功用。反湮沒無聞。爰集普通菓品十數種。一一述明其價值。以彰其功。

(柿)涼血。乾者潤肺開胃。能治吐血下血。熱淋澀痛。反胃吐食諸證。其蒂與丁香生薑同用。可治呃逆。

(橘)開胃止渴。橘皮能散·能和·化痰·順氣·理中·調脾·快膈。其核乃療疝氣要藥。與杜仲同用。治腰痛。

(枇杷)解渴疾。治肺熱症。婦人產後口乾。食之最宜。其葉可治咳嗽。

(楊梅)消食下酒。多食則損齒。炙灰末服。治下痢。

(櫻桃)蛇咬。打汁飲。以渣敷傷。若浸於高粱酒內。可治凍瘃之未潰者。

(白菓)性濇。取其肉搗爛。豆腐漿冲服。治白濁。陳年油浸白菓。可療肺病。

(胡桃)其肉潤肌黑髮。服時。須漸漸食。初食服一顆。每五日加一顆。至二十顆止。周而復始。久之。則骨肉細膩光潤。鬚髮黑澤。血脈通潤。

(荔枝)止煩渴。能解口臭。其核治疝氣。

(橄欖)治喉痛。解煤毒。又解河豚毒。

(柚子)切片。清水煎。加糖。可解酒醒。

(藕)生食生津止渴。切碎濃煎湯飲。能生血。患貧血症者。飲之頗宜。久服自能復原。

(蓮蓬)連殼置飯鍋上蒸熟剝食。能開胃增食慾。固腎氣。止遺洩。

(花紅)用好燒酒浸透食之。能治久痢。

(蘋菓)生食潤肺生津液。熟食有補腦之功。

(梨)切去柄蒂。挖去心。實以冰糖。仍將切下之柄蒂蓋好。置飯鍋上。蒸爛食之。治秋燥咳嗽。

(葡萄)滋腎水。補血液。養胃生津。强志安神。

(山查)可解酒消脹助胃之消化。炙灰末服。能止泄瀉。

衛生小問答

張子英

(問)溫熱病與傷寒有何分別。

(答)溫熱病初起不惡寒而發熱。兼自汗。傷寒無汗惡寒而發熱。

(問)溫熱病汗出多而熱不減。何故。

(答)造溫機能亢盛。放散體溫雖劇烈而汗出多。故發熱仍不減。

(問)溫熱病用何法以制止其發熱。

(答)用涼潤藥以制止其造溫機能。用辛涼藥以解散其肌熱。

(問)溫熱病有下不嫌早之語。確否。

(答)溫熱病為伏邪蘊熱。熱自內發。於適當時候下之。為釜底抽薪之法。但初起時即下之。難免有引邪裏陷之虞。蓋溫熱病必由外感風寒為導火線也。

(問)溫熱病咳嗽何故。

(答)溫熱病咳嗽。為肺胃熱邪熾盛。津液被灼。煎熬成痰。

(問)溫熱病煩燥不安口乾。何故。

(答)此謂熱盛爍津。與傷寒同。

(問)溫熱病脈纏不易痊愈。何故。

(答)伏邪必須徐徐外達。待透達後。熱始漸減。所以脈纏不易痊愈。

(問)患溫熱病一月餘。脈纏不愈。仍須升達伏邪而愈。何故。

(答)患者雖病溫已久。但未服透達之劑。所以伏邪蘊結不散。一經升達。蘊熱俱解而愈。

(問)溫熱病。有下之而不愈。再下之而又不愈。必經數下之而愈者。何故。

(答)患者必腸腑燥結異常。或素吸鴉片。伏邪固結不解。所以必待數下之而愈。

(問)溫熱病有化為但熱不寒之瘧疾者。以何法治之。

(答)是為癉瘧。以辛涼重劑激其熱。如白虎加桂枝湯。

(問)患溫熱病。有服銀翹散或桑菊飲而愈者。有服之而纏綿不愈者。何故。

(答)稟體之有不同。伏邪之有深淺故也。

藥物研究

石膏

劉國輔

(一)名稱——1.外國名詞—Calcii Sulpha(拉丁文)Gyps德文)、Gypsum(英文)

2.古籍別名—細理石、寒水石、冰石、白虎、細豆、玉火石、玉靈片、等。

3.處方用名—生石膏、熟石膏、煅石膏、飛石膏、石膏粉、冰糖製石膏等。

(二)科屬——鈣石屬之硫酸鹽類。

(三)產地——世界各國。均有出產。每與山鹽相偕。或存入礬土層中。或產於火山近旁。我國浙江省杭縣。湖北省應城縣。及山西省。雲南省。均產之。

(四)形態——屬於單科系之礦石。其結晶每隨產地而異。或爲菱形。或爲燕尾狀雙晶等。本屬無色透明之品。因夾雜物之多少。而異其色。有爲白色之纖維狀。或爲薄片狀。或爲結晶狀之塊。且有帶紅、黃、褐、綠、青、黑、各色者。其光澤亦有玻璃、絹絲、眞珠、諸狀。致有透明石膏、纖維石膏、雪花石膏等名。薄片之透明者。入水微溶解。硬度一·五至二·〇。比重二·二至二·四。灼之則失結晶體。而成白色無臭之粉末。

(五)品考——1.藥徵曰：石膏有軟硬兩種。軟者上品也。

2.別錄曰：細理白澤者良。

3.爲則曰：石膏於其上頭者。狀如米糕。於其下底者。瑩淨如水精。此其上品也。

4.時珍曰：白色潔淨細文短密如束針者佳。

(六)炮製——1.內科用—古法惟打碎如豆大小。絹包入湯煮之。近人謂其性寒。用時須拌煅過。或糖拌過。則不妨胃云云。實妙想天開之法也。

2.外科用—首將生石膏於火上煅成紛狀。次於臼中磨細。再以淸水飛之。(亦有用生甘草水飛者）。然後晒乾研用。

（七）性味——甘淡。一說甘辛。性微寒。無毒。別錄謂。石膏味甘大寒云云。

（八）成分——1．石膏主要之成分。爲硫酸加爾叟膜。（CaSo.2H_2O）此外則夾雜硅酸、礬土、養化鐵等。

2．石膏含百分之五十八、八分之硫酸。與百分之四一．二分之加爾叟膜。

3．石膏之成分爲含水硫酸鈣（C2lcium Sulphateca So+2H_2O）百分中含硫酸四六．五分。鈣三二．六分。水二〇九分。

（九）作用——1．生理—內服後。至腸則與炭酸燐脂肪酸等結合。而敷佈於粘膜面。能制止腸分泌。吸收後。能旺盛心臟之擴張與收縮。

2．藥理—a．生石膏經煅後。內含之硫養輕。均被飛去。僅餘鈣質。成片灰。能於水中結合。誤服之。能將周身血液凝固。使不流通。而有性命之險也。。故用時須書研生者。

b．有減退骨骼筋興奮之作用。故用於痙攣症。痙攣質緊張過度等病。有效。並有減少血管之透過性。而消散炎性之作用。故用於紫斑病、黑熱病、各種炎症。蕁麻疹、濕疹等。並有促進血液凝固之作用。故又用於局部爲止血劑。或用於內服。

（十）效能——1．生用—清熱止渴。解肌發汗。

2．煅用—止血消炎。生肌收口。

（十一）主治——1．本經—中風寒熱。心下逆氣。驚喘口乾。舌焦不能息。腹中堅痛等。

2．別錄—除時氣頭痛身熱、三焦大熱、皮膚熱、腸胃中結氣、止消渴、煩逆、腹脹、暴氣、喘息、咽熱等。

3．甄權—治傷寒頭痛如裂、壯熱、皮如火燥、和葱煎茶、去頭痛。

4．大明—治天行熱狂、頭風旋、下乳、揩齒益齒。

5.藥徵—主治煩渴、旁治讝語、煩躁、身熱。

6.鄒澍—石膏其性主解橫溢之熱邪。譬之溽暑酷烈。萬物喘息。僅屬不能自保。惟清飆乍動之。而化隨爽潔。等語。

7.李東垣—除胃熱、肺熱等。

8.張元素—止陽明經頭痛、發熱惡寒、日晡潮熱、大渴引飲、中暑潮熱、牙痛等。

9.張石頑—石膏專治熱病、暍病、如大渴引飲、自汗頭痛、溺赤便祕、齒浮面腫之熱證也。

10周伯度—石膏治傷寒陽明病之自汗。不治太陽病之無汗。是則石膏解肌。所以止汗。並非所以出汗也。

11黃宮繡—傷寒邪入陽明胃腑。內鬱不解。則必日晡熱蒸。口乾舌焦。唇燥堅痛不解。神昏譫語。氣逆驚喘。溺閉渴飲。暨中暑自汗。胃熱發斑。牙痛症。皆當用此調治等語。

12張隱菴—石膏爲陽明胃腑之涼劑宣劑也是。

13劉曜曦—石膏爲一種清涼解熱藥。

14陳修園—通乳、愈金瘡之潰爛等。

15楊時泰—石膏爲氣分除熱之藥。與血分全無涉等語。

16張錫純—主治外感有實熱者。因服後能宣散外感之熱。息息自毛孔透出也。

17黎伯概—石膏之功。在斂澀收斂性。故陽明病之大熱汗出脈洪大(發熱。爲肌肉細胞脈管血液等酸養化太甚。過度沸騰。汗腺開放。津液分泌)。而用石膏以鎮之。平定其血液。收斂其熱也。總之。斂澀之性。宜於熱度之高。血液之濃厚者。不宜熱度之低。血液之稀薄者也等語。

18歐美學說—煅石膏之醫治功用。能配鉛礦。不能內服。僅堪外用。緣此藥見水變硬。醫恆用塗抹布條內外。裹紥骨折。等症。因欲使骨不能移動也。

(十二)用量三錢至兩許。外科不在此例。

（十三）禁忌——凡氣虛、血虛、胃弱、及無實熱症者禁用。惡巴豆、莽草、馬目、毒公、畏鐵。

（十四）配方

名方——a.白虎湯藥味爲石膏。知母。甘草。粳米。主治陽明證。汗出。渴欲飲水。脈洪大浮滑。不惡寒。反惡熱。中暍煩熱而渴三陽合病腹滿身重難以轉側。口不仁。面垢。讝語。遺尿。自汗出。及温疫脈長洪而數。大渴復大汗。通身發傳者。（熱寒論方）

b.白虎化斑湯。藥味爲生盛膏。生甘草。知母。蟬蛻。麻黃。生大黃。黃芩。連翹。黑參。竹叶。治痘爲火悶。不得發出者。（張氏醫通方）

c.石膏湯藥味爲石膏。升麻。知母。大黃。（一蒸）山梔。薄荷。赤茯苓。連翹。朴硝。甘草。主治胃熱牙痛。（瘍醫大全方）

d.石膏大青湯　藥味爲石膏。大青。茯苓。葱白。前胡。知母。梔子仁。主治姙娠傷寒頭疼。肚熱肢節煩疼。等病。（千妊金方）

e.竹叶石膏湯　藥味爲竹叶。石膏。半夏。人參。甘草。（炙）粳米。麥門冬。（去心）主治傷寒解後。虛羸少氣。氣逆欲嘔吐者。另方加生姜。爲治傷暑發渴者。（金匱要略方）

f.越婢湯　藥味爲麻黃。石膏。生姜。甘草。大棗五味。惡風加附子。風水加白朮。主治風水惡風。一身盡腫。脈浮不渴。續自出汗。無大熱者。（金匱要略方）

g.風引湯　藥味爲大黃。乾姜。龍骨。桂枝。甘草。牡蠣。滑石。石膏。寒水石。赤石脂。白石脂。紫石英。主治熱癱癇。及小兒驚癇瘈瘲。（金匱要略方）

h.文蛤湯　藥味爲文蛤。石膏。麻黃。生姜。甘草。杏仁。大棗。主治吐後口渴。飲水不止。及微風脈緊。頭痛等症。（金匱要略方）

i.竹皮大丸　藥味爲生竹茹。石膏。桂枝。白

薇。甘草。主治婦人中虛。煩亂嘔逆。因有安中益氣之功故也。(金匱要略方)

j. 玉露散 藥味爲石膏。寒水石。生甘草。主治小兒吐瀉。色黃。煩渴。身熱。頭痛。失眠。咽乾。及中暑悶渴。臨小便不通。等症。(錢乙方)

k. 麻杏石甘湯 藥味爲麻黃。杏仁。甘草。石膏。主治傷寒無汗而喘。汗出而喘。及風濕表裏俱熱。無汗自汗。頭痛身疼。煩渴惡熱。脈浮等症。(傷寒論方)

l. 大青龍湯 藥味爲麻黃。桂枝。杏仁。甘草。生姜。大棗。石膏。主治太陽風寒兩傷。營衛同病。俱不出汗。而煩躁者。(傷寒論方)

2. 驗方—a. 胃熱牙痛。石膏一兩。煆酒碎爲末。防風。荆芥。細辛。白芷。各五分爲末合研。每日揩牙極效。

b. 水瀉腹中雷鳴。熱如火者。石膏不

拘多少。陳米飯糊丸。梧桐子大。以丹爲衣。米飯下二十九丹。良效。

c. 湯火油灼傷。痛不可忍者。石膏末敷之佳。

d. 口瘡不斂。以石膏燒赤二兩。黃丹半兩。爲末摻之。能止痛生肌。

e. 小兒丹毒。以寒水石末一兩。和水塗之。

f. 金瘡出血 用寒水石 瀝青 等分爲末。乾摻。勿經水。甚效云。

3. 處方—a. 配知母。甘草。粳米。葛根。山梔。連翹。治壯熱心煩。口渴汗出等症。

b. 配防風。荆芥。山梔。山翹。銀花。治骨槽風。

c. 配炙甘草。治熱盛喘嗽。亦治濕溫多汗。

d. 配黃連。甘草。治傷寒發狂。踰垣上屋。

e. 配青黛爲丸。治小兒身熱。

f. 配牡蠣等。治鼻衄出血。

(十三)結語——本藥之效能作用等項。已分論於上。不再贅述矣。茲有更待研究者卽石膏之治愈肺結核也。葉君學爵。倪君宣化。均余硯友。葉氏曾謂。其以石膏治愈肺結核云。一鄉人形體瘦弱。咳嗽咯血。經數西醫診斷。爲肺結核。無法挽救云治後求治於葉氏。令每日取石膏二兩。濃煎。三錢研末。冲呑三次。分服。持續數月。服石膏七八觔而病痊矣。後倪氏更細究其藥理作用。及治愈原理。謂石膏之主要成分。爲含水硫酸鈣。凡鈣類於人體之生理作用。大都有增進白血球之數量。使血液凝固力加增。幷能刺激細胞。完成新陳代謝。且分子式中之硫。經分解後。一被吸收。卽遇輕氣元素而成硫化輕。專擅殺菌之能力。夫結核之爲病。病灶之白血球。爲細菌攻破。因以結核化膿。而結核菌遂進行其破壞工作。今石膏既有增加肺細胞之白血球。更可消滅壞組織的細菌。故可治愈肺結核也。其理論甚佳。茲姑記於此。以供臨床實驗。而研討之耳。

滑石

劉行方

(一)屬類　含水硅酸鹽類 Silic te hydrata.

(二)產地　河南省方城縣。南陽縣。山東省蓬萊縣。益都縣。掖縣。廣西省桂林縣。雲南省亦產之。

(三)形態　雖屬斜方晶系。然晶形絕少。通常爲塊狀。片狀。纖維狀。緻密狀等之微晶質。呈白。淡綠。灰。諸色。具珍珠光澤。質軟。易於剝落。爪之有痕。比重二．六至二．八，硬度一．〇至一，五。不溶解於酸類。

(四)成分　爲硅酸鎂。及水分。化學分子式雖不定。大致爲$H_2Mg_3SiO_{12}=3Mg_3Sio_3+H_2Sio_3$百分中含硅酸六三分。鎂三二分。水分五分。常混含黏土。石灰。鐵等。

(五)性味　甘淡而寒。

（六）主治　本經－身熱泄澼。女子乳難，癃閉。利小便。蕩胃中積聚寒熱。益精氣。

別錄－通九竅六腑津液。去留結。止渴。令人利中。

震亨－燥濕。利水道。實大腸，化食毒。行積滯。逐凝血。解燥渴。補脾胃。降心火。偏主石淋爲要藥。

時珍－療黃疸，水腫。脚氣。吐血。衄血。金瘡血出。諸瘡腫毒。

（七）近世應用　清肺胃，舒暢膀胱尿道，通利濕熱，

（八）普通用量　三錢至一兩，

（九）炮製　研爲細末。水飛用。

（十）禁忌　凡脾臟衰弱。腎臟衰弱。及孕婦。俱禁用。

（十一）處方　配石膏。治女勞疸。配藿香。丁香。治伏暑吐泄。及霍亂痢疾。配煅石膏。枯白礬。研細末敷。治陰囊濕癢。及脚縫濕爛。配赤石脂。大黃。研末敷。治杖瘡腫痛。配山梔。治產淋溺閉。配海金沙。治小便淋瀝。

（十二）名方　紫雪丹－－治煩熱發狂。六一散。能清暑利濕

按：滑石屬含水硅酸鹽類。爲養化鎂 Magnesiumoxide Mg 所分解而成之礦物。爲岩石硬度之最低者。地質學上滑謂之變質岩 Metamorphic rocks 一種之晶質片岩。－滑石片岩 Talc sc-hist 石理成片狀。質頗柔軟。滑澤如脂故有肥皂石 Siap-stone 嫩石 Steatite 之別稱。爲利尿藥。並有清濕解熱作用。綜觀仲景用滑石之方凡六。豬苓湯。解渴欲飲水、小便不利。脈浮發熱者。百合滑石代赭石湯。治百合病下之後者。百合滑石散。治百合病變發熱者。風引湯。治熱癱瘓。主大人風引。少小驚癇。瘈瘲日數發者。蒲灰散。滑石白魚散。治小便不利者。皆以利尿。解熱。爲其治療目的。吳鞠通之三仁湯用之。治濕溫初起。甘露消毒丹用之。治濕溫時疫。統治症。有八正散。沉濕散。石葦散。琥珀散。海金沙散……等方。治小便不通。有木通散。滑石散……諸方。均以滑石爲主藥。時醫治癟疾有二法：（一）清涼滌暑法。治暑瘧。（滑石。通草。茯苓。甘草。青蒿。扁豆。連翹。西瓜翠衣。）（二）祛濕清熱法。治濕熱瘧。（滑石。通草。茯苓。甘草。連翹。廣皮。瓜蔞。蘆根。）亦以滑

六一散——能淸暑利濕。

石爲主藥。奏效頗捷。外科精義者齊德之曰。滑石治諸瘡久不愈。消熱毒腫。及金瘡出血不止。湯火傷滑石用之尤佳。故其所定諸方。如：翠霞散。白龍丹。桃紅散。生肌散。滄毒散、金白散。無不以斂瘡。消毒。潤膚爲主也。近代於皮膚病——面皰、頗賞用之、以其能制止皮脂腺多量的分泌、推爲特效藥、此外。若化妝品之香皂。燕脂膏。香粉。牙膏。皆含有滑石粉、無非取其潤滑之功耳。

驗方與治驗

治驗瑣記

石佛山農

病者：伍張氏

年齡：十八歲

病名：暑　風

初起情形：舊曆六月中，天氣燥熱異常，病者張氏，因勞作烈日之下而中暑，忽然仆地呢喃讝語，口舌旋動，若咀嚼食物者，嘔逆奇劇，自胃脘至頭前，上逆蠕動，歷歷可覩，嘔逆陣作時，兩目上視暫失知覺，間歇時則知覺清明，亦能應對，惟語音不清而已，時已傍晚，醫投蘇合香丸及菖蒲遠志川貝鬱金皂角等化痰開竅之品，服藥時下嚥異常困難，病者自捻頸項，至微發腫，然卒灌下半服，夜半後稍稍睡，盍家咸爲色喜，但不時驚惕呼號，突然跌坐殆徵曉而病態完全復舊。

治療經過：次晨余往診視，病態悉如上述，觀其神志清明，頸項柔軟，膝膕如常，當非腦脊髓膜炎之類，口無白沫，素無宿疾，又非羊癇之類，若爲破傷風，則牙關並不緊急，且無創口，按脈洪大六至調整有情，便祕尿赤，膚色鮮澤，亦與症狀相符，雖重而絕非死症，以時値暑令，無以名之，姑謂之暑風，暑爲熱，熱極生風，故百脈爲之牽動，此完全係運動神經之病，故與舊誌亦略有不同，循名責實，此病病原因在于暑熱各種症狀，全屬暑熱鼓動之所致，故言治法，則清泄暑熱，實爲要着，第此時所難考，藥汁不能下嚥卽無由發揮藥物之力量，因先以玉樞丹二錠，研細開水冲化，試服，歷時刻許，僅灌下半匙，其吞嚥之困苦狀態，有難以筆墨形容者，覩狀頗爲束手，蓋此種下嚥困難，完全係胃之逆蠕動過劇所致，非如牙關緊閉者之可以開口器濟事也，與徐伍二君共同磋商之下，定方如次。

草龍胆　八分　　京元參　三錢　　江枳殼　錢半

石决明　一兩包先煎　　荷　葉　半張　　甘菊花　三錢

川古勇　六分　　廣鬱金　三錢　　雙鈎鈎　五錢後入

夏枯草　三錢　　全瓜蔞　四錢切　　益元散　四錢包

川　芎　四分

處方仿自惲鐵樵先生之腦脊髓膜炎方，以泄熱定痙為主，川芎荷葉，取其上升達腦之義，次晨復診，知前方連進兩劑，均得勉強嚥下，夜間嘔逆上視，皆不知人，曾發三次，而以拂曉一次為最劇，診視之下，口之咀嚼狀態，業已減少，約與昨成五與一之比，蓋昨日之咀嚼動作，連續不斷，毫無休止，今已間時一動，於病程上似為減退，且嘔逆除陣作外已停止，病者已感愉適不少，於治療上亦為進步，復與伍徐二君定方如次。

羚羊角　二分另磨燉冲京元參　三錢　江枳殼　錢半

青龍齒　八錢打包先煎草龍膽　七分　鮮生地　三錢

廣鬱金　三錢　石决明一兩打包先煎　甘菊花　三錢

瓜蔞皮　四錢　益元散　四錢包　小川芎　三錢

夏枯草　三錢　打瓜蔞子　三錢　鮮麥冬　三錢

雙鈎鈎　五錢後入

又次晨復診，嘔逆上視，仍有發作，但少頃即止，不感十分困苦，咀嚼動作已止，惟口角時有牽動，可謂已愈大半，新痊絡脈不和，始覺下肢作痛，大便不解，火雖下降，難免其不再上焚，因議通腑氣以抽薪，和絡脈以疎滯。

薄荷　六分　炒香豉　二錢　忍冬籐　五錢　路路通　四個　天竺黃　八分　黃芩　二錢　生川車錢半　絲爪絡　三錢　江枳殼　錢半　山梔　三錢

元明粉　八分　蟬衣　一錢　木香　四錢

服後便解脈和，後與飲食調理而愈。

瑣感：方病者湯水不下時，復因自捻頸項，至微發腫，有疑為咽喉之病者、亦正相似，然呼吸並不困難，咽喉亦不紅腫，按其頸項，亦不覺疼痛，因斷其非是，熱病中驚惕不寧，本所時存，原不必由驚嚇所致，一般民衆，熟於兒科驚風之名，咸疑為必有驚嚇，紛延巫覡鎮壓，鼓鉦宣天，硝磺漫室，誠可歎也。

衛生雜誌廣告例

地位	面積	價目
封面	大半頁	四十元
底面	全面	四十元
封面裏	全面	廿八元
底面裏	全面	廿八元
封面第二頁	全面	廿四元
	半面	十二元
	四分之一面	八元
底面第二頁	全面	廿四元
	半面	十二元
	四分之一面	八元
普通	全面	廿元
	半面	十二元
	四分之一面	八元

一 封面底面裏外均用二色套版印不另取資

一 代製銅版鋅版費另加

一 代繪圖樣費另加

一 惠登廣告者贈本刊一册

衛生雜誌第三十一期卽四卷一期

中華民國二十五年八月一日出版

主編者 國醫張子英

發行者 衛生雜誌社 上海大東門內肇嘉路一七六號

印刷者 晉新印刷所 電話二二二二四

分發行所 五洲書報社 上海山東路二三一號 電話九二四七六

分售處 中醫書局 中國圖書雜誌公司 上海雜誌公司 各省書局

衛生雜誌定價表（費須先惠）

出版	月出一册	全年十册逢二八月停刊
價目	大洋一角二分	大洋一元
附註	郵費在內	國外加倍
	郵票代洋以一分五分爲限	

▲社址▼ 上海芝罘路益豐里八號

天津馮氏斷癮救苦金丹 戒烟第一

▲風行六十餘年斷癮數百萬人▼
▲中央禁烟委員會張主席題獎▼
▲歷任大總統黎徐曹諸公嘉獎▼
▲專戒鴉片紅丸海洛因嗎啡癮▼
▲戒時照常吸烟逐日見烟自厭▼
▲輕癮一二料重則三四料戒淨▼
▲每料祇收藥本大洋一元五角▼
▲外埠函購起碼兩料寄費加一▼

贈券

戒烟捷徑內容豐富凡三四餘萬言人手一册益趣無窮函索立卽原班寄奉

救苦金丹發明於清同治七年，迄今已歷六十七年，其藥性的王道，功效的神速，遐邇馳名，歷古各地官廳嘉獎保護，博覽賽會屢獲褒獎，服者斷癮謝函不可勝計，詢爲戒烟藥中第一祕寶，絕非市上一般投機劣藥所可比擬，服之毫無副作用，于安全中戒絕，決心戒烟，捨此莫屬。

功效 宣導烟積，剷除烟毒，打倒犯癮，潤腸滋陰，增加血液，照常辦事，不害腸胃，增多飲食

成分 採取珍貴國藥，精密監製，功效竣速，與普通毒質抵癮戒烟藥絕不相同，亦不反癮重吸

服法 每晚臨睡時，用溫白開水送下，白天勿服，切勿過量多服，次晨口渴乃藥力達到之現象

代理

本埠先施永安濟華堂中英太和中西藥英五洲中法華英南洋正威等均售

▲**上海** 白克路西大通路口 **天津峻芝堂駐滬發行所**

▲德國政府特許專賣的內分泌物結晶製劑長壽防老特效聖藥！

德國壽爾康補丸

▲確爲固腎培元之聖品・眞是生精益髓之奇藥！

▲改變損壞的舊體質・恢復青春時代的幸福！

▲怎樣使老年人享青春幸福？

▲怎樣使夫婦間得魚水之歡？

▲怎樣使乏嗣者可一索得男？

唯有購服眞正 **德國壽爾康補丸**

壽爾康：是德國愛特諾博士發明，用最名貴之動物臟器製劑，獨具改造生殖機能的絕大權威，凡年老力衰之男女，服之立能恢復其青春時代的生殖機能，歷經實驗，百試不爽！

生殖：是人類天賦的本能，康健的男女個個人生殖的能力，男性的睪丸，女性的卵巢，就是生殖力的主宰，如果因『房事過度』『衰老虛弱』『生理變態』等原因而致內分泌腺發生障礙，則生殖機能亦即消失矣：

男用壽爾康：專治神經衰弱，陽萎早洩，夢遺滑精，生殖無能，諸虛百損，確具滋陰扶陽生精益髓老翁種子的奇效。

女用壽爾康：專治婦科子宮病，經血不調，宮冷白帶，氣血虧虛，久不孕育，有補血調經溫宮催孕古井重波的驚人的特驗，男服男用壽爾康，女服女用壽爾康補丸。

▲壽爾康之結晶成分與特效

A：盼荷爾蒙（PAN-HORMON）阻止衰老
B：大腦腺素（CEREBR-SICC）補腦健神
C：腦神經粹（HYPOPHYSRGLANd）恢復性
腺
D：攝護腺炎（PROSTAT-GLAND）亢進器官
E：男睪丸素（TESTES-SICC）性官能病
F：女卵巢素（OVARIA-SICC）性官能病
G：心臟血素（HEANIOGLOBN）補血造血
H：腎上腺素（SUPRARENAL）補腎強精
I：臘雪基（LECITHINE）療虛補損
J：浦歐麥（EXTRPUIRAPUAMA）強壯精神
K：變當素（EXTRPURN）改造體質
L：維他命（VITAMINE）繁殖益髓

▲德國安諾特博士心血發明▼

▲德國威彌鄧大藥廠新創製▼

上海江西路二六四號 柯爾登洋行總理

贈券

科學的臟器療法壽爾康詳細說明書函索憑券寄上海本行當卽原班寄奉

HEALTH MAGAZINE

衛生雜誌

中華郵政特准掛號認爲新聞紙類
內政部登記證警字第二八二九號
社址上海芝罘路北益豐里八號

第四卷第二期（即第三十二期）

本期要目

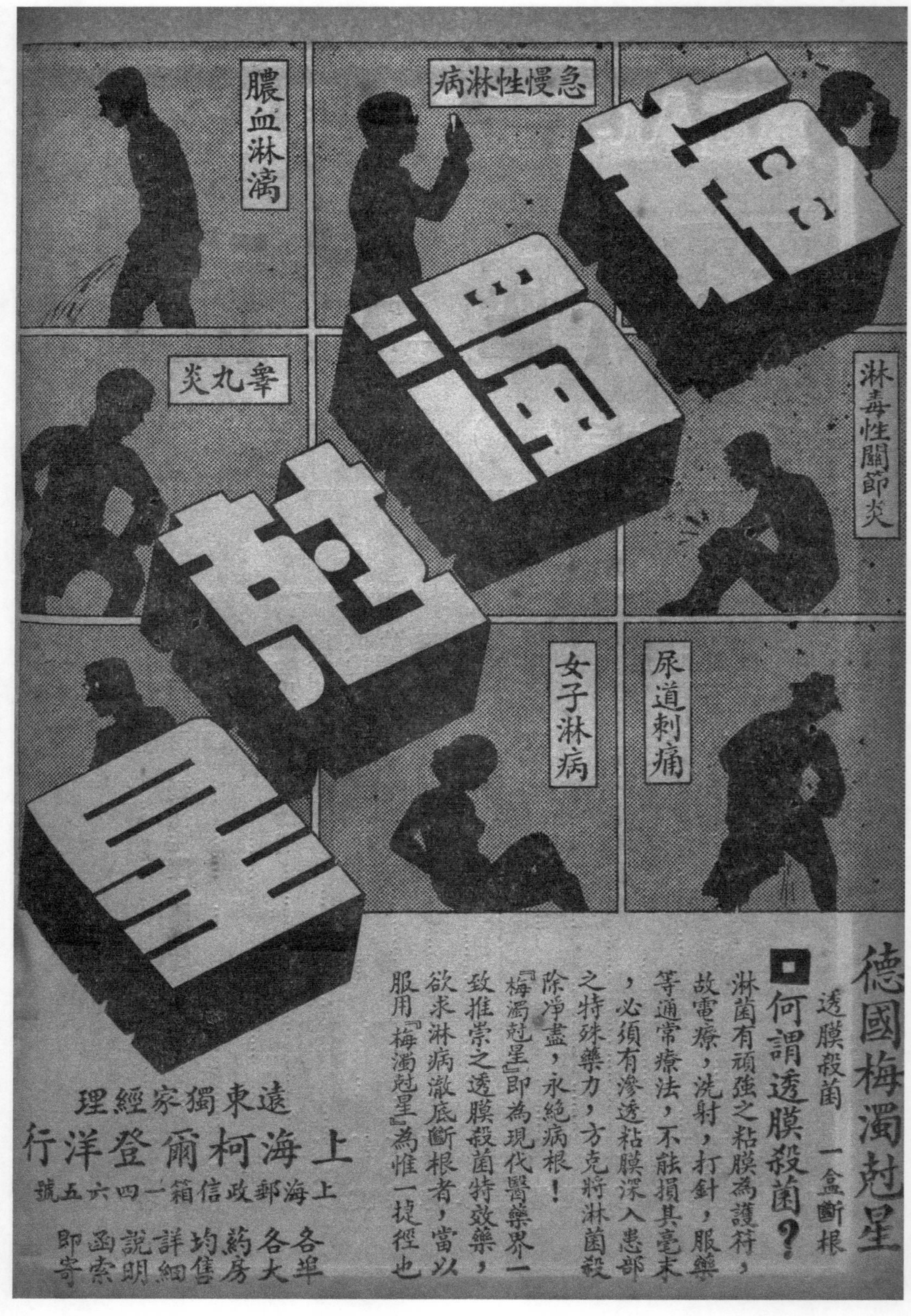

膿血淋漓
急慢性淋病
睾丸炎
淋毒性關節炎
女子淋病
尿道刺痛
梅濁尅星
德國梅濁尅星
透膜殺菌 一盒斷根
何謂透膜殺菌？
淋菌有頑強之粘膜為護符，故電療，洗射，打針，服藥等通常療法，不能損其毫末，必須有滲透粘膜深入患部之特殊藥力，方克將淋菌殺除淨盡，永絕病根！『梅濁尅星』即為現代醫藥界一致推崇之透膜殺菌特效藥，欲求淋病澈底斷根者，當以服用『梅濁尅星』為惟一捷徑也
遠東獨家經理
上海柯爾登洋行
上海郵政信箱一四六五號
各埠各大藥房均售
詳細說明函索即寄

小談論

環境和康健

編者

從事實告訴我們。環境和康健。總是相依爲命的。有時候。牠倆并且有循環性的。原來遇到環境優美的時候。康健也隨之而來。中國有句古話說得好。「心曠體胖」。遇到環境惡劣的時候。康健很勢利似的去了。病魔隨之而來。所謂「貧病兼之」。其實一個人環境的美劣與否。完全靠着自己努力去奮鬥。能夠支配環境的。就是能夠戰勝環境。康健就不會跑去。所謂「窮且益堅不墜青雲之志」。不能夠支配環境的。雖然環境優裕。康健也會跑去。所謂「財多身弱」。還有環境十分優美的人。因爲生活非常安逸的緣故。非但不進一步求其更完美的境地。反而飽暖思淫慾地。做出些出賣良心出賣人格的事情來。弄到康健也跑去了。環境逐漸變爲惡劣。環境非常惡劣的人。因爲生活非常艱難的緣故。勵精圖治。刻苦勤儉。每日作有規則的生活。自然身體康健。環境也逐漸變爲優美了。所以環境和康健。是相依爲命。并且有循環性的。完全靠着自己去支配牠們的。

衛生雜誌第三十二期目錄

食料衛生

藥物研究

驗方與治驗

鎮江唐家老一正齋

鎮江城內

五條街

萬應靈膏

▲此膏耑治一切諸病必須依經按穴貼之立有奇效▼

五勞七傷　負重傷力　筋骨疼痛　骨節酸痛（貼兩膏肓穴　並腎俞穴）

心胃兩氣　胸膈不寬　肚腹飽脹　脾胃虛寒（貼膻中穴並中脘）　受寒噁心　咳嗽

吐痰　痰喘氣急（貼華蓋穴膻中穴並肺俞穴）

腦寒痰壅　鼻塞腦漏　偏正頭風（貼風門穴）

左癱右瘓（手足麻木）（手貼肩井并曲池穴）足貼大陵并跗踼穴）

漏肩疼痛（貼兩肩井穴）

寒溼脚氣　鶴膝軟弱（貼兩三里穴）　腰疼背痛（貼命門穴）

小腸疝氣　偏墜木子（貼氣海穴）　渾身走氣（貼章門穴）

男子遺精白濁　精寒走泄　淋滑不固（貼關元穴並兩三陰交穴）

婦人赤白帶下　子宮久冷　血血崩漏　（貼關元穴並兩三陰交穴）

瘧疾　男子（貼左天府並間使穴）　婦人（貼右）　痢疾泄瀉　（貼丹田穴）

▲凡跌打損傷無名腫毒瘰癧坑癬初起溼痰即婦人乳症並痞塊積食氣痞等班不必尋穴可貼患處忌鬼箭火症懷胎孕婦忌貼

◉另有穴道圖附方單◉

價目表

▲小號紅布膏▼　雙料大洋壹角二分　加料壹角八分　加重料三角

▲中號紅布膏▼　雙料大洋六角　加料大洋九角

▲大號化痞膏▼　重料大洋一元二角五分　加重料大洋壹元八角

▲大紅貢緞膏▼　大號雙料緞膏大洋五角　大號加料緞膏大洋壹元

▲如欲另加原寸仁者每分大洋壹元貳角至少一分起碼

▲各省區域諸寶號欲經售小號膏藥者本主人極表歡迎並有特別利益欲知詳細章程函索即奉

◉代售處◉

▲山東濟甯州孫玉堂　▲山東兗州紫陽醬園

▲山東泰安道生茶莊　▲山東博山縣德厚成

▲山東單縣源隆茶莊　▲山東金鄉西長舉泰

▲山東鄆城縣和豐永　▲河南陳州德聚祥號

▲河南開封省廣大號　▲徐州南門廣濟永號

▲徐州沛縣王保和堂　▲徐州碭山縣景泰隆

衛生言論

從世運落選談到衛生康健問題

自新

唉。說起來。眞慚愧得很呀。轟動全世界的世界運動大會舉行了。我國耗費二十餘萬金。派遣選手代表百數十名。冒暑遠征。正式參加。這是全國人士都抱有熱烈的希望。尤其是此次柏林的第十一屆世運大會。我國派遣選手參加。是破題兒第一朝。當然希望獲美滿的榮譽。不願意顯醜。乃事實竟有出於意料之外。田徑游泳和各項球類比賽。我選手把決賽的資格。也落選了。全軍覆沒。令人氣沮。不特貽笑友邦。抑且愧對國人。唉。這是不必怪我選手。尤其不必對於選手表示不滿。從此之後。全國人士應該把衛生康健問題。認眞講求。養成健全的體格。和奮勇的精神吧了。

這次我選手對於世運會的失敗。原因雖然不一。但是我國靑年平常時候對於衛生康健的欠缺。已無可諱言。從此我國人被稱爲十足道地的東亞病夫。也不庸推卸了。

我選手對於世運會落選的原因。當然大部份在衛生康健問題。現在依我的猜測。把失敗的原因分析起來。有下列的幾點。請大衆來研究。

(一)我國種性的怯弱。　這是包括先天性和遺傳性的種子。因爲我國素來尙文輕武。種子是文弱的。決不能產生康强的健兒。

(二)保健之道的欠缺。　我國靑年平常時候。保健之道欠缺。體格比不上友邦各國選手的健全。是此次失敗的最大原因。

(三)冒暑遠征路途勞頓。　此次我國選手。冒暑遠征。難免路途勞頓。水土不服。發生身體虧弱等狀。

(四)不知利用營養救濟。　對於決賽運動之先。人體將要消耗多量糖分。宜多食糖分豐富的食料。使增加體溫和筋力。關於這一點。恐怕我國選手不知利用營養救濟。以增加臨時性的體格健全。

(五)見機不敏捷。據我國選手決賽起首遲緩。也是失敗原因的一種。這是見機不敏捷。也屬於衛生康健問題的。

以上幾點。不過鄙見的猜測吧了。總括一句話。從這次世運失敗的教訓之後。我們對於衞生康健問題。也許要特別注意才是。

談吃飯問題

綠

人類不吃飯是萬萬做不到的。但是吃得多吃得少的問題。已成當古今醫界爭論的焦點。

大概從前的理論。偏重於吃得多的方面。所以古人有『努力加餐』等類的格言。凡是吃飯吃得多的人們。精神總應該是飽滿的。體力總應該是强健的。那麼壽命也應該是比較永長的了。可是最近的學說。却完全掉轉了一個方向。認爲人身只須採取相當的營養料。而不必以多爲貴。吃飯吃得多。只能變做毫無用處的排洩物。且可引起消化不良等類的疾病。而予身體以莫大的損害。他們並舉出很多的證據。例如西洋人吃麵包吃得極有限。便是同樣吃飯的日本人。每餐只吃小小一碗飯。而中國人平均的食量。每天至少在六大碗以上。(當然都市的居民吃得較少。而鄉下人絕對不止此數)。中國人每餐的食量。足抵日本人一天的食量而有餘。但是日本人精神及體力。却未必較之狼吞虎嚥的中國大飯桶稍有遜色吧。

不錯。我國雖號稱以農立國。而每年糧食不足。進口洋米有驚人的數量。假使中國人不願意把國家吃得更窮困。不願意由『大飯桶』進而爲天字第一號的『造糞機器』。那麼在這國難嚴重的情況下。只有切實地奉行『節衣縮食』的主義。只有細起肚皮去學東鄰的好榜樣。但人類胃部的容量是有區別的。假使叫一個胃力甚强的粗漢。減少其所需的食料。不啻施以變相的苦刑。

關於減食延壽的學理。有一位曾任江西省長的陶家璉先生。是個有力的證明者。他活到七十三歲。現在在南京主持殯儀館事務。但他自己距就木之期似乎還是很遙遠的。人家問他長壽的經驗。他不慌不忙。簡簡單單三句話。『早飯吃得早。中飯吃得飽。晚飯吃得少』。他已有十五年不曾吃過晚飯。早上只吃一碗麵。而所謂吃得飽的中飯。亦不過小小一碗飯而已。他這樣小的食量。日本人見了會要咋舌稱奇。洋米商見了會要搖頭歎氣。

編者按。吃飯吃得多和吃得少問題。已成爲近代衞生家討論的焦點。從事實告訴我們。不論多和少。總要每日攝取相當數目的營養料是了。不過談到營養料一層。漫無標準。尤其一般民衆。更加無從遵循。但是我國素來有一個極妙的營養料標準。就是我國南方人是吃飯的。最壯健的人。每餐至少必須吃三碗飯。若是患病底時候。只能吃一碗飯或二碗飯。就是營養料不足。疾病還未復原啦。

還有一種事實。平常只吃二碗飯的人。力氣總比平常吃三碗飯的人來得小。所以古人說「努力加餐」四個字。還不可以湮沒啦。

總括一句說。但是我們只要每日攝取較飯營養料更加豐富的食物。雖然每餐少吃一碗飯。也沒有關係。試看嗜酒的人。每餐非飲酒一二斤不可、再加食相當悅口的菜肴、但是吃飯的飯量很少、每餐不過一碗或半碗、而體力尚不衰退、這是足以證明營養料攝取的充分、吃飯吃得多和吃得少、沒有影響到人體了、

學術研究

論國藥的鈣質劑

張子英

我們人體內的組合物。需要多量的礦物質。如鈣、鈉、鉀、鉄、錳、綠、燐、及硫黃質等。據西醫的學理研究。以上許多礦物質。是分解蛋白質。營新陳代謝作用的結合物。簡單地說起來。沒有充分的礦物質。和分解物結合。不能排洩。而產生毒素。成爲病象。所以蛋白質的分解物。需要礦物質來結合。論到礦物質。對於人體的功用。還是很多咧。現在不必瑣述。單就鈣質來講。據人體內的骨格。是需要大量的鈣質。嬰兒初自母胎裏出來之後。徐徐發育骨格。就是要充分輸送鈣質的時候。

西醫的鈣質製劑。如三鈣劑、長命新鈣等。近來出品種類很多。大抵對於肺癆、腺病、腹膜炎、氣管枝炎。及一切滲出性疾患、胃腸、膀胱、婦人科之出血症狀。以及神經衰弱、神經過敏、皮膚疾病、炎症性疾患、丹毒等。俱可用鈣劑治療。所以西醫對於鈣質治療上也非常注意。

回顧中醫界。對於國藥的鈣質劑。漠不關心。鮮有闡揚鈣質的文獻。爰就平常臨症所得。關於鈣質予我的影象。叙述於后。

國產藥物中含鈣質最豐富的。要算是牡蠣、蛤壳、文蛤、蚌粉、石決明、鹿角、海螵蛸、……等物。石膏也含硫酸鈣很富。此外鈣石屬如方解石寒水石等。均含有鈣質。蛋殼和牛羊鷄鴨等動物的骨格。也都是鈣質。

鈣質對於人體的作用。入胃後。能中和胃內的鹽酸。所以能增加消化力。治療胃酸過多的胃病。入腸後。能減少腸粘膜的分泌。使大便結實。治療大便滑泄等症。入喉頭氣管和肺部。能制止支氣管粘膜的分泌。治療咳嗽肺結核。一部份由胃壁腸壁而入血。增大白血球效用。能使血液凝固力强硬。治療吐血咯血便血等症。幷有小量燐酸鈣。能促進全身細胞之新陳代謝。對於腦神經尤有顯著的功效。

近來以鈣質治療肺癆的聲浪甚高。醫師的實驗報告。也散見於各醫藥週刊和雜誌中。甚至於有藉石膏的鈣質成份。而治愈肺結核者。石膏治肺結核的藥理作用。據說石膏主要成份的含水硫酸鈣。有增加白血球數量。使加增血液凝固力。刺激細胞，完成新陳代謝的功效。而結核病灶的白血球。已為細菌攻破。有殺滅細菌。消除壞組織。改造新組織的可能云。

用鈣質治愈肺癆咳嗽吐血，余曾經實驗過。患者為年約三十餘歲的婦人。患肺癆咳嗽吐血已半年。精神萎靡形體瘦削。經百計醫治。吐血不止。後用生牡蠣半斤，濃煎每日代茶常飲，二星期後。吐血完全停止。而咳嗽減少。另服六味地黃湯加減藥。而精神漸健。胃納增加。逐漸向愈了。

鈣質治療腺病，在醫籍上時有發現。原來人體肝臟為極大的腺體。如瘰癧橫痃痰核等症。是琳巴腺腫大的緣故。都稱叫腺病。可用鈣質劑治療。中醫用牡蠣治瘰癧。屢見神效。用牡蠣海螵蛸治白帶白濁等滲出性疾患，制止粘膜的分泌。亦見效驗。

血症的應用鈣質劑治療，因為鈣質入血份。有凝固血液的力量，所以中醫治肺癆吐血。多用牡蠣蛤殼等品。

神經症應用鈣質劑。因為鈣質有鎮靜神經的作用。所以本品應用於神經過敏性驚癇痙瘲。和肝氣上逆等症。金匱風引湯。用龍骨牡蠣石膏寒水石等藥。也取其有鎮靜神經的療效。

燐酸鈣是能促進全身細胞之新陳代謝。尤其能促進腦神經細胞。而國藥的鈣質劑。——鹿角或鹿茸。含燐酸鈣尤其豐富。所以能治療神經衰弱性遺精病。龍骨牡蠣也含燐酸鈣。所以也有治愈神經衰弱性遺精的可能。同時龍骨牡蠣，能鎮靜神經。也可以治療神經興奮性遺精。就是中醫所說的相火過旺的遺精病。

總之國藥的鈣質劑。如牡蠣、蛤殼、石決明、海螵蛸、鹿角等物。應用於肺癆、腺病、氣管枝炎。一切粘膜炎。吐血、咯血、便血、子宮出血、神經病。俱有相當效驗。而小兒發育不全。軟骨病。佝僂病。胃酸過多症。更加需要鈣質治療。願吾同道。對於鈣質的治療上。特別注意。勿使西藥鈣質劑專美於前吧。

論喻氏逆流挽舟治痢

道明

痢疾治法。不論中醫西醫，多採用通因通用法，而以下劑或灌湯蕩滌腸胃，為治痢必經之法門，自喻嘉言氏發明逆流挽舟之法。用桂葛鼓邪外出。用敗毒散升提邪濁。後世學者多非之。認爲暑濕所成之痢。妄用升提之品。難免邪濁上衝。肺胃受病。再增嘔吐呃逆諸症。乃經驗告示吾人。暑濕所成之痢。多由於暑熱之際。恣食生冷冰食。熱氣無由發洩。鬱遏腸胃。蓋火性炎上。本須由口鼻皮膚放散。乃被冰冷食物。或風寒外襲。遏止去路。則腸胃濕熱鬱結。腐化生菌。而成爲痢疾。醫者用下劑以蕩滌腸胃。實有殺鷄焉用牛刀之譏。其稟體壯健者。倘不至於攖禍。其稟體虛弱者。鮮有不肌瘦神衰者。况乎潮流所趨。夏日暑熱。恣意啖冰食。冰汽水。或瓜菓者。尤盛於昔日。則痢疾之成。非暑熱由寒冷遏止而何。所以近來治痢。予遵喻氏逆流挽舟法。輒應手即效。而大得病家之滿意。既無攻下蕩滌腸胃之痛苦。又形體不見瘦削而痊愈。

近賢張澤霖氏。亦盛稱喻氏逆流挽舟治痢。用敗毒散所獲得之療效甚夥。並述痢之原因。固爲暑濕積滯。然其誘因。則有風寒。故現身熱頭痛之表症。羌獨蘇荷。發汗達表藥也。使外感之邪。從外而解。內蘊暑濕。水能下行。痢爲大腸疾患，肺與大腸相表裏。故用前胡桔梗以宣肺。柴胡治胸滿。茯苓利濕。川芎和血。枳殼寬膈。姜草溫中調胃。合諸藥爲一方。則外邪解而裏可安。不用消導而積自去。故爲痢症初起有表病而裏邪不重之特效方。至於久痢不愈。則本方又能施治。蓋久痢傷脾。中陽不運。濕愈困。脾愈虛。古人有風藥勝濕之語。借羌獨前桔芎荷。以鼓動消化機能。暢運脾胃。且風藥兼具殺菌作用。用柴桔升陽寬中。草苓補脾益氣。生薑刺戟腸胃。興奮血管神經。增加蠕動力。若再加參芪。則收效尤捷也。

惟痢疾見症繁複。如發現乾嘔。胸痛。呃逆。苔膩。脉數。及無表症者。敗毒散不可用。痢久陰傷液竭者。亦不可用。通常治法。黃芩黃連之中。稍加桂枝。亦足以鼓邪外出。此乃喻氏逆流挽舟法之精妙處也。

血暈談屑

秦又安

產婦血暈。方書皆釋爲瘀行不暢。惡血冲心所致。世俗遂以袪瘀爲不易之治法。而產婦之受其害者多矣。原夫血暈由於脫血過多。百脈空虛而成。理宜大補氣血。况甫產子宮未固。驟用袪瘀。難免損新血之戒。故有淸傅氏。力闢其謬。眞知灼見。可謂先得吾心。奈世俗不讀其書。仍惑惡血攻心之說。嗟乎產婦何辜。枉遭屠戮。爰錄傅氏之論於後。冀世俗之一改。免產婦之危乎。

婦人甫產兒後。忽然眼目昏花。嘔惡欲吐。中心無主。或神魂外越。恍若天上行雲。人以爲惡血冲心患也。誰知是氣虛欲脫而然乎。蓋新產之婦。血必盡傾。血室空虛。祇存幾微之氣。倘其人陽氣素虛。不能生血。心中之血。前已蔭胎。胎墮心中之血。亦隨胎而俱墮。心無血養。所賴者幾微之氣以固之耳。今氣又虛而欲脫。而君心無護。所剩殘血。欲奔救主。而血非正血。不能歸經。內庭變亂。而成血暈之症矣。治法必須大補氣血。斷不可單治血暈也。或疑血暈是熱血上冲。而更補其血。不愁助其上冲之勢乎。不知新血不生。舊血不散。補血以生新血。正活血以逐舊血也。然血爲有形之物、難以速生、氣乃無形之物、易於迅發、補氣以生血、尤易於補血以生血耳、方用補氣解暈湯。人參一兩生黃芪一兩。當歸一兩不酒洗。黑芥穗三錢。薑炭一錢。此方藥祇五味。而組織極爲精密。用參芪以補氣。使氣壯而生血也。用當歸以補血。使血旺而養氣也。氣血兩旺。而心自定矣。用荊芥炭引血歸經。薑炭以行瘀引陽。瘀血去而正血歸。不必解暈而暈自解矣。或有難余者曰。如子之論。則產後以補虛爲主。切忌行瘀。然則靑主生化湯。何以爲產後主方哉。余曰生化湯固爲產後之良方。惟靑主不曰用於甫產。而曰產後之主方。已有別矣。所謂甫產者。子方下地也。此時陰血大脫。子宮開裂。復用生化以動血。豈不重耗其陰。而虛其虛乎。且如遇產後血暈。用鐵錘燒赤。以醋沃之。薰產婦之鼻。而得甦者、因醋有收斂氣血之功、以制其耗散也、所謂產後者。言新產數日之後也。此時或有離經之瘀血。停留作痛。方用生化湯以袪之。設不明此義。徒持袪瘀。殺人如草。罪可逭乎。

改造人類性情

趙震

凡病不外乎內因外因及不內外因、而內因病多發於肝臟、肝之主體本爲剛臟。大抵應用柔潤藥、如丹皮白芍地黃之類。且肝爲極大腺體、又爲一身神經之主宰、所以神經之過敏與衰弱、當以左關脉象察之、弦數或弦大者、爲肝熱旺盛。性情多暴怒煩躁。發現頭痛眼赤便血痔瘡胸悶脇痛瘰癧咳逆等症。細濇或細小者。多現虛象。如神經衰弱失眠。遺精陽萎遺溺腰痠骨楚倦怠健忘。性情和藹好靜。音低懶語。並發現貧血性頭眩耳鳴等症。所以人之性情。無故而易於動怒者。無故而易於煩燥者。或時常戚戚不樂者。或時常抑鬱憂悶者。皆神經使然也。欲改造人類性情。必先改造人體內神經。神經之衰弱與過敏。實能左右人類性情。雖然俗語說。「江山好改本性難易」。現在科學倡明時代。豈有性情不可改易之理乎。現在德國大學教授著名醫藥家安特諾 D R. J. Andernack M. D. 博士。已經研究成功。發明改造人類性情之特效藥。(內分泌結晶製劑壽爾康)。安氏醫理。謂性情暴怒煩燥者。卽爲神經過敏之象。非涵養神經不可。壽爾康補片製劑。內含壯健動物大腦素及神經粹等成分。能補充人體內分泌液之不足。以涵養神經。抑制過敏。改變暴怒煩燥。爲和藹溫柔之性情。性情抑鬱寡歡者。卽爲神經衰弱之象。非補益神經不可。壽爾康補片製劑。內含壯健動物大腦素及神經粹等內分泌液成分。能刺激人體內臟無管內分泌腺。以興奮神經。補益衰弱。改變抑鬱寡歡。爲恬怡愉快之性情。自安氏改造性情之特效藥研究成功。凡神經衰弱與過敏所引起之各病。如陽萎早洩。夢遺滑精。發育不全。種子艱難。月經不調。未老先衰。面黃肌瘦。食慾減退。夜間失眠。頭暈眼眩。腰酸背痛等症。皆可以應用壽爾康補片治療。靡不奏效如神。

本刊衛生顧問章程

(一)本刊經大衆訂閱者之要求。闢設衛生顧問欄。以便醫藥上疑難問題。及病因症治藥性等。作公開之討論與研究。若依本章程投函詢問。當卽照來函解答。

(二)重要問題。除依來信直接通函答覆外。本刊得隨時將答案披露。以便同志之研究。

(三)疑難之答案。須檢查醫籍。詳細考慮者。至遲須一星期可以答覆。

(四)不答覆之問題如下。(一)來信記述不詳者。(二)意義不明者。(三)要求立得藥方者。(四)無關醫藥者。(五)委託評論藥方之是非者。(六)本社同志學識所不及者。(七)無覆信郵費者。(八)無衛生顧問劵者。但不答覆者。不答之理由。覆信聲明。

(五)來函概用中式紙張。繕寫清楚。附覆信郵費一角三分。並附寄下列衛生顧問劵一紙。

(六)來函寄上海法租界薩坡賚路北永吉里十四號

衛生常識

胎產衛生一夕談(續)

丁福保

產婦之處置

一 消毒之必要

因產兒而殞命者，其中四分之三屬產褥熱。爲難產而死者，僅四分之一而已。此可懼之產褥熱，殆皆由生產時外界黴菌侵入而起。卽因產時使用之綿紗，脫脂綿，器械等消毒不愼，致附着其上之黴菌得以侵入子宮而起。然黴菌何以易於產後侵入婦人體中耶，蓋產後子宮內側有胎盤與卵膜剝落之創痕，又產道有胎兒擦傷之裂口，此等創面，不絕滲流傷液，(卽惡露)，此傷液乃血液與其他漿液之混合物而爲黴菌發育之最好培養液也。加之此時產道及子宮之溫度，均在三十七度以上，故尤適於黴菌之發育。又子宮之周圍，因妊娠中營養胎兒之需要而備有多數血管及淋巴管，故黴菌一經侵入子宮發育增殖後，卽得由此等血管或淋巴管侵入全身，尤易侵入其鄰近之腹膜。若侵腹膜時，遂起產褥熱而置產婦於死地矣。此外黴菌易襲褥婦之理由，卽爲斯時其體質不如普通婦人之健康也。讀者至此，則產時使用之物品，其應如何清潔與消毒者，可知矣。

二 將產之初兆

曾一度產兒之婦人，依其前次之經驗，概知將產之初兆。惟初產婦多不明瞭，故或準備過遲，又或接生太早，皆足以困人者也。

通常妊娠既至第十月之末，則下腹必感二三度之突然膨大。將至產前，則其回數漸增，而其發作亦極不規則。由此不規則而忽至有規則時，卽一小時發作二三次且其張度漸强。而可感疼痛時，斯卽開始生產之喜兆也。此時先有少量之血與粘液混合流出，非急迎產婆準備接生不可。

普通生產，先必張大下腹而發陣痛，然亦有下腹毫不感覺張大，亦無陣痛，卽先流出少量之血或水狀液體，而後次第感覺腹張而卽生產者。此則當其流出混合液體物時，卽宜靜就產床與急迎產婆始可。倘其血或水狀液體流出過多時，則爲非常現象(前置胎盤，早期破水)，而須特別注意。

三　產前之準備

A　產婆、醫師、助手

通常婦人生產，信賴穩健產婆已足。但其間每至變起倉卒，例如忽起大出血等症時，倘無醫師在旁，則非產婆之力所能挽救矣。然此事甚少，且立接迎接醫師甚難，故婦人臨產，莫如住入設備完全之產科醫院爲最安全。

又當產時，產婆醫師之外，宜擇一熟識其家事務並有相當年齡之婦人以爲助手，因爾時須禁閒人入產室也。

B　產時必需之材料及器具

湊成一箱之分娩用具，可於藥房或醫療器械店購得。然此未必一無缺點，故以商諸產婆與醫師爲宜。尤以產時直接使用之繃帶、綿紗、脫脂綿等材料，非請產婆或醫師充分消毒之不可。

舊時每以破衣爛布以爲分娩之用，其中蓋不知附着億兆黴菌，萬不可用，用則危險至極。

此外更應備中型之清潔洋瓷盆三個（以二個盛溫水，一個盛消毒藥水。此盛消毒藥水者，尤非瓷盆不可。蓋他種容器盛消毒藥水時，有立卽腐蝕之虞）。以爲產婆或醫師消毒或洗滌之用，又安全便器，洗兒盆，大型浴巾，嬰兒衣服，以及預備產婦更換之衣服（冬季母子之衣，均須先使溫暖），均須事先準備妥當。冬期於上述各物之外，尙須備置湯婆子數個。至於尿屎墊子等物，自應早已製備。

四　產室

產室須閑靜清潔，空氣流通，光線充足。又須寬廣，至小亦須一方丈以上之室始可。又產時使用湯水甚多，故又須選擇便於輸水之處。又產後安臥期間之以便器承受大小便，乃權宜之事。倘稍經時日及經產婆或醫師許可時，自以上廁而便爲宜，因此產室又宜接近便所，但接近過甚，以致臭氣混入產室。

夜間室內宜備明亮之燈，如可辦到，更宜保持室內溫度爲攝氏二十度左右。又宜防範戶隙賊風，及將不用或發散臭氣之物，擯出室外。

五　產牀

舊法接生，產婦皆生產於大便桶之上，最不相宜。今改用新法接生，皆產於牀上，故宜詳言產牀。

產牀宜墊以普通之被，因過厚則產婦臀部必深陷入被中，致使產婆不便接生，被上宜敷白布，布上又須鋪以大油紙或橡皮布。此上當產婦臀部位置，更須墊一約三尺見方之蒲團。此蒲團之作法。底須用厚油紙，表須用綿紗布，中間則襯脫脂綿，如此則產時所出之羊水及血等物，可悉被其吸收，不至污染被褥。

產室甚寬廣時，則宜置產牀於其中央。使其各方通行便利，室不廣時，則將產牀一端接近一壁之中央，而使產婦之頭向之。左右及足向之三方，均宜通行無阻。足向之方，更宜對窗受光。

冬季產時覆蓋上身之被，亦宜輕薄，但產畢即宜換蓋厚而暖者。

六　產衣

產衣以輕寬單薄爲宜。產畢更換時，冬季則取厚而暖者。

蓐婦須知

產後心體俱疲，亟宜安臥。又子宮產道之平復創傷及子宮之縮回原狀，需時約自六週至八週之久，尤以初期三週爲

最危險。其間若不養生，則起種種故障，甚至引起產褥熱以危害生命，又或釀成痼疾以遺累終身。故須潔體（衣服用具消毒）安心，嚴防大患。

一　產褥室

普通多以產室繼充產褥室，而其注意之點，二者亦略相同。即產褥室亦須相當之廣闊，亦須閑靜，向陽。空氣流動，不用之物，亦宜擯諸室外。室中氣溫，亦須調節適度是也。

舊時產後閉戶緘窗，乃不良之習慣。然產婦當風，易罹感冒，故須防賊風之襲體，然須開高窗以通氣。

二　就褥期間及其注意

產後安臥，至少亦須一星期，如能辦到，則以二星期爲佳。

產後最初三日間，必須仰臥，其後如無異狀，則可兼行側臥。但須左右交替，以防一側充血。又產後一週以內之食事，授乳，大小便等事，必須於床上行之，且不宜起身，一週以後如欲坐於床上行此等事時，亦須經產婆或醫師之許可。且初坐之時間宜短，如無事變，則可將其時間漸次增長。

十日乃至十四日以後，惡露已少，子宮亦已不能自腹外觸知，於是可徵詢醫師或產婆之意見而離牀矣。離牀以後，無理妄動，仍為不可。又產後易傷風，故離褥室，不可太早。夏季以三週為限，冬季則以四五週後出室為佳。此事雖迫於家務，亦當勉力遵之。

產後須經三四週間始可入浴。六週以後，始可操作輕便家事。六週以前之末期，卽自回復健康甚早者言之，體中仍稍異於常人，故須節制一切，不可妄動。

以上所述，不過自其大體而言。至其確實標準，則須以子宮之回復狀態與惡露之停止狀態為轉移，然此等狀態，人各有異，難以定論。故須諮詢產婆與醫師之意見，始可免錯誤或不測之危險。又最要者不可早犯房事，犯則有生命之危險。

三　衣服與被褥

衣服亦以輕寬為宜。

被褥以能保溫為適度，不宜過厚，尤以蓋被為然。因產後甚易出汗，過厚則易於發汗以致傷風。前述產後衣被宜換厚而暖者，亦固未云可以過度，且此亦為暫時之事也。

寢衣，襯衣以及被面所敷之布。均以白色者為佳，因如此則汚染之處，立可發現。發現汚點，卽宜更換，總以始終保持清潔為要。寒天更換衣服時，宜預使之溫暖，切勿致其受寒，是亦須特利注意者也。

四　腹帶

欲早回復腹壁之弛張，則宜締結腹帶。所謂腹帶者。已如前述，但此時須纏至恰好程度，不可過緊過鬆，又須經過八週前後，始可不用。

五　養心

褥婦心宜安靜，故須避見來問安否之外客。至無法避免時，亦須縮短其會見之時間，而來客則須注意勿談可驚可哀之事。必須勞神之家務，亦以勿談為要。至於褥婦之自計家事，亦非安臥一週之後不可。凡此種種，皆其家人所應留意者也。

六　飲食物

產後第一日，宜食牛乳、肉汁、菜汁、葛湯、稀飯、以及半熟雞蛋等物。翌日可食麵包、粥、魚肉、豆腐等物，此後可漸食易消化之肉類及青菜等，二三週後，始可回復常食。

凡授乳期內，宜多飲湯水。牛乳，肉汁等物尤宜。

七　授乳

小兒飲母乳最宜，且有促進子宮囘復之利益。

初生兒之保育

初生兒命脈淺薄，對之稍一不愼，每至變起不測。即不夭要其生命，亦將障礙其發育。因此，負保育之責者，允宜特別留意，稍見變異，即以商諸醫師爲要。

玆特就其生理的變化及其保育之注意點，分述於左。

(甲)初生兒所起之生理的變化

胎兒一離母體，其啼聲呱呱，其手足搖動，其皮膚作美麗之薔薇色，赤子之名，即由此皮膚之色而起。而其形體上之變化，則又可分述之如左。

一　臍帶脫落

胎兒離母體後，臍帶之附着其體之部分，漸次乾枯，至第五日乃至第七日，即得脫落。大抵愈健康之小孩，臍帶脫落愈較早。臍帶脫落後，其跡初爲肉牙面，至第十二日乃至

第十五日，始結瘢痕而萎縮內陷，其處遂名爲臍。

二　初生兒之黃疸

胎兒生後第二日或第三日，皮膚、尤以胸、額、鼻尖等處，概變黃色，甚至眼中亦然。通常三四日後，自然消退。有時亦可延至二週以上。此爲初生兒之黃疸，乃生理的變化，無足憂懼。然其程度異常，或久不見其消退時，則以告諸醫師爲要。此種黃疸，多由營養不良，體質未熟，或係逆產等而起。

三　乳房腫。

初生兒無論男女，產後第三四日，乳房必起微脹，壓之則有少量之水滴出。亦爲生理的變化，約二週間即消。

四　表皮落屑

胎兒生後經三四日，表皮如糠或如膜而起剝落，五六日即止。此由皮膚乾燥與受衣服刺激而起。

(乙)初生兒保育之注意

保育初生兒之注意點有二。一曰清潔，一曰營養，玆分述於左。

一　沐浴

胎兒產下，即須洗滌，洗後又須入藥於眼。然此皆產婆之事，故茲略而不述。茲所述者，乃其後初生兒之日常沐浴也。初生兒最初一年，如可辦到，以每日沐浴一次爲佳，沐浴場所，不可當風，冬季更須於溫室行之。沐浴之水，不可過熱，而亦不可過溫，事先以手探之，以毫不覺燙爲宜，中間更須時添溫水以防冷却。洗顏面尤以洗兩眼或口中時，宜另以清潔之器盛清潔之水行之，絕對不可用使用既已浴身之水。浴時宜以左手抑托兒頭，同時以拇指與中指閉其兩耳，俾水不入，免生耳病。又臍帶未落以前，浴時切忌拉動。全身浴畢，則以大型浴巾包裹，使其盡量吸收水氣。髮際、頸周、腋下、股間等處，尤宜充分乾拭，並須敷以亞鉛華粉等爲要。

臍帶宜特別注意。未脫以前，及脫落以後，至固結瘢痕時止。其處均須包以已消毒之綿紗，與纏以甚清潔之繃帶而後可。（初次處置臍帶係產婆之事），蓋非如此，則黴菌可由其處侵入兒身以奪兒命也。其自臍間染入疾病而致夭亡之嬰兒，昔日甚多。今在未開化之各地，亦復不少。

二　衣服

小兒衣服，尤以輕寬爲宜。寒季則須比成人者較厚，但不宜如世俗者之過厚，過厚則易導汗使成汗疹，或減弱皮膚之抵抗力使易傷風。冬季所載暖帽，亦非如普通者之必要，稍輕薄之可也。

襯衣及衣領，不可用毛織物，宜用柔軟之綿布。因嬰兒皮膚嫩薄，懼受刺戟故也。又寒天更換兒衣，須先使衣溫暖，但又不可過熱。

三　尿屎墊子

普通初生兒一晝夜約有十餘次小便及三四次大便，故須勤換尿屎墊子。夏季每次宜換，冬季每日至少亦須更換四五次，且須行於溫室，並須將清潔之墊子在事前溫暖。換時臀部，股間，宜充分乾拭，並宜撤布亞鉛華粉等以免糜爛。於此應注意者，大抵嬰兒啼哭，非因腹中飢餓，即因墊子已溽濕也。初生兒之大便，最初二三日，其色黑，黑後現綠，是謂胎糞。飲母乳至第三四日，遂漸變爲黃色，終成蛋黃色，作糜粥狀，毫無惡臭，少具酸味，但若多水分而混有白粒與粘液或復變爲綠色時，則爲消化不良之兆，非就醫師治療不可。

尿屎墊子，必須清潔，又須消毒。若以舊衣舊布改作墊子時，先須充分洗滌，如能一度煮沸，則尤爲安全。

四　寢床

小兒必須與母分床而寢。但其床中冬季宜置湯婆子一二個，而此須注意者，湯婆子不可逼近兒體，尤須緊塞其栓，以免水漏湯傷。最佳則宜不用湯壺而使室中保持攝氏二十度之溫度，然此非普通家庭所能辦到。

被褥固宜應寒暑而加減，但總以柔而輕者爲宜，過厚則未必佳，然當夏季而覆小兒以厚被者，其人頗多。其兒則常因此而發生汗疹，其蠢則非癡人莫及。

五　授乳之方法

兒飲母乳，最爲營養，母乳其兒，子宮可得較早復舊，所謂一舉兩得是也。故凡婦人，均當親自授乳，然有結核、脚氣、癲癇、精神異常等病以及全身衰弱者，則其乳不可以飲小孩。

產後六時間或八時間，產婦乳房即稍膨脹，其時兒亦啓眼而啼，斯時即乳之可也。此時所出之乳，謂之初乳，薄而且少，但不絕如細流，過三四日後，始湛湛然出矣，此三四日間，嬰兒本無多需，故無須以他人之乳補飲之。

舊時以爲初乳不可與兒飲者，乃因較大之兒飲初乳時，常起腹瀉，故認初乳有毒而不可飲也，實則初乳較普通之乳多含鹽分而有下瀉作用，初生兒飲之，適足以瀉盡其胎糞，斯誠造化之妙，故以飲之爲宜。若以藥汁代之以瀉胎糞，反傷胃腸，不如不用。

初授乳時，嬰兒大抵即能吸飲。若不吸飲，可先擠乳少許塗於乳嘴，不則如以少許糖水，如此當即吸飲矣。

授乳之前，必以清潔柔軟之布片，濺以清潔之水或硼酸水以淨拭乳嘴周圍，嬰兒口中，亦須注意輕拭，然後始可授乳。飲後又須如前以拭乳嘴及其周圍。否則其處殘餘而腐敗之乳及其他物質，至兒再飲乳時，恐有使其中毒之虞，近來有謂不宜全拭兒口者。其意蓋謂拭時稍不注意，反致損傷其口。又飲乳後即拭其口內，更常有因此而吐乳云。故拭時宜用柔軟之綿紗與輕徐之手段。而飲乳後，則須稍待片時，或竟不拭。

授乳須有規則，其規則雖依小兒之强弱而異。但初生兒大抵二三時間，即須授乳一次。夜間小兒睡時，逾此定時亦可。且須漸漸減少夜間授乳。

授乳之時間，當因乳汁之多少，小兒之强弱，以及授乳之手段高下而異。但如乳汁豐富，小兒健康，則十分乃至二十分鐘，則可竣事，小兒飲乳滿腹，自然離開乳房。但亦有因早拔乳嘴不予飽飲時，而使兒啼哭者。

兒飲乳而同時欲睡時，宜輕動其體或輕叩其頰而使續飲勿輟。又兒飲乳既飽而仍啣乳之習慣，切宜戒除。

產後一週間之臥床授乳，乃爲不得已之事。其後健康稍恢復時，卽宜坐起授乳。因側臥或仰臥而授乳，不惟小兒飲難下嚥。且每有因乳房塞其口鼻而至窒息以死。

兒飲乳後，雖當睡着時，亦有吐出其乳者，此爲飲乳過多，或爲催便增加腹壓力所致。故授乳後，必靜使之仰臥，其吐乳時，尤須注意乳汁毋由其喉頭進入其氣管。

小兒啼哭時，人每塞一橡皮乳嘴於其口中。此實易使口中不潔，乃不良之習慣也，以禁之爲是。

授乳期間，如再妊娠，卽宜停止授乳。否則於子於母及其胎兒，均有不利。　（完）

皮膚病的預防和治療

履薄

夏秋兩季。在衛生不講究的人民。懶於洗澡。臭汗淋漓。皮膚的排洩失調。又加空中水氣飽和。濕氣彌漫。自然滿身奇癢。越搔越癢。發生皮膚病。等到人體水分飽和。皮膚的排洩和呼吸作用停滯的時候。細菌就乘機侵入皮膚組織。而逐漸繁殖。最易患的部份。如鼠蹊部。足趾間。和四肢等處細菌破壞表皮組織的前驅期。患部發熱而覺微癢。嗣後越搔越癢。而生小粒狀突起。突起的邊緣。有紅暈。突起的頂端。有青黃色或白色。搔破後。就有清水流出。又癢又痛。行動很不便。

預防的方法。爲(1)生水和不潔的水。不可接觸(2)洗澡的時候。水中放入0.01%的石炭酸水或亞林沙爾。或全身用消毒肥皂洗滌。(3)洗澡後。用乾布揩擦。使肌膚生熱。(4)浴盆宜預先洗滌。或用沸水振盪。(5)身體和衣服。必須和患皮膚病者絕對隔離。

治療的方法。使患者身體洗淨後。施以收濕殺菌藥劑。可用50%滑石粉20%硫磺粉30%的硼酸粉。混合製成。撲於患處。如患者已有小粒狀突起。可用30%的硫磺華軟膏揩擦患處。但揩擦之前。也須洗滌潔淨。如患者已有清水流出。既癢既痛。可用30%硼酸粉20%的亞鉛華合劑。撲於患處。

糖分對於營養上的重要

棨 萃

人們只知道用鹽於人身的益處。而每日食品中幾乎一日不可省去鹽分。却不知糖分和鹽有同等的效用。也是一日不可省去的東西。況且鹽分對於人體是消極的、其功效大抵在排泄分泌方面。糖分對於人體是積極的。其功效大抵在營養和强壯方面。因為糖分對於人體。能發生體溫和筋力。營養細胞。和强壯細胞。所以我們在疲勞時。攝取糖分。就足以恢復身心。在睡前。飲一杯糖水。即可增進人身之營養。尤其在賽跑踢球及泳水等劇烈運動時候。對於糖分更加需要。

德國的阿佛拉哈姆曼查博士。根據他的『三百人腦勞動之於糖分要求』的縝密研究的結果。證明人類對於糖分的需要。是絕對有關係的。曼查博士謂思想着一件事後，所使腦髓勞動的時候。須要較腦髓在休息狀態中時候。需要二倍的糖分。由此而知糖分之於人身。亦為非常重要的營養素。

查吾們身體血液中。照各國衛生家的計算。約含〇・一%的葡萄糖。葡萄糖若減至〇・〇四%以下時。便發生意識不明。全身起劇烈的痙攣。這時速行葡萄糖的注射。即可恢復意識。

通常吾們食蔬菜。水菓等植物。含有豐富的糖分。亦為我們最適宜的營養素。

衛生小問答

張子英

(問)逆氣上衝何故。

(答)肝陽旺盛。肝氣和胃氣上逆故也。

(問)咳嗽之喘急。是否也屬胃氣上逆。

(答)咳嗽之喘急。因為肺氣壅塞。枝氣管發炎，體工起抵抗作用之現象也。

(問)鎮壓逆氣用何法治之。

(答)鎮壓逆氣。大抵用鎮靜神經之品。因為肝臟為一身神經之主宰、所以凡鎮靜神經劑、如牡蠣石決明代赭石等品。都可以鎮壓逆氣。

(問)血壓過高者用何法治之。

(答)血壓過高者。可以應用鎮壓逆氣之品治之。

(問)何以血壓高者。易患中風症。

(答)血壓高者。血管多硬化。逆氣多旺盛。最容易腦充血而致腦血管破烈。

(問)倉卒之間。忽患腦充血用何法治之。

(答)倉卒之間。忽患腦充血。醫藥不及。可用熱水浸下半身及兩足。使血液下行。減少腦部充血。惟此法須行之極早頗有效。

(問)患腦充血何故。

(答)逆氣及血液充滿腦中樞。初覺頭眩。繼則血管破烈。而人事不省。知覺全失。內經所謂血之與氣併走於上故也。

(問)如何避防血充腦。

(答)不可過度用腦。如長時間賭博等。暑天在日光下不可作長途之奔走。不可作劇烈之憤怒。飲食方面宜注意少食多脂肪之肉類。多食新鮮之菜蔬等。

(問)腦貧血與腦充血如何鑑別。

(答)腦貧血者。必現面色蒼白。陽氣下陷。或形體衰瘦。脈象虛軟。腦充血者。必現上氣喘急。或形體肥盛。面色紅赤。脈象洪數。

(問)腦貧血用何法治之。

(答)腦貧血者。為氣血下陷。可用補中益氣湯升舉之。佐以補血之品。

食料衛生

菜蔬之功效

光耀

凡一切菜蔬。俱有利便解毒之功。所以人類日常食料上。對於菜蔬實有一日不可或廢之勢。尤其喜歡肉食者。更加需要多食菜蔬。有幾種菜蔬。兼含有鉄、磷、等重要礦物質。對於人體營養上。更加具有重大的價值。現在把普通菜蔬十餘種的功效。叙述於下。以供日常的選擇和注意。

(黃芽菜)清腸胃。利大小便。除胸煩。解渴。潤肌膚。降氣止嗽。清聲音。

(萵苣筍)通經脉。利大小便。消食和中。殺蟲蛇毒。婦人乳汁不通。可用萵苣煎酒服。小便不通或小便尿血。萵苣搗敷臍上卽愈。

(生薑)散風寒。溫中健胃。去痰濕咳逆。止嘔吐。定痛。消脹滿。殺蟲治陰冷諸症。殺鳥獸鱗介穢惡諸毒。

(蘿蔔)下氣和中。補脾消食。生津液。止痰咳。禦風寒，治白帶白濁。能肥健人。萊血安胎。百病皆宜。凡咳嗽失音咽喉諸病。俱宜用生。

(大蒜)除寒濕。治肺結核。降逆氣。消痰飲，煖中消食。破惡血。攻冷積。暴瀉腹痛。及便秘痞氣。辟穢殺蟲。制腥臊鱗介諸毒。

(絲瓜)通經絡。行血脈。下乳汁。治大小便下血。痔漏崩中。疝痛氣痛。癰疽瘡腫。痘瘡不快。清熱利腸。

(冬瓜)利小便。止消渴。除胸滿悶。解熱毒。去頭面熱。小腹水脹。冬瓜仁功效相同。尤能悅肌膚。好顏色。

(韭菜)溫中開胃。令人能食。補虛益陽。調和臟腑。並治胸痺骨痛。腹中冷痛。壯陽道、止洩精。煖腰膝。

(葱)達表發汗。治時疾頭痛。安中利五臟。殺百藥毒。通關節。除風濕身痛。

(白菜)通利腸胃。除胸中煩渴。消食下氣。治瘴及熱嗽。

(菠菜)利五臟。除腸胃熱。解酒毒。通血脈。開胸膈。潤燥補腦。能治痔漏。

(甘薯)補虛乏。益氣力。健脾胃。强腎陰。治羸瘦。

(蓬蒿菜)安心氣。養脾胃。消痰飲。利腸胃。

（芹菜）除煩熱。治瘰癧結核。養血脈。益氣。令人肥健。並利大小腸。

（苜蓿）利五臟。去脾胃間熱氣。通小腸。治熱毒。

黃豆的營養價值

英明

在農產物中滋養料最富豐的。要算是黃豆。我們日常食物中。常用的食品。用黃豆製成的也很多。像豆乳、豆腐、豆腐乾、醬甜、醬油、黃豆芽等。都含有很豐富的滋養料。據李時珍說。黃豆多食令人身重。這個「令人身重」四個字。大有意味。就是黃豆富含蛋白質和脂肪。久服能使人肥健。增加體重的功效。

據科學家說。黃豆具有着比較馬鈴薯大上五倍的熱力。廿倍的蛋白質。和二百倍的脂肪質。所以黃豆的營養價值比任何食物來得大。黃豆製成的豆乳。稱為人造牛乳。營養價值之大。不弱於牛乳。況且牛乳最易細菌混入。必須經過消毒後可飲。而豆乳不但清潔衛生。無細菌混入之慮。又代價非常低廉。中下階級俱可飲用。豆腐是黃豆的純粹物。含脂肪蛋白質很富。已經中外人士認為最易消化最滋養的普通食物。我們常食是最適宜的。

現在用黃豆製成的黃豆芽。在南洋羣島已大得英政府的獎許。原來南洋有一位姓胡的小資本商人。創辦了專製黃豆芽的場所。發售給僑胞食用。因為照例須得英政府的化驗。不料化驗結果。認為這種食品。非但清潔衛生。並且營養料甚為富足。所以大得英政府的獎許。引起異國人民的爭購。而胡氏營此小本營業。竟利市三倍云。

此外用黃豆製成的食物很多啦。大抵取其精華。棄其糟粕而成。含滋養料的豐富。可不言而知。吾人日常依食物而攝生。那末。對於黃豆和黃豆製成的食物。應當特別注意吧了。

藥物研究

國藥眞僞展覽會紀略

秀娟

本市靈學會爲便利病家。改進國藥起見。特假民國路三七七號雜糧公會。舉行國藥眞僞展覽會三日。國醫專家及關心國藥者均往參觀。

該會會員學醫者頗多。復因該會施診給藥關係。故咸注意藥品之眞僞。庶免病家經濟身體兩蒙損害。此次陳列之藥品。俱爲該會會員平日所發現者。以期集思廣益。共同研討。而促國藥進步。該會聘得國醫藥界多人分任招待。並答復參觀者之發問。

參加展覽之各藥品多盛於玻璃瓶杯中另均附有標簽。書明品名、產地。以及眞僞價格之比較。眞品標簽寫紅色字。僞品標簽寫藍色字。並且同列一處。以便識別。陳列物品多數爲植物。少數爲礦物和動物。計共一百五十種。多數爲常用之藥品。如金銀花、甘草、黨參、川芎、厚朴、枳殼、冰片。陳皮、當歸、桑寄生、黃連、黃柏、茯苓、大黃等。少數不常用之藥品如西洋參、虎骨、犀角、龍牙、五茄皮等。眞藥僞藥價品之比較。最低爲一與二之比。最高爲一與二十之比。

此次展覽認爲僞藥之標準。(一)產地不同。例如厚朴以四川產者最佳。惟近多以日本產者僞充。(二)人造者。例如冰片以天然者爲佳。近多以人造者冒充。(三)炮製不合。例如扁豆衣須將乾扁豆之衣取下。方合藥用。近多貪圖省工。每每用水浸後去衣。(四)絕非本物。例如虎骨。每多以野獸骨冒充。病家不察。誤用之後。小者變重。重者喪命。據該會王文之語記者。藥品眞僞判別頗爲費力。至此次所陳列者。均爲多數醫家判定。惟仍恐有誤。故公開展覽。方作最後之決定。並擬明年再作第二次展覽。將展覽成績。另編成書。刊印問世。至於此次藥品之蒐求。得盛德堂之帮助頗多。

近年日本不獨注意研究中醫。其對於中藥之培植。亦極努力。據該展覽會中所陳僞藥。由日本輸來者。計有厚朴、西洋參、牛黃、川芎、黃連、洋紫草、鮮石斛等。此外如由暹羅美國安南朝鮮等地運來者。亦頗不少云。

黃芪

華志偉

名稱　（學名）Hoangtchy（別名）戴糝。戴通。芰草。百本。王孫。（方劑名稱）綿黃耆。大有耆。生黃嗜。炙黃耆。蜜炙耆。淸炙耆。

科屬　豆科黃耆屬。

形態　山地多年生草本植物。莖臥地成蔓狀。葉爲羽狀複葉有毛。夏日開淡黃花。花冠爲蝶形。結莢如赤小豆根形肥大。

品考及產地　曹炳章曰。黃芪冬季出新。山西太原府里陵地方出者。名上芪。其貨直長。糯軟而無細枝。細皮皺紋。切斷有菊花紋。兼有金井玉欄杆之紋。色白黃。味甜鮮潔。帶有蓁豆氣。爲最道地……餘如大同府五台山出者。皮粗枝短味淡爲台芪較次。亳州及陝西出者性均甚硬。更次、四川產者皮紅黑色。味靑草氣。名川芪。爲最下品。

修治　稍去黑者。或以蜜炙。或以鹽水浸炒。或生焙。或研末。

性味　性溫味甘。無毒。

入藥部分　根及根之皮。

成分　本品之成分。倘未明確。據袁淑範氏之實驗報告。謂其含有少量之 Alcaloide。考Alcaloide 爲類鹻體之植物鹻。能使中樞神經系之反射興奮性亢進。

用量　普通錢半至三四錢。大量可至兩許。

作用　（生理作用）入胃後。能助胃之消化力。而能與胃酸化合。至小腸被其吸入血中。促進血液進行。（餘略）

——中國藥學大辭典（藥理作用）1. 能亢奮心肌筋機能。收縮血管。爲强心藥。治各種心臟病。凡心悸亢進。呼吸困難。心窩苦悶。靜脈鬱血。下肢浮腫。充實不全。脈搏空大等。均可用之。且性質和平。無蓄積作用。適宜於久服。2. 用於血壓低降。腦貧血所發腦痛。頭重。眩暈。昏迷。甚則顚仆失氣。手足痀急。或癱瘓等症。用爲强壯藥。同其他滋補藥。久服有卓效。以能補腦之神經力也。3. 有收斂作用。用於虛弱者之弛緩性自汗。爲止汗藥。用於大失血。習慣性咯

中国近现代中医药期刊续编·第三辑

血。血友病及婦人之經崩產崩。爲止血藥。用於弛緩之久瀉。及脫肛爲止瀉藥。4.因能興奮心臟。增加血壓。故有利尿作用。凡心臟衰弱。所發之水腫。慢性腎炎。而起之尿毒症。關節炎以及老人或虛弱者之尿意頻速。而小便滴瀝困難。或遺尿不禁者。用之均效。以本品能收縮膀胱之弛緩也。

主治 本經—癰疽久敗瘡、排膿止痛、大風癩疾、五痔鼠瘻、補虛、小兒百病。

別錄—婦人子臟風邪氣、逐五臟間惡血、補丈夫虛損、五勞羸瘦、止渴、腹痛洩痢、益氣利陰氣。

日華—助氣壯筋骨長肉、補血破癥癖瘰癧癭贅、腸風血崩、帶下、赤白痢、產前後一切病、月候不勻、痰嗽頭風熱毒赤目。

甄權—主虛喘、腎衰耳聾、療寒熱、治發背內補。

元素—治虛勞自汗、補肺氣、瀉肺火心火、實皮毛、益胃氣、去肌熱及諸經之痛。

好古—主太陰瘧疾、陽維爲病、苦寒熱、督脈爲病、逆氣裏急。

驗方與治療

盲腸炎治療記

張子英

北浙江路龍吉里五號。三星印刷所主人殷君。四月間。發生右腹劇烈疼痛。作不規則的發熱。面色沉着。顯灰黑色。大便燥結。下如醬汁，苔現黃膩。脈呈弦數。經諸醫診治。有說癥瘕積聚者。有說肓腸炎者。用藥大抵順氣消導之品。俱鮮少效。後經余診治。余謂積聚是誘因。盲腸炎將要成事實。若趕速治療。可以消滅於無形。原來下便如醬汁。腸內組織因腐融而剝下。如痢疾濃毒。單右腹疼痛。腸部發炎。因積聚物腐化生菌。侵襲腸內組織的緣故。就用升麻乾葛川連升散鬱火。解毒消炎。殺除細菌。青皮桃仁延胡枳實元明粉排除積聚廢物。甘草茯苓白芍培養其新生活。二劑而痛止。下黑色軟便不少。再依前法加減數劑而愈。按眞正盲腸炎。也可以應用此法治療。何必剖腹割治。而頻於危險。願國人格外注意爲幸。

牙醫大全序(一)

陳裕昌

毛髮齒爪，皆附體表，似無生命出入，爲世所輕，名醫所恥道也，然徵古籍，於齒爲腎標骨餘，內關臟腑，素問謂，腎熱者，色黑而齒樵，難經謂，病人唇腫齒焦者死，脾腎絕也，直指方謂，腎衰則齒豁，精盛則齒堅云云，皆歷示內病之徵，而不及足至內病，又讀史記倉公傳，齊中大夫，病齲齒，臣意灸其左陽明脈，卽爲苦參湯，日漱三升，出入五六日病已，酉陽雜俎，記仙人鄭世遠，常騎虎，故人許隱，齒痛求治，鄭曰，唯得虎鬚，及熱插入卽愈，爲拔數莖與之，因之虎鬚能治齒也，書載，透夫病壓齒，呻吟之聲，達於四鄰，通夕不寐，有道士過之曰，病來于天，天且取子之齒，以食食骨之蟲，其必與之，於是以齒與蟲，惛然而寤，一夕而愈，又憶顏氏家訓，有曰，吾嘗患齒搖動欲落。飮食冷熱，皆苦疼痛，見抱朴子牢齒之法，早朝叩齒三百下爲良，又抱朴子載。或問堅齒之道曰晨以華池，漱以醴腋，次之服靈非散，既脫更生，徵此，則古之齒科知見，略窺一班，語之不經哲者羞道，惟記陸遊詩，有染鬚種齒笑人癡句，則知種齒，往昔有之，不自今始，惜已失傳，無可攻證，自海外科學輸入，而齒科乘醫潮東渡，今日市廛都鄙，殆無不有，操技鬻藝者蹤跡，而大概猶未逸太古觀念，僅斤斤于齒之病健，以爲能事，挽近悟齒之功用，實司消化機門戶，所繫全身綦重，且以其位在口腔，與附近密接諸官，關聯尤切，乃擴而大之，不使孤立，以與內、外、眼、鼻、諸科，共列醫校，而所謂齒科醫者，必須廣知人體全系之解剖，生理，與夫病理，其治療學範圍，亦同時擴大，除口腔外科知能外，並應用理學光電諸器，足知今日之齒科，早脫疇昔之市井瘍醫羈絆，更超越什年前狹義齒科之域矣，彭君菊洲，好學士也，海外專攻是科有年，歸國後，雖服務社會，恆不忘誘掖後進，每分餘閒，任滬上諸醫科大學齒科敎課，日常心有所得，筆之于書，參以十年經驗，蔚成牙醫大全一書，歷述齒之生理，病理，治療、技工等，更旁及口腔外科，洵爲齒科國藉中，開新紀元之作，有裨此道，必非淺鮮，洛陽紙貴，自在意中。

（二）

牙醫之在我國向不在醫學之例，一般社會，視同技匠，而十餘年前，我人之爲牙醫者，亦少學問之士，故所以表現於世者特鮮，夫牙齒之爲物，亦人身組織，所有之一種，爲粉碎食物之利器，其罹病之易且多，齒牙病，則食物不能粉碎，食物不能粉碎，入于胃者，多囫圇粗大之物，而消化不易，源源食胃不絕則胃過勞而弱，甚則生病，胃弱且病。則消化力薄，而營養物之可以爲人體所吸收而可用者，爲量減少，營養物質用量減少，則使用不足，而身體弱，體弱則抵抗力薄，而種種疾病乃蝟集麕聚於我人矣，由此觀之，齒牙之職務如此之重要，關係如此之重大，而謂醫學上可不加以研究乎，而謂可任淺學之徒，專任其事乎，近來世界各國之醫學校，多添設牙科講座。誠以不能外視故也，彭君菊洲，牙醫而學問家也，有鑒於斯。著牙醫大全一書，內容完善，學藝並進，此我國牙科醫學著作之嚆矢也，昔庖丁對惠文君曰，臣之所好者道也，進乎技矣，余於彭君是書，亦云，余喜我國牙科醫學之從此發達也，故不揣鄙陋，謹綴詞以爲之序。

中華民國念五年八月上海市鑲牙公會執行委員陳裕昌序

上海市鑲牙工會——城內邑廟東園門元城里一號

N2字陳裕昌牙醫局——1.閘北恆豐路一六八號

2.英租界麥根路武定路口六八號

衛生雜誌廣告例

地位	面積	價目
封面	大半頁	四十元
底面	全面	四十元
封面裏	全面	廿八元
底面裏	全面	廿八元
封面第二頁	全面 半面 四分之一	廿四元 十二元 八元
底面第二頁	全面 半面 四分之一	廿四元 十二元 八元
普通	全面 半面 四分之一	廿元 十二元 八元

一 封面底面裏外均用二色套版印不另取資
一 代製銅版鋅版費另加
一 代繪圖樣費另加
一 惠登廣告者贈本刊一冊

衛生雜誌第三十二期卽四卷二期
中華民國二十五年九月五日出版
主編者 國醫張子英
發行者 衛生雜誌社
上海浙江路五三六號
印刷者 華豐印刷鑄字所
電話九〇三五八號
上海山東路二二一號
分發行所 五洲書報社
電話九二四七六號
中醫書局
中國圖書雜誌公司
上海雜誌公司
分售處 各省書局

衛生雜誌定價表（費須先惠）

出版	月出一冊	全年十冊逢二八月停刊
價目	大洋一角二分	大洋一元
附註	郵費在內	國外加倍
	郵票代洋以一分五分爲限	

◀社址▶上海芝罘路益豐里八號電話九二六九〇號

天津馮氏斷癮救苦金丹 戒烟第一

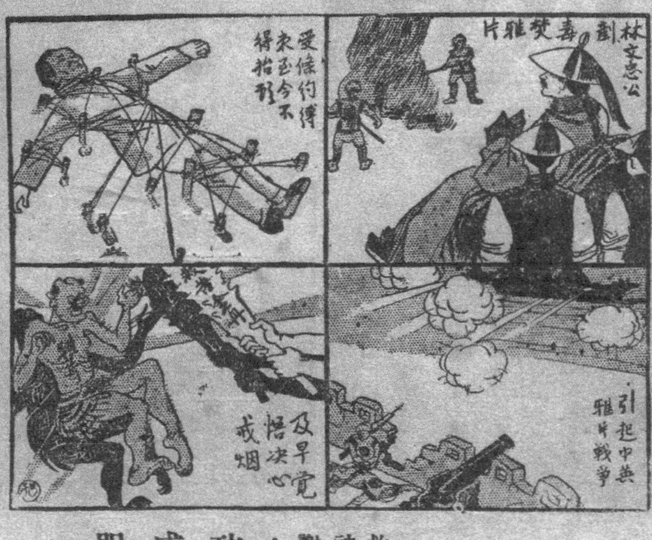

▲風行六十餘年斷癮數百萬人▼
▲中央禁烟委員會張主席題獎▼
▲歷任大總統黎徐曹諸公嘉獎▼
▲專戒鴉片紅丸海洛因嗎啡癮▼
▲戒時照常吸烟逐日見烟自厭▼
▲輕癮一二料重則三四料戒淨▼
▲每料祇收藥本大洋一元五角▼
▲外埠函購起碼兩料寄費加一▼

贈券

戒烟捷徑內容豐富凡三四餘萬言人手一冊益趣無窮函索立卽原班寄奉

救苦金丹發明於清同治七年，迄今已歷六十七年，其藥性的王道，功效的神速，遐邇馳名，歷古各地官廳嘉獎保護，博覽賽會屢獲褒獎，服者斷癮謝函不可勝計，詢屬戒烟藥中第一秘寶，絕非市上一般投機劣藥所可比擬，服之毫無副作用，于安全中戒絕，決心戒烟，捨此莫屬。

功效 宣導烟積，剷除烟毒，打倒犯癮，潤腸滋陰增加血液，照常辦事，不害腸胃，增多飲食

成分 採取珍貴國藥，精密監製，功效靈速，與普通毒質抵癮戒烟藥絕不相同，亦不反癮重吸

服法 每晚臨睡時，用溫白開水送下，白天勿服，切勿過量多服，次晨口渴乃藥力達到之現象

代理

本埠先施永安濟華堂中英太和中西華美五洲中法華英南洋正威等均售

▲**上海** 白克路西大通路口 **天津峻芝堂駐滬發行所**

德國內分泌名貴補劑
壽爾康
德國愛特諾博士發明
德國威彌鄧藥廠監製
『壽爾康』係以強壯動物之內分泌液（好而蒙）複製而成之『盼好而蒙』為主要原料，其效力較普通內分泌製劑強大十倍，具有『補腦』『補血』『補腎』三大補力，任何虛衰之體，試服一二盒後，無不精神勃發，腰脚輕健，腦力堅強，夜眠酣適，面色紅潤，容顏煥發，男女同服，保證一索得男，全球服者，均已得其實效，一致推崇，譽為面面顧到之現代唯一大補劑！
遠東獨家經理
上海柯爾登洋行
上海郵政信箱一四六五號
各埠各大藥房均售
詳細說明函索即寄
卻病延年
同登壽域

HEALTH MAGAZINE

衞生雜誌

第四卷第三期（即第三十三期）

本期要目

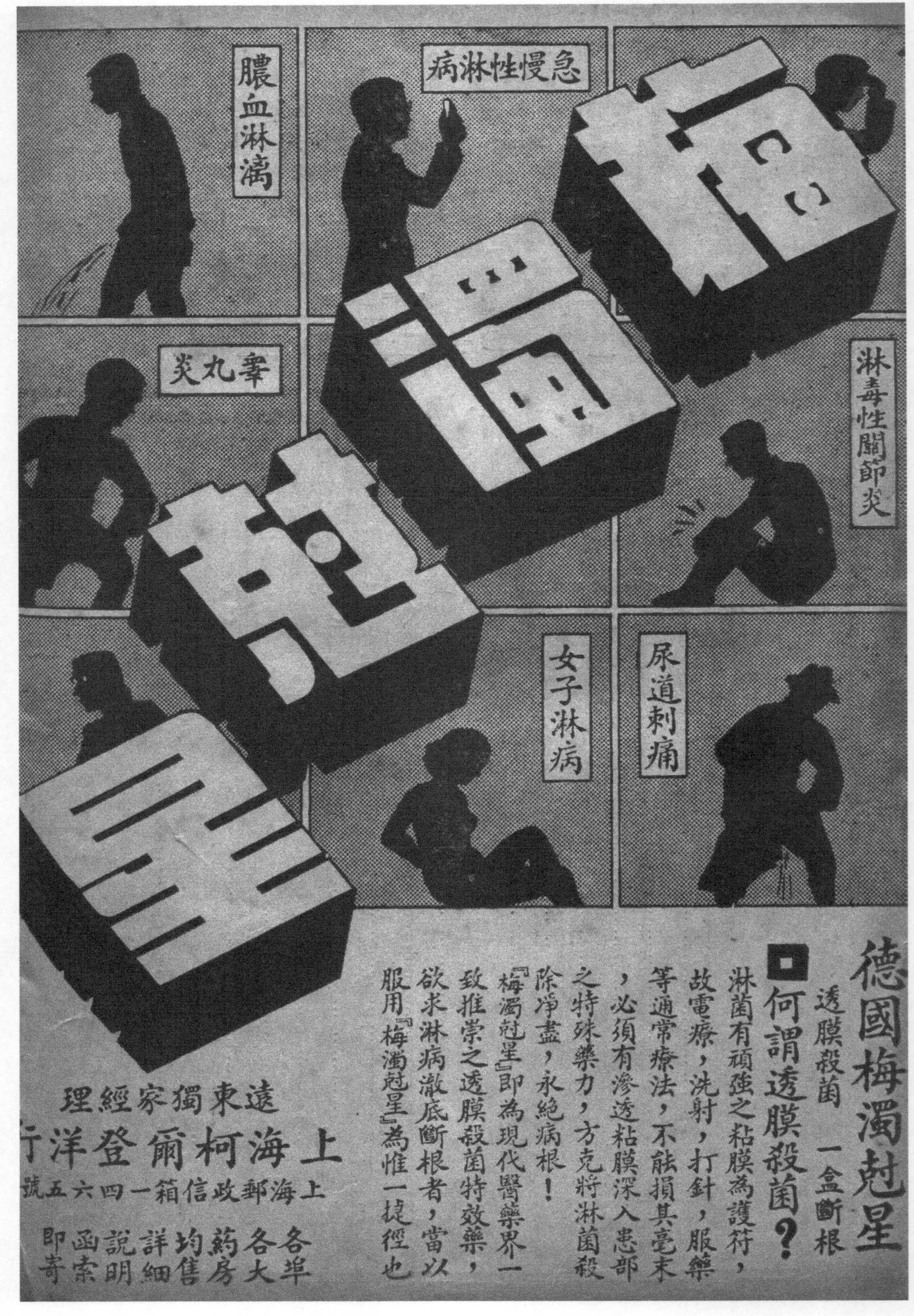

膿血淋漓
急慢性淋病
睾丸炎
淋毒性關節炎
女子淋病
尿道刺痛
梅濁尅星
德國梅濁尅星
透膜殺菌 一盒斷根
何謂透膜殺菌？
淋菌有頑強之粘膜為護符，故電療，洗射，打針，服藥等通常療法，不能損其毫末，必須有滲透粘膜深入患部之特殊藥力，方克將淋菌殺除淨盡，永絕病根！『梅濁尅星』即為現代醫藥界一致推崇之透膜殺菌特效藥，欲求淋病澈底斷根者，當以服用『梅濁尅星』為惟一捷徑也
遠東獨家經理
上海柯爾登洋行
上海郵政信箱一四六五號
各埠各大藥房均售
詳細說明函索即寄

小談論

秋天和康健

編者

誰都知道秋天是萬物收縮的氣象。是有肅殺的性質。人體爲一小天。到了秋天。也隨着萬物發生變化。所以秋天和人體康健上。發生的關繫。實有叙述的必要。秋天爲燥金司令。一切皮膚病濕癢病。有向愈的可能。燥熱燥陰。喉痛肺炎症。有暴發之慮。秋令收縮。內熱被包發生哮喘咳嗽。作自然抵抗之勢。燥氣肅殺。細菌繁殖率銳減。傳染病可以逐漸減少。胃腸積熱。被肅殺之氣抑鬱。無由發洩。迫而下趨爲泄利。欲救偏補弊。而謀康健之道。惟有多食辛涼或辛溫之食品。

優待本刊舊定戶

凡本刊舊定戶自四卷一期至四卷十期直接續定全年連郵計國幣一元當卽贈送價值一元之第三卷彙刊一厚册藉以彌補中途或有遺缺等情

衞生雜誌第三十三期目錄

衞生常識

醫林雜記

醫藥言論

為國民大會醫藥師代表選舉告全國中醫同仁書

邢熙平

我中國國民黨 總理手訂建國大綱，分建設的程序為軍政，訓政，憲政三個時期，以掃除障阻為開始，完成建設為依歸，而訓政的要義，尤在訓練全民的政治知識能力使全民都能參加政治，管理政治，政治的權就掌在全民手握，於是民權的目的才普遍的達到，憲政的基礎才有了磐石，回想自從民十五年，我中國國民黨由粵出師北伐，掃除障阻，漸經統一全國，告一段落，十七年制定訓政綱要，開始訓政，二十年遵照總理遺囑，召開國民會議，制定約法，如今全民一致信仰三民主義，由衷付託國民黨領導，實在已至成熟的時候，況且國難的日益嚴重，外侮的紛至沓來，非以全民的力量向外禦侮，自力更生，將何以對我 總理創國的艱辛，與夫亙古燦爛的光華歷史，所以應趨勢之需要，以及根據 總理遺教的規範，國民大會的產生，就有了全民共同致力的必要，於是國難的能否解除，革命的能否成功，三民主義的能否實現，以及中國民族的前途是復興抑是滅亡，都以這次國民大會的任務能否周詳劃策為决定、以言這次國民大會的重荷，誰也不難明瞭他的重要性吧。

國民大會任務的重要，既如上述，而我們對國民大會所負的使命，是尤其應該認得清切！我們曉得我國自海禁開放以來，所受到的外患結算起來，是已經使我們如何負担不下了，無論在經濟方面，文化方面……我們所負担的損失，已經到了如何地步，使我們窒息！外患的來源，不但有武力護衛着共同出發，尤其是經濟，文化上的侵略，竟直可以在無形中漸漸地歸化他們！他們憑空造成一種趨勢，掃蕩過我們的境地，蒙上了一層薄霧，於是一班色盲患者無攷慮地欣迎着外來的所有，說是「歐風東漸，美雨西侵」，把自我固有的一切，全部拋棄不顧，願意歸順於外人，仰息於敵國！試想一個國家，一個民族，及至喪亡了自我的固有——無論是文化，技術——還能立足於角逐之場以至於永遠安固嗎？我們受着中國國民黨領導到現在，我們的反省已是成熟了，我們了解了國際間的協助，是「利各有歸」的！我們曉得文明面具內的面相是猙獰兇狠的！我們更知道武力的侵略雖足以攻擊一個國家變常，而經濟的侵略尤足以抽盡我們的血液，文化的侵略是尤足以偸換我們的良心！我們尤其清楚我們國家民族的處境，已不是庱望他人扶助所能克濟事功的了！我們深深體味得出自己的國家自己的民族是需要自己的精與力來培養的！尤其是自己的國家，自己的民族，應該振起我們自己的所有技能，來抗禦當今的患難，來亙續我們未來的生命！我們要把我們固有的一切，從新整理起來，我們要把外來的一切留意地，疑問地，細細咀嚼一番，然後才定一個取捨，不該再像過去一樣地生吞活剝，因爲他們含有侵略的危機啊！

以上都是我們對國民大會應有的先覺！最近推選代表候選人，已經辦竣，只待複選時的取決人選，取決足以代表我們負起使命的人選，參加大會，一面陳述我們——中醫——的進取的方向，一面參與國家民族興替的安固策劃。

但是最近看見汪企張一篇文章，對參加競選主張消極，說是我們中醫不該混在醫師選舉中，不如放棄爲上，這眞是成見固執的把國家民族都丟于不顧，我們原可無庸致辯，不意近日又見全國醫師聯合會發表文字大意說：

『……向所鄙視之落伍中醫，在此次選舉中，漸能捐棄畛域，爲一致步驟，力求產生門士健將，相期一去以前萎靡不振之風，而欲一洗南國巫醫之恥，其覺悟奮勇決心，實懍欽畏……』等語，其實這是太不諒解！『畏』固不必，『欽』亦不敢自滿！原來我們——中醫——自有根據參加選舉，就是大會也不容許我們放棄，這正是共同起來，團結一致，努力救國的時機，我們自有我們的歷史，我們自有我們的羣衆，尤其是我們正預備選擇賢能，對大會有所助力，這正是自己的分內事，我們是於心無愧的！但經仔細體味他這一段文字，我們反得到一點教訓，這教訓是：『取一致步驟，相期一去從前萎靡振之風……覺悟……奮勇……決心！……』我們也可以說獲得同情！領受了嘉許，其實我們中醫因爲要參加萬民共仰的國民大會，我們振起奮勇下了決心！我們爲的是國家，民族，爲的是使國家，民族能自力更生，不仰仗他人的養給以殘喘的啊！下面他還說：

『……中醫，現由中央國醫館主持，產生多數有力份子之代表，正在計劃，推倒新醫行政機關，加入學校系統，或均取而代之，根本上使新醫發展無地……』等語，這是一個提示呢？還是「以己居心，度人立意」呢？其實國選大事，中醫人多，正正當當可以輔助政府，輔助國民黨，實行領導——領導原來不是包辦——而選舉的中心人物，誰也不願屬於沒有力量，沒有主張的人的，這都是大家說得過去的事情；至於推倒新醫行政機關，我們却並沒成見如西醫一樣地要廢除中醫！這可說是從反面立說，有意聳人聽聞！——可是衛生行政機關盡由西醫把持，這原有他們自己說不過去的地方，我們應該參加，公理不見得會反對我們——至於加入學校系統，這是有正當的據理，難道說學校系統的應該加入，在西醫把持着勢力的時候，就說這種主張是『反叛』不成？我們其實毫無成見，我們何嘗願意國民大會中沒有一個西醫代表？只是西醫說中醫應該『廢除』而中醫却並未說西醫應該『趕出去』啊！下面還有：

『……彼以大多數之優勢，侵凌我新醫前途，已足寒心，萬一吾新藥猶不自振，再犧牲此力爭所得之名額，絕不注意到人選之賢能，而偵顢到底，則事眞不可爲矣！……』一段文字，我們在這裏，就得勸他一勸；自己沒有怨屈他人，做事不必『寒心』！我們況無廢除西醫的存心，不過對於使命重大的國選前途，到希望你們多多致力！『顢頇到底』不是幹事的精神！要曉得我們的國家，我們的民族，不能再『顢頇』下去了！果眞『顢頇』下去，我們的國家，我們的民族，難免也至於「事眞不可爲矣」的時候，那你們對不起國家，對不起民族！國家民族又何有於你們！在此，還得望你們『覺悟』『奮勇』『決心』！這是爲了國家民族的前途！

以上隨便帶出了許多言語，但也可以見得我們的居心，我們是只爲我們的國家，我們的民族存亡策劃所系的國民大會前途，有着賢能的代表，參與全民民意表見的會議思，聽敏穩捷地參加大會！我們還得貢獻給大會一點意見，概括地說，就是：建設『本位』文化！提倡固有『國粹』！戮力效忠『國族』！團結『自力』更生！

醫藥公有制實施芻議

時逸人

（一）統一醫政

醫藥公有制之意義。概括言之。即一切醫藥事業。如醫藥衛生機關。醫藥教育機關。以及醫院藥房之設施等。完全由政府經營。以資統制。詳爲譯之。（一）全國的醫師，護士，藥劑師，皆爲國家之公務員。（二）全國的醫院，療養所，藥廠，藥店，皆爲國有之機關。國內各地。無論鄉村，或城市。例如兒童之保養。及接產之設備。肺病與性病之處理。皆爲普遍全國統一合作之醫藥事業。此項醫藥公有制度。實是一種社會化，政治化的合理制度。須由政府負責。爲各個平民謀健康保障。使得享受免費醫治。以期疾病率及死亡率之減低。俟工作逐漸進行。則私家醫院。私營藥店，個人營業之醫士等。皆可完全合併。而收統一醫政之實效。

（二）普及治療

實施醫藥公有制度。用醫藥平民化之政策。以謀人類幸福，民族壽命爲前提。其實施的要則有三。（一）普及治療——先由醫學入手。即由省衛生處。分配醫師，護士等。擔任治療工作。使全國人民。在行政區域內。得到早期之診治。適宜之療養。（二）統制藥材——醫療應用材料。及藥品。其製造與推銷。由衛生處管理供給。以大批出產。分銷各處。使全國人民。皆得到藥用之實惠。免費之診治。（三）提倡衛生——對於預防傳染病工作。平素研究熟習。務須使人民皆能瞭解。在行政區域內。及早預防。爲健康之保障。總之。求醫藥之實施普及。救濟貧苦農村人民。庶幾可免無醫藥之弊也。

（三）以中爲主以西爲輔

醫藥在我國。有中西之異。中醫藥。即我國古代傳統之醫療。及本國產生之藥材。西醫藥。即外來之醫生。舶來之藥品。我國如現今實施醫藥公有制。中西醫孰易着手。今固不敢遽爾決斷。但平情而論。中醫西醫。互有長短。中醫精於治療。疏於衛生。西醫偏重預防。治療欠善。

以治療論。宜於中醫。就預防言。適於西醫。再以醫藥普遍上。社會信仰上。藥品經濟上。適合病情上。造產救國上。諸方觀察。自知中醫較易着手。能收偉效。

（1）醫藥普遍上——在通都大邑。業醫藥者。詳爲統計。中醫居多數。在各地鄉村。西醫可謂絕無。鄉村中醫。雖人材複雜。而應付治療。到處皆是。藥材設備。各地均有。

（2）社會信仰上——中醫藥在我國社會。歷有四千餘年。治療成績。功效卓著。藥品價廉效確。取用極便。深得社會之信仰。至于西醫。在窮鄉僻壤。幾於絕迹。間或有之。人民尚多漠視。故無立足之地。

（3）藥品經濟上。——中醫藥品。在我國處處產生。藥農種植。藥商販運。藥店泡製。既不假手外人。又能開發利源。且藥價低廉。尤適合於農村人民之經濟。較之舶來西藥。相去遠矣。

（4）適合病情上。——按醫學無分中西。要以病情之適宜爲斷。就現在而言。中醫爲吾國所固有。歷史長。醫士多。社會崇信中醫者。十之七八。且在習慣，地方，心理，諸項。中醫均較爲適合。

（5）造產救國上——我國農村破產。外貨充斥。藥品上佔一大漏巵。爲杜塞經濟之侵略計。則培植中藥。製造改進。挽回利權。抵制外藥。亦救國之要務也。

（四）應有之設施

行政上應有之設施

實施醫藥公有制。首先注重者。惟在行政。與國家設立教育治安機關相同。由政府在省會縣區村。各設立醫藥行政機關。上下聯絡。成爲系統。則醫藥統轄。自易普及

（1）由中央國醫館統轄全國中醫中藥衛生行政。並附設一中央醫政委員會。研究國醫國藥在衛生行政上一切重要問題。

（2）衛生處　每省設一衛生處。辦理全省醫藥事務。其人材由中央國醫館會同省政府委任之。但須以國醫界著名專門之人材爲限。

（3）衛生局　爲一縣醫藥行政上之主管機關。負保障全縣人民健康之責。杜絕傳染病之來源。工作甚爲重要。其經費由縣政府列入預算。辦公人員。由衛生處直接管

轄之。

教育上應有之設施

吾國素常輕視醫藥。不講衛生。雖因國民智識未開。實由醫藥教育。不能普及。然則訓練醫政人材者尤爲當務之急。我國醫政缺乏。有待政府提倡。從速培養高級醫藥人材。初級醫藥人材。上下聯絡。各展專長。爲國家應用。則事半功倍。能得到相當之成績。否則未有不僨事者。

(甲) 高級醫政教育應有設施

(1)由衛生處會同省政府。組織高級醫政人員考試委員會。收招國內各專門大學醫科學生。嚴密考試。甄拔優良人材。以資受訓。而爲國用。考試期限。每年一次。或一二年一次。視需要人才之緩急爲定。

(2)由衛生處。籌設高級醫政人員養成所。訓練高級醫政人員。期限以一年爲滿。分發各縣任用。(其組織簡章。另訂之。)

(3)由衛生處。會同省政府。組織地方醫政人員考試委員會。收招各醫校學生。及考准醫士。每年檢考一次。以備受訓。

(4)由衛生處。設立地方醫政人員訓練所。訓練日期。以六個月爲滿。分委各區。辦理醫政一切事宜。

(乙) 初級醫政教育應有設施

(1)由衛生局。會同縣政府。成立縣村醫士檢查委員會。通知縣內各村。所有醫士。務須檢考。四十歲以上檢定之。四十以下考試之。藉以拔取優良之士。

(2)由衛生局。附設鄉村醫士傳習所。已經檢定及格醫士。限期一年或六個月。分班輪流受訓。傳習完畢後。分任各村鎮醫院醫士。負治療專責。

醫藥上應有之設施

我國各地。缺乏適當之醫藥設施。人人知之。每年傳染病流行。死亡枕藉。要以傷寒，天花，霍亂，白喉等。傳染最多。其次嬰兒夭折。產婦慘亡。爲數更夥。農村雖有醫生。庸俗居多。縱有少數良醫。皆以營利爲目的。人民畏不敢近。今設施一種免費治療機關。實爲一般人民所渴望者。

(1)省立醫院　由省衛生處設立之，專爲一般市民治療。因市面廣大。人口衆多。難以應付。須再分八個或十二個診療所。負全市治療之責。

（2）縣立醫院　由縣衛生局與縣政府設立之。。呈請衛生處。委任專員。負縣城治療之責。

（3）區診療所　由衛生局。會同區公所設立之。其治療之專員。由衛生局。呈請衛生處委任之。

（4）鄉村診療所　由衛生局區診療所。會同村公所設立之。呈請衛生處。委任專員。負治療之責。但該村人數。須超過二百戶以上。方能成立。

（5）巡迴診療團　各附屬村。戶口稀少。分地診療所。勢難籌設。則數村聯合。設立巡迴診療團。按期遊行治療之。由各該附屬數村。會同區診療所。設立之。呈請衛生局轉呈衛生處委專員辦理之。

藥品上應有之設施

按醫藥設施。卽有相當之計劃。則藥用供給。亦應有根本之創設。藥品之製造及推銷。由國家管理。則大批出產。可以分銷各處。供給各地方民衆之用。實行自產自造自用之策。然須國家對於公營事業上。應有適當之設施。則利權不外溢。經濟無漏卮。各處民衆。均能得到適宜之藥用。

（1）藥用植物園　我國藥材。天然豐富。動植礦等用之不竭。且每年藥材出口。供給國外者。實屬不少。此於造產上。利益甚鉅。故藥用植物園應由衛生處。會同民政廳。選擇適宜縣份。試種中外所產之各種藥材。改良培植。以廣推銷。

（2）藥用製造廠　我國幅員廣大。藥產豐富。奈民間不知開發。不事製造。不明化驗。天然富源。委而棄之。殊屬可惜。應由衛生處。仿效各國藥廠之法。聘請專家。許以酬資。代爲化驗。然後試製。各種應用良藥。及醫藥器具。自行創製。逐步改進。

（3）民用藥房　近來國外藥品。充斥市肆。經濟侵略。醫藥實居其一。今旣設廠自製。凡外國所有之藥。國產品亦能仿製。自當禁用外貨。如本國無此代替之品。仍可暫用外藥。由衛生處。設法研究。以求精進。必達到自造自用之境界。爲初步之目的。

預防上應有之設施

所謂預防者。其要點非指個人。而在國體。療治之外。並須剷除病源。如清潔水料。可免霍亂傷寒等。即爲其例。況傳染病。如霍亂，傷寒，鼠疫，猩紅熱，白喉，麻疹，每年在我國照例流行。又如肺病之衆多。性病之繁衍。嬰兒之夭折。產婦之慘亡。在事實上。應早爲預防。以求根本上之解決。

（1）傳染隔離病院　傳染病之流行。在我國已司空見慣。每歲逢春夏秋三季。常見瘟疫發生。通都大邑。雖醫生衆多。購藥較便。尤爲傳染之大本營。偏僻鄉村。醫藥毫無設置。一旦流行傳染急病。勢必坐視慘亡。故衛生處宜籌預防隔離，治療滅菌等項之設施。以杜疫癘之傳染。本市及各縣較大之鄉村。均應設置。

（2）肺病療養院　我國罹肺病之數。十占七八。農村之人。患者尤多。因此而滅族絕嗣者。數見不鮮。惟此病未得之前。注意衛生。旣病之後。重在療養。故肺病養療院。洵爲民衆之需要。在本市及外縣天然景緻幽雅之地。均宜設立之。

（3）性病檢查所　性病爲一種社會病。都市省會。蔓延頗廣。偏僻鄉村。流行亦甚。費時耗資。其苦楚實難形容。尤以農工商人。病此最多。故衛生處亟應設性病檢查所。以杜此病之猖獗，在本市及其他重要縣份設立。民衆皆須檢驗。有則強迫治療。以防傳染。

（4）婦女接產院　按我國婦女。亡於生產者。不可勝計。在鄉村各地，接產皆由老嫗。以不合理之舊法。致發生種種難產之情形。常見因此慘亡。不知消毒。致發生傳染病如破傷風產褥熱等。危險甚大。本市已設立三五處。在外縣至少每縣須設一處。

（五）組織及職責

（1）衛生處　組織分科。（一）總務科。關於全省之醫政事務。如頒行政令，任免職員，監用印信，及庶務會計保管等事宜。（二）醫藥科。全省各科醫師，藥劑師，護士之管理。藥品營業之監察。藥房，藥廠，療養院各縣衛生局，市立醫院，之設置及管理。醫政人員之訓練教育。全省醫事狀況之視察宣傳。（三）保健科。全省健康保險。飲料食物及製造。原料及商品之檢查。婦嬰之保險。學校，工廠，礦廠，監獄，及公共場所之衛生設置。清潔及糞便之處置。殯葬之管理。（四）防疫科。傳染病及獸疫，之調查。預防及治療。火車旅館之檢查。（五）統計科。全省人口。生產，死亡，婚嫁，之調查及統計。學校，工廠，礦廠，監獄，及特種醫事之統計。醫士，藥劑師，助產士，護士，衛生局，鄉村醫院，藥廠，藥房，藥圃，療養院，之調查及統計。

（2）衛生局　其組織與教育局公安局略同。如檢考登記縣城醫師，藥劑師，護士。設置縣市醫院及藥房。管理各鄉村藥房及診療所。推行衛生教育。管理本縣傳染病。（報告。隔離診斷治療事項。）嬰婦衛生。公共衛生。學校衛生。人民統計。（生死婚嫁疾病）登記工廠。檢斷治療事項。婦嬰衛生。公共衛生。學校衛生。人民統計。（生死婚嫁疾病）登記工廠。檢查獸疫等事。

（3）藥用製造廠　其組織分五部。（一）生藥培植部。——藥品之改良及試驗。藥材之收穫增減。及培植上之研究。（二）藥品鑑定部。——藥材純雜眞僞。判別比較。動植物學之考察。藥之橫斷面。以擴大鏡。及顯微物。檢查其構造。繪圖攝影。以資鑑別眞僞。生藥之成分。已知者。則鑑定其性質反應及定量試驗。（三）化學分析部——生藥已知之成分。分析其主要含量之不同。並研其化學構造式。與人工合成法。（四）動物試驗部。——古方主治。調查驗方。發見有效成分。均應行動物試驗。（五）藥品製造部。——嚴密滅菌。製成錠膏粉油等劑。由各縣醫院實地試用之。

（4）省立醫院　其組織分科。爲內科，外科，皮膚，花柳，耳鼻咽喉科，產婦科，傳染病科，理療科。並設藥房。及養病室。傳染病室。接產室。其職務。專以責成治療。本市病疾。因地面過廣。須分設八個至十二個診療所。以敷分配。

（5）縣立醫院　其組織。較省市醫院簡單。分內外，皮膚，花柳，婦嬰四科。並調查全縣之衛生狀況。及統計生死病疾等事。

（6）區村診療所　其組織。較縣立醫院簡單。其職任。則較縣立醫院重大。除負責治療外。並作預防事項。調查本村衛生狀況。改良風俗。灌輸衛生常識。教育及訓練產婆種痘救急接產。報告生死人口。及統計之責。

（六）經費

經費爲事實之基礎。實施醫藥公有制。經費須有相當之籌劃。醫藥行政費。由政府列入預算。則成績定有可觀。茲於經濟狀況。備有下列二種之計劃。

（甲）省會醫藥事業建設費　凡屬衛生處。各種大規模之事業。應當建設者。當由省政府確定預算。依次進行。先定經常費。以充各機關之費用。另留一部分基金。按照年限。漸事建設。其一切設置規模。先由小範圍做起。自易着手。

（乙）縣村自治醫藥經費　縣村自治者。卽由縣村自行建設。保護民衆之健康。縣村醫藥費。由縣地方款下支配。或各處募集。開辦後。已得民衆信賴。有相當之成績。由民衆每戶每年。擔負特等五元。甲等二元。乙等一元。丙等五角赤貧免費。每二百戶以上之村莊。籌設之。就二百戶村論。（村民以一千人計。）特等二十戶。甲等五十戶。乙等一百戶。丙等二十戶。赤貧十戶。共計三百一十元。倘較此更多之村。如五百戶。一千戶。則經費綽綽有餘。足供本村醫藥費用也。

附醫藥公有制實施案進行之程序

（1）案醫藥公有制。在吾國尚屬創舉。如欲着手進行。不無困難之處。宜酌量地方情形。先由省政府籌措相當經費。在省城設立衛生處。選擇數縣。劃爲衛生實驗區。先行試辦。其試辦之事項。卽照以上各節。儘量施行。以三年爲試辦期。試辦期滿。推行順利。成績優良時。卽可普及全省各縣。仿照辦理。

（2）案醫藥公有制。事體繁重。關係社會民生。尤極重大。開辦之初。最宜審愼。其初步工作。除設衛生實驗區。於少數縣份外。其餘各縣。先從醫藥入手。由省衛生處派員分往各縣。調查藥業狀況。登記當地醫生。分期訓練。以爲將來實施人材之準備。

自然的抗毒素

係然

近五十年以來。科學已有驚人的進步。可是與人類死生禍福最關切的醫學。老沒有多大的貢獻與發明。使人感覺滿腔的失望。數年以前。美國支加哥舉行『百年進步展覽會』。其中醫藥研究組斷定人類在最近的將來。會有征服一切病魔的新發明。『疾病』二字。將爲字典中所無。這雖不是一種虛渺的幻想。却非一件擺在眼前的事實。德國醫學界。常常利用政府的幫助。把許多高年的男女們聚攏在一塊兒。調查他們的生活及嗜好。想從正確的統計中得一長壽的妙訣。不料他們大多數的答案。都不與普通的衛生條件相適合。他們活到這一把年紀。是不期然而然的。那麼。比較最可靠的結論。只有好運道的人們能夠長壽。

個人體力及智慧的強弱。往往在一生過程中發生劇烈的變化。因以前後判若兩人。許多幼年的白痴。到中年成就一個富有天才的大人物。幼年的癆病鬼。也許變成個魁梧奇偉的壯男子。這是毫不足奇的。並且人類的天壽。與體力之強弱似乎沒有多大的關係。生龍活虎般的壯男子。往往不病則已。一病便與世長辭。反之體弱善病者。終身毫無生趣。然而他們却能掙脫死神的辣腕。獲享遐齡。這眞是事理之至不可解者。

鄉下長壽的土老兒。大概比城市爲多。他們提起『衛生』二字。是要嗤之以鼻的。蒼蠅蚊蚋。是他們形影不離的伴侶。他們抹煞一切科學及衛生常識的最大的證據。便是：『我已經活得不耐煩了。你們這些信奉洋教的小夥子。滿口不離衛生。能夠趕得上我老人家嗎』？

以上這兩種的變態。醫學家認爲係抵抗力強烈的效果。因爲體弱善病者。經過病魔長期的侵襲。體內發生自然的抗毒素。可以減少疾病爲害的程度。鄉下人接近黴菌的機會太多。其抵抗黴菌的機能因之亦有增進。無疑地。這是比較可信的理論。但我們決不能承認違反衛生原則。便是長壽的妙訣。最後的結論是：醫學尚在極端幼稚的時代。將來研究成功以後。確能達到字典中無『疾病』二字的階段。

★ ★ ★ ★

學術研究

白帶概論

李健頤

帶下一症。完全因於子宮局部不清潔而致。舊醫不知生理。徒從陰陽五行牽引附會。所謂傷肝經色青泥。傷心經色如紅津。傷肺經形如白涕。傷脾經色似爛瓜。傷腎經色黑如衃血。此皆陳腐之談。不値識者一辨。獨不知婦女之帶下。與男子患淋濁同症也。係由與患有淋濁者接觸之淋菌所傳染而來。初起之時。爲急性淋證。或醫治不得其宜。攝生不得其法。遷延經月。則急性變爲慢性。急性淋症。即中醫所謂濕熱下注於下焦之淋帶症也。慢性淋症。即中醫所謂脾腎衰弱內傷帶脈之白淫症也。此症治法。當在急性之時。以利尿消炎防腐鎮痛之劑。如導赤散。加減勝濕湯。小薊飲子之類。炎性已退之後。則佐以消毒收斂之品。如既濟丹。清帶湯之類。其他再以洗射等法。以清潔子宮內部。庶有濟矣。特爲採集數方於後。按證加減。則淋帶之治法。略具完備矣。

清帶湯　治赤白帶

生山藥　生龍骨　生牡蠣　茜草

淋症屬急性者。加白芍生地。夾熱甚者。加苦參黃栢。或兼用防腐之藥。若銀花三七鴉胆子(即苦參子)。若用此當去苦參。皆可酌用。

淋症屬慢性者。加白朮鹿角霜。夾寒甚者。加乾薑肉桂附子。

小薊飲子　治各種急性淋帶或兼有尿血者。

生藕節　川蒲黃　木通　滑石　生地黃　當歸身　山梔子　淡竹葉　甘草

如淋帶極甚。小腹急痛者。加烏藥益智。續發卵巢炎。以致全身發熱。下腹部腫痛者。加川楝元胡青蒿甘菊乳香。經期之後。小便急痛。兼流黃水膿水者。加葦根椿皮淮山藥。並用洗射子宮內部。

加味知栢八味丸　治赤白帶下

生地黃　牡丹皮　建澤瀉　雲茯苓　淮山藥　肥知母　川黃栢　石棗肉　白鷄冠花(赤帶用紅鷄冠花)扁豆花　建蓮肉　抗白芍　赤帶用赤芍

肝火重者加黃連香附。痰濕重者加製南星蒼朮半夏。虛弱者加黨參黃蓍。赤帶加黃芩荊芥。

旣濟丹　治帶下久不止。變成白崩者。此方以固澀爲主。

鹿角霜　石菖蒲　煆白石脂　益智仁　當歸身　白茯苓　遠志肉　淮山藥

此方爲慢性淋帶之收歛劑。如口渴身熱者。加玉竹烏梅。淋帶隨月經雜下不止。形如漏經者。加五倍子地榆炭貫衆炭生地炭。帶脈過傷。甚至腰部臀部痠痛者。加杜仲續斷菟絲子。經年累月帶下淋漓。傷及神經者。多見頭眩骨節痠痛。加熟地黃魚膘膠肉蓯蓉何首烏明天麻。

加減勝濕湯　治脾虛濕盛。下注而成濁帶者。

泔蒼朮　抗白芍　生滑石　枳穀　甘草　茯苓　椿根皮　陳皮　台黨參

平素嗜酒。兼發酒濕痒疹者。加葛花蓮鬚。濕毒淋菌浸入肌肉。以致發肌肉炎。其症肌肉表面多生瘡瘍濕疹者。去椿皮黨參。加烏枳籐土茯苓忍冬。黴菌浸腺。兼發橫痃者。去椿皮黨參。加浙貝乳香皂刺。

椿樗皮是治帶之良藥

婦女以任脈爲先天之本。帶脈爲後天之基。任主血源。帶屬脾陰。任脈傷則月經不調。血氣不旺。帶脈傷則脾臟羸弱。濕熱不化。薰蒸鬱遏。以成帶病。日久月深。內傷帶脈。綿延不治。累及脾臟。脾臟大傷。飲食日減。身體日衰。卽爲勞損。旣成勞損。雖有仙丹。亦難於救治矣。故婦人之帶病。爲終身之禍根。其勿疎忽視之。急宜研究對症良藥。方不至滋蔓難圖。如壬帶二脈無病。卽是婦女健康之根本。生育之基礎也。然則帶病顯係二脈之病所釀成者。故治帶宜先治此二脈。椿樗皮入血分。調任脈。補帶脈。運脾化濕。並有固澀下焦之能。本草備要云。椿樗皮氣香帶臭。味酸性澀。能入血分化濕熱。治婦人崩帶。可見樗皮爲治帶要藥。鄙人遇有婦人帶病。用椿樗皮一兩。芡實蓮子各五錢。車前子川萆薢各三錢。煎服或單用椿樗皮一味。熬成濃汁冲冰糖服。考椿樗皮性雖帶澀。而無阻滯濕熱之弊。功雖兼補。而無礙胃滋膩之害。且有補脾化濕之能。誠爲治帶之良藥。望海內諸婦女。有患同症者。請試用之。

枯明礬治白帶之功效

明礬即鉄二釽二礦四養四。西名（Alumen）爲六角系之結晶體。產於吾國山西之壽陽。山東之益都。湖南之瀏陽。河南之彰德等處。性質酸寒。服之能使胸中嘈雜。胃之神經起反射湧吐之作用。故西醫以明礬列爲吐劑。余研究明礬一物。多由治驗成績所得。深知其生者只能湧吐、而其煅者用途甚廣、其有收斂軟堅解熱除濕之能、考煅明礬效力。與西藥炭匿酸（Jannaoe）同。炭匿酸西醫爲止瀉收斂之要藥、仲景用礬石丸。治婦人臟堅癖不止。中有乾血下白物。亦取其軟堅收斂之力。鄙人當仿其法、用礬石丸治婦人月經過多。及下白帶。並男子白濁等症。皆著奇功。謹將各病治驗成績。錄左。以資研究

（一）林姓婦。患白帶多年。諸藥罔效。余用礬石丸。每日三次各服六丸外用白礬四錢。五倍子五錢。研末滾水溶化。日注入陰戶一次。連服礬石丸五六日並注入五六次竟然獲愈。

（二）林月梅女士。年二十一歲。因濕熱之甚。月經過多。一月間大約有二十餘日。月經漬漬不乾。親來診治。余用地楡一味。煎湯送礬石丸。十餘日後。其病若失。

觀以上各症治驗成績。可知枯明礬爲治帶良藥。然明礬亦中國所產之礦物藥。今西人常取吾國藥品。製爲良藥。仍售於吾國。侵奪吾國之利權。摧殘吾國之國粹。吁際此中藥有千鈞一髮之危。吾國醫藥界同胞。快早醒悟。以求醫藥技術之增進。懸崖勒馬。是余所厚望之也。

白帶之因於濕熱者

女子白帶。與身體大有關係。不可不早爲療治。其原因雖多、約言之、不過濕與熱二者而已。任督帶三脉。皆通於子宮。任爲引血機關。循行於經絡。督爲司精之重器。輸送於睪丸。帶脉者。所以約束胞胎之系也、如濕熱伏於任脉。則任脉薄弱。而乏引血之能。血中夾濕。復加膀胱之氣不化。濕熱蒸成一種黏膠如帶物。故名曰帶、濕甚於熱爲白帶、熱甚於濕爲赤帶、更有濕熱伏於督脉。精與濕熱混和。蒸煉一種白物。如湯如涕流泄於外。淋漓不絕。即內經所謂白淫、亦帶之一種也、治法皆宜清熱化濕爲主。世人不知治療往往用補澀、愈補愈重、甚至濕熱猖獗、延爲骨節痠痛、咳嗽聲啞、咽乾躁悶、諸證蜂起、宜先

清熱去濕。如任脉無濕熱爲害。任脉自強。血液流通。則能生精化氣。精氣充滿。吸入督脉。是全身諸脉之總司令。督脉強壯。諸脉皆得強壯。况帶脉者乎。玆採集古方二方。重爲加減。臚列於下。

一　側栢樗皮丸。(沈氏尊生書方)側栢葉五錢。椿根皮二兩。香附(醋製)白芍藥白朮各一兩。黄連黄柏(炒)各五錢。白芷灰二錢桑螵蛸萆薢各一兩。升麻五錢西洋參四錢。共研細末。米粥爲丸如梧桐子大。每服三四十丸熱湯送下。

按側栢白芍。補任脉而兼涼血。白朮椿樗皮運脾胃而兼去濕、連柏清帶脉濕熱。香附白芷化氣散滯。夫濕爲氣滯。氣化則濕亦化矣。再加桑螵蛸補腎臟。萆薢分清濁。升麻洋參以升其氣。氣升則清者之精血上補於腦。而不致下泄與濕熱合化而成帶病也。

二　易黄丸。(傅青主方)山藥芡實各二兩。黄柏八錢車前子六錢白果肉一兩。萆薢五錢。知母(炒)五錢。蜜煉爲丸。每服三錢。米湯送下。

按山藥芡實白果。補脾化濕。知柏清熱去濕脾得補則易消化而無滯膩之弊。佐以車前萆薢。清熱滲濕。此方有補脾化濕清熱之妙而無流弊也。

二方服後。繼與知柏八味丸。楊氏還少丹。調養。自可收功。屢試屢驗。

研究國藥之初步方法

石佛山農

國藥經明李時珍本草綱目之搜集，可謂洋洋大觀矣、自拾遺成，而品類更備，然亦間有一二新藥，爲此二書所未載者，故新近本草，亦不可不加參考，大抵本草當以神農本草經爲最古，惟長生延年神仙之說亦最多，此葢漢以前之通病，不可信也。

製藥分劑古法名醫別錄最詳，(見綱目序例)而雷公炮炙論爲備，今時所用，大抵不出于此，清李薛葉諸家，競炫時尚，間有一二新法，如豆卷之分大豆卷清水豆卷，桂枝之用泡等是，然皆避重就輕之法。經方家所恥爲也。

至于分量，古今不同，已詳別錄，近時新秤○、八八之數，又吾人所共知也，惟每藥劑量，從未有詳爲釐訂者，近時間有言之者，然時方家取乎輕靈，古方家取乎峻重，各自立說，令人無所適從，非爲西藥之有一定極重，可以遵守，誠一大憾事也。

本草藥物之所搜集，無慮千數百種，然日常習用者，不過三四百種，一醫之所習用，又往往僅百數十種耳。故研究藥物、不在多而在精、不欲奇而欲常、愈尋常習用者、則用功當愈深、然後運用庶無遺憾、若徒事炫奇，終日搜求不經見之品味、惟見心勞力拙而已。

研究舊訣，本草從新之端，已約略載之，然未可盡拘也，如五色五味，各有所入，迷信五行者，必以爲一定之理，不可更易者，實則亦既入心何以亦石脂入腸濇大便、酸當入肝、何以五味子亦入腸止瀉乎、此蓋或合或不合，非一定之公例，五行家硬爲牽合者也，其言五味之用，則與事實符合，治國藥者，于此不可輕忽，寒熱溫涼之性，亦不可亂，蓋所謂熱性溫性者、能興奮精神、亢進體溫、使細胞之活動力加強者也，寒性涼性者能鎮靜精神，抑平高溫、使細胞之活動力低降常度者也、此乃古人分辨藥物之大法在未有新說瓜代之時，決不可廢亦決不能廢，蓋廢此便無所遵循矣。

若夫生用，熟用，炒用，炒灰用，煨用，去頭足用，去尾用，刷去毛用，或用葉，用子，用根，用幹，用枝，用皮，用肉，用核，用仁，用花，用鬚，用蒂，用節，用心，用苗。……散見于各書之下，所當搜集，歸爲系統，生用力峻，炒用力緩，成炭則有止血之功，去頭足尾，除其毒也，用頭尾足者，欲其烈也，此人所俱知也，然同一藥物，根，莖，枝，葉，各異其用，本是同根生、功效何相背？竊嘗疑之、而今始釋然蓋物雖一體、而各部之成分，未必一致，如一桃也，其果甘如也、而其仁則苦、其葉其幹，更不可問矣、故桃可以供食，其仁其葉其幹，則不可供食也，此可以粗審而知其然，他日藥化學昌明，加以分析，然後方知其所以然也。

引經報使之說，潔古珍珠囊載之特詳，近時外科家多藥用之，亦炫俗之術而已、相須相使相惡相反相畏之說，古方多有犯者，用之未見其弊，故不必悉記，藥性賦中十八反十九畏歌，所當熟誦，以避俗忌、妊忌食忌藥忌等，有關于胎兒及病人之康健，亦須詳考，記其大要。

諸書論藥，但云主治某病某病，羅列多至數十種，最易炫人，實則藥只一二功能，何能兼治數十種病，且一病又有數因，豈能以至簡單之一藥盡之，天下決無如是之神也，蓋病雖數十種，而病原則一，然後始可以一藥療之，故一藥之治數十病，非能統治此數十病，特治此數十病中一律之病原耳，譬如白茅根一物，其性甘寒，故能除伏熱，因內有伏熱，津液消耗而小便不利，故云利小便，非眞能利小便也，小便不利之由他種原因所致者，非白茅根所能爲力也，解酒毒者，酒性熱，故以甘寒解之也，吐衄諸血，淋瀝崩中，皆內有伏熱之症，以白茅除其伏熱則諸恙帖然，若由外傷而吐衄，由體虛而崩中，決非茅根，之所宜也，噦逆亦以內熱者爲限，若虛寒者，丁香刀豆之所主也，煩渴亦內熱也，故主以茅根，總之茅根但能除伏熱耳，凡諸病之由伏熱所致者，皆茅根之所能効力者，蓋不經前述諸症已也，得其領則綱舉目張，自不覺其繁，否則，一部廿四史，不知從何處說起矣。

用藥治病，除單方外，當知配伍，除前述相須相使等說外，當考之方劑，求之于經驗治案，故桂芍相佐，則治自汗惡風，桂麻相伍，則治惡寒無汗，此仲景之所詳也，近師用藥，亦各有心得，如烏頭配生草則毒緩，附子配龍磁則熱性下潛，知此則可釋方矣，

更有所謂特効藥者，有是病，用是藥，十愈八九，當求之于單方經驗中隨時摘記可補藥書之未備。

藥物歸類，舊時本艸，或以性之良莠，或以自然學分配，皆不合于實用者也，秦伯未先生之藥性提要，仿西藥分類法纂成，惟其書過簡，未能詳備，當擴而充之，以爲案頭之參攷。

使君子之研究

王合三

使君子非劇藥也，味甘性溫，平和無毒，形似花生！，味似蠶豆，非若甘汞砒石巴豆之有大毒，純然常用之上品，何以殺虫效力，捷如桴鼓，遠在於散妥紋綿麻根楝子檳榔之上，古今來對於使君子而苦心研究者，莫不墜於五里霧中，細查服使君子之人而所下之虫，是否死體，則使君子所以殺虫之故，始有線索可尋矣。

查使君子富有油質。服食後，能令消化器管之膏油，光滑而發硬，若服食過量，屢起呃逆，呃逆者乃橫膈膜硬化膨漲，因呼吸運動之故，直接觸喉軟蓋而作聲，故服使君子之後，上自食道，下至肛門，雖彎曲紆迴，盡變成一

平滑之道路，加以蠕動不已，凡其中所存之物質，無不排瀉而出，試使君子有效成分，除殺虫以外尙有健胃治痢之機能，其副作用則爲大瀉，（服後忌茶飲則作瀉）其故不大可思乎，李瀕湖曰「能殺虫之藥，多是苦辛，惟使君子甘而殺虫」可知使君子之殺虫，乃間接，非直接，乃驅除，非毒死也。

夫虫類之寄生於人體也，除旋毛虫在肌肉中外，大多消數在消化器內，有在胃中者，有在腸中者，安居度日，不隨糞便而瀉出者，特有吸盤之故，查生物吸盤之作用，爲保持生活特異之點，觀蝎虎直行於峭壁之上來往自如，而無墜落之虞者以此而人體內之虫，亦藉吸盤之關係，以生存於腸胃，一旦腸胃光滑，膏油變硬，則向藉吸盤之力，而生活於此之纖虫蟯虫等，由吸盤失效之故，乃不得不隨波逐流，廁身糜料之中，排洩於肛門之外，可知使君子有殺虫之功，而無傷胃之弊，是舉散妥紈草麻之效力，而使君子兼而有之，此所以爲小兒聖藥也，不觀痢人之吐虫瀉虫者乎，或因熱極，或因寒極，熱則腸胃之膏油焦，寒則腸胃之膏油硬，皆足使吸盤失其效力耳。

吾更有一言，爲同人告，卽使君子之服法也，使君子之有效成分在乎油，使其油盡失，則所存之澱粉，亦不過如花生渣麻餅已耳，所以用使君子者，用煮不若用炒，使極有經驗之油工，將使君子炒得生熟合度，其所合之油量，無一毫之損失，味美易食，效力亦大，此上法也，若至不得已時而用煮法，宜用文火久煮，將使君子之成分，完全析出，棄其渣滓，攙入飴糖，製爲舍利別，亦良法也。

嗚呼中國藥物多矣，其有效成分，竟有不可思議之妙，羌活之解熱鎮痛，遠過於飛那西汀，茵陳之利尿退熱，更勝於醯酸加里，如此等類，不一而足，使有人能用化學方法，提取成分，不但爲藥界開一新紀元，且可以挽漏巵於萬一，不知今日中西醫藥界，有注意於此否？

論喉痧與白喉之別

楊則徐

喉痧與白喉二病。爲最普通。最危險。而又最易傳染之喉症也。二病雖發生于同一之地位。但其病源病理之不同。治療當亦判然各異。極對不容混合者。因作喉痧與白喉之別。

在未分辨二病之前。先要曉得什麼叫做喉痧。什麼叫做白喉。何爲面生喉痧。何爲面生白喉。明乎此方可言其別。

先說喉痧

喉痧之病因。前賢論因。多謂時邪由口鼻吸入。肺胃受之而發者。西醫則謂由傳染細菌而發者。兩種說法。各自其有充分的理由。但吾對于這兩種學說。皆認爲不大妥當，西醫之斷爲細菌爲祟，但是現在細菌非極對病源之說，任何人也曉得。無庸多贅。中醫謂由時邪口鼻吸入。肺胃受之。若肺受之，亦不過西醫之呼吸器傳染細菌而已，至云胃受之，試問胃如何能受之，夫病之由于胃受者。惟食物中毒而已，因餘物中毒而發生喉痧之病。此爲生理上病理上所不可能之事。據吾之見。以爲喉痧之病。乃痧疹之變症。由于風邪外受。痧不達。上雍于喉頭所致。故當喉病未起之前。必有發痧疹之見象。故此症。當以痧疹爲生發症。喉病爲續發症。喉痧之症狀本病之過程。分爲五期。——第一期——惡寒壯熱。口渴煩躁。手掌心熱。痧點隱隱。繼而發生喉痛。或腫或不腫。在未發生喉痛以前。不得名之曰喉痧。但一見喉痛。不問其腫腐與否。皆得名之曰喉痧——第二期——乍寒乍熱。或但熱不寒。心中懊憹。煩燥少汗。咽喉腫痛。痧則紅暈成片。突起如雲不分點粒。摸之則壘壘然。視之則乾燥無津。或能食。或不能食。——第三期——身發壯熱。胸痞咽阻。食不得下。喉頭腫痛。痧鬱不達。或痧透後。有如疙搭塊者。發則多痒而麻木。尿赤便祕——第四期——身熱如灼。丹痧隱伏。喉頭腫腐。神識昏蒙。耳前後腫。頰車不開。唇緊齒黑。小便赤濇。大便祕結。——第五期——爛喉。臭黑。神識昏迷痙厥牙緊。丹痧不起。下痢臭穢。音啞氣喘。鼻煤而煽。舌黑而焦。甚則舌卷囊縮。頃刻云亡。

喉痧之治法經云。治病必求其本。此病既由于鬱。不達而致。自當以透痧爲第一要務。痧疹一達。則喉痛不治自愈。有斷然者。——第一期爲邪傷在表。鬱而不宣。治當表散。宜荊防敗毒散加減。——第二期。邪熱已入半表半裏。侵入心營。宜用湧泄法。梔子豉湯加味。——第三期。此時邪熱壯盛。宜用苦寒泄熱法。黃連解毒湯加味。——第四期。此表裏之邪兩盛。宜用兩解法。三黃石膏湯加減。或用麻杏石甘湯參以承氣法。——第五期。此所痧已內陷。熱度已達極點。非用大劑清營盪府。不足一以克之。宜犀角地黃湯或紫雪散參以承氣法。總之。第一期至第四期。按症施治投藥中的。不難應手而起。病至第五期。則終覺難爲力矣。

再說白喉

白喉之病因　西醫謂由細菌傳染、但細菌非極對病原、說已見前。至於中醫論因。耐修子曰。白喉之因由于肺之灼、肺之灼。由于胃之蒸、胃之蒸。由于腸之寒、全是模糊想像之談。要知白喉之爲病、在氣候潮潤之時、必無發生之可能、必也待秋冬之際。燥神司令、方得施其虐于人間、雖然在春夏之時。間亦有生白喉者。必當時天氣異常。久旱不雨。氣候乾燥有以使之。亦有由于人工所造成之燥氣亦能發生者、如燃煤之家。易罹白喉。卽此理也、且生白喉者。必是陰虛液虧之體質、至若身體強壯。津液充足。自然療能力大。雖有燥邪。亦有何傷、總之。白喉之因、由于內虧津液、外傷燥火而成、

白喉之症狀　初起微微發熱。亦有壯熱者。頭項骨節疼痛。喉頭乾哽。嚥津不爽。或痛或不痛。不紅不腫。舌乾無津。苔或白或黃。其邊必絳。繼則熱勢稍退。喉中哽痛益甚。甚則閉塞。白點乃現。亦有隨發而白隨現者。再則白點密佈。點形擴大。白條白块。黏連成片。或滿口皆白。苔雖白燥。其舌質必紅。再進則中心剎腐。疼極而閉。勺水不得嚥入。眼紅聲啞。口噴臭氣。白喉而至此。危矣危矣。

白喉之治法　白喉古無專書治無成法。自鄭氏創養陰清肺湯。耐修子著白喉抉微以來。治白喉者。始有準繩可據。陳存仁先生亦云。白喉始終宜以養陰爲主。養陰清肺湯主之。麥門冬湯。大補元煎。間亦可用之。至于現在新發明之白喉血情注射療法。其效亦不減於養肺陰清湯。且奏效時。速于煎劑。患斯疾者。不妨試之。

附白喉兼症治法　白喉乃燥邪爲祟、治以養陰之劑。原是的症的方、但余去年治一白喉病。經嚴密之診察後。斷定是爲白喉乃專在養陰清肺一方相出入。而其結果。適得相反。甚怪之。乃請之余師蔣永錩氏。診之云。此症初起。本是白喉。治以養陰清肺。理固相當。但白喉未愈。

復感外邪。一味泥用養陰淸肺。反致引邪入內。今幸外來之邪。尙未內陷。尙可由原路使出。乃處一養陰淸肺。參以疎風散邪之方。再劑而症象大佳。但白仍滿佈。乃去疎散藥而重用養陰之味而愈。先哲云。見症投藥。不泥于病名經絡。但求藥之中肯。是謂上工。斯誠治療之律也。一月後。余又治一白喉。情形與此相若。乃宗蔣師之法而愈。可見白喉之兼外感者原多。成見之方。誤人不淺。爲醫者斯可注意及之。

現在喉痧與白喉。大略已具。但施治之先。必須診斷得確。方能投藥中肯。不然虛虛實實。毫厘千里。不惟喉症如此。舉凡疾病。莫不如此。玆將二病之鑑別點。羅列于下。

舌苔之鑑別、白喉乃燥火爲病、故不問其苔之何狀、其舌質必紅舌邊必絳、乾燥無津、喉痧乃外邪爲病、津液充足、其苔白膩白滑、必黏液滿口、

喉毒之鑑別　喉痧初起、多形紅腫、繼則腐爛、如潰瘍、白喉初起、但有哽痛之自覺症、亦覺有不痛而即現白者、其後但見滿口白點、非若喉痧之紅腫腐爛、

脈象之鑑別　喉痧初起。脈多浮數有勁、其後熱邪漸進。于是脈乃有變象、至于白喉之脈。多形細數、

痧疹之鑑別　喉痧初起之時。必痧點隱約。甚或肌紅密佈。色鮮紫豔。從未有不發痧疹而起喉痧者、縱或有之。亦不得名之曰喉痧、至若白喉初起並無痧點、即有痧點。亦必發于毒退邪輕之時、其色必談紅而枯燥、

喉痧白腐時期。與白喉之誤認、喉痧在進行時期，亦有白腐而如白喉者甚多、是則必須互察其已往症及現在之各種現象。以診斷施治。切勿一見其白、而即認爲白喉。致召孟浪誤病之譏、

腦貧血的原因

周笑涵

惹起腦貧血的原因約有多種。特別是全身貧血過度。因疾病及他種關係。身體極度衰弱或外傷之故。引起內出血或外出血。此外過度肌餓疲勞。或罹腎臟炎。及其他慢性疾病。而心臟疾患者的人們。尤其在末期。極重篤狀態時。因些微動機。就會發生腦貧血來了。

假若婦人在產後血液損失過多之後。那末罹腦貧血的機會。也特別容易了。不消說得。腦貧血的症狀是失神的

發作。平時如感到精神不佳，嘔吐。好睡眠。暈眩。體力不支。頭痛等。那就是本症將要暴發的暗示了。

時有很多的人。在浴池中，會突然感覺神志模糊漸漸昏倒的，那也是因了腦貧血發作的緣故，又如神經衰弱或神經過敏。常常發生本症。這完全基因於血管神經過敏過弱的原因。現在天氣逐漸轉熱了。在人烟混雜的處所。往往會突然昏倒。其原因在空氣不流通的地方。炭酸氣發生過多。或因了暑熱腦內血液移行於體表。在這種空氣中。精神繼續緊張。就構成腦貧血的主要原因了。

綜集上述的種種病理加以分析。就可明白本症的唯一關鍵。是血液枯竭。而其他關於誘發本症的神經衰弱。心臟不佳。不能安眠。及身體虧損等症。應該特別注意。從早治愈。使不致因腦貧血而導入死境。

談小兒變蒸發熱

郭禧

小兒無時啼哭不安呈顯著之發熱。爲變蒸狀態。可以不必驚憂。原來變蒸爲小兒生後必經過之階段。在醫書述得很詳細。現在不必再來演述。變蒸狀態最顯著者。即是體熱虛驚耳冷尻冷等例。嬰兒生活機能。包含有四部份。(1)入體之化學的組織。(2)血液林巴液運動呼吸(3)營養消化吸收同化。(4)排泄。這四部份的感應。在着血氣未充。各組織幼弱的嬰兒。經其着着改換轉變。能起有一種副作用。這副作用就是變蒸徵象。不是病的狀態。即中醫說。所謂變是變其情智。蒸是蒸其血脈的理由。以上前一點。「温生理」是指蒸其血脈。後一點。「神經生理」是指變其情智。這就是變蒸的原理。

變蒸考新說生理。是屬於温生理及神經生理。温生理之温發生量。其成分於下。

「脂肪」「含水炭素」「蛋白質」。兒身急於變化生活狀態。故有一種特別旺盛之新陳代謝。是以現尻冷耳冷體熱的現象。即幼科準繩所說。「血氣蒸迫。形體成就。五臟變氣。七情由生」的理由了。

神經生理其作用有三種特性。

(甲)反謝機能。(乙)自動機能。(丙)精神機能。

(1)反謝機能。能特導神經刺戟而起動作。

(2)自動機能。不受外界任何刺戟與節制。能立箇性興奮而傳於各部。

(3)精神機能。感覺思想記憶力志趣。都是由這機能而來。

以上三點。統要嬰兒最普通生活中的現象。作一個簡單的視察。現在進步學術界所公認的新學說。最新式生理學中。全體包含三部份。(甲)物質代謝機。(乙)勢力轉換發動論。(丙)繁殖發育論。本篇立論。就是根據這動機而作。

衛生常識

小產之原因及預防

李健頤

小產一證。古人謂爲血氣虛弱。胎元不固。宜服雙補氣血之藥。以固胎氣。如法服藥。屢多不效。余心甚愍焉。潛心考究。細察原因。乃知小產之病。多因帶病所致。故患帶之甚者其小產必多。蓋帶下之甚先傷帶脈。帶脈即卵巢也。帶脈爲約束胞胎之系也。帶脈有傷。無力提繫胞胎所以胎元不固而易墜下。若欲保固胎氣。宜先治帶。帶若治愈。則胎無不自固矣。夫帶之爲病是因濕毒淋菌侵入子宮。子宮損傷。累及帶脈。乃蒸變而成粘膠之物。淋漓不絕腥臭難堪。此物內有毒質能障胎氣。故有孕者宜注意也。治法宜補脾而兼升陽。化濕兼清熱。若濕化熱除。原氣強健統運之機活動。清陽上升。化血以保胎。胎自堅固。何至於犯小產乎。鄙人發明一方。有治帶安胎之功。補脾化濕之能力。方列後。倘望海內明達之士。指教是盼。

懷山藥三錢。黃芩二錢。白果(去殼)三錢。萆薢二錢。桑螵蛸二錢。麥芽二錢。升麻二錢。洋參錢半。白朮二錢。樗椿皮三錢。金櫻子三錢。桑寄生二錢。清水碗半。煎八分。食前溫服。

按方中用山藥白朮補脾健胃。加麥芽以助運化。金櫻白果補腎固濇。萆薢利濕熱。此係補中而有消化之能。固濇而無滋膩之弊。佐以升麻洋參升陽補氣以降濁陰之邪。桑蛸椿皮補腎固濇。兼治帶脈之傷。益以黃芩桑寄生清熱安胎。此方眞有調養帶脈。保固胎元之能。亦可爲須防小產之神方也。

男女婚配之選擇

健生

世俗婚姻之事。女家之擇男者。多重視富貴家之子侄。男家之擇女者。多取貌秀才慧之女子。而男女雙方身體之強弱。不加注意。於是弱男配與弱女者有之。爲父母者不知憂也。嗚呼愚哉。不知弱女配弱男。其所生之子女。亦必因柔弱而多病矣。蓋男子體弱。精蟲亦隨之委弱。女子血衰。卵珠亦隨之虛尩。夫精蟲與卵珠。雙方俱怯弱。則何能生得康健之兒女哉。此自然之理也。然男女婚配不擇身體之平均者。洵爲造創兒女之極大障礙。吾人不可不小心選擇焉。然則選擇之法。宜如何其可矣。吾謂以柔弱之女。嫁得雄壯之男。衰瘦之男。配得強健之女。則弱女之卵珠雖瘦衰。可得壯男雄精之扶助。弱男之精蟲雖萎靡。可得壯女健卵之培補。以相需相濟。燮和陰陽。此不特爲種子之基本。即弱者受強者氣血之氤氳。亦大有裨益。則可轉弱爲強矣。譬如弱種植物。移種於肥地。則植物必蔚然茂暢。葱葱鬱鬱。否則如強種植物。種於磽地。則植物必頽然衰落。蕭然萎敗。植物如斯。人類種子。亦何莫不然。世人苟能深悉此法而行之。是增進人類種子之強壯。將來中國之人種。皆可轉爲強壯雄偉之人傑也。值玆文明世界。正革舊鼎新。大爲鼓舞。以達于善良之目的。若今日婚配之事。較前雖有改良。而以貌取人之風俗。猶不能淘汰。又加夫婦成婚之後。不知節慾。不講衛生。而貪淫無度。斲喪精神。由此以往。恐中國之人種。將永爲東方之病夫矣。

黑熱病之病理及預防方法

張子英

近來本市發現黑熱病症狀甚多。據研究者述。患本病死者之脾臟小孔內。發見有黑熱病寄生蟲等云。鄙人對於黑熱病。已治愈多人。研究黑熱病頗有興趣。爰將黑熱病之病理及預防方法。敍述於下。以供市民之防範。

黑熱病（中醫稱爲痞塊病）之病理。爲瘧菌侵襲脾臟。體內之濕痰死血等。被吸收於脂膜之內。呈脾臟腫大。肢體消瘦。作不規則之發熱。面色沉黑。呈貧血狀態。甚則牙齦出血。成爲牙疳。并有併發支氣管炎。及痢疾膿毒病等症。

黑熱病之預防。爲（一）須有適當運動以促進新陳代謝（二）食物不可過飽以免積聚。（三）多食新鮮菜蔬。使大便通暢。（四）多食葱大蒜生薑薄荷等揮發性食物。以殺除菌毒。（五）煙酒不可吸食。以免生濕痰。（六）時常用溫水洗浴。以促進循環。免除血液淤積。（七）不可食不清潔之飲料和食物。以免細菌混入胃腸。

及至小便溷濁。肚腹脹悶。疼痛或腹部碩大。顯露發熱等症。則已罹黑熱病。宜迅速請醫生治療爲妙。

飯後多吃水菓之害

周子序

我國科學落後。無不摹倣他人。削足適履。自謂摩登。萬事無不皆然。玆就飯後食水菓一事之害。略爲說明之水菓。能助消化。是也。但多食則有水菓積之弊。凡飲食各物。須動植並進。吾國人亦早已知之。如筵席之水菓。卽所以調制多進肉類之弊。而於平時之常食。似可不必。因我國飲食之習慣。主要食物爲米類。(此就南方而言)含水分已充足。不比麵包之缺乏水分也。且菜蔬中雖有肉類。但每餐菜羹。貧富俱備。而多湯汁。不比餐之多肉類。且係燒烤也。近時知識階級。口耳相傳。咸謂水菓之菓酸能助消化。每餐之後。必食水菓。致酸素及水分過多。反致消化不易。蓋平時進食。不能有節。胃力本已疲勞過度。因而組織弛緩。漸成擴張。或下垂之患。猶以爲消化不良也。更增進水菓以助之。是藉寇兵而齎盜糧。此摩登胃病之所以日多。花旗蜜桔。金山蘋菓之所以輸入日增也。此其第一原因也。經濟原則。食物之消化與營養。須進出相抵。則健康。稍有蓄積則成病。國人對於運動。惟學生時代尙有相當之機會。一入社會。卽無適當之場所及習慣。能如第六公園早起打拳諸人。寒暑不問者。有幾人哉。不比西人之年至耄耋。或位至總理後。尙孜孜不倦於各種運動也。此中西人消耗排泄之不同。不能如西人飯後必食水菓之第二原因也。又沐浴之習慣不同。身體之排泄亦異。國人每日沐浴者。眞如鳳毛麟角。卽以衛生家自命者。每週亦不過一二次而已不如西人之每日必浴也。勤沐浴則皮膚排泄旺盛。消耗必多。此國人不能飯後吃水菓之第三原因也。此三種原因。由鄙人十餘年來細心觀察患胃病者歸納之所得。雖患胃病者未必統由於水菓。而飯後必吃水菓者。多有胃病之患。胃病一成則消化不良。營養不足無雖日進滋養品。不足以去種種疾病。因是工作倦怠。事業成。以此遺傳。影響可及於種族衰微。可勝嘆哉。

衛生小問答

張子英

(問)食飯多而精力依然如故。或仍瘦弱何故。

(答)平人飯量雖佳，而消耗亦多。或體中素有積熱。所以精力不增加。而體熱消爍肌肉。所以仍然瘦弱。

(問)怎樣能使身體肥胖。

(答)多食脂肪質蛋白質食物。又食物不可過於鹹。又處事不可過於勞動。心境又宜恬愉快樂。自然能使身體肥胖。

(問)平常攝取何種食物最爲營養。

(答)肉類豆類都含脂肪蛋白質很富。菜蔬果品俱含重要營養料。吾人每日宜混合攝取。牛乳雞蛋含滋養料最富。宜天天不可省去。

(問)吾人每日攝取食物。鹽分或糖分不攝取無妨麼。

(答)吾人每日攝取食物。雖然有喜食鹹者。有喜食甜者。但鹽分或糖分都不可廢去。單食鹽分而不食糖分。則體內排洩消耗過甚。形態必見瘦削。單食糖分而不食鹽分。則體內廢物酸類必見增多。發生疾病。所以吾人每日宜鹽分和糖分兼并攝取。

(問)食物吃得快和慢有利害麼。

(答)吾人平常吃食物。宜細咀嚼。使食物飽和唾液。然後嚥下。則易於消化。若很快的囫圇吞下最不易消化。引起胃腸病的基礎。

(問)食飯時候飲湯有什麼利害。

(答)食飯時候。因覺口津乾燥。不易嚥下。則稍飲湯水。甚爲有益。若湯水多食。或習慣性多食湯。則使胃液稀薄。阻礙消化力。有喜用開水淘飯吃者。將飯囫圇送下。實很不合衛生。

(問)食飯過多過少有什麼利害。

(答)食飯總以不可過飽爲宜。過少則攝取營養不足。亦所不宜。午飯稍多尚爲相宜。夜晚最不可過飽。

(問)長久不吃飯。而以他物代替無妨麼。

(答)無妨。但每日仍須攝取適當代替營養物。

(問)長期間吃一種食物。有利害麼。

(答)吾人攝取食物。總以混合攝取爲相宜。若長期間攝取一種食物。於身體上必定發生一種偏弊的影響。例如專食肉類。而不食菜蔬。則脂肪過多。酸類廢物蓄積。則發生痛風症。

醫林雜記

中國外科醫學教科書序

江蘇錢今陽診所武進化龍巷

溯自歐風東漸。騖新之徒。競尚歐化。鄙夷固有國粹而不屑道。可謂舍本而逐末矣。夫疾病人所難免。有七年之病。必求三年之艾。此自然之理也。吾國數千年來。國人有疾。胥賴國醫藥爲治。吾聞有服食養生。同登壽域者矣。

未聞疾病夭札。有如今日之甚者也。乃今人競尚歐化。於醫藥一事。惟西法是從。衞生行政。操諸西醫之手。日以排擠國醫爲快。甚至視中醫用藥以爲艸管人命。而於西醫以病人爲試驗之品橫死刀匕之下。枉送太平之間。而絕不以爲怪。噫，不其愼乎。黨國要人。有鑒於此。傷國粹之陵替。識靈素之精微。登高山兮一呼。挽狂瀾於既倒。中醫條例之公佈。即其明證。從茲中醫獲得法律保障而整理國醫學術。成爲有系統之學說。遂爲當前急務。又輓近國人僉謂『中醫長於內科。西醫長於外科。』耳濡目染。同然一辭。吾意不然。謂中醫外科器械較遜於西醫則可。謂中醫外科治法不如西醫則不可。取人之長。舍已之短。則中醫外科手術之急宜改進。醫藥方書之急宜整理。固爲刻不容緩者也。友人瀛州季君愛人以瘍醫鳴於時。既已創中國外科醫院於吳縣。以謀中醫外科手術之改進矣。近復有中國外科醫學教科書之作。全書分經脈篇脈學篇癰疽總論篇。局部病篇。全身病篇。方劑篇。每病分名異部位。病因。症狀。診斷。治療。而療法又分內服。及外用手術。每一方劑。分主治藥物。服法。禁忌等。研究深切。編制精詳誠國醫外科藉中。有系統之良書也。茲以問世有日。季君。郵以示余。並索一言。因敍其敬業之苦心。以爲發揚國醫者勸時在

中華民國二十五年六月十六日武進錢今陽謹序

本刊衛生顧問章程

(一)本刊經大衆訂閱者之要求。闢設衛生顧問欄。以便醫藥上疑難問題。及病因症治藥性等。作公開之討論與研究。若依本章程投函詢問。當卽照來函解答。

(二)重要問題。除依來信直接通函答覆外，本刊得隨時將答案披露。以便同志之研究。

(三)疑難之答案。須檢査醫籍。詳細考慮者。至遲須一星期可以答覆。

(四)不答覆之問題如下。(一)來信記述不詳者。(二)意義不明者。(三)要求立得藥方者。(四)無關醫藥者。(五)委託評論藥方之是非者。(六)本社同志學識所不及者。(七)無覆信郵費者。(八)無衞生顧問劵者。但不答覆者。不答之理由。覆信聲明。

(五)來函概用中式紙張。繕寫淸楚。附覆信郵費一角三分。並附寄下列衛生顧問劵一紙。

(六)來函寄上海芝罘路益豐里八號

衛生顧問劵

上海山東路二十六號 中醫書局 經售

出版醫書特價六折

新出 中醫與自然化學

蔣定英著 鉛印 平裝 二册 一元 七折

西醫論生理專重形質固非。中醫論生理專重氣化亦非。所謂眞生理者。當根據自然化學。即自然造化之妙機。非器械所能測其奇奧。而古人所定之自然造化公式能解決之。蔣君本之而著此書。分宇宙眞詮兩編。每編又分九章干若目合大宇宙小宇宙論於一爐。放中醫界未有異彩。不可不讀。

新出 瘴瘧指南

鄭全望著 鉛印 平裝 一册 五角 七折

瘴瘧之作。雖曰山嵐瘴氣爲多。亦有四時疫菌所生。故不得概以地限。其證似傷寒。似內傷。然以傷寒內傷。治之必死。其來或輕淺。或急疾。然治不必法均歸不起。此書論證則辦晰。周詳。用藥則簡易平順。蓋本諸宋李待制之書而以經驗考之。非捕光掠影者比也。

新出 國醫生理新論

朱國均著 本裝 三册 一元八角 七折

分胎學、臟腑學、經脈學、精神學、形體學、附著六卷。將人身生之原始要終之道。反覆論難。以明其義。於陰陽五行六氣經脈等。從臟腑之質性上求至理以詮證。盡棄一切相延之空套解說。殊足破西醫之掊擊而有以自見其眞。中醫生理之書獨少。得此可無憾矣。

▲繪圖簡明 中國鍼灸治療學 初二集

溫主卿 石印 本裝 二册 一元六角 七折

將廿載之經驗。費十年之心血。始成此書。得其門徑。不難懸壺應世。以一針一灸即敷應用。診治百病。可見奇功。非若內科之煎煮費時。西醫之設備費力也。本書係當代針灸專家。溫主卿先生所著。有無師自通之妙。爲學針灸第一部寶笈。繪全圖以明部位。立歌括以得秘訣。並發明症候之傳染。搜羅古今之奇方。闡揚審察之卓著簡載八一之忌藥。見解新穎。意法盡善。初集己再版出書。二集新出。皆用連史紙八開石印。柿青紙封面。裝訂古雅。合購兩集。特價六折。

▲女科秘方（原名竹林寺秘授女科百廿症）

鉛印 平裝 一册 四角 六折

本書爲浙江蕭山竹林寺僧秘授之原稿。市上所傳之僞稱竹林寺女科。完全與本書不同。選輯者計一百二十症。凡婦科重要症候。均多詳述。首列症論。次附藥方。除原稿刊外入。並由四明名醫周岐隱君詳校加以按語。丁濟萬題簽。尤覺名貴也。

▲秦氏內經學

秦伯未著 鉛印 平裝 二册 一元四角 七折

本書爲秦氏教授上海中醫專門學校暨中國醫學院內經時之講義。分生理、病理、診斷、治療、方奉、雜病等諸編。采詞簡要。發揮特詳。學子得之。無索然枯澁之態。故雖辭職五載。而校中仍劑爲教本。徇內經中名貴之作品。初學者尤宜先手一編。以固基礎。

▲最新實驗藥物學

溫敬修著 鉛印 平裝 二册 一元七角 七折

中國藥物。經東西各國之研究分析。尤見功效神奇。彰明切實。惜乎未有集新舊學說於一爐。以供有志者之閱覽。溫敬修君掌教於福建仙游縣國醫學校。專事藥物一科。承以講義見贈。亟爲付印書。凡廿三章。一溫強壯藥。二強胃消化藥。三瀉下藥。四利尿藥。五收斂藥。六衡動藥。七祛痰藥。八解熱藥。九清涼藥。十鎮靜藥。十一鎮虛藥。十二頭痛藥。十三解毒藥。十四寄生蟲除藥。十五興奮藥。十六緩和藥。十七變質解凝藥。十八催吐藥。十九通經藥。二十引赤發泡藥。廿一芳香藥。廿二眼科藥。廿三雜錄。各藥復分爲學名。醫名、科別、產地、王期、成分、性味、效用、單方、處方、禁忌、用量、各項。都二百七十頁。

▲分經藥性賦

潘宗元著 鉛印 平裝 一册 二角 七折

衛生雜誌第三十三期即四卷三期

中華民國二十五年十月二十五日出版

主編者　國醫張子英

發行者　衛生雜誌社

印刷者　衛生雜誌社

分發行所　五洲書報社　上海山東路二二一號　電話九二四七六號

分售處　中醫書局　中國圖書雜誌公司　上海雜誌公司　各省書局

衛生雜誌定價表　（費須先惠）

出版	月出一冊	全年十冊逢二八月停刊
價目	大洋一角二分	大洋一元
附註	郵費在內	國外加倍
	郵票代洋以一分五分爲限	

▲社址▼上海芝罘路益豐里八號電話九二六九〇號

天津馮氏斷癮救苦金丹 戒烟第一

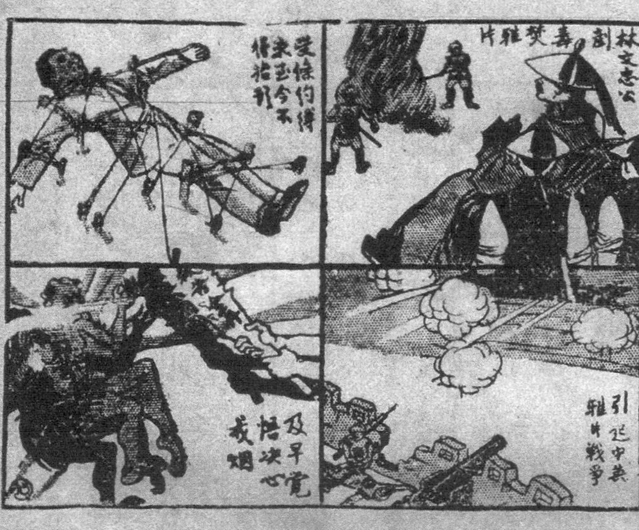

▲風行六十餘年斷癮數百萬人
▲中央禁烟委員會張主席題獎
▲歷任大總統黎徐曹諸公嘉獎
▲專戒鴉片紅丸海洛因嗎啡癮
▲戒時照常吸烟逐日見烟自厭
▲輕癮一二料重則三四料戒淨
▲每料祇收藥本大洋一元五角
▲外埠函購起碼兩料寄費加一

贈券

戒烟捷徑內容豐富凡三四餘萬言人手一冊益趣無窮函索立即原班寄奉

救苦金丹發明於清同治七年，迄今已歷六十七年，其藥性的王道，功效的神速，遐邇馳名，歷古各地官廳嘉獎保護，博覽賽會屢獲褒獎，服者斷癮謝函不可勝計，詢屬戒烟藥中第一秘寶，絕非市上一般投機劣藥所可比擬，服之毫無副作用，于安全中戒絕，決心戒烟，捨此莫屬。

功效 宣導烟積，剷除烟毒，打倒犯癮，潤腸滋陰增加血液，照常辦事，不害腸胃，增多飲食

成分 採取珍貴國藥，精密監製，功效靈速，與普通毒質抵癮戒烟藥絕不相同，亦不反癮重吸

服法 每晚臨睡時，用溫白開水送下，白天勿服，切勿過量多服，次晨口渴乃藥力達到之現象

代理

本埠先施永安濟華堂中英太和中西華美五洲中法華英南洋正威等均售

▲上海 白克路西大通路口 天津峻芝堂駐滬發行所

德國內分泌名貴補劑
壽爾康
德國愛特諾博士發明
德國威彌鄧藥廠監製
『壽爾康』係以強壯動物之內分泌液(荷爾蒙)製成之
十倍，具有『補腦』『補血』『補腎』三大功力，任何虛弱之
體，試服一二盒後，無不精神煥發
全球服者，均已得其實效，一致推崇
面面俱到之現代唯一大補劑！
上海柯爾盛洋行

HEALTH MAGAZINE

衛生雜誌

中華郵政特准掛號認為新聞紙類
內政部登記證警字第二八二九號
社址上海青島路六十六號

第四卷第四期（即第三十四期）

本期要目

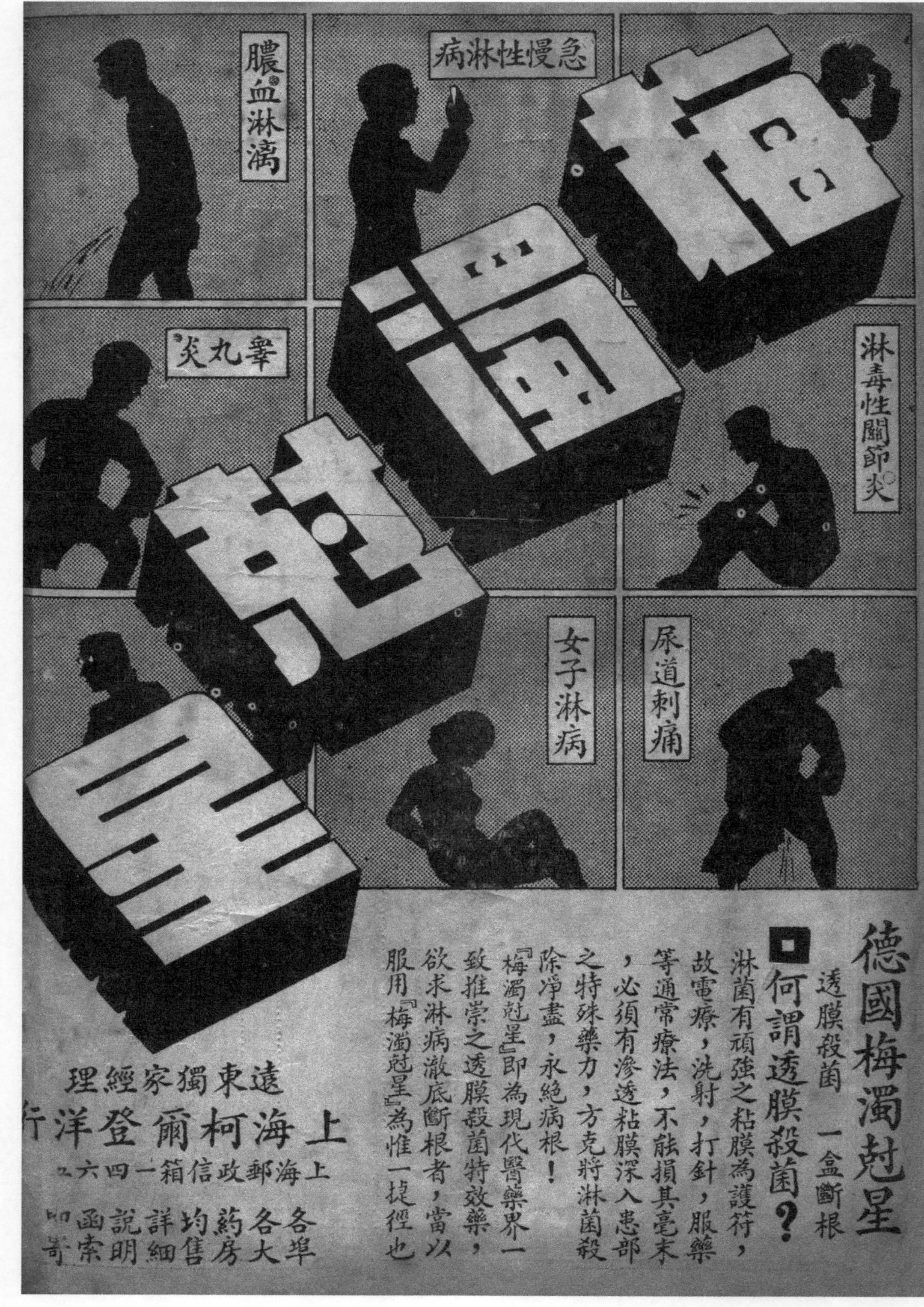
梅濁尅星
膿血淋漓
急慢性淋病
睾丸炎
淋毒性關節炎
女子淋病
尿道刺痛
德國梅濁尅星
透膜殺菌　一盒斷根
何謂透膜殺菌？
淋菌有頑強之粘膜為護符，故電療，洗射，打針，服藥等通常療法，不能損其毫末，必須有滲透粘膜深入患部之特殊藥力，方克將淋菌殺除淨盡，永絕病根！
『梅濁尅星』即為現代醫藥界一致推崇之透膜殺菌特效藥，欲求淋病澈底斷根者，當以服用『梅濁尅星』為惟一捷徑也
遠東獨家經理
上海柯爾登洋行
上海郵政信箱一四六
各埠各大藥房均售
詳細說明函索即寄

小談論

中醫界的希望

古老人有句話。「人必自侮而後人侮之。國必自伐而後人伐之。」中醫界的受人排斥。被人厭棄。何莫不然。現今科學倡明。日新月異。中醫界還是因循苟且。一味守舊。就是所謂不進則退。那末。他人就可以取而代之。公然喧賓奪主。現然我們中醫界裏一般睡獅已經醒覺了。所以醫藥什誌呀。研究社呀。醫學院呀。等等組織。也逐漸旺盛起來了。一般高唱中醫科學化的同志們。專門注意到藥物的化學分拆和特效。還有一般專門研究古藉的老同志。把現代的新學說。去探求先輩醫聖的舊學理。使融會貫通。從這樣努力邁進。當然是中醫界的好現象。現然因爲科學器械戰爭的當兒。如受槍彈毒瓦斯等的救治。也有一般熱心的同志設法研究完善的治療。不過事實告訴我們。所謂有志者事竟成。中醫無論對於內科外科方面較諸西醫確有擅長的地方。只要能夠努力埋頭苦幹研究。自然有光明的途表現出來。這是我們中醫界的希望。

優待本刊舊定戶

凡本刊舊定戶自四卷一期至四卷十期直接續定全年連郵計國幣一元當卽贈送價値一元之第三卷彙刊一厚册藉以彌補中途或有遺缺等情

★衞生雜誌第三十四期目錄★

鎮江城內
五條街

鎮江唐家老一正齋

萬應靈膏

▲此膏專治一切諸病必須依經按穴貼之立有奇效▼

五勞七傷　負重傷力　筋骨疼痛　骨節酸痛（貼兩膏肓穴　並腎俞穴）

心胃兩氣　胸膈不寬　肚腹飽脹　脾胃虛寒（貼膻中穴並中脘）．受寒惡心　咳嗽吐痰　痰喘氣急（貼華蓋穴膻中穴並肺俞穴）

腦寒痰壅　鼻塞腦漏　偏正頭風　（貼風門穴）

左癱右瘓（手足麻木）（手貼肩井幷曲池穴）（足貼大陵井跗踢穴）

漏肩疼痛（貼兩肩井穴）

寒溼脚氣　鶴膝軟弱（貼兩三里穴）　腰疼背痛（貼命門穴）

小腸疝氣　偏墜木子（貼氣海穴）渾身走氣（貼章門穴）

男子遺精白濁　精寒走泄　淋滑不固（貼關元穴並兩三陰交穴）

婦人赤白帶下　子宮久冷　血血崩漏　（貼關元穴並兩三陰交穴）

瘧疾　男子（貼左天府並間使穴）　婦人（貼右）　痢疾泄瀉　（貼丹田穴）

▲凡跌打損傷無名腫毒瘰癧玩癬初起溼疾即婦人乳症並痞塊積食氣痞等班不必尋穴可貼患處忌鬼箭火症懷胎孕婦忌貼

●另有穴道圖附方單●

價目表

▲小號紅布膏▼ 雙料大洋壹角二分　加料壹角八分　加重料三角

▲中號紅布膏▼ 雙料大洋六角　加料大洋九角

▲大號化痞膏▼ 重料大洋一元二角五分　加重料大洋壹元八角

▲大紅貢緞膏▼ 大號雙料緞膏大洋五角　大號加料緞膏大洋壹元

▲如欲另加原寸仁者每分大洋壹元貳角至少一分起碼

▲各省區域諸　寶號欲經售小號膏藥者本主人極表歡迎並有特別利益欲知詳細章程函索即奉

▲代售處▼

▲山東濟甯州孫玉堂
▲山東泰安道生茶莊
▲山東單縣源隆茶莊
▲山東鄆城縣和豐永
▲河南開封省廣大號
▲徐州沛縣王保和堂
▲山東兗州紫陽醬園
▲山東博山縣德厚成
▲山東金鄉西長舉泰
▲河南陳州德聚祥號
▲徐州南門廣濟永號
▲徐州碭山縣景泰隆

醫學言論

湖北國醫專科學校反對衛生署中醫審查規則宣言

（一）本宣言繫於汪前院長致立法院之私函。蹂躪中醫。（二）中醫條例公佈。由前迄今。教育部不許中醫學校之備案。在該部對於學校設立。下至盲啞。劇戲。等學校。皆與以許可。獨至國醫。則百方阻撓而不許。其消滅中醫之心。昭然若揭。（三）衛生署。在公佈之中醫條例中。取內政而代之。欲以審查規則之力。消滅中醫。本此數者。今爲駁論。宣告於國人。其論如次。

（一）蔑視社會之苦痛　史載張仲景爲長沙太守。活人以萬計。而不爲良相願爲良醫。且代有名言。此皆在未有西醫以前。中醫於社會上。痌瘝乃身。疾苦在抱者也。今西醫之功。直接未及於一鄉一邑。而消滅中醫之手段。間接已貽害於億兆億人。社會本望治於政府。作政綱之一目。今政策。乃推社會於苦海。不憚爲政綱之解紐。忘六馬朽索之戒。是一系狠狙之奸。

（二）毀棄祖宗之歷史　黃帝以來。誰非瓜瓞。內難諸經。在哲學上有不朽之立德。在歷史上。醫意相傳。尤有不朽之立功。今以少數人之私心。欲毀四千年之歷史。何異於掘祖宗之坵墓。忘追遠之重言。

（三）紊亂立法之統系　考政治原理。法律可以變更命令。命令不可以變更法律。中醫條例。經立法院通過。經國府公布。是法律也。審查規則。雖經院部議准。未經立法變更之手續。是政令也。衛生署。以向來阻撓中醫之心。推去內政部而代之。行狙公朝四暮三之詐。與教部爲山崩鐘應之巧。紊亂立法之統系。破壞國家之軌物。

（四）撓害國家之經濟　國藥。在國民經濟上。爲資生之大源。在今日統制經濟上。乜爲財政之大本。然國藥之來源於國醫。若國醫墜於深淵。則國藥必棄於道地。尤有進者。國藥棄置。卽西藥漲上。於是乎。經濟上國家減財政之征收。而舶來品西藥增加其輸入。絕國民生計之源。以助西藥壟斷之勢。此皆西醫一派。鋤除異己者。最毒很如「托辣斯」。朋比西藥商。促威勢於「賣獨占」。

（五）狸侮各中委及玩弄中醫等　馮中委玉祥等提案。以中西醫平等待遇爲案由。而中醫條例因之公布。乃中醫條例。（第一條第三項）明明有中醫學校。而教育部則百方尼之（不許中醫學校備案）中醫條例。明明系於內政部。（第一條第二條）而衞生署則術取而代之。於是乎。教部一方。則不許中醫學校備案。自根本消滅中醫。而衞部一方。審查規程。用手段消滅中醫。必須醫校畢業。如此滑稽。令馮中委等提案之苦心。去如逝水。自相矛盾。（卽教部不許醫校備案而衞部必須醫校畢業）將中醫等。玩之於股掌。不平之鳴。何以堪此。

（六）戕賊學生學術之進步　比年以來。惆國粹之淪喪。悲社會之苦痛。莘莘學子。欲以所學之哲理。所希之事業。並中醫之改進。垂帶而厲。一日千里。今教育部。則自根本阻撓之。而衞生署。復以手段破壞之。是無異傳刃而縛足。一以戕其向學之心。一以絕其邁進之路。

由上一之說。漠視社會。則社會與政府。將呈分崩離析之象。

由上二之說。數典忘祖。將貽友邦之譏。

由上三之說。則法律命令。統系隨於運動。將有口銜天憲之禍。

由上四之說。貽誤國民。妨害經濟。雖總理標榜民生。而若輩乃曲致民死。

由上五之說。則馮中委等提案之苦衷。不足輕重。令國家之柱石。將於是而寒心。而中醫等受其侮弄。連鎖社會。亦將於是而離德。

由上六之說。剷除中醫一系。則黃帝之靈泣於天。而醫理之哲絕於世。

同人等有鑒於此。誓與我固有之學術而偕亡。不依此規則而求活。爰擬辦法如左。

一、全國醫藥界。組織請願團。請願於國府。暨中央政務委員會。

二、每省由國醫公會。推出一人。醫校推出一人。醫界華僑。聽自組織。爲請願代表。

三、請願照「中醫條例」。仍隸於內政部。

四、請願廢止該項審查規程。俾中醫不立於（破壞中醫者）衞教兩部之下。

湖北國醫專科學校校董會全體董事公啓

肝癌專家劉正宇治療黃病的正謬

鄭邦達

黃膺白先生竟因患癌而不治，賚志以沒，薄海同悲，我們聽了自命爲肝癌專家劉正宇報告治療經過以後，覺得有正謬的必要；

細胞變性的癌腫，誰都知道，當你發現他是本症的時候，早已失去治療的時間性，在世界上，尚沒有特效藥發現，偏偏這位正宇先生說「若經中醫合法調理决不致有何危險，肝癌之起，起於瘀血不行，力主破瘀攻下，用大承氣湯，桃仁承氣湯加減，現黃病雖無顯著痊愈但亦不至有何變化」……（十一月廿八日報載）

我們知道，中醫對於癌腫，就根本沒有專書可查，雖列有乳癌一症，在舊說也是缺乏陽生之力，翻開二千多年的醫書，并沒有說癌症起於瘀血，治療方面，大都用扶陽強壯劑，也沒有說用破瘀之品，沒有聽見猛峻的下劑大承氣湯，是可以治癌症。

在前天的報上，「黃氏日來，病勢增劇……據同他醫病的×大夫說，除掉以大承氣湯，繼續治療而外，別無他法」，萬不料治腸胃病，機能亢進的陽明症，一劑知，二劑已的大承氣湯，還可以作續命的靈藥，

我們到要請問，治癌聖手，你眞的在黃先生肝子裏面找到多少瘀血，大腸裏面，幾斤燥屎。

喪心病狂，一至於此，而且昨天，（黃先生棄世的上午）還由盲從的人，替他記錄得有「黃先生的病，病久根深，急切實難速效，如能，延時間一二月也許有把握，」本來，照良心說，維持一二月，老早西醫也就說過，自認本有七八成把握的肝癌專家，不說連癌腫是個甚麼東西不知道，就拿這種療法，就是好人，也許會送掉老命，而且「都是一派破瘀藥品」眞是實事求實，不折不扣。

可是在科學落後的我國，一般初學者，以爲坐飛機診治名人的醫生，必定有超人的本領，遇着類似的病症也如法泡製，誤盡天下蒼生，專家其謂之何！

我們爲了解釋眞理起見，不得不把這種不學無術的僞醫生黑幕揭開，以免再有繼起吹法螺者，爲國醫前途之障礙。

一九三六・十二・七・於愛文義路王家沙花園路新中國醫學院

學術研究

讀奔豚湯的研究書後

張子英

讀中國醫藥研究月報第一卷第一期。潘北辰君之「奔豚湯的研究。」把奔豚湯的方劑用意。和治療功效作用。分析得頗爲詳盡無遺。但是在研究學術的立場上說起來。我們有另外的意見和解释。實有不得不發表之概。爰作「讀奔豚湯的研究書後。」以供同道之探討。

奔豚湯是——

「甘李根白皮一升生葛五兩黃芩芍藥各三兩甘艸芎藭當歸各二兩半夏生薑各四兩

右九味：以水二斗煑，取五升去滓，温服一升日三夜二服」師論上說。「奔豚，氣上衝，胸腹痛，往來寒熱，奔豚湯主之。」說到奔豚湯的治往來寒熱。却和小柴胡湯的作用相同。不過把主要的柴胡。掉了葛根。扶正的人參。掉了芎藭罷了。原來奔豚症的寒熱往來。因爲從驚恐得之。驟傷心氣驚則氣下。陰陽升降之机能乖亂。所以衞氣與邪氣

相幷於陰則寒。相幷於陽則熱。藉黃芩半夏芍藥之引陰氣和肝逆下降。使邪氣不幷於陰而熱可止。是以奔豚湯之治寒熱往來。是調暢陰陽升降之途。再加生薑半夏甘艸是扶脾袪水飲。爲隔離陰陽相幷的重要物。

至於奔豚陽之治氣上衝。乃是腎邪挾肝氣上衝。藉白芍之降肝逆。黃芩半夏之抑制膽火飛揚。降胃卽所以降胆芎藭當歸之調暢肝氣。自然氣上衝可愈。

胸腹痛原爲肝氣橫逆侮脾。用芍藥甘艸調和榮衞。半夏生薑扶脾。當歸芎藭養肝舒鬱。自然胸腹痛可愈。

潘北辰君引述的千金知母湯。（知母芍藥黃芩桂枝甘艸）治乍寒乍熱。乃就是治太陽陽明的寒熱往來。用桂枝代柴胡以升陽達表。知母黃芩降陰。芍藥甘艸調和營衞。

至於奔豚湯之不用桂枝。乃是避免桂枝之辛熱。以防膽火更加飛揚。蓋奔豚湯有「寒熱往來」之少陽見證。决不能助桀爲虐。若師論謂太陽餘邪未盡。而加奔豚氣從少腹上至心。而無腹痛及寒熱往來。則邪專在太陽。就可以用桂枝加桂湯治之。

至於奔豚湯之用葛根。並不取材於葛根黃芩黃連湯。

是乃變相之小柴胡湯。又專爲調暢脾胃升降之機能。甘李根白皮甘寒。治消渴。止心煩逆。具有降胃逆之作用。降胃卽所以降胆。自然是以治奔豚氣上衝。論到黃芩湯之芍藥佐黃芩。乃是因爲太湯少陽合病下利。肝主疏泄。肝氣不調達。則愈欲泄利而愈不暢。所以用芍藥佐黃芩以調達肝氣之橫逆。兼能行氣血。和營衞。以止腹痛。

奔豚湯的治療作用。自然和治霍亂症差不多的。因爲霍亂的上吐下瀉。原屬陰陽升降失職。所以升肝脾之下陷。而降膽胃之上逆。就是治霍亂的不二法門。奔豚湯有葛根無大棗。自然注意到升陽方面。而大棗之粘膩性。有礙於陰陽升降之調暢。所以不應用。

總之人體生理上陽氣恆升。陰氣常伏。則爲無病。若陽氣下陷。或陰氣上逆。則病象百出。奔豚湯症。乃是因驚恐而傷心氣。下陷而奔。下焦常伏之陰氣。因肝腎同原。所以腎邪挾肝氣而上衝。調和陰陽升降之机能。自然其症可愈。

婦女月經不潮之原因及治法

李健頤

古云「男精女血。褁以成形」此說過於簡單。且不明瞭。女子若到相當之齡。內身生一種不凝固之血液。從子宮內發出。由子宮口而達陰道。放出於外陰部。卽月經也。月經有助卵巢生卵之能力。其卵巢是在於下腹部之內兩邊。卵巢表面有液體。其液體之水泡。又名濾泡。由濾泡之裏生長變化成爲卵子此卵每月只生一個由左右兩邊之卵巢。輪流生長、卵子既長成。其濾泡之水卽加多。水脹泡破。卵子隨同濾泡液離出卵巢。其濾泡卽成空洞。不久空洞就生一種黃色物體。充滿其間。（此黃色之物體。在醫學上。名爲黃體。）然其卵之所能到於子宮者。是藉卵巢附近之輸卵管也。夫輸管上端接近卵巢。下連子宮。卵子由此管輸送到子宮。卵子到子宮之後。便附於子宮之內膜上面。爲受孕之機會。如與精虫相會。卽可得胎。有胎之後。月經卽不復來。若非是胎。則在內之卵子自死化。而下次之月經。仍然來潮。每月一次。此生理之情形也。若月經不調。則卵子不能發育。此卽不胎之原因也。夫月經不調。有種種之原因。知其原因而用藥。藥可對證。月經自調。卵子便能生長。故易得胎矣。患診治婦女不能生育之病頗多。乃知婦女不孕。皆因月經不調之故也。夫月經不調。原有數端。玆將管見所及。一一舉例於下。以備參考。

一　因怒氣之致月經不調者。多怒之婦女。其月經之血液必爲怒氣所激。血行緊速。溢入子宮。充滿之盛。子宮口遂被充血迫開而流出於外者。是爲早經。月經過早卵子卽不隨月經而來。此卽不能生育之原因也。亦有因其血液已充滿於子宮。子宮口鬱閉不開。致充滿之血積塞不出。卽成爲瘀血。瘀血障礙。故月經來遲。則其成熟之卵子。因時間延久而死化矣。雖與精虫相遇。奚有得胎之能乎。

二　因愁鬱之致月經不調者。舊家庭之婦女。無家庭之常識。故多有妯娌不睦。家庭屢多抄鬧。婦女因之愁鬱不開。胸結不舒。肝臟之血運行疲憊。月經發生遲慢。卵巢表面之液體。無力生長。水泡卽不變成卵子。或能成卵子。亦不隨月經之期。同月經送於子宮內此卵乃自卵巢內。隨生隨死。而月經之來。月遲一月。如此者卽不能受孕也。

三　因淫慾過度之致月經不調者。淫慾過度。子宮必傷。子宮口離陰門約三寸餘。月經來時。子宮口卽放開。其內膜上面。卵子附着。若與精虫相遇。其卵卽結成形。非經多月。不得堅固。且最易變化。苟不愼寡慾。而屢屢房事。則陽物直衝子宮刺戟內膜。膜破而胚卽化。下次經來。精卵會合。膜可復生。尤能結成胚形尙屬無妨。若不知節慾。屢破其膜。膜卽不能生。月經之來亦受影響而不調矣。如斯者。雖有精卵相遇。乃無其膜爲包圍卵體。故不成其胚形也。又有因慾火亂動迫退月經早來。刺戟內膜。膜之彈性萎疲。收縮不強。卽不能裹其卵子此亦不孕之原因也。諺云「寡慾多生子。誠哉斯言也。

四　因濕熱之致月經不調者。青年婦女。有因嗜吸辛熱之飲物者。有受不潔之交媾者。有因患白帶之毒爲害。皆能生子宮腫核。及腫癌諸症。此症多在小腹部之內古人名爲癥瘕是也。時醫不知是因子宮發腫之故。乃誤認爲瘀血結積。屢投破瘀之藥。愈破子宮愈傷。以是卽發生月經不調之病也。

五　因運動之致月經不調者。婦女若在下腹部運動。用力過劇烈。血液多量就歸於下腹部。子宮輸卵管合處。皆充滿血液。故月經時。當暫歇運動俾月經順期以來。自無月經不調之患。不然月經當充滿于下腹部。復加運動不停。則血液運行時必旺盛。歸積於下腹部。月經分量愈增多。甚至迫爲子宮出血。或血崩等症。然不特此特。更有因運動之時。適因子宮空虛。內傷生殖器。卽發生殖器疼痛之症。因之遂成月經不調者。

以上所論。是述各種月經不調之原因。夫月經不調。與生育絕大關係。若月經順序有期。其成熟邪子與月經相隨排出。一遇精虫。便能成胎此自然之理也。鄙人盡心研究。深知月經不調。各種原因。就其原因發明數方。功效最著。臚列於下。以備採擇。

一　鎭怒調經湯　生地黃五錢　貢阿膠三錢　川鬱金錢半　牡丹皮三錢　京赤芍三錢桃仁三錢　枯黃芩二錢　紫丹參三錢　旋覆花二錢　西當歸二錢　清水二杯。煎一杯。食前溫服。連服十餘劑。服藥時須安歇靜養。切勿發怒。奏效最著。按婦女多怒傷肝。肝血過急。則月經之血液亦急。因之月經不調矣。方用鎭肝涼血之藥。蓋肝氣靜。則血液亦靜。血靜則子宮口之開放不致過早。而月經之來。亦可按期不誤矣。

二　化鬱順經湯　光桃仁三錢　生地黃五錢　降眞香錢半　鬱金錢半　柴胡二錢　丹參三錢　淮山藥一兩　川椒炭八分　炒丹皮二錢　香附二錢　六神粬二錢　九節蒲一錢　清水二杯。煎至一杯。食前溫服。連服四五劑卽愈。服後當遊覽公園吸受新鮮空氣。如遇黑暗之家庭。妯娌不睦。當令其病婦歸甯。調治數月。卽可恢復健康矣。按此方爲開鬱調肝之聖藥。婦女有患此症者。當按法服用。謢效如神。

三　制慾理經湯　川黃連二錢　肥知母三錢　川黃柏二錢　酸棗仁三錢　珠砂一錢　西當歸二錢　杭白芍三錢　生地黃五錢　懷山藥一兩　清水一杯。半煎八分。食後溫服。連服六七劑，甚效。按此方有清心瀉火之能。水火旣濟之功。蓋心靜思息。慾念不生。而月經之來潮。必得順序有期。卵子之成熟亦易。若與雄精相遇。便得成胎。此方眞有制慾調經之功効也。

四　清濕消核湯　山枝子二錢　赤茯苓五錢　車前子三錢　西當歸二錢　忍冬籐三錢　木防巳四錢　薏苡仁五錢　川椒目五分　白蔻仁一錢　軟柴胡八分清水二杯。煎一杯。食前溫服。連服五六劑　服藥後。忌一切辛熱食物。如腹部癌腫。或經來腹部疼痛者。再加三七末二錢(送服)紅花三錢。最效。按此方專爲清洗子宮。及輸卵管濕毒。濕清毒消。則月經之來。必對。月經若對。與卵珠之熟。相隨排出。此可期其有胎矣。此方功用在於清濕。兼消子宮腫核。故名清濕消核方。

五 撫勞舒血調經湯。漂白朮二錢 棗仁三錢 生地黃五錢 當歸身二錢 乳香二錢 元胡索二錢 杭白芍三錢 京丹參三錢 小茜草三錢 清水二杯煎一杯。空心溫服。按此方有安撫勞動。引舒血液。可治子宮充血。及月經過多等症。皆有奇效。因名撫勞舒血調經湯。

此五方。是愚歷症試驗所發明之良方。若能審查月經不調之原因。按症投藥。無不見效。但望世之婦女。有患此症。照法服用。當知余言之不謬也。

脾臟之研究

編者

中醫自歧黃以下。雖代有明聖。闡其微奧。然於解剖生理病理諸科。終未能發其究竟。牽錯雜參差於其間。脾特其一耳。今欲明其實指。自非先究其生理形態病患諸現狀不爲功。

A脾之概念(指舊稱之脾)

1生理分工:

(一)化物 靈樞本輸篇「脾合胃。胃者。五穀之府。」「靈蘭祕典論:「脾胃者。倉廩之官。五味出焉。」內經皆以脾胃並稱。其有化物之功可知。

(二)統血 靈樞本神篇「脾藏營。」難經「主裹血。溫五臟。」

(三)思想 素問陰陽應象論「脾在志爲思」靈樞本神篇「脾愁憂而不解則傷意。」

(四)運輸 厥論「脾主爲胃行其津液者也。」經脈別論「脾氣散精。」

2形態分化:

難經「脾重二斤,三兩。扁廣三寸。長五寸。有散膏半斤。

3部位:

脾胃以薄膜相連。

4病患:

(一)脾約　大便鞕。腹滿痛。

(二)脾風　多汗。惡風。身體怠惰。四肢不欲動。色薄微黃。不嗜食。

(三)脾損　消化不良。

(四)脾癉　口甘。

B.攷核

1 脺(胰) Panhreas

化物乃消化器官之生理作用。而脺臟居消化之長。其分泌液中。含有分解蛋白質之胰液酵素 Trypsin。分解脂肪之脂化酵素 Lipase。分解炭水化合物之糊粉酵素 Amylopsin。位於胃下。與舊說脾位相近。內經所謂倉廩之官狀態「散膏半斤」。當即胰誤。

2 眞脾 Lpleen

統血本爲心臟之職。然據近今生理學家考查結果。脾與產生紅血球白血球有關。而白血球在平常血液中。約有紅血球五百至一千分之一。脾臟靜脈血中。則有紅血球七十分之一。更可見脾(指今日解剖學上之脾)臟。實有統攝產生血球之功。經云「藏營」「裹血」當指今之眞脾無疑。

3 腦脊髓系

思想主於大腦。運動發乎神經。乃爲近今生理學家所公認。而經稱「脾藏意」。「脾主肌肉」。其爲腦脊髓系可知。

4 淋巴系

食物入胃腸。經醱酵素之醱酵後。養料即經由毛吸管進入淋巴液。以運輸全身而竟其同化作用之功。故有人竟譯之爲輸津系者。即以其主運輸也。經謂『脾氣散精。』當是此誤。

C.參症

1 脾約，脾損，脾癉。皆由脺臟受病。或分泌機能減退。或分泌機能亢進所致。而經一以脾病名之。是可知今日之脺臟。實爲經稱脾臟之一部。

2 思慮過度。每易發生腦神經衰弱。而內經陰陽應象大論則曰『思傷脾』。此更爲脾臟一部分指腦之明證。

3 據海腾海氏Herdenhain之研究。以淋巴產生物分爲二級。第一級能自血液將血漿移入於淋巴。以促進淋巴之生成。第二級能將水分自組織移入於血液及淋巴中。使水分之分泌增加。自以水腫濕滯等病。當是淋巴受病。其第二級產生物失功所致。而舊說一以脾濕並稱。他如水腫浮腫等症。亦莫不以爲由脾病而來。是更可爲淋巴系入脾之明證。

D結論

中醫之所謂脾。乃包舉今之膵(胰)，脾，大腦，運動神經，淋巴腺等而言。可按其所用別之。凡用入消化系者。卽膵。入腦脊髓系者。卽大腦。與運動神經。入輸津系者。則爲淋巴腺。入循環系者。乃爲脾耳。

論分離陰陽治瘧

張子英

內經論瘧。謂水氣與衛氣并居。又言邪客於風府。以先寒後熱先熱後寒及但熱不寒之項。分爲寒瘧溫瘧癉瘧三名。夫但熱不寒之癉瘧。必顯口渴煩燥善飢。及骨節疼痛。以白虎湯加桂枝。專淸上焦之熱。可以應手而愈。

治瘧比較單純。若夫寒熱往來。陰陽交爭。是卽衛氣與邪氣相并則病作。衛氣與邪氣分離則病休。相并於陰則寒。相并於陽則熱。分離於陰則寒止。分離於陽則熱止。所以後賢治瘧。主張以分離陰陽法。爲治瘧之準繩。蓋寒多者。以柴胡升麻葛根羌活防風。升發下陷之陽氣。使邪氣不并於陰則寒可止。熱多者。以知母石膏黃芩引陰氣下降。使邪氣不并於陽而熱可止。又加滲利利氣行痰之藥。如豬苓厚朴神麯半夏之類分離之。使水氣與衛氣不并居。則瘧可愈。小柴胡湯原爲陰陽兩可之方。寒多可以加桂枝乾薑。熱多可以加括蔞根黃芩。近賢以常山爲治瘧主藥。亦藉常山升發陽氣之力。以分離陰陽耳。總之分離陰陽。一升一降。實爲治瘧不二法門。況夫脾臟喜升而惡下陷。胃腑喜降而惡上逆。調暢脾胃升降之途。則治瘧之道盡矣。

闢房事後少陰病之謬說

李健頤

少陰病有直中與傳經之別。直中。爲傷寒病之直中少陰臟者。如脈微細。但欲寐之類。治法宜溫通其陽。四逆陽通脈湯等爲主方。傳經。爲傷寒病之傳至少陰者。多見口燥咽乾而渴。或咽痛。或下利清水。色純青。心下硬。或下利腸垢。目不明等症。可用承氣法下之。然直中少陰臟者。必無發熱之理。獨寒中於臟。風受於經。即見發熱。雖見發熱。乃脉沈而無裏證。與熱病大相懸殊。傷寒論云。少陰病始得之。反發熱脈沈者。麻黃附子細辛湯主之。又曰。少陰病得之二三日。宜麻黃附子甘艸湯。微發汗。以二三日無裏證故也。可見少陰病。有寒有熱。寒者宜以回陽爲主。熱者可用承氣爲君。世人不明其義。意爲近色之後。有患病者。爲少陰也。又謂交媾後七日內。皆屬少陰。禁用寒涼。沿傳已久。誤治頗多。時醫又不能闡明少陰病。有種種之原因。余甚憾焉。蓋男女媾精之後。感受風寒。是名色風。乃屬中寒。此症之變生最危險。又極劇烈。豈可稍待延緩其日期者哉。然直中陰寒。雖屬少陰。惟其症比少陰爲險。古書立有治法。可以研究。參觀世人有病症適發生於房事後者。無論熱病傷寒皆謂少陰病。不特禁用清涼表散。且一切苦寒皆擯絕。遂至內熱騰發。臟腑敗壞而死。尚不悔悟。猶謂少陰症之害怕。無特效之良方。誠可痛哉。嗚呼。男女媾精爲常情。熱病之發生無定時。豈特於媾精之後。即無熱病。而有病者。概可統於少陰哉。但願世人亟早覺悟。醫生須要認眞施治。切勿故步自封。迷惑到底。殘害蒼生焉耳。

學術問難三則

編者

（問題一） 傷寒論第一百四十三法：「脉浮滑者，必下血」又傷寒論第一百七十八法：『傷寒脉浮滑，此表有熱，裏有寒也，白虎湯主之。』何以同一脉象，而一則下血，一則爲表熱裏寒，其故安在？

（答） 脉浮滑者，熱甚之兆也；熱甚則微血管易致破裂而衄血下血，故曰：『脉浮滑者，必下血』也。以『白虎湯主之』者，所以清其熱也，又曰：『表有熱裏有寒』者，非裏眞有寒也，乃熱厥而似寒者也，昔林億程應旄等，悉以此寒爲熱字之誤，可以明矣。

（問題二） 白血球（食細胞）能殺食外來之細菌，當殺食後，白血球自身究有何變化？

（答）近代生理學家對于白血球之生理，猶未能闡發盡淨，是以其殺菌後自身變化，尙難確斷。人或謂其與病菌（或其他物質）相搏後，勝者（一）其自身完全無傷，（二）其自身略受傷而囘歸脾臟或淋巴結節修理之；其不勝者：（一）身負大創亦囘歸脾臟或淋巴結節修理之。（二）隨細菌以俱亡。2或謂其殺食細菌，猶虎狼搏羊鹿然，其自身毫不受損者菌多球少，不及殺食而作病時，則或游走組織，因失養而致死。

（問題三）盜汗自汗，是否以陰虛陽虛別之？果爾，何以陽明實症反見自汗？

（答）汗者何。所以排泄廢物，調節體溫者也。其人病陽實熱甚者，因自汗以發散之，亦生理自然抗病之道也。瘧疾高熱後，必有漐漐汗出之象，陽明潮熱，亦見俄然汗出之症者，職是故耳。雖然虛損之體亦有無熱以自汗者也，此無他，代謝機能減退，神經易於興奮。因偶言偶作而發耳。盜汗者，自汗之發於睡後者也，以衞虛陽微（神經衰弱），入睡後大腦憂憩，一部分神經失功，無以節制汗腺，致津液不禁而出。是故，有熱以自汗者，發於陽實也。無熱以自汗者，發於陽虛也。而陰虛之病，又常因盜汗而劇者也。是以有熱自汗，多見于外感實症之患，無熱自汗，患盜汗，類發乎內傷虛脫之病，有熱之汗，率出自救濟作用。而無熱之汗，恆限于虛損現象也。（完）

★　★　★　★　★

消化不良之自然療法

沈仲圭

消化不良者，胃腸之動作遲緩，分泌不足，所喫飲食不克迅速消化之謂也，其症食慾減少，大便艱難，舌苔白膩，噯氣頻頻，全身倦怠，多愁善怒，食後胃呈飽脹，晨起口中覺苦，其因多由運動不足，飲食無度，精神過勞而來，故罹本病者，都屬勤苦之學生。工心計之商家律師。及日撰萬言之著作家。若僕僕街頭之小販。昕出夕歸之農夫。從不知消化不良為何病焉。余以飲食不調。嘗得是病。乃定攝生法數條。用資遵守。今後重加注釋。批露本刊。聊備同病之參考云。

(一)廢止早餐　廢止早食之適合衛生。蔣氏竹莊，曾述專書。詳晰言之。惟於本病尤有卓效。蓋消化之所以不良。實緣平日胃家負担消化之責過於繁重。馴致機能衰弱。納減運遲。自必與以充分之休息時間。方克逐漸恢復其健康。

(二)練習運動　運動能使構成身體之物質容易消耗。而彌補是項消耗者。厥惟飲食。故胃腸之於飲食物。常因運動而增其消化力。試觀勞工及運動家。莫不健飯加餐。體魄雄偉。足為是言之明證。患本病者。宜於清晨傍晚。散步曠野。練習拳術。休沐之日約二三同志。或探幽山嶺。或蕩槳湖心。不但運動軀體。亦怡悅性情之一端也。

(三)戒除速食　食物消化。各有專司。口中之唾液化澱粉為糖質。胃中之胃液化蛋白質為百布聖。輸入十二指腸之胆汁化脂肪為乳劑。(惟胰液能兼化以上三種物質。)倘咀嚼不細。囫圇吞下。則胃腸必出餘力以代齒牙之勞。初雖不覺。久則致病。以故速食之習。最不衛生。消化不良。此其一因。務須絕力改良也。

(四)熱罨胃脘　每次飯後。以熱面巾頻罨其胃脘。功能招集血液。輔助消化。事簡功宏。盍嘗試之。

(五)愉快精神　腦之第十對迷走神經。下達肺心胃而司三臟之知覺。與運動。精神愉快。則胃之運動活潑。消化因以迅速。精神抑鬱。則胃之運動遲緩。消化乃生障礙，丁福保曰、歡笑能消食滯，莎士比亞曰，飯時吵鬧。胃口必倒，故患者平時固宜委為笑樂。進餐尤戒憂怒思慮也。

(六)注意食料　消化不良之病人，其消化吸收機能，迴不如常人之健全，凡生硬炙辛辣變味諸物，均不宜食，煙酒最損胃臟，宜忌沾唇。

(七)食時前後不得用腦　飲食之時，血液集於胃，思考之際，血液聚於腦，故每次進膳之前後，宜與辦事或讀書時間有一小時之間隔，方不致阻礙消化。

(八)飯後徐行與按摩　孫思邈曰，食了行百步，數以手摩肚，曾國藩云，飯後數千步，是養生家第一祕訣，民間治小兒停食，以手徐摩其腹，蓋徐行與按摩，能增加胃之活動，

二便出血的病理和治法

金山孫道明

(一)病理　金匱說腎開竅於二陰，二陰究竟是什麼，前面用他來撒尿，後面用他來撒屎呢，這兩經的外候，一曰大腸，一曰小腸，原糟粕的傳變，不外乎命火的蒸動，水道的分泌，不離乎肺氣的流行，一有不足，病隨生呢，有的糞前出血，叫做腸風，有的糞後出血叫做臟毒，有的溲後見紅，叫做溺血，這大概是肺熱脾虛肝風溼熱陰虧諸病灶，認症確切，當然治法無誤了。

(一)糞前出血　肺部有熱，腸內乾燥，每解用力，以致血管破裂，先血後便，糞質堅硬，肛門掀痛，一時難收，本病貧苦和年老人多患，神經漸見衰弱，治法當用秦艽白朮丸合槐花散四生丸加減，並多用潤腸涼血的藥品，那奏效如同立竿見影。

(二)糞後出血　先糞後血為遠血，屬心脾肝腎的陰絡內傷，本病每逢春夏兩季，及一經勞苦，必然中氣虛弱，發作更覺得利害，有的脾土虛寒，糞便不致乾結，有的肝虛生風，便解每多艱苦，前者宜用歸脾湯和補中益氣湯，加入酸濇止血等味，後者宜用丹梔逍遙散合膠艾四物湯去取亦須加入安神補腎等藥品，嘗考本病最少數有屬於遺傳性的，曾見他們父親犯了便血長久失治，因此他傳下來的子孫，亟少有一二個患同病的

，這是什麼緣故，譬如木必有本，水必有源，從根本上得來的呢，

(三)濁後見血　本病一名尿血，勞苦力役的人患的溼熱居多，見症裏熱焦灼，口乾腹滿，小溲疼痛不爽，後來見血，治用小薊飲子合血淋方加減，又有患血經久腎陰虛虧，宜用滋補丸和補中益氣湯，加壯水清火諸品味，此治血淋的對症要方，據醫級溺血條說，先痛後血病從實論，先血後痛，症作虛評，予按經驗所得，實者易治，虛者難治，並不是說謊的，

白濁簡易自療法

自新

友人某君。偶爾涉足花叢。即患小便時刺痛。濃粘白濁頻頻下注，陽莖腐點數處。發生下疳。經濟又感窘迫。求余治療。余憐其貧困。遂告其極簡易之自療法。兩星期後。即獲痊愈。(療法如下)

(一)　每日以升麻五錢。桑叶一兩。濃煎代茶。并洗滌陽莖。

(二)　每日早晚以二妙丸用淡鹽湯吞服五錢。

(三)　禁止食煙酒辛熱等刺激性食物。宜多食青菜菠菜。

(四)　不可多走路。

(五)　宜勤於洗滌。及更換褲子。

(六)　陽莖洗滌後揩乾。即用白凡士林搽敷之。下疳逐漸可愈。

談談五參散

金山孫道明

考本方自亭林某藥肆抄傳，迄已四年，獨風行於泖港之一角，一般鄉人，偶覺精神疲憊，體力缺乏，腰肢痠痛，目昏耳鳴，以及病後虛弱，不任操勞，納呆心悸等，動輒備鈔銀一枚，購取本方藥石以煎嘗之，究其心理，以為所耗無多，即能服補，何等便宜，然而其中亦有利弊存焉，有輩陰虛火旺，服清補之劑，如水灌枯，其效漸著，有輩陽虛溼勝，一得清滋之味，反窒脾胃升發之氣，非徒無益，而又害之，倏見食量銳減，諸症隨之矣，愚忝列醫林有鑒於此，敢將本方錄出如左，以貢獻於貴刊之讀者。

西洋參六分　京元參六錢　肥玉竹六錢　焦白朮六錢

西黨參六錢　炙粉草三錢　炙西芪四錢　大生地六錢

南北參沙合八錢　淡天冬六錢　金狗脊一兩　炒米仁六錢
紫丹參六錢　厚杜仲四錢　白茯苓六錢
加大棗十枚，龍眼肉十枚胡桃肉十枚合上藥水煎三次服，按本方連加藥十八味，專於清補氣血，並走五經，毫不雜淡，然脾胃參芪上行，必佐陳皮以利氣，俾補而不滯，猶爲精到，如遇中滿食少，神疲力乏，寒熱虛實，均難鑒指，我願藥肆同仁，斷不可輕售此藥也。

衛生小問答

張子英

(問)筋骨疼痛何故。

(答)人體發生筋骨疼痛。皆爲經絡凝塞。毒素積聚。不過原因不同。須分別治之。

(問)關於筋骨疼痛有幾種原因。

(答)(一)濕熱流注經絡。(二)因小便不利而尿酸蓄積。(三)因傳染梅毒而毒素竄入筋骨。(四)因傳染病產生毒素失於汗散。(五)因疲勞而產生毒素。(六)因肝腎二經之熱而筋骨枯痿。(七)因於風寒濕痺或瘀血。(八)因於房勞色欲過度。(九)因於濕痰流注。

(問)筋骨疼痛以何法治之。

(答)通經絡利小便。就是排除毒素治法。滋陰益肝腎爲養血補虛治法。對症療法。須依其病症之原因治之。

(問)筋骨痛應食何物。

(答)筋骨痛最好多食新鮮菜蔬。使多利小便。

(問)因虛勞而筋骨痛。用何法治之。

(答)可以常服六味地黃丸。既然補益肝腎。兼能利小便。

(問)肥胖人多筋骨痛何故。

(答)肥胖人因多食脂肪。而尿酸毒素蓄積故也。

(問)筋骨痛有時常更易地位何故。

(答)因爲濕痰流注經絡。隨氣上下牽引而痛。所以時常更易地位。

(問)關節疼痛不可屈伸。是否與筋骨痛一樣理由。

(答)關節痛。是風濕爲主。所謂濕流關節是也。

(問)關節痛如何治法。

(答)關節痛以通陽爲主。金匱桂枝芍藥知母湯。及烏頭湯皆可治之。

(問)筋骨痛大抵多濕熱以何法治之。

(答)可服二妙丸或三妙丸治之。

醫藥雜記

一個夾陰傷寒的犧牲者自述

健生

吾於五月壹日。由齋囘家省親。次日偶感熱病。陡覺頭痛身熱。腹痛體倦。我父憂心惕惕。即延某甲醫診視。且謂甲醫曰。吾兒昨始囘家。必係少陰。勿用涼藥。甲醫順我父之意曰。診脉察色。推原病機。是爲內寒假熱之夾陰症者。非用辛溫之藥不爲功。即與眞武加桂枝。服後大熱熾甚。改延乙醫。我父又曰。夫婦同房，難免傷陰。乙醫曰。雖屬少陰。今已化火。投以黃連阿膠。病勢不減。再延丙醫。與二醫會議。丙醫曰。脉象沈數有力。舌紫帶絳。斷爲溫病蔓延之象。悞服熱藥。轉交陽明實症。擬與承氣白虎。無如我父執迷不悟。惟以少陰吻唇。匪但不敢服。而反暗斥丙醫。丙醫旣去。甲醫又曰。房勞傷風。風邪伏於腎臟。腎與膀胱表裏。以致陰寒內伏。腸熱外格。再投桂附膠地。自可奏功。連服二劑。遂覺心神昏瞀。睡即囈語不休。又加便祕腹脹。病勢垂危。閉目靜聽。但聞囉嘈之聲。啼哭之音。或曰房勞傷風。十無一生。或曰少陰化火。廬扁莫療。舉家愴惶。莫衷一是。我父怒目睜睜。咤叱我妻。母氏悻悻慚恨無端呵斥。鄙薄辱罵。妻氏頳顏。惟狼狽床簀。含羞而已。至夜半大熱如烙。烘灼難堪。約少頃。四肢攣急麻痺而沒。自覺身出門外。不知所之。約有數日。噫魂魄飄飄行到故家。忽聞家中啼訴。母云不幸娶此嬌婦。殺我兒子。妻云夫婦同衾。本爲生男育女。吾因艷以害我夫。命運乖舛。夫復何言。乃自悟曰。我豈已作物化耶。不覺淚漣。自思附着原尸返魂。無如尸存棺裏。軀體腐化。嗚呼。哀哉。我因傳染熱病。誤服熱藥。無故枉死。又陷淫慾之名。汚我心德。使我含冤九泉。無顏見我祖宗。無語對我戚友。但恨已死不能復生。倘能再生。必將此情告明世間。振聾發聵。功德無量。吁。世人執迷少陰病。屬於房事。誤害蒼生。不知恆河沙數。然庸夫之愚尚屬可原。醫爲濟世活人。當知陰症無發熱之理。仲景云。發熱惡寒者發於陽也。無熱惡寒者發於陰也。蓋少陰爲腎臟之代名詞。此症非獨有寒無熱。曾有寒熱之別。熱者是由熱病傷寒傳經。終爲熱病。涼藥宜投。寒症是因腎臟本虛。嚴寒直中。桂附爲君。凡直中之症。無論絕慾十年。守身如玉。偶觸風寒。亦能便成少陰。豈特房勞傷風爲少陰哉。此眞違規背矩。不讀傷寒論之庸醫也。夫房勞後復患熱病。不過比平常熱病爲重。而治法無所差異。與直中少陰病。如風馬牛。奈何世人執迷不悟。又謂房後之傷寒爲陰症。誠可慨歎也。今之醫者。不明病理。不究脈學。率爾操觚。視人命如草菅。我不幸冤沉苦海。上拋父母而罹不孝之罪。下棄妻兒而獲不義之名。興言及此。能不黯然心傷乎。謹綴數語。忠告世人。亟當移風化俗。盡除紕繆。余雖死亦無憾焉。

上海市國醫公會第七屆會員大會議案錄

編者

上海市國醫公會於十二月二十日開第七屆會員大會共到會員七百餘人當日通過各議案茲將決議案錄下

一　請表示擁護中央迅戡陝亂立復蔣委員長之自由電懇蔣夫人案

二　請電張學良覺悟案

三

四　組設國醫救護隊案

五　爲舉辦國醫戰地救傷隊請予贊助案

六　聯合全國各國醫團體力爭實行中西醫平等待遇案

七　呈請行政院力爭國醫加入教育系統得設專科大學已辦各學院得立案備案以符條例案

八　反對衛生署授權地方政府審查登記國醫案

九　由本會發起組設「全國國醫公會聯合會」案

十　聯合各團體統一藥名案

十一　統一丸散膏丹之標準案

十二　通告藥業除丸散外須有正式國醫簽章之處方始得配給藥劑案

十三　會員爲病家處方須留底按月送本會擇尤刊登月報以便互相觀摩研究案

十四　力爭國醫用藥自由反對當局不准國醫兼用西藥案

十五　呈請政府制止西醫干涉國醫自由用藥言論案

十六　取締國醫濫用西藥案

十七　請市衛生局迅辦本屆登記案

十八 堅決反對法租界加重行登記案

十九 要求市政府設立上海市國醫院案

二十 請減輕入會常年各費以輕會員担負並擴大徵求新會員節省支出平衡概算案

廿一 修改會章第三十一條增減會費案

廿二 大會決議無論大小應請新委負責執行案

廿三 請編中醫年鑑案

廿四 繼續編印月報或文獻案

廿五 宣傳會章增收會員案

廿六 本會會所應遷適中地點案

廿七 大會應略備茶點以便出席會員案

廿八 禁止國醫在無線電之誇大廣告案

廿九 由會發起共同刊登新申各報廣告案

二、附錄重要議案理由一則

聯合全國醫藥團體力爭中西醫平等待遇案

理由 自民十八教育部衛生部對中醫有種種理由之限制。在學術上事業上吾國醫命脈。懸於一髮。人心未死。全國醫藥代表會之召集。一致抗爭。挽回危局。苟延殘喘。但事實上政權操之彼輩西醫之手。政府沒有積極之提倡。雖有國醫館之成立。但內容空虛。經濟棉薄。衛生當局。西醫要人。沆瀣一氣。從中把持。時圖破壞。吾儕壁壘。勢如累卵。此大憂慮者也。去年五全大會。中委馮玉祥諸公。未亡本國文化。提出中西醫平等待遇一案。業已通過。交政府辦理。行政院雖顧全情面。把立法院早經議決通過之「中醫條例」頒佈。給我們以起碼之保障。然若以此衡之於西醫待遇。則不平之處正多。他如學系問題。尙未列入。殊失教育權之平等。麻醉藥及西械不許中醫使用。更違學術公有之本旨。吾儕非麻木不仁。正圖按步力爭。以趨進化。不意今年衛生署關於中醫條例又自立審查規則。多與立法之本旨。互相矛盾。種種用心。給人以致命傷。若不謀救濟。國醫命脈。必在無形中斷喪。當可預料。惟茲事關係重大。若不作有力量之表示。徒憑一紙公文。幾個通電。決不易喚起一般之輿論。並促醒當局諸要人作持平之處置。此本案提出之理由也。倘希公決

辦法

一、上海爲全國醫藥事業重心。交通便利。應由上海醫藥團體首先發動。

二、本會爲上海中醫惟一之職業團體。一切舉動。爲全國馬首是瞻。應由本會發動。先召集上海各醫藥業團體議定進行步驟。

三、召開全國醫藥團體代表赴中央請願。

提議者　朱壽朋

附議者　嚴蒼山　謝利恆等

力爭中醫學校列入教育學系案

理由　中西醫平等待遇一案。早經五全大會通過。交中央執行。中醫條例亦經行政院公佈。中醫之地位。似較往者提高。查中醫條例第一條第三款規定中醫學校畢業。得有證書者。經內政部審查合格。給予證書。得執行中醫業務。而衛生署頒佈中醫審查規則。對第一條第三款謂中醫學校。指經教育部備案。或各地教育主管機關立案者。但教育部尚未把中醫學校列入學系。似此政令。互相矛盾。無

異摒中醫於門牆之外。此吾輩所應力爭之理由一也。認中醫爲需要。就有條例之頒佈。中醫既經法律許可執行醫務。關係於人民生命其所負責任。與西醫何有二致。但不列入學系。造就人材。使進科學大道。將來操術不精。其誰之咎耶。此所應力爭之理由二也。中醫學校設立富有成績者。應即管理督促改進。其營業射利者。須取締禁止。若政府放棄不管。任其自生自滅。關係於中醫本身者猶小。關係於國家民族者實切。此所應力爭之理由三也。中國地大物博。藥材之富。甲於世界。中醫憑數千年經驗。有過去之光榮。倘再能改良。則中藥出口之數可增。裕國富民。草木盡爲金窟。西醫以科學之名。推銷西藥。要用國貨救病。未可與國醫同日而語。此所應力爭之理由四也。

辦法

一、由本會通電全國醫藥團體。一致電中央速把中醫學校列入學系。並撥款設大規模中醫學校。

二、由本會附設中國醫學院首先向教育部舉辦立案手續。

提議者　張贊臣

附議者　嚴蒼山　謝利恆等

本雜誌由敝局承印

本刊衛生顧問章程

(一)本刊經大衆訂閱者之要求。闢設衛生顧問欄。以便醫藥上疑難問題。及病因症治藥性等。作公開之討論與研究。若依本章程投函詢問。當即照來函解答。

(二)重要問題。除依來信直接通函答覆外，本刊得隨時將答案披露。以供同志之研究。

(三)疑難之答案。須檢查醫籍。詳細考慮者。至遲須一星期可以答覆。

(四)不答覆之問題如下。(一)來信記述不詳者。(二)意義不明者。(三)要求立得藥方者。(四)無關醫藥者。(五)委託評論藥方之是非者。(六)本社同志學識所不及者。(七)無覆信郵費者。(八)無衛生顧問券者。但不答覆者。不答之理由。覆信聲明。

(五)來函概用中式紙張。繕寫清楚。附覆信郵費一角三分。並附寄下列衛生顧問券一紙。

衛生顧問券

(六)來函寄上海青島路六十六號

本社遷移啓事

本社現遷移於英租界青島路六十六號各界函件請逕寄新址爲荷

衛生雜誌第三卷彙刊

自廿一期至三十期共十期合訂一厚冊定價壹元

總發行上海青島路六十六號衛生雜誌社

定戶注意

直接至本社續定衛生雜誌全年連郵一元得贈送價值一元之第三卷彙刊一厚冊（自廿一期至三十期）

衞生雜誌廣告例

地位	面積	價目
封面	大半頁	四十元
底面	全面	四十元
封面裏	全面	廿八元
底面裏	全面	廿八元
封面面二頁	全面 半面 四分之一	廿四元 十二元 八元
底面第二頁	全面 半面 四分之一	廿四元 十二元 八元
普通	全面 半面 四分之一	廿元 十二元 四元

一封面底面裏外均用二色套版精印不另取資

一代製銅版鋅版費另加

一代繪圖樣費另加

一惠登廣告者贈本刊一冊

衞生雜誌第三十四期卽四卷四期

中華民國二十五年十二月廿五日出版

主編者 國醫張子英

發行者 衞生雜誌社

印刷者 衞生雜誌社

分發行所 五洲書報社 上海山東路二二一號 電話九二四七六號

中醫書局

中國圖書雜誌公司

上海雜誌公司

分售處 各省書局

衞生雜誌定價表 (費須先惠)

出版	月出一冊	全年十冊逢二八月停刊
價目	大洋一角二分	大洋一元
附註	郵費在內	國外加倍
	郵票代洋以一分五分爲限	

▲社址▼ 上海青島路六十六號

天津馮氏斷癮救苦金丹 戒烟第一

▲風行六十餘年斷癮數百萬人
▲中央禁烟委員會　主席題獎
▲歷任大總統黎徐曹諸公嘉獎
▲專戒鴉片紅丸海洛因嗎啡癮
▲戒時照常吸烟逐日見烟自厭
▲輕癮一二料重者三四料戒淨
▲每料祇收藥本大洋一元五角
▲外埠函購起碼兩料寄費加一

贈券

戒烟捷徑內容豐富凡三四餘萬言人手一冊益趣無窮函索立即原班寄奉

救苦金丹發明於清同治七年，迄今已歷六十七年，其藥性的王道，功效的神速，遐邇馳名，歷古各地官廳嘉獎保護，博覽賽會屢獲褒獎，服者斷癮謝函不可勝計，詢爲戒烟藥中第一祕寶，絕非市上一般投機劣藥所可比擬，服之毫無副作用，于安全中戒絕，決心戒烟，捨此莫屬。

功效 宣導烟積，剷除烟毒，打倒犯癮，潤腸滋陰，增加血液，照常辦事，不害腸胃，增多飲食

成分 採取珍貴國藥，精密監製，功效靈速，與普通毒質抵癮戒烟藥絕不相同，亦不反癮重吸

服法 每晚臨睡時，用溫白開水送下，白天勿服，切勿過量多服，次晨口渴乃藥力達到之現象

代理

本埠先施永安濟華堂中英太和中西華美五洲中法華英南洋正威等均售

▲上海 白克路西大通路口 天津峻芝堂駐滬發行所

德國内分泌名貴補劑
壽爾康
德國愛特諾博士發明
德國威彌鄧藥廠監製
『壽爾康』係以強壯動物之内分泌液（好而蒙）複製而成之『盼好而蒙』為主要原料，其效力較普通内分泌製劑強大十倍，具有『補腦』『補血』『補腎』三大補力，任何虛衰之體，試服一二盒後，無不精神勃發，腰脚輕健，腦力堅強，夜眠酣適，面色紅潤，容顏煥發，男女同服，保證一索得男，全球服者，均已得其實效，一致推崇，譽為面面顧到之現代唯一大補劑！
遠東獨家經理
上海柯爾登洋行
上海郵政信箱一四六五號
各埠各大藥房均售 詳細說明函索即寄
卻病延年
同登壽域
是業所養也
金丹玉粉
健康之助
HELCONE

HEALTH MAGAZINE

衛生雜誌

中華郵政特准掛號認爲新聞紙類
內政部登記證警字第三八二九號
社址上海靑島路六十六號

第四卷第五期（即第三十五期）

本期要目

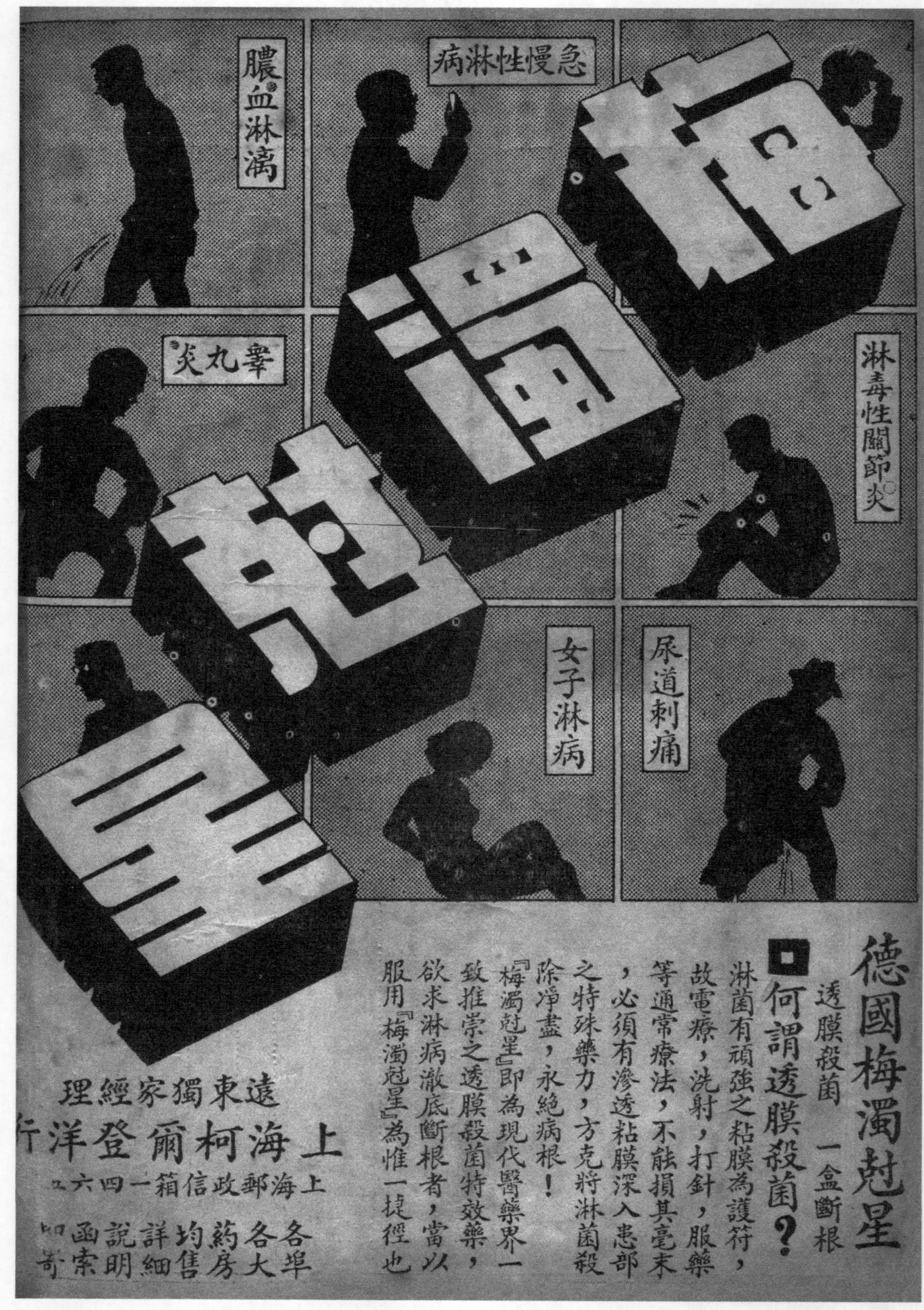
梅濁尅星
膿血淋漓
急慢性淋病
睾丸炎
淋毒性關節炎
女子淋病
尿道刺痛
德國梅濁尅星
透膜殺菌 一盒斷根
何謂透膜殺菌？
淋菌有頑強之粘膜為護符，故電療，洗射，打針，服藥等通常療法，不能損其毫末，必須有滲透粘膜深入患部之特殊藥力，方克將淋菌殺除淨盡，永絕病根！『梅濁尅星』即為現代醫藥界一致推崇之透膜殺菌特效藥，欲求淋病澈底斷根者，當以服用『梅濁尅星』為惟一捷徑也
遠東獨家經理
上海柯爾登洋行
上海郵政信箱一四六五
各埠各大藥房均售
詳細說明函索即寄

小談論

籌募首都國醫院問題

編者

籌募首都大規模之國醫院問題。已經焦館長在蘇滬等處。與地方人士及黨政機關。有所商討。但是本問題。尤其與國醫國藥界前途。有莫大之關繫。凡吾國醫藥界。宜以自己天職爲重。以民族團結爲念。首先自動解囊捐助。鄙意凡醫界最低限度以每人捐助一元爲標準。藥界每店最低限度以捐助五元爲標準。得由全國各醫藥團體代爲勸募。總期集液成裘。迅速告成。是所厚望。未識高明以謂然否。

本社遷移啓事

本社現遷移於英租界靑島路六十六號各界函件請逕寄新址爲荷

衛生雜誌第三十五期目錄

衛生常識

醫事雜組

醫學言論

為謀自救之計敬告同仁書

益林張治河謹啓

各省市國醫團體。國醫同仁鈞鑒。嗚呼。斯何時也。吾輩國醫。風雨飄搖之時也。整個民族。同受影響之時也。俗云。『十里無醫莫住家』。是醫之於人。關係大矣。小則個人之健康。大則種族之強弱。無不繫之於醫。觀彼東西各國。莫不傾其全力。以為醫藥之建設。而謀民族之安全。返顧我國。則不然也。中西兩派。伐異黨同。筆戰口誅。竭其攻訐之能事。此種不景氣之現象。實為民族之危機。瞻念前途。不寒而慄。細察國內。兩派醫師。咸未達到。健全之境。(我亦不健全之一也。)所謂新醫師者。僅得他人之皮毛。藥品器械。毫無發明。一切之一切。悉仰舶來。名為博士。實一西藥推銷員耳。將來大戰發生海口封鎖。藥物來源斷絕。彼將束手無策。賴以治療之病夫。勢必坐以待斃。識此非余故作驚人之語。請觀去年。汪院長之槍傷。便可知也。(去年汪公中彈。就治中央醫院。臥院多日。終未收功。因該院愛克司光鏡。缺少附件。欲往外洋購辦。又需時日。不得已，遂到上海診治。此種事實。當時曾載各報)。至於中醫方面。亦覺缺點頗多。如學說陳腐。不急改良。間有心得。又復祕而不宣。(雖有吸收科學。公開研究者。究屬極少數也)。藥物則充以偽品。炮製則粗率不精。凡此種種。是皆自趨滅亡之象也。近數年來。雖蒙執政諸公竭力提攜。設立中央國醫館。整理國醫學術。制定中醫條例。提高吾輩地位。近更籌設中醫醫院。以便改善治療。無如另有一班。醉心歐化之人士。多方掣肘。阻礙進行。以致迄今數載。仍無顯著之成效。例如中館雖經設立。而不予政權。條例雖經制定。擱置行政院中。經過無數之難關。方蒙 蔣委員長公布。公布未久。又遭衛生署。將管理政權奪去。噫。以素主摧殘我輩之機關。而謀管理我輩之全權。我輩將來尚有發展之望乎。昨見報載。立法院例會修正衛生署組織法時。先有彭養光等提議。於該署中。增設副署長席。云及。『管理中醫。應有了解中醫學術專家。主持其事。

應於第七條。衛生署。設署長一人。特任。綜理全署事務。監督所屬職員。及各機關之原文下。增加副署長一人。簡任。協助署長。處理署務等字樣。以便將副署長一席。畀之中醫。使其掌理。中醫部份行政』。嗣有多人。出爲反對。云及『原文爲中政會制定之原則。擅加員額。查無前例。即使事實上。有此需要。亦當由主管機關。另案呈行政院。及中政會審查』。並云『醫道無中西之分。惟有科學與不科學。本院同人。身爲智識份子。應以廿世紀現代自況。不可故步自封』。考彭委員等之提議。理由極爲充分。彼等反對之理。似覺欠妥。夫衛生署之組織法。欲修正者。必因不合現在情況之故也。今既修正。使臻完善。則增設了解中醫學術之中醫副署長。掌理中醫部份行政。實有必需之性質。又何必以中政會制定之原則爲藉辭。而桎梏其改善乎。且管理中醫。屬之內政部。中醫條例。已有明文。中醫條例。爲五全大會全國領袖所公決。復經中政會審查。始由國民政府公布。其愼重尊嚴。可稱無不周到。乃衛生署。欲奪政權。一經提議。旋生效力。彼執政諸公。何無一人。議其破壞法定之原則乎。是誠所謂。有強權。無公理矣。至彼所謂：『中醫不合科學』。則史覺可商。夫中醫學說虛玄。乃係漢後之演變。漢前之醫籍。固猶在也。如神農仲景之學。無不含有科學眞理。彼科學大家。費盡無量之腦力。研究所得。認爲新發明者。往往與我舊學。若合符節。最近東西各國。頗多爭購我國醫籍。視同黃金寶庫。努力研求。此種新潮之趨向。彼豈未曾見耶。彼等固執偏見。壓制中醫。使中醫學業。不能進展。固不利於中醫。實亦影響於民族也。現我多數領袖。已經聯合請願。望我各地同仁。火速參加。以厚實力。俾得早達目的。此外並望同仁。力謀自強。以作自救救人之道。自強維何。即請對於。愛護我輩。領導我輩之中央國醫館。一致擁戴。絕對服從。各竭其力。協助其建設工作是也。現我中醫界中，最大缺點。即爲尚無完善之醫院。去歲中央要人。于右任：焦易堂。陳立夫諸公。曾經在京。籌設中醫醫院。以便改善治療。便利社會。（治河當時聞知。曾經不揣譾陋。貢獻組織大綱。辱蒙焦公。賜予採納。批及原呈。載在中館國醫公報。三卷七期）。地址已經覓定。嗣因經濟問題。至今未得興工。最近報載。擬向各地中醫募捐。俾成其事。治河逖聽之下。認此舉爲無上之善法。查蘇省同仁。前在民廳登記。已有六千餘人。其他未登記者。當有七八倍之多。全省人數。約在四萬有餘。（此數係以吾阜作比例也。阜甯中醫公會會員。二百餘人。各鄉未入會者尙多。全縣約在。三四百人。民廳登記。五十餘人。適得十之二三。以阜甯推測全省。吾故曰，登記之六千餘人外。當有七八倍之多。約在四萬餘人也）。全國計算。最低限度。當有八十萬人。每人捐助國幣五角。便可集得四十萬圓。興辦醫院。綽有餘裕。俗云，『聚沙可以爲塔。集腋立刻成裘』。治河切盼同仁。踴躍爲之。須知吾國。當此非常時期。鼻息於外來之西洋醫藥。已有不堪設想之危險。吾輩苟能擁護中館。成斯偉舉。立功於社會。造福於民生。則彼素欲摧殘吾輩之人士。亦必無有爲也。自強自救。端在於斯。同仁請速爲之。

罪醫章

陳其昌

因病求醫。醫者得於其可能範圍。爲之療治。其能力有二。

一、縮短病行進程之次序

二、減少病者現狀之痛苦

是故醫者治病　。不可以必愈相期　。十全其九。已屬良醫。越人非能使之生。其應起者使之起耳。求其生而不可得。則死者與吾皆無憾焉。

醫之不愈。非其罪。

醫之愈。此其功。

所以論醫之罪。有三說焉。

一、射不主皮爲力不同科。在社會開業醫生。同受國家甄別。故論其罪曰學力不及者。其罪不能成立。

二、醫生既託業於斯。人非狂悖。誰敢舍其責任。輕舉玩忽。民命之業。出以輕舉玩忽。此等醫生。斷然不容於社會。當已門庭冷落。雖欲玩忽。亦無從施其倆奕。故求治者。必先具有信心。早得聞問需要。或不遠千里而來。以託其治。故論其罪曰玩忽者。其罪不能成立。

三、醫生之診金。乃其早盡義務而享有應得權利。非謂能以欺詐勒索比也。故論醫生診金高下。爲其學術報酬。跡其診金雖高。求治不加少。跡其診金雖低。求治者不加多。名實相孚爲必然矣。謂曰索詐之罪。其罪不能成立。

醫生之心。未有不欲病之愈者。一有委託。其望治之切。更勝病家。醫具三折肱者此其意耳。使得一病。羣謂棘手。苟一藥而愈。醫者非惟名利兼收。並且聲價十倍。是故醫者。萬無殺人之罪。

設或挾仇。預謀殺人。此不肖之人也。乃利用醫術之行爲以殺人工具者非挺刃之罪也。不涉乎醫生學術上本身。罪惡。必有刑事司法。律以專科者矣。

醫生處人房闥。出入幽曲。常能於無意之中。窺人祕密。使醫生而不知慎言慎事。易於致人蒙有不利。故醫生不能代人保守祕密者。是醫者之罪也。

故惟其不屬於有心致人傷害者。雖用毒藥。得出之於。案藥對證者。皆無罪也。

外此則有廿五條

1 開業之醫生無端拒人診病者此其罪。

2 除規定當得利外受有不當得利者此其罪。

3 墮胎以及有心致人傷害者此其罪。

4 藥案不相對證者此其罪。

5 假藥欺人。致人傷害查有實據者。此其罪。

6 配藥者誤配其藥。致有傷害查有實據者。此其罪。

7 正式醫生處方。無端被人塗改者。塗改人此其罪。

8 正式醫生處方。被人塗改後。即不負責。

9 醫案與處方相符合。不爲罪。

10 奇病無由根治。世界上認爲尚未發明者。藥後不效。醫者不爲罪。

11 會二人以上同議之方。藥後不效。雖誤不爲罪。

12 其咎不屬於醫。屬於看護之不力者。醫藥界皆無罪。

13 煎煮不能如醫者告誡。醫者不負責。

14 疫病虛病。勢有不能用其力者。不負責。

15 書方上註明勉盡人事以及敬謝不敏者方案對症。不爲罪。

16 經已出立委託書。雖用峻厲藥。此病不效。不爲罪。

17 醫生書寫方箋。字跡草率。致人誤配其藥。病者蒙有不利。醫之罪。

18 醫生書方。有重味藥。醫之罪。

19因疫病不知告誡隔離。或遺忘報告社會政府時。一家一區。相互傳染者。醫之罪。

20醫藥界朋比爲奸。書寫祕密藥名兩罪惟均。

21祕方不公開。而致人死者查實。則罪之。

22病有早晚不同。醫無罪。

23人誤於前。後醫不效。不負其責。惟方上應註明。不註明。後醫不能不負其責。

附條前後醫生。挾忿互詆。查實反坐之。

24醫因拔診。不早絕。不應其時診。得有傷害者。罪之。

25藥舖對於醫生正式方箋之配置。不干法律。不得拒人配方。拒人配方者。罪之。

次將述及學術上之犯罪行爲

力不同科。古之道也。所以醫雖有派。而其原則有一貫者。因述其一貫。爲抒標準。所以重民命己也。如下述。有十二條。

1過汗致人虛者?

2血斂形燼。功不交者?

3應汗而下之。致人胸結者?

4應下而汗之。致人臟結者?

5汗未澈而下之太早。致痙者?

6舌白而不知汗。且攻下者?

7轉展使人不能食者?

8病有餘蘊。致人癱瘓及殘廢。查有實據者?

9病有餘蘊。或因藥過重。致人口瘖以及耳聾者?

10致人有餘蘊。發爲外瘍。爲痰癰流注外瘀者?

11因過發其汗。及利小便多。致津液枯不大便者?

12病後皮膚中如蟲行。或惡寒甚者。此爲虛弱所致?

學術研究

脈學概論

張子英

(引言)中醫脉學之發達。已有三千年之歷史。考其源流。有先西人發明者。有發西人所未發者。究其方術。莫不精微奥妙。表現國醫之特色。實大可炫燿於世也。輓近因元之張元素以亂説相溷。于是眞義不彰。古人心血。逝等流水。良可慨巳。英將勤求古訓。博覽羣書。悟而遂通。請事此編。今夫吾國古書。最爲難讀。於醫藥諸書尤其甚焉。蓋秦漢之籍。誼詣奥博。字例文例。多與世殊異。驟讀之。幾不能通其語。復以竹帛梨棗。鈔刊屢易。則三代文字之逐叚。秦漢篆變之變遷。有魏晉正草之混淆。有唐人俗書之流失。有宋元明校槧之革改。逵逵百書。多岐亡羊。非覃思精研。莫討本源。未易得其正。英因有鑒於此。歷備各家。觀其大略。以爲王叔和楊上善滑伯仁輩。略有可宗不可以全信也。至雀紫虚張潔古李月牠。專以一條線脉。意測藏府。頗有可疑之處。所謂「卒持寸口。何病能中。」「論疾診尺。妄治倖愈。」更有甚者。「妄言作名。愚心自得。」實由於宋時俗子杜撰脉訣。鄙俚紕繆。不堪卒讀。醫學習講。以爲權輿。逮臻頒白。脉理竟昧。余于是揭其愚陋。有不容已於言者。乃以研幾所得。復與仲景脉學。亦復古。亦維新。所謂新生活。卽舊道德焉。

人身之脉有二。曰動脉。曰靜脉。

(註)動脉。卽大動脉之幹枝也。支曰时呎。幹曰纓。(亦作英。卽關脈)。

(註)靜脈。卽奇經八脈。內經謂之脲。藏津液者也。(亦曰腺)。(有胸腹診。)

原則一　動脉

動脉於醫學之上。其別有三。曰肘。曰關。曰呎。

(甲)寒熱

非常熱。人身有常熱。非常熱。卽神經歪斜也。爲壯熱。爲灼熱。爲往來寒熱。

非常溫。人身有常溫。非常溫。卽溫度減退也。

尺熱。附熱也。內經曰。獨熱者病。

四肢厥冷。厥者。期其兩端。謂衆分求
心之象。久將脫焉。
背寒。

(乙)滑濇

脉滑濇者。診脈之處。其皮膚細致滑潤。此曰滑也。診脈之處。其皮膚糙粗滯濇。名曰澀也。尺澀曰風痺。尺熱曰病溫。

滑者。病化膿。亦曰結胸。亦曰未表解而先下。

澀者。病結核。亦曰汗出不徹。亦曰亡血。

(丙)浮沈

浮沈。皆非中性之脉也。舉得曰浮。尋得曰沈。得舉按尋之義。而浮中沈乃明矣。

浮爲風引。風引其神經。所以使神經充血也。沈爲水畜。水畜則血莞於此。病於神經伏匿也。

(丁)遲數

人之脈有與呼吸氣息相感通者。呼出脈之頭。吸入脈之尾。呼吸之間。閏以太息。五至爲平。四至以下曰遲。六至以上曰數。老人不足之。小兒太過之。此之謂也。

標準一　動脈

一、寒熱。以常爲的。非常爲病。近世用寒熱表記度。亦記其常度之所當然。乃知其非常度之不當然而然也。

二、滑澀。以調爲的。謂其非滋非燥而有其調也。失其調者病。

三、浮沈。以中爲的。謂其舉尋之非宜也。苟得之於按。此曰中。

四、遲數。以息爲的。五十動而不一代者。此平也。四至以下。六至以上。此皆所謂病也。

原則二　靜脈

欲求靜脈之理。則緊與緩宜別焉。本緩也。而乃緊也。緊卽堅也。緩之甚。則曰結也。

所謂靜脈之義。曰胸診。曰腹診。曰強上。曰滯下。而消中屬也。消中不可得以診也。而滯下強上別焉。

所謂動脈變遲。謂動脈如靜脈象也。而靜脈亦有如動脈象者。五十動不一代。此所謂不一代者。卽動不變遲。遲不變動之謂也。

標準二　靜脈

欲明辨乎靜脈。則曰痛與腫。

痛有所不通也。

腫則代償之也。

胸窘而痛。

胸痞不痛。

腹膨而痛。

腹膨不痛。

胸中窒。此言脹也。

腹中窒。此亦脹也。

胸有肋膺之別。又有引背之分。

腹有少腹之別。又有絞痛陣痛之分。

一、痛{隱痛　引痛}　隱痛　窒痛(擊)

二、腫。腫之前程曰脹。

脹{滿脹　時脹}　悶脹

所謂痛與脹者。又有拒按不拒按、堅、濡、之分。

原則三　三部比較

謂三部比較。卽與寒熱滑澀浮沈遲數。比其諸與獨也。

獨則病。諸則常。然亦有當異論也。

(獨)獨熱者病。獨寒者病。獨疾者病。獨遲者病。獨陷下者病。獨大獨小者病。謂曰七診。

(諸)諸浮數脈。應發熱而反洒淅惡寒者。必發其癰。

腹中痛。其脈當沈。若弦者。若洪大者。必有蚘虫。

婦人得諸平脈。身有病而脈無邪脈者。姙子也。諸浮不躁皆在呎。其躁在手則爲熱。諸沈而細皆在肘。其靜在足則骨痛。

標準三　三部比較

肘脈主肺。

關脈。左曰氣口。右曰入迎。(近人以爲左手右手誤。)氣口屬呼吸出入之肺。入迎屬榮養出納之胃。

呎脈主膀胱。

今有人也。膀胱中水量增多。或肺部氣量充斥。不能與胃相等量。則病不能起立。乃殗然而臥。

於此則有肘關之比。

呎關之比。

比其盛衰大小也。意頗長。另述。

難經以爲肘主神。關主胃。䏧主根。根部不至。如樹已無根。必死。肘部脈不至。無病猶可冀枝葉重春。脈求胃氣。胃脈已絕。雖肘䏧均調者。亦必死也。而氣口爲五藏主。其病也。亦非福。所以關脈爲人身最關重要。雖然。下部脈不至。每多咽痛。

列言調脈與如經

不能如經。必有所兼併也。兼併則血已鬱矣。」不能調脈。必有所偏亂也。偏者。脈之歪斜。亂者。神經不能安於正常而迭移其位也。內經。參伍不調。期其左右。名之曰厥。又曰。內奪而厥。比之河流有分水閘。因閘爲阻。則水勢左右分矣。此名曰厥。仲景曰。厥者。陰陽氣不相承接也。內經謂之曰陰搏陽別。

是故隨經則瘀熱在裏。

傳經則病象追加。

一言可以說明。

內難仲景所以列言太陰太陽厥陰陽明者。陽皆言動脈。陰皆言靜脈。何以別之。曰陽動而陰靜。此其確也。陰動曰躍。陽靜曰至。

微動喘喘。喘喘不甯也。

甚動躁躁。躁躁煩亂也。

脈必求盛衰之跡。

其盛也。血甚也。血甚則毒。近人名曰充血。

其衰也。名曰偏虛。因其偏虛。所以知偏枯也。枯。謂血枯是也。

人身經絡。息息相通。無盛衰也。因乎不通，且有阻止，于是盛衰別矣。所以盛。所以衰者神經有歪斜之病所在也。

于此可以知道，神經歪斜之後，以致藏府偏傾。或陷下懸浮。甚且脫位者。近人謂溫邪內陷。中風脫症等稱。又有懸飲內痛。胸中支急之名。皆惟脈論。

例外

少陰之脈獨下行。故少陰之脈上逆者病。

陽明獨受其濁。宜降不宜升。故陽明之脈。其脈容浮而大者。此無病也。反是者病。

證經

入迎與时䏧之比。

陰陽結斜。

多陰少陽。多陽少陰。

一陰一陽結。

一陰二陽結。

一陰三陽結。

二陽發病。

三陽發病。

一陽發病。

二陰一陽發病。

三陰三陽發病。

諸是等。閱此書者。可以性會。不待著稿者多數繁言矣。所謂一陰一陽發病。此靜脈與動脈之一部位有病也。卽可推其部位屬于何者。而詳考其爲何藏之病。此宜執端用中。求其癥點之所在。不可徒泥其跡以自囿也。恕不贅述。至俗世註經之人。皆惑于章句。未能穎悟。乃至隨文亂論。未加推敲。流毒數千年。以致確合科學之古脈學。至今而不能自彰也。豈不危哉。

(結論)余固約略此述。善智識者必能有所自悟。則脈理藥理一翻內難仲景。便可豁然自爲了解。今夫世之號爲脈學專攻名家者。務於人手臂之一條脈。便謂可以洞中藏府。分別心肺等各項病症。妄言作名。列有二十七脈。吾因知其揣矣。脈者。比之於電磁學之天地線。所以司導通之職也。藏府者。皆電磁之變壓物。藏府所以有絡脈者。所以司曲過之職也。乃其不能曲過。還反則兼併。阻止則傾軋。各走極端則厥逆。此固易於明了者也。又何必左心小腸。右肺大腸。以及男人責左。女子責右。肥人責浮。瘦人責沈等說。以爲愚心之得。且作神祕之論。乃使妙奧之學。無以偉功於世。吾爲此懼。因不屑費筆墨。殺梨棗。而公之於世。以求世人之誨教也。倘荷參加意見。不勝待命之至。

國醫肯定術語

心廬

(引言)國醫之所以不振。非在於人力之不提倡。而在於人力不能肯定其術語也。淺學者。有所不能通。上智者。又誤用所智。穿鑿附會。以致流毒至今。積重難返也。師弟之相承。父子之所傳。皆曰知其然。不知其所以然。

今夫道不遠人。在人之不自用心以求之。善讀書者。有字處讀。無字處亦讀。不能參悟。何良之有。余素不打誑言。本吾才力。務求乎通達、積數十年來。忘食懈寢。未嘗敢一日懈於此事。無以此事難知、乃晉研而得。求有道而正焉。爲之語。皆人所欲言。而不能言者。爲之事。皆人所不爲。而應當爲者。故雖裘敝金盡。而甘之。一人窮而千萬人達矣。自以樂而亡憂。不知老之將至焉。謂余說而非正鵠。請諸君靜性。再讀十年書。必有能爲余正者。蓋余固出於血誠。用運萬方。綜上下五千年之書典。而有得於此。能勿焚香靜几。息心養氣。再拜稽首。端爾容。盥斯編。披而閱之。曰而今而後。然後知其眞義也。得有解也。

（立定宗旨）

今夫七尺之士。生可揆度而測之死無可解剖而視之。視之而不測之。失之神。測之而不視之。失之形。人。形神之合也。爲之醫者。是不可以一偏。解剖。視之。近世倘焉、揆度測之。外吾國醫。未能他求也。揆度非有攸久經驗不可。何以欲揆度之也。蓋病之發生。有自動而發者。有被動而發者。自動而發。傷已久矣。不可見也。蓋生理反射之可見者。惟被動而發。可見焉。故其被動而發。即自動而發之感應。國醫之特長。在能治所感應。故用力少而成功多。

（舉例）

明：是子宮病。而曰肝氣病者。以子宮之神經。繫乎肝之一端也。

明：泄瀉爲腸胃病。治肺用提壺吸蓋。以肺與腸爲表裏。胃與肺又近鄰也。

明：嘔吐。是腸胃病。必曰。此金尅木。妨於土也。以肺之神經。被肝掣也。

明：不眠。是腦神經病。必曰。胃不和也。宜辨其大便祕。或大便泄者。大便祕治脾。大便泄治膽。何則。腦神經之不良。由於營養之不調和。以有掣也。故亦不曰心病。亦不曰肝病。斷斷然曰胃不和。胃不和而又分治乎脾與膽。

諸如此類。不多述。可自推也。

國醫既有此終南捷徑之長。足以爲世醫學爭一日之短長者。以此能詳察乎形。晉求乎神也。

人非死人。病妨其生耳。欲求其生。奈何徒泥其形。而不知神之是求也。

（陰陽表裏）

陰陽。非難言也。言人身之經絡也。在人身正面者。曰陽。負面者曰陰。正面。背也。負面。胸腹處也。又展性曰陽。止性曰陰。

經絡本無陰陽之分。蓋一條血脈。貫而通之。循而環之也。所以分陰陽者。於文字上。爲之標識也。示人以明辨也。

所以太陰之尾。啣接陽明之端。陽明之尾。卽啣接少陽之端。少陽之尾。卽卸接少陰之端。少陰之尾。卽啣接厥陰之端。厥陰之尾。又啣接太陰之端。此爲導通。一以貫之。分之。亦所以合之也。醫學上。不得已而分之說。生理上。固仍貫串之也。是亦不可以不明。一唯所啣接而貫通也。愼乎其淺智識之不得其要領。医又定表裏之名。

肺與大腸。相爲表裏。心與小腸。相爲表裏。等說。表裏也者。猶袂衣也。有此表。必有其裏。所以示貫通也。所以示其相感應也。

比如欬也。腹必澎。所以知欬之病。原雖出乎肺者。其病實因乎大腸有病。而被動也。

比如昏狂其病。雖在心。必因其小腸。有蓄血。或爲尿毒所阻也。

言大腸是肺之表分。言小腸是心之表分。反言之。卽大腸之裏分爲肺。小腸之裏分爲心也。裏不能達。不由表分達之。

爲之治者。或排便、或排尿。皆爲由裏達表之機。

世之人。以表裏爲名詞。且曰。發表不遠熱。攻裏不遠寒。乃以表爲出汗之代名詞。裏爲排便之代名詞。抑亦不知其眞理者矣。世之人之與陰陽也。其於脈也。以爲浮爲陽。沈爲陰。其於藥也。以爲熱性爲陽。寒性爲陰。一陰陽而無不陰陽。模稜其詞。無怪乎讀書十年。可使不通。尤不通之甚矣。

得於此陰陽表裏四字。肯定而認識之。必定得益衆多。不再誤入岐途矣。

惟然。陽之脈長於陰之脈。丹溪曰。陽常有餘。陰常不足。此之謂皸。

細之又細。剖之又剖。斷而切之。分而言之。有肺之系。曰太陰。有肝之系。曰厥陰。有心之系，曰少陰，有脬之系，曰太陽，有胃之系，曰陽明，有膽之系，曰少陽，分於類別，歸於系統，太少厥明，亦所以示別也，非人身本有此名也。分於括囊。有走手。走頭。走腹。走足。走胸。走背之分別。皆名之曰經。

所謂絡者。絡於各藏器之上也。

因乎走手走足之異。則又別乎手太陽。足太陽諸異名。曰十二經。

經絡之爲物。如樹之蔭。交叉而支出者頗多。其間甲與乙合。丙與丁交之處。則必有穴輸以交通於皮膚肌肉之外。故曰孔。

國醫三焦通義

徐炳麟

（引言）前人紛紜的三焦解釋。現在却有了定論。就以前所謂三焦。是體軀內的三個部位。說是胭膜及橫格膜。居然以爲是從解剖得到的智識。已成了過去。並且還有說六府之中有三焦的一席地。因爲本項通義的演述。也可以迎刃解矣。葉天士不是說。三焦不從外解必成裏結。就從這裏外上想法。引證到仲景所謂三焦者藏府通會元眞之處。吾知道是胃的三脘。那三脘就是胃體上的三大孔穴。三大孔穴茍孔穴閉塞。這便是脘悶。所以說這個脘。不是說心脘胸脘。可是說胃脘者也。內經曰。胃脘當心而痛。這是便。三焦的一焦獨病瘈攣。所以強上引背者。就是上焦病。滯下腸澼。就是下焦病以及除中熱中。通是中焦病。朱丹溪說三焦無痛無腫。又說三焦有名無實。嗚呼。吾人立言。豈無所指。乃以功命之學。等於兒戲也耶。吾固知其必非也。且夫上腫屬風。下腫屬濕。以及消病有上中下三者之別。正皆以三焦是據也。故欲治其病。必以胃爲戰場。上者越之下者奪之。中者發之。余爲此說。固不知其是否確當也。苟能尋述此文。我用是悅。

脈亂則離經。脈治則如經。如經之脈。和平者也。不亢不卑。謂之調經。「蓋循環系之正常。」

其或脈中之血。充多。或貧少。則藏器顯形輕重。爲急。支爲懸絕。爲陷而下。爲偏而傾。邪之所湊。大風泥雨必有所寄墟焉。邪。「神經歪邪也」。

惟是論。「上虛不能制下眩暈而遺溲。下實不能匡上。上輕而下重」。故病於下上者未有不因於上下。要其理。以胃爲中。一胃有三脘之分。上曰上焦。下曰下焦。中曰中焦。是故

下部脈不至。咽喉病。「下部脈虛。面赤。足心熱。下重則邪高嘔吐」。強上挺上。皆引於背。「上氣則爲喘逆」。

胃之爲病也。上薰則面赤下逷則便泄。

上病於鬲。「鬲有寒、舌白滑」。下病於小腸。「小腸病。下重裏急」。

蓋飲食入胃。病於食毒。而爲消中·除中·熱中·寒中·鬲中·崩中·強中者·其理亦多矣。無非畸形之變動與結菀是也。

在中樞神經者。則曰心悸。臍藥。氣上衝咽喉。氣塡鬲上痛引少腹。引及陰筋。均名曰轉筋

爲身之振搖。爲振振僻地。皆中樞神經病也。

爲四肢聶聶動。爲虫行皮中。爲身體爲痒。皆曰皮膶。末梢神經之病也。

裏結云者。有少腹急結。膀胱急痛。心中急痛。胸中痞結痛引少腹之藏結。熱結血室之血譜有心下微結。冷結膀胱。兩脅拘急。除中攣急。

其急於外象者。有兩脚攣急。四肢拘急。兩脛拘急等。

蓋藏府相連。邪高者痛亦下。隨經則瘀熱在裏。熱深厥亦深也。筋痛動惕。久必成痿。

爲肺動之咳。胸動之喘。腸動之噎小腸動之鳴。胃動之放失氣鬲動之噫。或蒸蒸而汗却。或振振而汗解。皆見解行爲也。

肺有熱胃有邪。腹痛嘔吐。

客氣動膈。胃中空虛。丹田有熱。舌上白滑。是故當先述其爲頭中胸中病。

而查其前後之脈。是否承接。

而查其行經之血壓氣壓。是否皆調。

行其經盡。則病愈矣。到經不解。隨經有熱也。故曰過經乃可下之。

脈亂離經。離經於腸胃者。名曰霍亂。必查其所由。

飲食自倍，腸胃乃傷，縈餘之邪，名曰宿食，汗出當風，久傷取冷，身疼，日晡熱，曰風濕，夏日傷冷水，水行皮中，小有勞，身卽熱，曰中暍，汗出水入，水如經而傷心，黃汗，發熱，曰歷節。

尊榮之人，骨胳疏，困疲，勞汗出，不時動搖，加被微風，身疼不仁名曰血痹。

失精亡血，陰寒骨楚，面胱，少腹滿，此爲勞使之然，馬刀俠纓，皆爲勞得之，

膿吐淋濁，以及奔豚少氣，皆從驚恐得之，身勞汗出，衣裏冷濕，久久得之，腰下重，曰腎着，食少飲多，水停心下，甚則悸，微爲短氣，素盛今瘦，水走腸間，瀝瀝有聲，曰泆餘，汗出入水中浴，水從汗孔入，此之名曰黃汗，足熱，額黑，腹滿，大便黑，時溏，此女勞之病，極飲過度，酒客欬者，必吐血也，謂曰勞，身被刀刃被風襲入，此之名曰破傷風，婦人在草蓐，發露得風，四肢煩，頭眩目虛。熱，始發則微，其或不覺，老衰之其病乃生曰伏邪，（用麻黃同）錯用焠鍼，熱氣雖微，內攻有力，焦骨傷筋，血難復也，曰重痹。

用火灸背，臟府相連，邪高痛下熱深厥深，驚悸，應汗而以水潠之，肉上粟起，水行皮中，久爲皮瞤，藥爲之病，

汗之不愈，風去濕存，欲去其濕，當微微汗出，濕家當利小便，下利以理中與之，此誤也其病下焦，而理中焦，故不愈，但當利其小便，

下之太早，語言必亂，結胸，脅熱利，此乃不知先去其水，早攻其裏，

嘔吐而欲汗之，必先溫其上，乃與發表之藥，

胃弱而與大黃芍藥不減其量，脅滿不痛，卽用柴胡不用半夏汗出小便利，用猪苓，皆誤

汗微微出，爲欲愈，太多爲太過，

飲水少少與之，愈，微和胃氣，與之多，不食則噦，

不能食，以黃芩徹其熱，非惟噦也，且爲除中，

皆胃病也，　亂於腸胃，名曰霍亂，

肚中寒，不得噫，　鬲上熱，嘔吐，

肺中冷，吐涎沫，　腸中熱，體重，

胃熱，消穀引食，　胃有腐穢，因致黃，

胃有癰膿，嘔吐，　胃不和。則煩而悸。甚則譫語，

胃熱上蒸於面，面赤，　胃有水，脅熱下利
胃中燥。不大便。不得眠，　胃中空虛，煩不得眠，
胃中實，因燥亂，　胃反，朝食暮吐，
胃濁下流，膀胱，身黃，　胃中穀氣下流，陰吹正喧，
腸中有虫，胃緩虫動，吐涎心痛，發作有時，胃有邪，
胸中熱，胃有邪，嘔吐而利，胃中冷，渴引熱飲，
頭眩且痛，腸有宿食，目如脫，胃中久寒吐蚘，下利消穀，
一胃三脘之分，（九竅不和，皆屬胃病，奇邪走空竅，皆不足，胃不和則臥不安、
上實下虛，上重下輕，上氣則浮腫喘逆，不能制下，遺尿失便，
三焦相溷，內外不通，蓋三焦不瀉，津液不化，
三焦不歸其部，即竭部上焦善噫，下焦遺溺失便，
三焦竭部，上焦，噫而呑酸，中焦，消穀堅熱，下焦，遺溲，形冷惡寒者此三焦傷也，

下焦無所仰，四屬斷絕，宗氣衰微，四屬斷絕，
三焦絕經，名曰血崩，
比如胞系戾乖，脾已脫位，小腸下陷，皆轉筋病也，
上焦受中焦氣，津液還入胃中，戢然汗出愈，
蓋上焦得通也，（無犯胃氣，及上二焦，令胃氣和，
無犯胃氣，勿令大洩下，微和胃氣，
下焦津液和，小便自利，
上焦，因欬爲肺痿，有寒多涎沫，　上焦，有寒吐涎沫，有熱黃汗，得湯反劇，病屬上焦，
下焦，腰以下無汗，臀着，下焦，小便白，
熱在上焦，因欬爲肺痿胸痹，
熱在中焦，則爲堅積聚，
熱在下焦，尿血，淋祕不通，
腸有寒者，鶩溏，　小腸寒，下重便血，
腸有熱者，黃糜，　小腸熱，必痔，
上氣不足，耳爲之苦鳴，頭爲之苦傾，腦爲之苦脹，目爲之眩，
中氣不足，溲便爲之變，腸爲之苦鳴，

下氣不足，痿厥心悗，

上焦拂鬱，藏氣相薰，口爛食斷，胃中爲濁，榮衞不通，血凝不流留結爲聚，

中焦不治，胃氣上衝，脾氣不轉，

下焦不闔，清便下重令便數難，臍築湫痛，（未完）

辨別短氣治療之商榷

福建長樂　陳詠鶴

短氣者，氣短不能相續，似喘而不搖肩，似呻吟而無痛，其症多端，實爲難辨，爲醫若不注意，誤治者多矣，要識其短氣之眞者，氣急而短促是也，有責爲虛者，有責爲實者，要當辨明之，一者，表症不解，汗出不徹，其人面色緣緣正赤，煩燥不安，其身不知痛處而短氣者，宜微發汗則愈，二者，因汗吐下之後，元氣虛弱，脈來微虛，氣不相接而短少者，宜大建中湯，三者，除陰症脈沉細遲，手足厥冷，面上惡寒，有如刀刮，口鼻之氣，難以布息而短者，四逆加人參主之，四者，陽明病，內實不大便，腹滿短氣有潮熱者，宜大柴胡湯下之，五者，乾嘔短氣，痛引脅下，汗出不惡安者，此表解裏未和也，十棗之湯主之，六者，短氣煩燥，心中懊濃者，梔子豉湯主之，七者，太陽病醫反下之，陽氣內陷，遂成結胸，心下滿鞕高起，氣促而短者，大陷胸湯主之，八者，風濕相搏，一身盡痛，汗出小便不利，惡風不欲去衣被短氣者，甘草附子湯主之，九者，食少飲多，水停心下，令人短氣妨悶，茯苓甘草湯主之，小便難，五苓散主之，大抵心腹脹滿，按之鞕痛而短氣者，爲裏實，若心腹濡軟不滿爲表邪，若少氣不足以息，脈微弱爲氣虛，此大法也，溫熱病，多有短氣症，舌上白胎如屑，黃芩湯白虎湯主之，若胎黃及黑色而短氣，急用涼膈散，雙解散，解毒承氣之類，對症施治，短氣有類於喘，但短氣則氣急而促，不似喘之搖肩而氣粗也，大抵氣急而不相續多實，少氣不足以息多虛，姑杼所見如是，以作同志之參考焉，

二十五年十二月廿二日由和生藥局寄

仲景書新勘

潛叟

傷寒論　本序文係王叔和僞託。王叔和晉太醫令。諱熙，後漢長沙太守，在建安間，自韓玄被殺，繼其任者

，曰張羨，無張機其人也，細玩本序，確係勝晉氣息，與漢代古茂文章迴別，蓋以羨字仲景，喜當合也。

全義▣如水傷心，如字與心中如噉齏狀之如不同，如即俗謂算法之一一如一，二二如二，之如字同解。

▢數之數字，與其脈數來時止一還之數字不同。

▣金匱名曰沈，與脈沈之沈不同。

▣證像楊旦應作胆，胆黃病也，與膽別，固不作揚癉也。

▢藏無他病，藏謂脈藏也，與藏結藏燥之藏字異，藏結藏燥皆言大腸也，故藏字有三義，一言：脈藏，二言藏府，三言大腸。

▲其言脈佇之佇字，或以爲伏字之誤。

◬壞病，內經曰，其器津泄，其音嘶敗，其聲深噦，有此三者，是謂壞府毒藥無治，短鍼無取。

◉仲景脈法，非僅如近代只按動脈，蓋當時既已三部比擬於肘關肷矣，而又有靜脈之診也，則曰按其皮腠之滑澀，又曰按之濡，按之堅，按之痛，按之腫，若有病處，此數義，均是按靜脈之法，蓋於不病之時，不可得見，惟病時可見，東人以爲腹診法也，二十七脈外，有奇經八脈，中醫謂十二經，各置一原，原同腺即西所謂攝護腺，甲狀腺，生殖腺等之腺也，內經曰，陰有募，陽有原，謂之曰膜原，膜亦通作募，腺省作原，惟然脈若靜者爲不傳，脈數急爲傳也，此言靜脈，非言動脈也，即胸腹也，夫數急爲傳，所謂數急者裏急也，拘急也，其爲急也，或濡或堅，或痛或腫，皮滑皮澀，有當別之，其時即脈亂離經時也，固也其動也，必不能如經，不能調和者矣，且仲景於津液甚爲注意，津液所居留之地，非靜脈何，脈有經脈，有絡脈者靜脈是也，亦曰奇經，寄於經脈者也，脾主一身之大絡，故脾爲北門關橐，脾當三焦之中，故脾澀不通，身冷膚硬，蓋三焦即胃之三脘，外通於腠理，內形於三焦者，必外形於腠理也。

◬絡脈即奇經，有蹻脈，有督脈，有任脈，任蔭也，有衝脈亦作衡，常也，有解脈，即脚有維脈，有蒂脈，即帶脈，夫標之謂蹻也，解也，本之謂蒂任督也。

△嘗讀內經·有陽加於陰爲之汗，此脈義也，可

於比擬上知之，本書有欲下先存陰之條，所謂存陰者、先於其脈之陰也，加以鍼也，存卽存鍼之義，內經九鍼之論不必存也，卽此存字，鍼之技，所不傳也，上工治未病也，例如欲作再經，鍼足陽明使經不傳則愈，惟經不傳，故曰過經乃可下之，內經獨取陽明，取亦鍼法也，本論瘦人責沈，肥人責浮，又曰強責，少陰汗，責亦鍼法也，例作隤，水漬之也，漬形以為汗，隤通作雜。

★脈遲尚未可攻，攻火攻之也，何以知之，曰愼不可以火攻之。

★李頻湖以為項強几几，謂其脈如丸丸也誤。

★血證譫也，不作譫，當作縮，縮者結也。

★本書字義，噓通作嘘，漐通作滋，俠通作挾，邪通作斜，癰通作壅，稸通作滀，其差通作其瘥，酢通作醋，清通作圊，歠通作啜，灑通作洗，嘿通作默，募通作膜，鈆通作鉛，蚘通作蛔，亦作，蛕，協熱通作俠熱，俛卽俯，本字疸卽癉，本字眦眦，卽睆睆也，亦卽盲盲也，脘通作脂，蔕卽蒂字，嬰病卽瘿病。

★內經曰，傷寒者皆熱病之類也。

★脈緊者轉索無常也。

內經解脈，解通作胛，謂肩胛骨也，病解者，謂肩胛之沈脈已鬆。

□脈澀，謂皮澀也，與皮滑對，澀為醫所病，

□陰脈微澀，故知亡血，亡血者鍼誤無疑，以及陰前絕，陽後竭，竭絕皆為鍼誤，責虛取實，亡血迫空皆鍼誤耳。

□二焦相溷，內外不通，內經曰，上氣不足，腦為之苦滿，耳為之苦鳴，頭為之苦傾，目為之苦眩，中氣不足，溲便為變，腸為之鳴，下氣不足，為痿厥心悗，邪之所湊，其氣必虛，皆謂之不足。

□又曰為熱所雍，血凝阻下，狀如豚肝，此猝針之誤，名曰奔豚，

□手足三部脈皆至，至通作痙，與厥陰篇脈不至之至異，

□至多笑談，謂醫者不可不用術，有女子詐病，必曰汝病大重，當服吐下藥，鍼數十百處。有耳聾者。叫以欬，無問，必以為耳聾也，但是傷寒之病，耳聾為多。

（未完）

寒熱濕燥小談

任之

寒者，吾得養金魚法而貫通之也，金魚非難養也，當有人養在秋春之際，魚之身際皆起霉點，善養金魚者曰，此非霉點，乃金魚受寒所致，以是知道，人生每當患寒病時，其犬腸壁，當亦有此賦形型狀，字說，寒者塞而不通是也，熱者，當作熱，用是知熱之為病，必睾丸脹，女子必卵巢脹，濕，孟子作㵾，可是其狀必有賦形型狀，在藏府上，在腎曰腎濕，在脾曰脾濕，脾濕易治，腎濕難治，近人以為濕病是由於空氣中賦形物的過敏性，恰與人身細胞間的賦形物的過敏性相加，證之內經論濕，作菀血解釋，梅能吻合，燥從火，濕從水，人身百分之七十是水，做成的，水火不相濟，謂之燥，所以燥是濕性的變化，

衛生常識

心理病之療法

李健頤

無形之思想，能成有形之病症，故思想愈甚，而病愈篤，甚至屢夢鬼交，或常見鬼魅揶揄，經年累月，必至身體損傷，形容枯瘦，日甚一日，終歸不瘳，此即世所謂鬼祟是也，推其原因，實由懷慕少艾，未遂其慾，情緒優結，心煩意亂，慾念昌旺，相火盛熾，腦宮不安，幻生夢境，遂因夢以致夜夜泄精，精竭水涸，病入膏肓，世人不明此理，意為眞有鬼物為害，專事問神求卜，不揣其本，以齊其末，何能得脫病魔乎，獨不思病鬼是由疑心所成，思想所結，若能擯去疑心。盡除邪念，正心修身則鬼自消滅矣，故欲治此症者，宜先戒絕淫意，除去邪心，治其無形之思想，繼與補心固腎之品，療其有形之病症，未有不藥到病除，奏效如神，鄙人發明一方，歷治多人謹列於下。

補心固腎方　密棗仁五錢，知母，黃柏各二錢，西洋參錢半，柏子仁三錢，熟地四錢當歸錢半，龍齒、牡蠣各五錢，朱砂八分，清水杯半，煎八分，空心溫服，服後須戒一切忘想雜念，即可奏功，否則，無靈驗矣，

鹹菜的重要價值

麟昌

俄羅斯著名生理學家梅支尼哥夫，常講一個活到一百零三歲的老人的故事，據說他是比較的最能保身的，他是一個織工，生活當然是困苦而儉樸的，他祇有一種嗜好，喜歡吃鹹菜，大量的吃，常是生吃的，他相信鹹菜的功效，含有很大的防腐性，所以能夠延長人的生命，

世界上有名的法國細菌學家巴斯德，他也喜歡吃鹹菜，而且很肯定的說：『鹽菜是世界上最有用而最能使人健康的食品，』

在近代名醫學家中，承認鹹菜的重要價值，而常作一種健康的食物，有沙特勒博士證實了梅支尼哥夫的信仰，說鹹菜有一個很重要的成分，可以防止腸菌的繁殖，還有一位是包祿高博士時常這樣聲明：『鹹菜可以說是肚皮裏的掃帚，但鹹菜却是最新的電氣眞空掃除器，』

乳頭瞎陷治法

馮吻蕊

婦女乳頭內陷，深深隱藏於乳中，外視之成一小縫，我不知醫學上是何名稱，而蘇州俗語則呼之曰「瞎子奶奶」。

其所以成此病症，一小部分是先天遺傳，而大部分是女人穿緊身背心（卽小馬甲用以束乳者）之害，因爲中國人，以胸部成一平板形爲美，於是無知之輩，乃竭力創造此種緊身背心一類之物，使正在發育之雙乳，永難發育，而乳頭亦因壓迫而內陷，但不幸出嫁生育之後，則大受其害，蓋無乳頭，則小人無從吮吸乳汁，而天然滋生之乳汁，則因無出路而醞釀成膿，致生乳癤，乳癰等症，痛苦至不堪言，更進一步言，則乳部因束小而不能充分發育，以致乳量不多，影響於下一輩國民之體格，而更因乳部緊束，呼吸不暢，能引起肺部各病。

「瞎子奶奶」，於醫書並無一定治法，但傳說有一簡單方法，可以治之，卽用核桃一枚，留心剖成兩爿，將其中桃仁等，細細雕去，使成二門空壳；然後套於乳頭之上，再用兜肚，或布帶，或小背心之類縛緊，則乳頭自可漸漸而出，余不幸患是疾，故於結婚之後，卽試用此法治之。

以經驗論，可說者如下：

1 核桃殼要將邊緣等處，細細磨光，以免損傷皮膚，不易收口。

2 乳頭因常經緊壓，起先不免稍有紅痛，其中又有水汁流出，故每天應用溫水洗滌，並且應多備核桃，以便更換。

3 乳頭週圍，因久經緊壓，必致稍有破損，所以應用絨布之類襯之，並且應以橡皮膠黏住核桃殼，免得左右移動。

4 最著功效時期，爲有孕期間：因爲僅僅外加壓力，尙難收效，至於有孕，則乳部又因生理作用，更見膨脹，於是乳頭因外壓內托之作用，自然突出如常。

願天下同病的婦女們，咸各一試，實爲欣幸，蓋此病也，初視似不足道，但影響於婦女康健，國民體格者實大，更願有心有力之輩，起而將女人胸如平板之審美觀念，

根本打倒，同時並提倡大奶奶主義，

產後骨盤痛與瘀血痛之鑑別

李健頤

世人每謂產後腹痛，是因瘀血停積作痛，宜與散氣破血之藥，以除瘀血，乃愈服破血，而腹愈痛，甚至血海枯涸，惡症叢生。何哉，獨不知產後骨盤虛痛者，十居八九，而瘀血腹痛者，十僅一二，蓋產後交骨大開，骨盤虛空，任脈萎弱，引血之機能遲鈍，骨盤之神經，受反射之刺戟，而引起痠痺麻痛。誠非瘀血積滯而作痛也，夫骨盤虛痛，其痛在於小腹，牽引腰脊，連及陰器，若久坐其痛益劇，以手按之稍止，與瘀血作痛，大相懸殊，然瘀血阻滯，係屬有形，痛時小腹紐結如石，以手按之，其痛益劇，此症多由產後憂鬱氣滯，或由驚怨傷肝，肝血不舒所致，宜加味逍遙散，開肝鬱以通瘀，自有奇效，若骨盤虛痛，投以此藥，必成大害，爲醫者，可不審乎，鄙人每鑒世人多以產後骨盤虛痛，認爲瘀血紐痛，屢投破血之藥，誤人甚多，心實深痛，乃研究一方，爲治骨盤痛最有效驗，方錄於下，以供同道之採取。

蘇黨參三錢　秦當歸二錢　川撫芎錢半　牛膝三錢

續斷三錢　川升蔴一錢　玄胡索二錢　青皮木香各錢

炙黃耆三錢　炙甘草一錢　清水一杯半煎至半杯，冲好酒一小杯温服，連服數劑，即可奏功，宜安臥不宜久坐，至爲叮嚀。

談內分泌製劑應用於骨痿

自新

內經曰「有所遠行勞倦，逢大熱而渴，渴則陽氣內伐，內伐則熱舍於腎，腎者水藏也，今水不勝火，則骨枯而髓虛，故足不任身，發爲骨萎「，夫遠引勞倦，即強力困乏，精液內耗，精耗則生內熱而作渴，思飲水以自救，否則，內熱之陽氣，伐腹中之陰氣，陰氣受伐，隨傳入腎而消爍精髓，所以水藏之腎，不能尅火，反被火勝，則精髓內竭而骨枯髓虛，足力不能履地是爲骨痿，近代臟器療法研究大有進步，採取壯健動物之睾丸卵巢腦下垂體，松果腺，甲狀腺等，內分泌器官分泌出之好而蒙，Hormone製爲內分泌製劑，應用於精髓枯涸之骨痿症，亦有顯著之功效，蓋人體各器官一切活動力，均由內分泌液爲之支配，猶汽車之與汽油，苟缺乏活動力，各器官之機能隨之影響，內經謂陽明主潤宗筋，宗筋主束骨而利機關也，則現代之「壽爾康」內泌製劑，實爲潤宗筋塡精髓之無上妙品，匪惟治骨痿已也一切老衰弱症靡不克奏再造之功。

醫藥雜記

姚心源致焦館長書

愚於前年得李君士林自識荊州，快談之餘，引為深榮，茲經李君談及館長耆意整理國醫，略呈管見，尚祈公鑒，竊謂國醫所可與世界醫爭者，維脈學是也，考脈學之眞義，在乎視其血行之強弱，卽西人所謂充血或貧血也，惟國醫以為充血，必然有內漏之現象乃云，貧血，必然有菀結之現象乃云，因為多於此者少於彼，少於彼者多於此，理有必然，所以人身血脈，其量度惟均，是為和平，故昔人治病，必憑其充多或貧少，以為鍼療上致氣射血之利便，乃今之治脈者不然。

以一處而聯多處，失之者多矣，惟古之為脈者，必得其肘部（在手）胑部（在足）以及關部各處而後別其諸獨，（諸盛諸微，獨盛獨微）此脈學上微甚諸獨，為不可不講也，然而人之稟性不同，故必因其本身以為比較，而後可以得到諸獨之分也。

所謂諸獨者，其說已詳黃帝仲景諸書，王叔和之脈經（卽近世所傳之平脈證言者），己詳例之矣。

至宋稜正脈經，到於今不傳於世，高陽生之脈訣，乃及瓜而代，後此諸家，如崔紫虛滑伯仁李明之李東璧等人皆妄言作名，未能得其眞要也。

抑有甚者，如張潔古之子張璧（雲岐子）且發為七表八裏九道之說，而李東璧又有二十七脈之分，務以浮為陽，沈為陰立論，輾展立論，去古已遠，非有識力者，無能發其覆，余將歷查而述之。

王砅，唐人，其言曰，卒持寸口，何病能中，其言曰，論疾診尺，妄言作名，為工所窮。

朱考亭，宋人，其言曰，古人審脈，不專在六部，偏身有脈，皆能審疾。

李東璧，明人，其言曰，逮臻頒白，脈理終晦。

節此以觀，古人猶疑於脈學之非眞，可見一斑，而王叔和氏為傷寒論代仲景序曰，今之為脈者，曾無彷彿，相為比擬，何從而中其病，因有按手不按足，持寸不及尺等語，以爲相對須臾之時，務在口給，便處湯藥也，尤爲莫明其妙者，則有左心小腸右肺大腸等說，以及男左女右諸稱，正令人墮入五里霧中，雖爲明醫，猶自晦也，欺人欺天，不知其可，源所發憤研求者，於此凡二十年矣，持此研者，凡三世矣，乃知

脈所謂寒熱者，體溫升降之變也。

脈所謂滑濇者，皮膚枯潤之異也。

脈所謂遲數者，息數有多寡也。

脈所謂浮沈者，舉尋有方式也。

閉門造車，以適於世，世固曰，不吾同也，我又何敢是是，間與弟子輩論述之，莫之違，然其學識是否以古爲新，或世之學者，未竟此研，揆其理，政於法，此事實之可翔也，無待乎辯，敢以質之吾先生以爲然否，亦以此爲提倡乎，謹俟明教，並候公祉百益， 吳門姚心源再拜啓

改正國醫脈學芻議

姚心源

（宣言）仲景書原序云，觀今之醫，按肘不按趺，持手不及足，入迎趺（通跗）陽，三部不修，省疾問病，務在口給經

（源按）當季漢之際，脈學已留守小矣，「因仲景序係晉人僞託」後有王叔和其人，屹然主持脈經，故晉人之序，其言如上述，可爲脈學慶，乃曾幾何時，唐甄權之脈訣出，權以隋代隱老，資望甚深，時崇其人，莫敢言其非，于是脈訣乃代脈經以名於世，雖宋之季末，張潔古李東垣輩，亦未能識其醜，破其的，而崔紫虛李月池輩，抑且變本加厲，于是去古漸遠，傳得者傳失，更以內經脈容代名詞。

如浮合丸滑之流·發揮爲二十七脈，幾等狂言糊語，歷千餘年之久，未能爲之證明，謂之欺人，即曰自欺，是以朱悔庵柳東陽謝縉翁輩，已辟其妄誕於先，謂脈訣決非叔和之書。

（源按）叔和之書曰脈經，殆即近世附於仲景全書中平脈證言是矣。

故朱肱謂人體周身有脈，皆可切診，以兩手分六部，此近世所謂六部脈也。

朱彝尊（書宋本晞范子脈訣後）稱曰咸淳二年，臨川李

驷子野，撰脈訣集解十二卷，邑人何柱發序之，謂得於誦詩讀書之餘，蓋儒者也，竊謂人之賦形修短強弱肥瘠之不同，則脈亦異焉，今之醫者，止憑切脈，而王叔和之訣，有不甚解者，庸醫一歲之殺人，比於司法之決囚，驷自號晞范子，其書引證周洽，當時板行，必多傳習者，而宋藝文志不載，何歟。

後人因疑脈訣體例，不似勝晉文章，即詩賦之作，亦非晉代盛行，近代所傳脈訣，斷爲唐甄權所著無疑義，其詞鄙俚野俗，世且以便於習誦。奉爲圭臬，以致脈之精義去古漸遠，無怪李時珍珍曰，世之醫者，逮臻殆白，脈理終昧也，能不傷哉。

今夫以手腕一隅之地，其血脈動態，能於周身貫通之五臟六府，得其相當感應，而昭示於人智者，乃有左心小腸肝膽腎，右肺大腸脾胃命之說，蓋亦神祕甚矣，相對須臾之際，跡其曾無彷彿，模稜相像，憑醫者意識升沉，亦無固定標準，所謂二十七脈，皆肊斷爲多。

在二十七脈外，謂脈學基礎名詞者，又有張璧（潔古子）之七表八裏九道滑伯仁(東垣弟子)(名壽)浮數實長洪緊動促爲陽，結代伏細沈革短微緩虛澀遲爲陰。

(源按)七表八裏之說，戴起宗李珍已辯之，而左心右肺之說，趙維宗吳艸廬亦辯之矣，皆先我而致疑者也。

大概世界上足以自立的學科，必有標準條例、必能得種種方法，爲之反證，佐證，而後得到結論，此無他，有因者乃有果，有果者必有因，於是稱曰健全的學科，豈僅以意識上之理想，謂即足以副盡其事矣，我於是得下述之五講。

(第一講)脈位⊗脈所以分三部者，謂肘謂阸謂關也，所以分治比擬，而得浮沈遲數之跡，浮爲風邪，沈爲水毒。

(源按)其浮沈遲數之跡就各個人自已身上，得到三部比較，而分其諸獨者也，非憑醫者意想升沉，可爲斷也，

(第二講)脈象○謂脈象者即五至爲遲，七至爲數，不遲不數，名曰無病，數爲化膿性，遲爲結核性。

(源按)遲數亦當注意人身營衛周行，一日一夜五十動而還於氣口(氣口即氣管在頸旁)，古人所以持脈者，必於平旦未進飲食之時，謂肘口之脈尙在通行無阻之候也，今

焉不然，無時不診肘脈，其間有無窒礙，與夫有無有餘不足，抑亦何從得詳。

（附義）所謂五十動而還於氣口，氣口成肘。

氣口者頸部脈也，氣口成肘者，氣口盛而盛於肘也（成通作盛）。

（第三講）脈容〇容貌也，各有不同，其不同之點，在乎顯而起，指加其上，舉而卽得，在乎陷而下，指加其上，尋而乃得，按而得，不顯不陷者謂和曰平，和平之脈，如經者也，調而已矣。

（源試驗）試以手指二三四並用，各置菽之重也，其第三四指可碎九、三、菽，卽難經所謂九、三、菽之重也，浮中沉，卽舉按尋，亦惟此論，可意會，本此爲義，應當憑泰西血壓計，寒熱表，以及時計等辦法，設計爲水銀器具，得到用器械診脈之法，此種器械余當另定之。

（第四講）脈勢〇勢有寒熱，其部寒者，必爲結核（如手部寒卽肺結核），其部熱者，必爲化膿（卽痰）（或臃腫）（如足部熱卽膀胱化膿），大凡其部熱者，皮膚必滑潤，其部寒者，皮膚必滯澀。

（源仲論）非言脈有滑澀也，謂滑澀者，皮膚上之顯形然也，故脈非有寒熱，稱寒熱者，亦皮膚上之寒熱也。

（第五講）總義〇所謂緩、疾、有餘、不足，皆言遲數也，所謂陷下梃上，皆言浮沈也，所謂革代芤動，皆形容其脈狀，謂脈狀者，有綿綿湧泉，泥泥革至，五至一歇曰代，五至中空無力曰芤。

（仲義）凡屬可診之脈，皆有過之脈也，有過之脈，皆病診也，惟人脈皆動，凡醫者其診必於其動脈之涯，以爲之觀，間有取靜脈診者，有是哉。

脈必求至分。

脈必求搏別。

脈必求損益。

所謂至分、搏別、損益，何從辨之，辨之必求於三部比較。

三部比較者，卽朱肱謂全身皆有動脈，不僅診其兩手也。

肘口以候肺與肝謂之神。

肷膚以候脬與腎謂之根。　仲景曰趺脈。

纓關以候胃與肺謂之胃。

難經不云乎，根者猶樹之有根，根存則樹葉雖枯，尙有向榮之日，故神於脈學者，在病危之時，必須診脚上之脈也。

後人知眞傳，妄以肘關肷三部，謂之寸關尺，據兩手之腕而診之，名曰六部脈，一隅之地，奈何可分其五藏六府之爲病乎，是否合理，不待智者可明，古法必於三部相爲比較，而後分爲九候，而後斷其七診

1肘在手腕，氣口成肘，從頸項而來，胸部之脈走手也。

2肷在足跗，腹部之脈走足也。

3關有二邊，在顋頸，右曰入迎，入迎飮食者也，其氣通於胃，左曰氣口，氣口呼吸者也，其氣通於肺，人之生死，係乎飲食呼吸，故關脈有無，以強盛衰弱之如何，足以知其生理上之是否受有變化。

肷部如樹根，肘部如枝葉，故肘部之脈，無足重矣，奈何近人不遵古法，特於無足重處，妄爲發揮，無怪乎一無所當耳。

三部既詳，乃明九候。

九候者，即於三部各以浮中沉比擬之，曰九候。

沈金鰲謂舉而即得曰浮。

按而得之曰中。

尋而方得曰沉。

是知浮中沉，即舉按尋之爲法。

於此可以體驗到何部獨浮，何部獨沈，惟於三部比較，乃可得之，而後病之所在，何臟何腑，皆可豁然喻矣，

九候既詳，乃明七診。

七診者，即別諸獨。

例如獨小、獨大、獨疾、獨遲、獨熱、獨寒、獨陷下、皆病脈也。

內經言獨，不言諸者，意謂諸疾、諸遲、諸熱、諸寒、參陷下者、或無病耳，可於無字處悟到之，謂其生理上天稟有厚薄也，雖然，諸熱之脈亦有爲體幹內有患內癰者，故仲景書補充之，而諸陷下之脈即仲景書謂伏匿之像也，又即脈貯不出之像也，其人危矣。

(附義)我爲此論，非謬然示人以無字處讀，好爲自我

作古之論，內經朱文明明於脈學有鐵證之存在，其言曰(凡可以診之脈，皆有過之脈也)過，訓作罪，因知其專言獨大、獨小者，專爲過字上設法，於此可以明瞭獨字之外另有諸字在耳，又據仲景諸數、諸沈，之說，仲景去古未遠，宜先見於前矣。

1　余嘗考脈舉每分鐘時刻之常度。

初生130至150　　1歲至2歲＝110至120

2歲至4歲＝90至100　　6歲至10歲＝80至90

10歲至14歲＝75至80　　成人＝72

2　余嘗考人身呼吸每分鐘速度

初生＝40　　2歲＝28　　4歲＝52

10歲＝20　　成人＝16至18

3　以呼吸合脈度＝每分鐘

成人量＝以18合72之數字

答於每一呼吸四跳

計於古時歷學每呼吸五至爲平適合，此何故

漢時每一日一夜，漏下百刻，

現時每一日一夜廿四時＝69刻

以100比96＝100大於96

1　分鐘18呼吸則24時＝1440分　[]18＝25920呼吸

據內經人身營衛周行每天歷二日合人身周行三舍卽八歷三舍合天歷二舍

所以人身逢到節令發病者，卽因人歷天歷之間，或有阻止其周行程度，所謂人身陳新不能代謝，而天之運行則未嘗因人而施，因是互相差遲，不能順其寒燠之宜，乃爲節氣發病也。

以上均可以算法測度之，余當另具專書，以供衆覽，茲不贅。

三部脈診斷實驗

記者

國醫名宿姚心源君，醫理湛深，最近研究脈學，頗有心得，主張恢復秦漢以前之診肘(手部)關(頸部)胕(足部)三部脈法，除每晚在上海佛化醫院演講外，歡迎病家免費前往實驗，昨日下午余(記者)親見診斷梁水榮君，年廿一歲，住高昌廟，診得肘沈遲，胕沈滑氣口(卽左關)沈遲入迎(右關)沈滑，當卽斷爲病灶在肺神經，應有遺精頭眩，大便艱塞，骨節痠疼等症，病人唯唯稱是，又診斷林杰階君，年六十歲，住巨潑來斯路，診得肘浮滑，有逕熱，氣口浮滑，入迎浮，當卽診斷爲病灶在肺胃，氣機升降失職，不得安眠，多痰，稍有喘急，足浮腫等症，病家點首稱是，認爲診斷準確如神匪惟爲國醫界放一異彩，實古代醫學之大發揮也，

姚心源君在蘇州講學後有國醫朱紹辰君，因有微恙宿疾，欲試其技術，淸求姚君作三部脈學診斷，經姚君詳診之後，遂斷爲性神經有妨礙，難免有陽萎早洩或遺精之處，後朱君自述果有陽萎早洩宿疾，

中國脉學研究會章程

緣起

文化因時代而推進，科學因時代而昌明，醫學者，亦國家之文化與科學也．吾國醫學，具數千年之歷史，其病理之探索，症候之判斷，治療之規矩，皆惟脈學是賴，然吾國脈學，自張潔古著脈訣後，世務其簡，不知其陋，而王叔和之脈經，乃不傳於世，今夫卒持肘口，何病能中，考人身營衞周行，一日夜五十動而還於肘口，因乎病，五十動之周流肘口者，勢有阻礙，其究竟阻礙在何處，决非徒持肘口可得而詳者，尤應於肘口人迎氣口趺陽相爲比擬，於是乎備，仲景原序曰，觀今之醫，按肘不及尺，按手不及足，人迎趺陽，三部不參，省疾問病，務在口給，甚矣脈之眞義，去古已遠，無怪乎世之醫者，逮臻頒白，脈理終昧也，邇者吳門姚心源氏，勤求古訓，琢研脈學，具有端倪，追古求今。相證有得。同人等聆其脈學演講詞，閱其國醫脈學芻議，乃不覺怦然動乎中，環顧國人之孜孜於中醫科學化者，而於醫學基礎之脈學。漠然視之，鮮有提議研究之改良之發揮之者，實爲國醫進展中之大缺點，今姚君將繼國醫館正名之續。爲脈學改良之舉，誠大事也，且姚君發明此事，亦曾聲明，决不以自私名利而爲專圖。足見高人高識。不同凡響。爰集同人，發起研究中國脈學之集團。奉到國醫館第五二〇八號批示。發起情形，已由國醫館存查矣，惟仗集思廣益，共襄斯圖，藉以發揮吾國脈學眞義，研究脈法之科學原理，改正脈學之玄虛疵瑕，庶幾對於國醫診斷上．作強有力之輔助，或覺儕乎器械診斷化驗診斷，更覺較爲簡而明形而上也，倘祈策此努力．精神必能愈，用愈出，國醫前途，實利賴之。

第一條宗旨 本會爲國醫學術團體協助中央國醫館整理國醫脈學，及改善病理上之診斷，改進治療上之方法，

第二條組織 本會設研究股，編輯股，實驗股，宣傳股，四股，設名譽會長一人，會長一人，會董數人，顧問數人，會長一人，副會長一人，各股股長四人，及辦事員數人，

第三條入會 （甲）凡中華民國國民有研究醫藥旨趣者，不論醫生非醫生。年歲在二十歲以上。不限國醫西醫，男女性別，皆可爲本會會員，（乙）會員分（永久會員）（特別會員）（普通會員）三種

第四條納費　普通會員，入會時納證書證章費壹元，每年納常費壹元，特別會員，每年納常費五元，(證書證章費免納)永久會員一次捐入本會經費十元以上，(證書證章費免納)，並得聘爲會董，

第五條權利　(一)本會會員，得常年免費贈閱本會出版之雜誌，本會未出版雜誌以前，暫以贈閱衞生雜誌爲限，(二)會員得免費贈閱本會出版之脈學叢書(三)會員得函詢關於脈學上之疑問，由本會請專家答覆，但須附覆信郵資，(四)會員得被選舉會長顧問股長等之權利，

第六條義務　(一)會員有納常年會費之義務，(二)會員有補助特捐之義務，(三)會員有介紹會員入會之義務，(四)會員有供給研究資料，或撰述稿件之義務，(二三四三項爲自由性質)，

第七條獎懲　(一)凡會員須遵守本會宗旨，及一切規章，如有違背會章，或以個人行爲妨害本會名譽，查有確據後，隨時宣告除名，(二)會員介紹會員入會成績優良，或供給研究資料豐富，或有特別優良著作等情，經常務會議表決，得分別獎勵之，(獎章另訂)

第八條開會　本會每年開會員大會一次，報告會務，及選舉職員，每月開常會一次，討論各種會務，遇特別重大事件，得召集臨時大會議決之，

第十條[illegible]　正副會長無給職，任期一年，連選得連任之，董事股長，暫定爲無給職，俟會務發達，經費充裕時，得酌支夫馬費，辦事員薪金另訂，

第九條經費　本會經費由左列各款充之，
(一)入會費，
(二)常年費，
(三)特別捐，

第十一條　本會擬辦事項如左，
(一)刊行醫藥雜誌，(二)編輯脈學叢書，
(三)設立中醫院，以實驗脈學，(暫以佛化醫院爲實驗處)(四)設立脈學速成科，

第十二條分會　本會對於各省市縣，得籌設分會其組織大綱另訂之，

第十三條　本章程如有未盡事宜，得交大會修改之，

第十四條　自呈准立案後施行，

第十五條　本會暫以上海靑島路六十六號衞生雜誌社爲籌備處，

附注
(一)會員入會後，即贈閱衞生雜誌，全年[illegible]自卅一期起至四十期止，
(二)會員證書證章，另行發給，
(三)會員付會費後，另有正式收據爲證，

籌備主任張子英

歡迎海內文豪投稿

注意

如海內出版界欲轉載本雜誌文稿必需聲明由衞生雜誌第×期轉載

衞生雜誌第三十五期卽四卷五期

中華民國二十六年一月廿五日出版

主編者　國醫張子英

名譽編輯　姚心源

發行者　衞生雜誌社

印刷者　衞生雜誌社

分發行所　五洲書報社　上海山東路二二一號　電話九二四七六號

中醫書局

中國圖書雜誌公司

上海雜誌公司

分售處　各省書局

衞生雜誌定價表（費須先惠）

出版	月出一册	全年十册逢七八月停刊
價目	大洋一角二分	大洋一元
附註	郵費在內	國外加倍
	郵票代洋以一分五分爲限	

▲社址▼　上海青島路六十六號

上海佛化醫院通告

名譽院長姚心源醫士　院長陳其昌醫士

院址　上海霞飛路金神父路口電話七五五一二號

（科目）內科。外科。婦科。幼科。眼科。喉科。肺癆科。戒烟科。針灸科。按摩科。

（時間）門診　每日上午八時起至下午六時止

出診　每日下午二時起至下午八時止

（診例）本院實行慈悲救苦起見無論門診出診概不規定診金只取號金補助開支倘蒙仁人捐助經費廣種福田事歸實際功不虛捐

門診　（供養）不取分文（優待）二角（救濟）二角藥費在內（普利）五角（特號）一元（會診）疑難雜症由四人以上醫士會論處方　每次三元（外埠通函論症）每次一元

出診　每日贈送十號只取車號費每次一元以上午掛號為限其餘第二元四元六元八元按照路之遠近計算

（特點）供養僧寶。優待居士。救濟貧病。普利大衆。完全素食清潔衛生。病室清靜看護週到。內服專用植物藥品保全生命。外症不尙刀剜割剖減少痛苦。設立念佛堂常期念佛祈禱病者消災延壽。特備吉祥室臨終助念使捨報命者。往生極樂。

（備有詳章函索卽寄）

★杭俊記印務局承印　電話五〇六三九號★

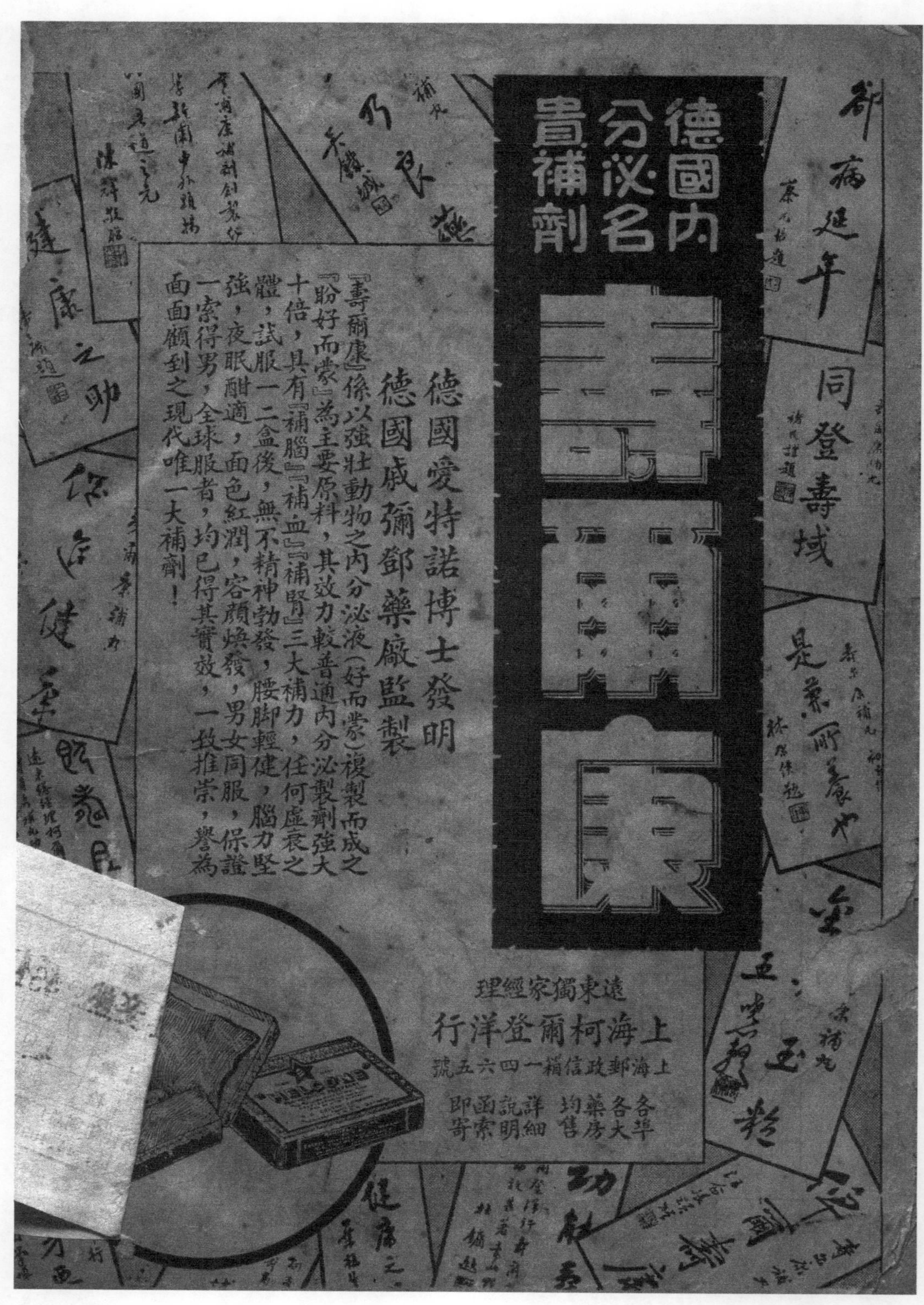
德國內分泌名貴補劑
壽爾康
德國愛特諾博士發明
德國威彌鄧藥廠監製
『壽爾康』係以強壯動物之內分泌液（好而蒙）複製而成之『盼好而蒙』為主要原料，其效力較普通內分泌製劑強大十倍，具有『補腦』『補血』『補腎』三大補力，任何虛衰之體，試服一二盒後，無不精神勃發，腰腳輕健，腦力堅強，夜眠酣適，面色紅潤，容顏煥發，男女同服，保證一索得男，全球服者，均已得其實效，一致推崇，譽為面面顧到之現代唯一大補劑！
遠東獨家經理
上海柯爾登洋行
上海郵政信箱一四六五號
各埠各大藥房均售
詳細說明函索即寄